當代儒學三大家序跋輯錄

蔡仁厚
羅雅純 主編

臺灣學生書局印行

當代新儒學三大家序跋輯錄

目次

牟宗三序跋輯錄

徐復觀序跋輯錄

導 言

如果採取最嚴謹的尺度，來舉述當代新儒家的代表人物，我想，唐君毅、牟宗三、徐復觀三位先生，應該是最適當的人選。這三位先生有三個共同點，第一、他們都是熊十力先生的弟子。第二、他們都是民國四十七年（一九五八）元旦，在《民主評論》發表《中國文化與世界》宣言的聯名人。第三、他們都是大學教授，都有大量的著作來表述中華文化和儒家學術。以下，將對三位先生的著作，略作介述，以為讀者之一助。

一

唐君毅先生的著作，我曾經分為三個階段簡作說明。唐先生的第一部著作是《中西哲學思想比較論文集》，但就在此書印行之際，也正是唐先生的思想有一進境之時。由於他對此書不滿意，所以宣稱願以《人生之體驗》做為他第一本著作。我們順依唐先生之意，也將此書視為階段前的著作。

第一階段有三部書，是即《人生之體驗》、《道德自我之建立》、《心物與人生》。前二部書是順著唐先生的性情，和他向內而向上的要求，以開發人生的智慧，建立道德的自我，決定人生的方向。書中的言語，真摯肫懇，很能感動人，啟發人。尤其《道德自我之建立》所表現的那種超拔向上的道德勁力，及其表露的真誠惻怛之襟懷，更可以使讀書接觸到唐先生純厚的道德心靈。第三部《心物與人生》，是以對話的論辯方式，從物質到生命，再到心之求真理，一層層，一步步，引導人透顯出人生文化的理想。但唐先生表示，這部書只是一個橋樑，一個通道，而不是一個依止之所。因為唐先生的思想，還有更進一步的開擴和升進。

由第一階段這種主觀的道德生活之反省，進而見到社會文化的重要。而現實中的各種社會文化活動，也都不自覺或超自覺地表現了一種道德的價值。所以整個人文世界都可統攝於道德理性的主宰之下。這就是唐先生另一部書《文化意識與道德理性》的中心觀念。由這部理論性的書作為一個過渡的橋樑，再向前開擴發展，這就進入了第二階段的著作。

第二階段有四部書，第一部是《中國文化之精神價值》。書中引申中國哲學的智慧，來論述中國文化的精神價值。這是民國以來通論中國文化的最佳著作。第二部是《人文精神之重建》，第三部是《中國人文精神之發展》。在這兩部書中，唐先生顯示了他的通識，流露了他的仁心悲願，也貫注了他的人格精神。它代表唐先生全幅生命性情的發皇，和思想領域的擴大升進，真已達到「沛然而發，莫之能禦」的境地。牟宗三先生在悼念唐先生文中，曾引述《莊子．天下篇》的話：「彼其充實不可以已……其於本也，弘大而闢，深閎而肆，其於宗也，可謂調適而上遂矣。」認為這幾句話，正可作為《文化意識與道德理性》和這兩部書的寫照。另外，還有第四部《中華人文與當今世界》。在性質上可以看做以上幾部書的引申和衍展。

由重建人文精神，以挽救中國乃至人類文化的命運，其核心當然還要歸到哲學思想。唐先生那兩大冊的《哲學概論》，就是兼顧中國、印度、西方三大系的哲學思想而寫成的書。由此書作為一個過渡，再回頭重新疏導中國哲學思想發展的脈絡，這就進到第三階段的著作。

這第三階段的著作，就是《中國哲學原論》中的「導論篇」、「原性篇」、「原道篇」、「原教篇」。唐先生指出，中國哲學有它各方面的義理，也有它一套內在的問題。一方面它自己形成一個獨立自主的義理世界，一方面也可以旁通於世界的哲學。在這幾部大書裡，唐先生通貫中國哲學演進發展的全部過程，來論述⑴中國人性思想之發展，⑵中國「道」這個觀念的建立和發展，以及⑶宋明儒學思想的發展。這種大規模的學術思想的疏導工作，只有二個人做出來了。一位是牟宗三先生，一位就是唐君毅先生。這中國哲學原論各篇，是唐先生在養病期間撰寫而成。在「心力交瘁」之中他順著文化意識的張大而心不容已地寫下去。唐先生已經盡了他對文化對時代的使命，他可以無所憾了。

在唐先生辭世前一年，他又出版了他最後的著作《生命存在與心靈境界》。這是一部總結性的書。唐先生的思想立場，在書中已經有了一個交代。這部書一方面解答形上學與知識論所引生的種種問題，一方面則依生命三向開出心靈九境。唐先生是通觀文化心靈活動的全部內容而開列九境，以分判文化中各種學術思想以及幾個大教的境界。這是一種廣度式的判教。判教的問題，以前是「儒、釋、道」三教相摩盪，在今天，則要通過「儒、佛、耶」的摩盪，乃能開出人類文化的新途徑。

二

牟宗三先生，在大學畢業之前，便已完成一部講《易經》的書。書名是《周易的自然哲學與道德函義》。但這部書雖然可以說是「化腐朽為神奇」（哲學天才、邏輯天才沈有鼎之評語），但其運道似乎欠佳，不但銷售不廣，而且直到民國七十七年四月，才由台灣文津出版社重新印行，牟先生後來指出，就易經的卦爻象數而講成自然哲學，是往下講；必須就經義而正視《易傳》，把《易傳》視為孔門義理，能就此作為孔門義理之《易傳》而講儒家的道德形上學，才是往上講，才是「絜淨精微」的易教。（按：這往上講的一路，乃是牟先生五十以後的工作。）

關於中西哲學的會通，牟先生認為康德才是最佳的橋樑。他指出康德的《純粹理性批判》和羅素與懷悌海合著的《數學原理》，乃是西方近世學術的兩大骨幹。牟先生出入其中，而得以窺見他們的宗廟之富，終於寫成了《邏輯典範》與《認識心之批判》二書。前者抗戰時期在香港商務印書館出版，後者則要到台灣之後，才由香港友聯出版社印行問世。

牟先生在訓練架構思辨的過程中，雖然只是純智的，和現實了不相干。但遭逢大難（日寇侵華），國家多故，又豈能無動於衷？尤其民國三十八年大陸赤化，牟先生隻身來到台灣，當時風雨飄搖，危機重重。牟先生由客觀悲情之昂揚，轉而對歷史文化之具體的解誤，乃發憤疏導中華民族文化生命之「本性」、「發展」與「缺點」，以及今日所當表現之途徑。這是由「大的情感」之凝斂，轉為「大的理解」之發用。他一方面寫《歷史哲學》以專其心，一方面隨機撰文以暢其志。這些文字後來輯為《道德的理想主義》。接下來再寫《政道與治道》。這三部書合起來，謂之「新外王三書」。這是上通聖人之王道，並接續明末顧亭林、黃梨洲、王船山三大儒由內聖開外王之道路，而提揭的一步大的升進和開擴。

民國四十九年，牟先生應聘到香港大學講學，二年後，完成《才性與玄理》之撰述。此書講魏晉玄學。玄學講清楚了，老莊自然也明白起來。接下來又撰寫《心體與性體》三大冊以表述宋明理學。牟先生自謂，此書耗費他一半生命力，這是歷時八年而完成的鉅著。十年後又撰著《從陸象山到劉蕺山》，實即《心體與性體》之第四冊。從此以後，上自孔、孟、易、庸，下通當今儒學，其義理綱維，皆大體含具其中。

再來便是《佛性與般若》上下冊。這是站在中國哲學史之立場，疏導佛教傳入中國以後之發展，並從義理上審識比對，認為天台圓教可以代表最後之消化。依著天台之判教，再回頭閱讀有關之經論，牟先生確然見出其中實有不同的分際和關節。順著判釋的眉目，而了解佛教傳入中國以後的義理之發展，將其中既不同又相關聯的關節展示出來，這就是牟先生撰著此書的旨趣。由於牟先生態度客觀而公正，義理精熟而深透，所以能獲得教內與教外之肯定與稱賞。牟先生以一人之力，分別以專著表述「儒、道、佛」三教之義理，可謂「古今無兩」。

不僅此也，就在撰著《佛性與般若》之同時，牟先生又開始翻譯康德之三大批判。他從從容容前後連續十多年，終於在他八五高齡之時，完成三批判之譯註出版。第一是《康德純粹理性批判》，第二是《康德的道德哲學》，第三是《康德判斷力批判》，此三部書，不止是「譯」，還有「註」（有時一條註文長達數千言）。以一人之力，同時譯註康德之三大批判，一樣是「古今無兩」。

不僅此也，在譯註康德三大批判之外，又先後寫專書來消化康德：⑴以《智的直覺與中國哲學》以及《現象與物自身》二書來消化純粹理性批判，⑵以《圓善論》消化實踐理性批判（道德哲學），⑶又以一百頁之專文〈真善美之分別說與合一說〉來消化判斷力批判。牟先生認為，康德是中西哲學會通的最佳橋樑。所以在譯註之後，又劍及履及地撰寫專書，以克盡消化的責任。這也仍然是「古今無兩」。

此外，牟先生在香港中文大學退休之後，應聘在台大、台師大以及東海大學、中央大學等校講學，又先後出版講錄，如《中國哲學十九講》。這本講錄的綜述，並非一時之興會，亦非偶發之議論，而乃關乎中國哲學系統綱格與義理宗趣者。其所釐定之諸問題，亦對中國哲學之發展具有重大之啟發性。牟先生以超過半世紀的憤悱精思，完成如此通盤兼顧的哲學大工程。從繼往開來的意義上看，也是古今罕見的。再來是《中西哲學之會通十四講》，又是一部前所未見的著作。其他還有《四因說演講錄》、《中國哲學的特質》、《生命的學問》、《時代與感受》、《五十自述》等等，讀之皆可大有益。

三

徐復觀先生，早年服務軍政界。五十以後才從權力中心走向學術王國。當他初次在台中農學院（中興大學前身）執教之時，翻譯了二本日文書，一是《中國人之思維方法》，二是《詩的原理》。後來東海大學成立，他應聘到東海任教授，同時出版《學術與政治之間》以及《中國思想史論集》，從此正式走入學術的領域。

徐先生認為，人類文化有三大支柱：一為道德，二為藝術，三為科學。中國文化具備了前二者，而科學知識則未能得到順利的發展。徐先生有兩部大著以闡述中國文化精神。⑴《中國人性論史》是關於中國文化中「道德」這一支柱的基本疏解，而⑵《中國藝術精神》則是對「藝術」這一支柱的深入研究。專業之事，雖有精粗之別，但人人皆可為之；而通識大慧則世所稀有，故尤為可貴。徐先生顯發的學術通識，可由下列各點，以見一斑。

1. 對人性論之大分別。
2. 對中國藝術精神的大見識。
3. 對古代社會結構與姓氏之辨察。
4. 衡定兩漢學術在歷史上的地位。
5. 「憂患意識」與「為己之學」。

這第五點之前句「憂患意識」，是徐先生首先創用的詞語，自後便普遍通用。後句「為己之學」，則是他臨終前在病中完成的出席夏威夷國際朱子會議論文中的核心切己的體悟。徐先生對此十分鄭重，可惜他在會議前數月便已過世。大會開幕式上，主席特別請求大家為徐先生默哀一分鐘。

以上五點指述的內容，除了見之於《中國人性論史》與《中國藝術精神》，還有他的《兩漢思想史》三大卷，以及《中國文學論集》、《中國經學史的基礎》等書，這些著作的行文，都有一個特色，那就是：既簡要而清新，又透脫而中肯。

在專家研究方面，無論他「對董仲舒的研究」、「對王充的評價」、「對鹽鐵論的辨識」以及「史記與漢代精神」，都顯示他專精的功力和深刻的論辯。

徐先生在《兩漢思想史》中，以一百四十頁的篇幅討論《史記》。總結起來，他認為《史記》的基本精神有三：

1. 太史公認為孔子作《春秋》，是繼王道之統，救政治之窮。《史記》也秉承春秋「貶天子、退諸侯、討大夫」之大義，發揮春秋精神。

2. 太史公堅決反對刑治，而要求德治，主張以禮樂陶養人的人格，他是一位人格主義者。

3. 太史公的學術主張，是以儒家為本而網羅諸子百家以求博通，他要「究天人之際，通古今之變，成一家之言」，使《史記》和《春秋》一樣，成為「禮義之大宗」。

以上這些意思，在徐先生的「史記研究」裡，都有精闢的分析和發揮。

四

上文已分別對當代「新儒學三大家」的著作做了概述，這可以和本書輯錄的序跋配合觀覽。前文曾提此三大家都是熊十力先生的弟子，學界或稱之為「熊門三賢」。熊先生是當代新儒家中年輩最高的師表，也是「儒林三聖」之一。（三聖是大陸學界對熊十力、梁漱溟、馬一浮三人的尊稱。）關於當代新儒家的人物和著作，兩岸三地也已形成一些大體共同的認知。因此，下列五點意思，雖然是近年來我個人提出的說明，但把五點看做是當代新儒家的學術貢獻，應該不是私見。故特簡列於此，願共勉之。

1. 闡明三教：儒釋道三教義理系統之表述

2. 開立三統：文化生命途徑之疏導

3. 暢通慧命：抉發中國哲學所蘊含的問題

4. 融攝西學：康德三大批判之譯註與消化

5. 疏導新路：中西哲學會通的道路

從這五點可以看出中國文化發展到今天，不但原先的儒釋道三教和諸子百家要融通，而且更要和西方文化傳統相結合，要求一個大的綜和。這是中華民族自覺要做的一件大事。而「唐、牟、徐」三大家的用心致力，正與這五點意思相應和。因此，我們編印這本書作為對解讀三大家著作的津梁。

在此，我願意代替「唐、牟、徐」三大儒的師友，向實際選輯三大家序跋的羅雅純教授以及學生書局主編陳蕙文小姐致謝。並祈願本書的讀者，人人「履道坦坦」、「旦復旦兮」。

蔡仁厚　民國一〇五年（二〇一六）元旦於台中

唐君毅序跋輯錄

《中西哲學思想之比較論文集》

自序

本書乃輯著者所發表及未發表有關中西哲學之比較論文而成。此論文，除五篇外，均民二十三至二十六年中所作，故表現一貫之中心問題及中心思想，互相照應，略成一系統。全書自文化觀點論哲學，故於細密之問題未暇涉及，而純為一種鳥瞰式之論法——全書均以天人合一之中心觀念以較論中西思想之不同。第一篇〈中國文化根本精神之一種解釋〉論中國人之宇宙觀及人生態度與西洋人印度人所持者大體上之差別。第二篇〈論中西哲學問題之不同〉乃自中西哲學所著重之主要問題以辨中西哲學之不同。第三篇〈中國哲學中自然宇宙觀之特質〉，則係自宇宙論問題上辨明中國自然宇宙觀與西洋印度之不同而補充第一文者。蓋第一文所論之中國人之宇宙觀乃關於宇宙之抽象形式方面，屬於所謂 **Formal ontology** 之問題，而此文所論則關宇宙之實際構造方面，所謂 Cosmology 本身之問題也。第四文〈如何了解中國哲學上天人合一之根本觀念〉則係自人心論及認識論上略論中國哲學之天人合一觀念之根據者。第五文〈論中西哲學中本體觀念之一種變遷〉，第六文〈中西哲學中關於道德基礎論之一種變遷〉，則係各就宇宙人生兩方之一問題以指明中西哲學出發點之不同，而其分別之發展則表現交合之趨向，藉以暗示中西哲學融會之可能。第七文〈中國藝術之特質〉，第八文〈中國哲學與中國文學之關係〉，第九文〈中國宗教之特質〉，三文皆以中西相較，以表示中國藝術、文學、宗教、思想之特質，同原於第一文所論之中國人之宇宙觀及人生態度。第十文〈莊子的變化形而上學與黑格爾的變化形而上學之比較〉，係自形而上學中舉出中西二哲作證，以表示中西哲學之不同。第十六文〈孔子與歌德〉一文本為十年前當歌德百年紀念時所作。其中較論孔子與歌德二人同點，尚係只自二人人格之外表立論，今頗不滿。惟此文最後一段，則係就中西人生態度之不同以說明二人人格成長之不同者，故亦列入附錄。第十一文〈中國哲學中天人關係論之演變〉，則係說明各時代儒者天人觀之不同。蓋本書處處皆以天人合一之觀念作為中國哲學之中心觀念，而所謂天人合一之意義，則中國各時代之哲人主張並不一致，由先秦至清代，實表現四階段之發展。第十二文〈《老》、《莊》、《易傳》、《中庸》形而上學之論理結構〉，則係以西洋式思路把握中國形而上學之觀念，並以之解答西洋形而上學之某一問題之作。全書以此文純哲學意味最為濃厚，析理最為細密。此文辨《老》、《莊》、《易傳》、《中庸》形而上學之論理結構，指出《老》、《莊》、《易傳》、《中庸》之形而上學雖同為變化之形而上學，而中心觀念又不同，於此可證中國哲學非渾淪汗漫之物。惟此文主乎分析，作法與其他各文迴異，讀者如無耐心，於此文必不感興趣。第十三文〈略論作中國哲學史應持之態度及其分期〉，則為根據余之中國哲學觀對今後作中國哲學史者之希望。附錄二文論不朽及二十世紀西洋哲學之一般特質，亦皆二十二年所作，本與此書中心問題無關，然亦可補充書中之數點，故亦列入。凡此諸文非一時一地所作，所應刊物需要又各不同，故深淺不一，又此諸文皆數年前所著，今日之見解與昔自不能盡同。唯著者近年用心別有所在，不自滿之處不及一一修改，惟關於大端，認識仍以為不誤，故照舊付印。夫宇宙事物之同異，誠如《莊子》所言：「自其異者視之，肝膽楚越也；自其同者視之，則萬物皆一也。」哲學何獨不然。人類文化之前進實賴殊方異域之思想，能交流而互貫。欲其交流而互貫也，恆須就其同者引而申之，觸類而長之，以完成其交流互貫之事。故著者之所為，因未嘗否認人類不同之民族哲學思想有其匯歸之交點。不然，則哲學將如培根所謂種族之成見，哲學將復何有？抑猶有進者，同異二範疇乃互為基礎。惟感其異乃舉其同，知其所同，乃能辨異。重小同者忘大異，重大異則捨小同，以小同在大異中，則以關聯之異，而同亦不同矣。惟知其大異者，乃能進而求其更大之同。今人恆言世界未來之哲學當為中、西、印融合之局面。無論所謀融合為積極之互相滲透或消極之互相限制，其問題之領域，皆融合也，此說筆者信之。筆者復信，在世界未來哲學中，中國哲學之精神當為其中心，此非自哲學內容之高下立論：中國哲學派別之繁，問題之豐富，析理之細密，實不及西洋與印度。然或正以此故，中國哲學遂特純正而富於彈性，此即其蘊蓄宏深堪為載重之器之證。惟欲以中國為主以融攝西洋印度之思想，必須先辨其大方向之異，以辨大異為求更大之大同大通之資。而觀不同民族哲學彼此大方向之異，如觀人之氣象與態度，非可以耳目口鼻論。縱耳目口鼻有相同者，亦當渾融之於整個氣象中而觀之。故較論民族哲學之同異者其舉示哲人之說，皆取其為民族哲學精神之象徵的意義，而不必其哲學系統本身中之意義。此黑格爾所謂觀「社會客觀精神」與觀「個人主觀精神」不同之說也。觀客觀精神之事最有賴於冥會與洞識。冥會與洞識者貴得其全。然此所謂「全」，又非純由通常所謂綜合特殊之事例而得。若誠純由綜合特殊事例而得，則探求歷史與學術文化客觀精神之歷史文化哲學將不可能，以世固無一人盡知歷史事實學術文化之全部也。人之不必盡知歷史事實學術文化之全部而可有歷史哲學，一如人之不必細察耳目口鼻之微而可知人之氣象與態度，而人之細察耳目口鼻之微者，反不能觀其流動活潑之氣象與態度，此觀全與辨分之不同也。必明乎客觀精神與觀全之義，而後哲學比較之事可得而言。此二義之重要，著者昔草本書各文時，尚未盡知，故所論多不自滿；問題深處，近年頗有抉發，容緩日再為系統著述以論之。今印此集，蓋望國人對此問題能夠有所認識而已。十五年前梁漱溟先生東西文化及其哲學一書首提出中西思想之不同。筆者於此問題之感興趣，實受其啟發為多。先公廸風在時，恆以中土先哲之訓相教，少年不能盡解，時與辯論。十年以來，讀書漸多，每憶其言，輒有所觸發。師友切磋，所在多有。唯此集非同系統之作，不蹈俗例一一致謝。筆者自對所言負責，其與他人之同異，讀者當自得之。

唐君毅　民國三十年二月十五日於重慶沙坪壩中央大學

《人生之體驗》

重版自序

本書於民國三十三年，在上海中華書局出版。在我出版此書之前，曾出版《中西哲學思想之比較研究集》。表面看來，該書比此書多一倍，充滿人名書名，似乎內容豐富。實則多似是而非之論。故我願視此書為我出版之第一本書。此書中正文連附錄一篇，都是廿八年至卅二年中所寫，寫的時間，不謀而合，都在孟春。寫成以後，曾先分別在《學燈》、《理想與文化》、及《中大文史哲季刊》發表。當時我較年青，對現實人生之了解尚比較淺。於人生的艱難，人們之罪惡一面，更缺乏真認識。但正因如此，所以這些文章中之一些情致與天趣，為我後來寫之文章所不及。十多年來，我個人在學問知識方面，當然有增加，有進步。譬如當我寫此書時，各種宗教思想，在我心中，幾無甚地位。現在則我對一切宗教思想，都更能承認其價值，但是對人生之基本觀念，則十多年來，並無變遷。我年歲日增，一般學問知識日進，更能自證我之思想，未走錯路。此書頗帶文學性，多譬喻象徵之辭，重在啟發誘導人向其內在的自我，求人生智慧，而不是直接說教，亦未確定的歸結于某一宗教，某一家派之哲學。此書之思想，可說是在真理之道口，是可以通到各種不同的宗教與哲學的。凡欲從事各派宗教與哲學之融通者，亦可由此書得若干暗示。所以無論什麼人看了，我想都多少可有些益處。直到現在，我自己看此書，雖覺其不夠莊嚴，許多地方，仍是觀照意味太重，不足廉頑立懦。但亦有許多地方，仍能自己受益。我近來寫文，較喜談一般社會文化問題。為了反抗唯物主義，極權主義，恆不免意態激昂；但實際上，仍是以此書所透露的對人生的柔情，為一我所說一切的話之最深的根據。在我所寫的一切文章中，亦只有此書比較能使一般人——尤其有向內而向上的精神之青年，在內心發生一些感動。上海中華書局出版此書至第三版。自三十五年後，即停版，常有人寫信來，要買此書。故函該局，將版權收回，交人生出版社印行。除第四部暫時刪去外，其餘書中文字及內容，大皆照舊付排。改正錯字及大訛誤處，不過數百字。意在多保存原來面目。如果讀者讀此書能發生興趣，我想可以引讀者去看我後來出版的書，以多少補此書之所不足。

上文乃於四十五年為人生出版社之初、二、三版所作之序。今再交臺灣學生書局，另排新版，改用較大之字體，以使讀者之目光與心思，更易留駐。並將第四部再行補入，再改正文字，約數百字，不再作序。

六十五年十二月君毅誌

自序

（一）我前著人生之路，共十部，分為三編。三編將分別出版，故易其名。本書原為其第一編。今定名《人生之體驗》。第二編擬名《道德自我之建立》（此書於三十三年在商務印書館出版，五十二年於人生出版社重版），第三編擬名《物質生命與心》（此書於四十二年併入《心物與人生》一書，於亞洲出版社出版，六十四年學生書局重版）。

（二）本書重直陳人生理趣。于中西先哲之說，雖多所採擇，然融裁在我，故絕去徵引。稱心而談，期于言皆有指，可以反驗諸身；故一義之立，多無論證。

（三）本書立義，無論證，亦無外表之形式系統，各部義蘊，交流互貫，中心思想，即透露文中。故無綱目式之結論，可供人之把握。今為使讀者易於悟會其中心思想之所在，姑設下列數問，隨意作答。雖有近游戲，然全書歸趣，亦可因此而見。

何謂人？今藉〈禮運〉一語答曰：「人者，天地之心也。」復藉尼采一語答曰：「人是須自己超越的。」

何謂生？今藉陳白沙弟子謝祐一詩答曰：「生從何處來？化從何處去？化化與生生，便是真立處。」

人生之本在心，何謂心？今藉朱子一詩答曰：「此身有物宰其中，虛澈靈臺萬境融，斂自至微充至大，寂然不動感而通。」

何謂人生之路？今藉陸放翁之詩答曰：「山窮水盡疑無路，柳暗花明又一村。」復藉秦少游一詩答曰：「菰蒲深處疑無地，忽有人家笑語聲。」

何謂人生之價值？今藉王安石詩答曰：「豈無他憂能老我，付與天地從茲始。」復藉忘名之某詩人之詩答曰：「不是一番寒徹骨，怎得梅花撲鼻香。」

何謂理想之人格？今藉陸象山一詩答曰：「仰首攀南斗，翻身倚北辰。舉頭天外望，無我這般人。」

何謂理想之人格之歸宿？今藉近人梁任公詩二句答曰：「世界無窮願無盡，海天寥闊立多時。」

（四）關于本書寫作之形式之所以如此，我亦有數聊以解嘲之答復。

本書何以分許多部而似不相統屬？今藉蘇東坡一詩解嘲曰：「橫看成嶺側成峰，遠近高低各不同。不見廬山真面目，只緣身在此山中。」

本書各部義蘊之交流互貫處，何以不先指出？今藉王維詩解嘲曰：「玩奇不覺遠，因以緣源窮。遙愛雲木秀，初疑路不同；焉知清流轉，偶與前山通。」

本書何以不用最確切的語言表真理？今藉歌德二語解嘲曰：「真理似乎是把光不但放射于一方面，而且也放射于多方面的金鋼石般的東西。」「只有不確切的，才是富于創生性的。」（Only the Inadequate is Productive.）

本書何以說許多話有意的不說到盡頭處？今藉歌德一語，省略數字變其原意解嘲曰：「我們對高級的原理，只應該有益于世間的範圍內說出，其餘的我們應該藏在心裏。但是它們會和隱藏了的太陽之柔和的光明一樣……廣佈它們的光輝吧。」

唐君毅三十二年五月廿日于重慶中央大學柏樹村宿舍

《道德自我之建立》

重版自序

一

本書與拙著《人生之體驗》，初于對日抗戰期間，在重慶之商務印書館及中華書局分別出版，以偶然的原因，在二三年中本書曾發行四五版。而《人生之體驗》則只發行二版。實則，本書行文較《人生之體驗》為晦澀，亦不易與一般人之心情，直接相契接。大約《人生之體驗》一書，乃依于我個人之性情，對人生所興感者之流露，而本書則為我個人求建立其道德自我，而對道德生活所作的反省之表述。故前者之內容多本于悟會，觀照欣趣的意味多。後者之內容則多本于察識，而鞭辟策勵的意味重。而論人生與論道德之不同，則在人生之範圍較廣泛，本隨處可以興感；而道德之範圍，則限于人生之理想意志行為之決定于一方向，而以此方向主宰自己之一方面。故談人生，可任性情之自然流露；談道德，則宜本于鄭重嚴肅之內在反省。此即二書之不同處。然而此二書，同不合一般西方式之人生哲學道德哲學書之標準，因我未于此二書中把人生問題道德問題，化為一純思辨之所對；亦不同於東方先哲之論人生道德的書之直陳真理，因此二書又加了許多似不必要的思想上之盤桓。這是我在當時已知道的，而是自覺的要這樣寫。最近十多年，知到西方之存在哲學，有所謂存在的思索，即不把人生道德之問題只化為一純思辨之所對；而用思想去照明我們自己之具體的人生之存在，展露其欲決定理想意志行為之方向時，所感之困惑、疑迷，及試加以銷化等的思索。我現在亦可以此二書，為屬於存在的思索一類的書。至於是否名之為哲學，則兩皆無不可。

說到此書之內容，則此書原有之導言已講到，今不必再加重複。計此書寫成至今，已二十多年。當然我個人亦對之有許多不滿意，以及覺其幼稚未成熟而厭於自加重讀的地方。但仍認為其根本觀念，大皆可成立，而其文筆之樸實單純，亦有非我今日所能寫出者。今加以重版，亦只改正了少數文句。惟從整個來看，則此書中之思想，不免太限於個人之反省所及之天地中，而太缺乏把道德問題當作一客觀的人類之問題，或宇宙中之問題，來討論之意味。而此書中雖亦多少談到人倫關係及客觀的社會文化理想，但皆只是在個人之求建立道德自我，提起其自己之向上心情之氣氛的籠罩下，談到這些。此向上心情之氣氛，如充極其量而言，固亦可說為涵天蓋地而至大無外的。因而一切人倫關係及客觀的社會文化理想，亦原都可為其所籠罩。然而此個人之向上心情，仍畢竟只是屬於個人的。而以我當時之生活來說，則雖已曾在大學教書，亦有許多世間的知識，然而除與家庭中人及少數朋友相接觸外，我並未真正涉世或入世。一般的人與人之交接應酬，公眾團體生活，政治活動，以及學校中所舉行之典禮聚會，極少有我的份。我亦對這些不感興趣。對於人倫關係及客觀社會政治文化之理想，其本身之嚴肅性莊嚴性，亦認識甚淺。雖然當時聞日軍至獨山，曾一度決心要從軍衛國，亦只是一時之浮泛的情感。直到抗戰完結，回到南京，乃感到由人與人組合而成之家、國、及天下之觀念之建立之重要，曾寫一文論此。後又到江南大學任教務行政的事，乃由人與人之共同事業中，體悟到社會組織之重要性，而在當時開始寫《文化意識與道德理性》一書。在該書中發展出「道德意識遍運于各種社會文化意識」之一觀念，家庭倫理為道德理性對人之生物性的性本能及養育後代之本能，加以超化之表現，及社會經濟政治與國家為人之道德理性對人之求利求權之欲望等，加以超化之表現之觀念等。十三年前，來到香港，遂循之以談中西社會文化中人文精神之重建及其發展，乃能自客觀的社會文化觀點論及各種當世所謂民主、自由、和平、悠久、科學、社會生活、社會道德及宗教等問題。此皆具見於十二年來陸續出版之《中國文化之精神價值》，《人文精神之重建》，及《中國人文精神之發展》等書。而此諸書亦同皆不入於學院式之著述之林，而是直就我之處此時代在此環境，本我對于中國及世界之客觀的社會文化問題之感受與思索，而寫之書。然此諸書與本書相較。則亦明有我個人之思想之一發展，亦算我之由個人之主觀的向上心情，擴展了一步，開拓了一步，以面向客觀問題之表現，而仍未合於學院式著作之純客觀的敘述或分析社會文化問題之標準者。然而此一純客觀的敘述及分析社會文化問題之事，我認為可讓諸社會科學家去作，亦當有人去作，然而我則無意於再進此一步。如再進此一步，則一切依於道德自我而發之真實理想與嚮往，即皆同時客觀化外在化為平鋪陳設在那兒的思想系統知識系統中的內容，其對於他人的理想與嚮往之引發性感染性，即莫有了，至少亦將大為減少。而我個人亦未嘗不知一切人之觀念思想，皆有一歸於定位化於一系統中的傾向，如珠之走盤，最後必求一一皆定位於盤中。此亦並不難。然而一一定位之珠，仍須再流轉，乃有運動力。而一切已成的思想系統知識系統中之內容，亦須再貫注以生命，加以活轉，乃能再內在化主觀化而誘導出根於道德自我而生發出之真實的理想與嚮往。而今日之所謂研究所及大學之學院式的出版物（連我自己於其中所發表之文章在內），則大皆為不能直接誘導出人根於道德自我而生發之真實理想與嚮往者。只以此種出版物為著述之標準，實亦人類之理想墮落、思想僵化之徵，雖然我從未嘗否認其一意義的價值，而本書之附錄之二文即雖是論道德與智慧而屬于此一類的體裁之文章。

二

十二年來，我對於道德問題之思索中，除上所陳者外，另有一問題，即為如何在一個人之現實的社會地位上，求實現其道德理想及社會文化理想，同時藉之以自建立其道德自我及他人之道德自我之存心上及行為上的實踐問題。此問題，與人之只在個人之心靈內部，反省其道德生活中之困惑疑迷，如本書所陳，或只論述人倫關係中之常道，及為人類之社會文化之發展，提示一方向或一理想，如後來之拙著所涉及者，皆不同其性質。此是就個人在現實社會中之此時此地之只具有限之力量的特殊地位上，如何去實現具無限普遍性超越性之理想的問題。這一問題，乃直接關係到個人之在現實社會上之限定的特殊的職業與事業者。而我們如試以我們每一個人之職業與事業之意義與價值，來與我們個人內心中具無限性普遍性超越性之理想之意義與價值，直接對較，蓋將無不可見其相距之不可以道里計。而我在去年以前，又再任教務行政之事十二年之久，這亦算是在作事。雖然我之作此事，只是依於偶然的機緣，朋友們亦不視我為適宜於此者，亦莫有什麼成績之可言。然而至少在一時期，我亦視之為一事業，以貢獻我個人之一分力量，於一客觀的社會文化教育上之理想，而亦視為我個人之道德實踐之一端。而在作此類事之時，總得要作些純為適應客觀社會的需要、學校的安排，及他人的願望的事。由此我更了解到：個人要由其所在之地位所作之實際的事，連繫到其所懷抱之超越的理想，而對此理想之實現，多多少少發生意義與價值，並非一直接的關係，而是一間接而又間接的關係。此中須歷重重之媒介。而個人所作的事，透過此重重媒介，其意義與價值，亦可完全變質，或變來更有價值更有意義，或變來更無價值更無意義。這中間的情形之複雜，乃遠過於個人之直接樹立其道德理想，而只在個人之內心生活中求加以實踐，亦遠難於只在思想上為人倫關係立一常道，或為社會文化之發展，提示一方向或一理想之事。而此中所遭遇之問題，亦非只是一技術問題，方法問題，此中仍時時處處皆有道德問題。因一切人與人之共事，無處不與道德問題相連。而人之待人應事，亦無一不應包涵有道德性的考慮。而此種種考慮，又可成為原初之理想與其實現間之種種間隔。而我乃於若干極細小瑣屑之事務經驗中，體悟到一切成事之歷程中之原則性的困難之所由生。並體悟到人在成事中之實踐道德，為一特殊的形態之道德實踐，亦為一道德之哲學的思索之一特殊範圍之所在。而此中亦有原則性之義理，可一一加以陳述者。今試略抒所感於下，以供其他有志事業者之參考。

人要實現其具無限性普遍性超越性之理想，總要從其個人所在之地位，貢獻其力量開始。當然，寫文章亦是人貢獻其力量之一道。然寫文章只是個人的事，此較簡單。由文章寫出到付印而到達讀者，則是一社會的事。此中排印可排錯，讀者可誤解，則情形馬上複雜化。我可以想排印之錯，讀者之誤解，不由我負責。然而此二者，仍必在我所關心之中。而一切與人合作之事，無論職權如何分明，我皆不能不關心到此中與我共事之諸人之所為；而此中之諸人，除與我共事外，又各有其他之事，此其他之事，亦再關聯到其他之人……，此則可一直牽連到無定限之多的人與事所結成之網。而我們之與人共事，則不管我們自己知道不知道，即落入此網中。此網有其自身的結構與秩序，並非純由我們最初參加此事之動機或理想所決定。然而此動機或理想，則恆由此網之結構與秩序，規定其客觀的意義與價值。由此而人之所關心與所思慮者，乃須由理法界之清淨，降至事法界之繁囂，由形上之道之空靈，降至形下之器之質實，由絕對界之獨立無待，降至相對界輾轉相待。總而言之，即具無限性普遍性超越性之純真理想之墮入凡塵，而自求一有限的特殊的現實的宅身之地，而與其他之世俗的有限特殊現實之諸事物，平等的相摩盪，相較量，以決定此理想如何表現如何實現之命運，與其前途之成敗利鈍。此即一切成事之難之根本理由所在。

此種成事之難，如更粗淺的分析言之，其第一點是：即假定人原初之求成就一事之動機與理想，是崇高而純潔的；然任何世間的事業，在其少有成效，或多少能實現此原始理想時，即必然不免人之利用之，以達另一目標，或成就另一事業。而此另一目標及另一事業之價值，則可高可低。而原初之理想愈高者，則利用之以達之另一目標，或所成之另一事業，則大率為較低者。此任何事業一少見成效之所以必有人欲利用之，乃因一事業一少見成效，理想即多少現實化，凡現實化者皆無不可被利用。故大而孔子訂六經，儒生注六經，可為皇帝利用以成其帝王之業；小而一報紙、一社會團體、一學校，無不可被多多少少之人利用，以為達種種其他目標，成就其他事業之手段；而原初之事業之目標，亦如化為其他目標之手段，由此而產生一種價值之改變或高下之顛倒。此亦猶如我們之個人亦可利用我們過去如達一目標而有之工作之成績，以達另一其他或高或低之目標，使原先工作之價值改變而高下顛倒。

除了上述目標之手段化而有之一事之價值之改變或顛倒外，一事之目標中，又恆可包涵相衝突之諸目標。此諸目標，其價值地位恆有相等或難分高下者。如以辦學校而言，提高程度只容納少數學生，是一目標，使多人受教育而略降低程度，是又一目標。此二目標，自其本身而言，實同為正大而難分高下，唯有賴于其他相關之情形，以為決定。如為造就某種特殊專門人才，則應使人少而質優；如為一般的社會文化之提高，則應求普及而量廣。然有時諸相衝突之目標，可無相關之情形以資決定。則此時人無論選擇其中之任一個，即皆不能無憾。如一學校以僅有之薪資，以聘某人教某課，則不能聘他人教另一課，而此二課程之重要性，亦儘可相差不遠者。此種價值之衝突，在我們個人之生活中，亦時遭遇到，如以一定之金錢購得此物，則不能購他物之類。然此中在個人之情形與在一公共事業中之情形，又有不同。因個人之事，經自己之裁決以後，如裁決不當，不過使個人以後失悔。而在一事業中，則此相衝突之目標，可為不同之人之所分別堅持，由此而諸目標雖同為正大，亦可導致不同之人之衝突。此為任何客觀的社會公共事業中，依於一共同之目標中之可包涵相衝突之目標，而必然不能免者。

復次，人與人之共事，乃以事為結合之媒介。此中縱設定參加某事之人之目標全同，亦不包涵任何之衝突，或設定一切衝突，皆可由一最高之領導者或一種表決之制度加以裁決；仍可有其他困難產生。此乃原于人與人以某一事為媒介而結合後，人與人又有日常生活上其他事之相接，而人又各分別有其與另外之其他之人相結合，而發生之另外之其他之事者。此其他之事可與某一事相干或不相干。如學校中之一同事參加某政黨，此即可與同在學校任事之一點不相干，然亦可被認為相干。再如一教師之私生活，此可與其為人師表相干，亦可認為不相干。此中之認為相干不相干之標準，恆以人對一事之意義及其影響如何加以解釋而定，而此解釋乃事實上相對於人之知識智慧，而不能免於歧異者。由是而人各依其標準，自謂出自良心之道德批評，亦為其知識及智慧所限，而不能免於歧異。而此歧異之批評，正因其各自認為出自良心，乃更堅執而不肯捨，乃終為人與人間精神上之合作之障礙。由此而人之視為相干或不相干，乃合以形成為對此一共同事之成就之一干擾。

三

對於上列之三種成事歷程中之困難，我可再加以三個名字。一為成事之原始目標之手段化而生之價值之改變或顛倒，二為成事之共同目標之可包涵相衝突之目標，三為個人之其他事對共同事業所引生之干擾。此三種困難，不屬於一般所謂成事之物質的條件、人才的條件、社會贊助的條件之難備之列，亦不直接原自人之對其目標與理想之缺乏忠誠，或無成事的知識與才具；所以亦不直接原自個人之道德與能力之不足。此諸困難，乃人在欲成事之始，初未嘗預見，而在成事之歷程中，乃次第產生，而昭顯於人之前者；而其產生，則依於客觀存在之事業，皆原有互為手段目標之關係，及人之目標之原有差異，及個人之從事於一公共事業者必兼有其他方面之個人生活上之事；而成必然不可免者。然而此不可免者之細節，則事先人絕不能先知；而其次第產生，則又皆可說為偶然者。由此而人之欲成事，即無異投入一客觀外在之必然而又偶然之次第發生之事變之流中，以求成其某一特殊之事；又如將其原始之目標及對此目標之努力，向外拋擲於此流中，而由此流以決定其客觀的意義與價值。

方才所謂決定，不是指單方面的，而是指雙方面的。如人之成事，其才具高，識見遠，生命精力強，感召力大，社會聲望信譽已樹立者，則他恆能依據客觀存在之事業之互為手段目標之關係之廣度兼深度的認識，而能循一定方針，集一定之人才，依一定之程序，用一定方法，以運用已存在之各種社會事業間、人與人間、人與物間之各種關係及其他已成已有之諸事為憑藉，以成其所欲成之事，而不失其原始之目標。又如人正從事於一共同目標之達到，則其相衝突之目標，恆可暫歸於隱伏，而疑若不存；再如由事業之擴大，亦可使相衝突之目標分別得遂，而更加整合。此外，個人所作之其他事，亦可皆為直接間接順成一公共事業，而增加此公共事業之光彩信譽等者。由此而人之欲成事者，亦可賴其自身與其同事之力量與條件，以自求主宰其命運，而亦能相對的決定上述之事變之流。

然而此所謂自求主宰其命運，相對的決定上述之事變之流，乃在一力量之較量關係中，求主宰決定。此中之成敗利鈍，則非人所能逆睹。而人於此，亦必須先睹此「非所逆睹」。而古人所謂一切事之成，三分人力，七分天命，於此即見其尅實的意義。而以世間任一特殊之事與無盡相續發生之事變之流相較，其力量可說為一與無限之比，則欲成此特殊之事之人之才之智，必有時而窮，其力必有時而竭，人之思患預防者，亦必有其未思及之患，與防不勝防者。由此而從客觀上看，一切特殊之事業，小至一商店、一學校，大至一朝代、一天下國家之政權，無不有成有敗，有盛有衰。此可稱為一切客觀性的特殊事業同不能免之悲劇的命運。而人如能一眼看透任何特殊的事業，皆可歸於此悲劇的命運，則人將無心於成就任何事，薄天子而不為，何況下此之一切事業？此蓋即古往今來之一切隱逸者共同之心情。

然而人由觀任何特殊的事業，皆不免於悲劇的命運者，亦可轉而發出一大悲願，即另求成就一人類共同之大事，並求此大事之永成而不敗，永盛而不衰。此永成永盛初無客觀上之保證，然而人之作此大事者，可以其所作之特殊之事（此可稱為小事），為此大事之一段落之客觀上的表現，而又可在其主觀的確信中，證實此大事，在其所作之小事上，時時刻刻當下有一完成。

此大悲願，即願承担已往之一切事之悲劇的命運，加以追念與回抱，同時望一切當成就之事，更相續不斷的成就之願望，並願望人之共依此願望而作事，是即人類共同之大事。人之欲成此大事，首賴於人之先自其特殊的事業目標中，解放超拔出來，轉而以成就一切人當成就之事業目標，為其目標，為其事業，同時以其所從事之特殊事業為小事，與其他個人之生活上之小事並列，而只以之為此大事一段落之客觀表現。此中我們必須認清任何小事是變化無常，有成有敗，有盛有衰的。然而此欲成就一切當有之事之目標，則位居於一切小事之上，而永恆不毀，載覆無疆。人依此目標而作之任何小事，亦即因而有永恆不毀載覆無疆之意義，而即此大事之一段落之客觀表現。

此大事，從客觀現實上看，永不能完全成就；其逐漸成就，亦實無必然之保證。從客觀現實上看，自然世界中之萬物恆相吞食，而互為生存之條件；社會上之各種事業，則互為手段與目標，然而皆各爭取其自身之目標之實現，而只視其他之事業為條件、為工具、為手段。此中亦不僅有競爭，亦有衝突，有相吞食。而有各個人所欲透過事業而完成之目標，亦不僅有競爭，亦有衝突，有相吞食。個人之其他生活中之目標，與一公共事業之目標之間，亦不僅可相順成，亦可相衝突、相阻礙、相毀滅，而相吞食。對於此客觀現實的世界之陰暗面，由達爾文、馬爾薩斯、馬克思、叔本華，到今日之薩特，及印度之佛學及他家，都有真知灼見。專從此面看，人只在客觀現實世界寄托理想，懷抱希望，是不可能的。

人只有從此客觀現實世界之陰暗面的看清，而反照出人之內心中之另一光明面中之包涵一超越崇高偉大的理想、悲願、仁心，要化除此世界之陰暗，免除此世界中存在事物之相吞食，而使萬物並育而不相害，使社會上一切當有的事業，俱得成就。而此本身，即為人類生于天地間之一大事。一切聖賢，即以此大事因緣而入世。而其他一切人，亦可各依其內心之光明面，而或多或少、自覺或不自覺，在參加此大事。然而此大事，則是一永恆無疆的事業。從實際上看人，人永遠不能將此大事全幅完成。以人類社會中之各種事業之成就來說，除非人們分別所懷之目標，皆成為彼此透明而彼此相互同情、尊重、肯定，而人與人所懷之目標能處處相攝相入；則此各種事業間及其與個人生活間之相衝突相毀滅與相吞食之事，即必不能免。然而人依其內在的悲願，則必然永遠的去求免此不能免，而求此大事之逐漸完成。

我們以上的話，或不免又說得太高遠。如再落實下來至切近處，則我們可說，要求社會上之一切當有的事業俱得成就，人最重要的事，即是要開拓胸襟同度量，去同情的體察人之各種不同的目標及其原始之價值，而與以一尊重肯定；並了解到：一切事業間及各個人生活間，可以有相對的互為目標與手段之關係，然而不能只有片面的目標與手段之關係；任何處有此片面的目標與手段之關係，那兒就有人心之無限的委屈；凡有委屈處，即更可同情，即更當使之申訴，此便是人間之大仁大義之理想。

四

此人間之大仁大義如何實現而成就？以此大仁大義存心者，如何表現其仁義？此則只能在人所作之小事上表現。一切特殊的事業皆小事，此外一切個人日常生活上的事，亦皆小事。然而此小事成為大事之表現，則大事即在此小事中有一當下成就，此可由每人加以內在的印證。在個人之日常生活中，我們可以問：誰能夠懷抱一自知為正當的生活目標，或自求提高其生活目標，而不斷向上？誰能夠對其正當的生活目標，能加以繼續保持不改，而以之為更低的另一生活目標之手段，而產生價值之改變或顛倒？誰能夠在其自己之特定的生活目標外，常想到他人之不同的生活目標而寄與同情與尊重，對其價值加以肯定？誰能夠使其個人生活上所作之其他之事，不妨害其所從事之客觀性的社會事業？誰能夠兼求其個人之其他方面之生活上之事，與其所從事之某一事業，能相與順成，而使之相輔為用？這皆純屬于個人自己之存心，非他人之所能知所能評論，亦非自己所須向他人說，復非自己之所敢輕易以之自許者。此只是個人應常以之自問而自勉者。然而任何人只要有一動念，以此自問自勉，他即是能在個人生活中，成就上述之大事者，其所作之小事，亦即此大事之表現。又人在其特殊的職業中，或其所從事之客觀的社會事業中，誰能夠依於肯定此職業事業之客觀的社會價值，而獻身其中，以作我自己之一職份內之事？誰能夠努力使其所從事之事業，永保其客觀的社會價值，不使之為懷抱低的目標之人所利用，並能運用轉化此懷抱低的目標之人之工作之意義與價值，以求原來之較高的目標之更有效的實現？誰能夠真欣賞承認其他同事所作之一份事之價值？誰能夠兼肯定承認客觀社會中存在的其他同類或不同類之事業之價值，而亦望其發展，不以同行作敵國之想？誰能夠於自盡其職份內之事外，兼能忘卻職位之高下，職份之差別，而以其單獨之人格，個人之生活，樹立風範，而兼具有團結同事，以共向一事業之完成之目標之親和力？誰又能夠在與人共事不合而去後，仍不出惡聲，而仍望其事之成？誰又能夠于盡心于事，而終覺事無可為，即灑然而止，而另創新事，或留俟他人之更成同類之事？這都是人在作事中會有的最平凡的問題。然而誰真能經得起這些問題的考驗，他亦即在作我們上所述之大事，而此大事亦即在其身上當下成就，其所作之小事，亦即此大事之表現。

然而存在于客觀社會之各種小事業中，有一種小事，卻是關聯于一切其他小事業之成就者。此即我們所從事之學術文化教育之事業。這一種事業，從客觀社會上看來，並不在任何時都必然比其他事業重要。從事這種事業者，其人格在事實上亦不必比從事其他事業者為高。然而這種事業確是關聯到一切其他之社會事業的。因一切事業之成就，皆賴具有知識智慧德行的人才。而純學術文化教育，則是負擔培植人才之責任的。但如何使存在於客觀社會之此種事業，與其他事業配合，而成就我們上述之大事，這是一專門的問題，不在本文所討論之列。

在人類之學術中，有一種學問是直接關聯于人之道德生活的。此即本書之論題。而人之道德生活中，有一部份是直接關聯于人在成事中之道德實踐的。此即本書所未及而為本文之所涉及者。由于上述之成事中之困難，及一切事業之悲劇性，與由悲願所引生之成就大事之想，我認為在道德生活之學問中，有下列之問題，是人人應加以思索的。一、人們的追求之目標，畢竟是些什麼？其高下之秩序與價值，如何加以規定？目標之手段化所發生之價值之改變或顛倒之各種情形如何？二、人之各種目標，如何會發生衝突？此各種衝突之調解如何可能？人之同情尊重肯定他人所懷之不同目標之胸襟與度量，如何養成？人當如何本此胸襟度量，以相應之態度，對不同之人，而與人合以成事？三、個人之日常生活中之事，與其所從事或參加之諸社會之公共事業，如何能成為相互順成的？人對他人之道德批評與道德教訓，本身如何成為有效的，兼為成事的而非敗事的？

五

對于上述之問題，乃最近若干年中我所常想的問題。這些問題不直接屬于人之樹立其個人之道德自我方面，亦不直接屬于提供一社會文化之理想方面，而是屬于個人之道德實踐，如何通過其所從事之特殊的職業事業，及個人之一切小事而表現的方面。這些問題，似都是卑之無甚高論。于此人亦不能只騁才情，只恃思辨去想，而應一一都要落到最具體現實的實際去想。此即屬于中國古人所謂應世涉世或待人接物之道德實踐。此與前二者乃相關聯，而屬于不同之領域。如前二者是道，則此可說是術。但術中亦自有其相應之道，而此道亦並非皆可不思而得，不學而能者。故關于道德生活之學問，實應包涵此一部份。中國自古之聖賢之學中，亦包括此一項，唯多只表現為零碎之格言，但亦未嘗不可對之作純理論的論述。不管我們作不作純理論的論述，此總是應思應學之一學問。而我在十三年前，則根本未自覺到此亦是一學問。即我所寫之《人文精神之重建》、《中國人文精神之發展》等書中，亦不包括此一學問。我是否要另寫一書，來論此一方面的學問？我亦不能預測。如寫亦不過只表我個人之所見。且文章愈涉具體之應世涉世及待人接物方面，愈不能窮盡此中之曲折，而對他人即不必有用。但我今之指出此亦是關于道德生活之學問中之獨立之一項，則可明示我前所論者之局限與不足。中國古人言學，有明體，有達用。我自知我以前只于明體方面，略有所窺，但全說不上達用。達用之事業，賴人天生之才智、生命精力、感召力、機緣或天命，但亦靠學問。而專門之道德哲學家，亦應承認此是學問，並以其反省思索之所及者示他人，以幫助有才智、生命精力、感召力及機緣者，開創事業。其本身即道德哲學之學之一種達用。至于今後之哲學家道德學家，是否能兼為聖王，以明體達用，則我意此時代已過去，今後亦不必須。今後之人類，能人人在其從事任何特殊之職業事業中，不斷提高其目標增益其價值，而又有胸襟度量以同情尊重肯定其他人格所懷之其他目標，及所從事之其他職業事業之價值，並使其個人生活與其所從事參加一切公共之事業，皆為相與順成者，此即已開出人皆為堯舜人皆為聖賢之途，而較昔日一人為聖王之理想，更為廣大而崇高者。

至于人之明體與達用之學，所以必須加以分別者，則以道德上之成己與透過客觀事業以成物，此二者之意義，確有不同。一客觀事業之成就，必然牽涉到他人。人心不同，各如其面，其所懷之動機與目標，確千差萬別，而知人待人之學，亦實單獨成一學問。無此學，則明體者，必未能達用。然而此達用之學，又不能為人所當先務，亦不能真與明體之學並立。此理由在人真能有明體之學，則自然有其達用之學。如以知人之學言，此固不易。但人之所以能知人，恆賴于以其自己之心靈之度量之所及，為其對照，其心靈之度量愈高愈廣者，即當其轉而資之以知人時，則愈能知不同形態之人。至于待人之學，此固亦不易。但人之所以待人，恆本于人之所以自待。而人之對其自己之生活，愈能自加以主宰，而恆遷善以改過，自變化其氣質者，則其待人之道，亦愈能因人之才性氣質，而泛應曲當，不執一定之方。故有明體之學者，自然有其達用之學。至于人之不由其心靈之度量之高之廣以資對照，而有之知人之智，及不由其自作主宰之修養而來之待人之才；則其高者，固可為天賦的直覺性的「億則屢中」之知人之智，知幾應變之待人之才，然此乃不可學，亦不待學者。而一般則皆為憑習見以生之穿鑿揣摩之知人之智，及憑習態而成之機械變詐之待人之才。此則恆由人之學，不以明體為先，而逕以達用為先所成之才智。而世俗之所謂才智，蓋罕有免于此穿鑿揣摩之智，及機械變詐之才之外者。此即昔賢立教，所以從不直接以訓練才智以應世接物為教之故。實則天下無不曉事之聖賢，亦無不知人之情偽及世事之險阻艱難，而能應之以其道之聖賢。唯大本不立，自己個人之心志，先未達于高明，亦無客觀社會文化之理想及規模，存主于心，未知于個人最切近之小事，見人類之共同之大事即表現于此，當下完成于此者；則一切皆無是處，其達用非達用，行妾婦之道，以穿鑿揣摩之所知，投人之所好，以機械變詐之行，冀人之用我；此豈居天下之廣居，立天下之正位，以行天下之大道，而達用于世者之學哉。這就仍歸到人之自建立其道德自我，及懷抱一對客觀社會文化之理想，仍為第一義之重要之事。今即以此為我重印多年前舊著于讀者之前，並盼讀者惠覽拙著《中國人文精神之發展》等書之理由，兼希讀者知其所言之分際與局限，勿輕以高遠而不切實用之言相責為幸。

民國五十一年八月廿日

自序

本書凡三部。三部各自獨立，而義蘊則相流貫，互相照應，以表示一中心觀念，即超越現實自我，于當下一念中自覺的自己支配自己，以建立道德自我之中心觀念。

第一部「道德之實踐」中，首提出道德生活之本質，為自覺的自己支配自己，以超越現實自我。繼即本此觀念，以說明道德之自由，人生之目的，及道德心理、道德行為之共性，而歸宿於論生活道德化之所以可能。此部以對第二人稱之教訓體裁而寫出之。

第二部「世界之肯定」，即本上部所啟示之道德自我之尊嚴性，進而追溯道德自我在宇宙中之地位。此部自懷疑現實世界之真實與感現實世界之不仁出發，進而指出心之本體之存在，及其真實、至善，即以之為道德自我之根原。再進而說明心之本體，即現實世界之本體；而知現實世界之真實，及自道德自我出發而欲實現之價值理想，必能實現於現實世界，由此以肯定現實世界之真實性。此部以第一人稱之默想體裁而寫出之。

第三部「精神之表現」中，即以精神實在一名，代替前部中心之本體一名（自心之本體為一充內形外之真實言，即名為精神實在）。在此部中，首引申前部意，說明現實世界之物質、身體，皆為精神之表現，次即論第一部中，所舉出之各種道德心理，及通常所謂現實生活之本之飲食男女求名譽等活動，皆為同一精神實在表現之體段，而明其相通，使人知人之一切生活，均可含神聖之意義。由此遂正式提出性善之義，並論罪惡、苦痛之關係，說明苦痛、罪惡，皆為精神實在之一種表現。再次，即本於一切道德心理，與非道德心理之出於一原，而論一念之陷溺，即通於一切罪惡，一念不陷溺，即通於一切之善。最後論精神實在之最高表現，為使社會成真善美之社會，而歸宿於論一切文化、教育事業之重要性。此部以對第三人稱之描述體裁而寫出之。

此三部中，第一部說明道德生活之本質，第二部說明道德自我之根原——心之本體之形上性，第三部說明此心之本體，即充內形外之精神實在，為超現實世界、現實生活，而又表現於現實世界、現實生活者。然三部之寫作，各本問題之發展，層層深入，自成一全體。以無通俗道德哲學著作之機械式之綱目，故三部互相照應之處，不可由綱目之明文以見。讀者必須玩其全文，於著者所欲表顯之道德哲學之意境，有所會悟，乃能知其義蘊之相流貫也。

又本書重直陳義理，故於古今道德哲學各派之成說，無所討論。著者思想之來源，在西方則取資於諸理想主義者，如康德、菲希特、黑格爾等為多，然根本精神則為東土先哲之教。至於其自以為獨見之處，亦不復自標舉。善讀者自能知其與中西先哲之異同所在也。

三十二年一月唐君毅自序於中央大學柏樹村

《中國文化之精神價值》

自序（述本書緣起）

此書之作，動念於十年前，其初意乃為個人之補過。原余於十七年前，即曾作一長文，名〈中國文化之根本精神論〉，發表於《中央大學文藝叢刊》。當時曾提出「天人合一」與「分全不二」，為解釋中國文化之根本觀念。繼後三、四年中，曾陸續對中國之哲學、文學、藝術、宗教、道德皆有所論。後輯成《中西哲學思想之比較論集》，予正中書局出版。在此書印刷之際，正個人思想有一進境之時，及該書印出，即深致不滿，並曾函正中書局，勿再版。然書局仍續有再版印行，遂欲另寫一書，以贖愆尤。原該書自表面觀之，內容似甚豐富，且根本觀念與今之所陳，亦似相差不遠，然實則多似是而非之論。蓋文化之範圍至大，論文化最重要者，在所持以論文化之中心觀念。如中心觀念不清或錯誤，則全盤皆錯。余在當時，雖已泛濫於中西哲學之著作，然於中西思想之大本大源，未能清楚。當時余所謂天人合一之天。唯是指自然生命現象之全，或一切變化流行之現象之全。余當時在西方哲學中，頗受柏格孫、詹姆士，及新實在論之多元思想之影響。對中國哲學思想，唯於心之虛靈不滯、周行萬物一義，及自然宇宙之變化無方、無往不復二義，有一深切之了解。此二義亦保存於本書中。然當時對於西方理想主義或唯心論之形上學，無真認識。對東方思想中之佛家之唯識般若，及孟子、陸、王所謂天人合德之本心或良知，亦無所會悟。蓋吾性多理障，初解知識，即喜疑難，時與先父辯論。先父信性善，余則信善惡二元。先父崇儒，余則以儒與諸家平等，或加誹謗。今日青年目空古人之罪，吾皆嘗躬蹈之。吾於寫該書之前七、八年，亦曾聞熊十力師、歐陽竟無大師，與呂秋逸先生講唯識、唯心之論，吾甚佩諸先生之為人，而終以為唯心、唯識之論，在知識論上，絕不可通。嘗自思四論證破之，後見其與新實在論者破唯心之論證暗合，乃廣讀新實在論書。又受新實在論者批評西方傳統哲學中本體觀念之影響，遂對一切所謂形而上之本體，皆視為一種抽象之執著。故余於〈中國文化之根本精神論〉一文，開始即借用易經所謂「神無方而易無體」一語，以論中國先哲之宇宙觀為無體觀。此文初出，師友皆相稱美，獨熊先生見之，函謂開始一點即錯了，然余當時並不心服。余當時答辯謂，即此變化流行之本身，即為不變。變之為變之理，即變化流行之現象之本體，故即體即用云云。當時又讀柏拉圖之帕門尼德斯對話，及黑格爾邏輯，見其自有、無二範疇，推演出一切思想範疇。而變之概念，原可以有無之交替說之。於是以為可用「有無之理」之自己構造，為形上學之第一原理，以說明宇宙，並嘗以之解釋《老》、《莊》、《易傳》、《中庸》之形上學，成數萬言（亦見該書），實則全為戲論。唯繼後因個人生活之種種煩惱，而於人生道德問題，有所用心。對「人生之精神活動，恆自向上超越」一義，及「道德生活純為自覺的依理而行」一義，有較真切之會悟，遂知人之有其內在而復超越的心之本體或道德自我，乃有《人生之體驗》（中華出版）、《道德自我之建立》（商務出版）二書之作。同時對熊先生之形上學，亦略相契會。時又讀友人牟宗三先生《邏輯典範》（商務三十年出版），乃知純知之理性活動為動而愈出之義，由此益證此心之內在的超越性、主宰性。十年來與牟先生論學甚相得，互啟發印證之處最多。對此心此理，更不復疑。而余十年來之哲學思想，亦更無變化。於中西理想主義以至超越實在論者之勝義，日益識其會通。乃知夫道，一而已矣，而不諱言宗教。並於科學精神、國家法律、民主自由之概念，漸一一得其正解。至對中國文化問題，則十年來見諸師友之作，如熊十力先生、牟宗三先生之論中國哲學，錢賓四、蒙文通先生之論中國歷史之進化與傳統政治，梁漱溟、劉咸炘先生之論中國社會與倫理，方東美、宗白華先生論中國人生命情調與美感，程兆熊、李源澄、鄧子琴先生之論中國農業與文化及中國典制禮俗，及其他時賢之著，皆以為可助吾民族精神之自覺。較清末民初諸老先生及新文化運動時，留傳至今流俗之論，夐乎尚已。而西哲中如黑格爾歷史哲學、凱薩林哲學家旅行日記，及斯賓格勒、羅素、杜威、諾斯諾圃、湯恩比對中國文化之論列，亦多旁觀者清，而頗有深入透闢之論。蓋文化乃天下之公物，範圍至大，凡人有所用心，皆必能有所發見。顧余仍以為憾者，則引申分析中國哲學之智慧，以論中國文化之「精神的價值」之著，而統之有宗，會之有元者，尚付闕如。故於此十年中，復不自量力，先成文化之道德理性基礎一書，以明文化之原理，再進以論中西文化之精神價值。二書卷帙浩繁，一時不易出版，故將後一書下部論中國文化者提出刊行，是即此書。吾之此書，成於顛沛流離之際，平日所讀書皆不在手邊，臨時又無參考之資，凡所論列，其材料大多不出乎記憶之所及，而宛若自吾一人胸中自然流出，固亦有其美，然終不能無掛一漏萬之憾。身居鬧市，長聞車馬之聲，亦不得從容構思，唯瞻望故邦，吾祖先之不肖子孫，正視吾數千年之文化留至今者，為封建之殘餘，不惜加以蠲棄。懷昔賢之遺澤，將毀棄於一旦，時或蒼茫望天，臨風隕涕。乃勉自發憤，時作時輟，八月乃成。此書乃以我所知之西方文化思想中之異於中國者為背景，以凸出中國文化之面目。於具體之歷史社會之事實，所論者較少，而於中國文化之特殊精神，則力求以較清楚之哲學概念，加以表達。對中國之人生意趣、文藝境界、人格精神、宗教智慧，通常唯恃直覺了悟者，吾皆以「方以智」之道加以剖解，而終歸於見天心、自然、人性、人倫、人文、人格之一貫。吾於中國文化之精神，不取時賢之無宗教之說，而主中國之哲學、道德與政治之精神，皆直接自原始敬天之精神而開出之說。故中國文化非無宗教，而是宗教之融攝於人文。此意亦吾今昔之見解之最相反者，蓋亦屢經曲折之思維而後得之。余於中國宗教精神中，對天地鬼神之觀念，更特致尊重，兼以為可以補西方宗教精神所不足，並可以為中國未來之新宗教之基礎。余以中國文化精神之神髓，唯在充量的依內在於人之仁心，以超越的涵蓋自然與人生，並普偏化此仁心，以觀自然與人生，兼實現之於自然與人生而成人文。此仁心即天心也。此義在吾書，隨處加以烘托，以使智者得之於一瞬。在中國文化之哲學概念方面，則恆隨文加以分疏，其涉及哲學問題深處者，如關於性與天道方面者，皆以西哲之勝義為較論之據，勢不能不引申觸類，發古人之所未發。而文約旨遠，又實無法使之更通俗化，必需讀者於此中問題，先曾反復究心，方易心領神會，則吾之過也。又吾書之論中國文化，雖重在論其過去，而用意則歸向於中國未來文化創造道路之指出。吾在此借用古人之太極、人極、皇極三極一貫之意，以明圓而神之中國文化精神，對方以智之西方文化精神可全部攝取之理由，以展開中國未來之人文世界。顧吾又不承認中西文化之融合，只為一截長補短之事，而以之為一完成中國文化自身當有之發展，實現中國文化之理念之所涵之事。故中國百年來中西文化之爭，對中學為體西學為用，與全盤西化之二極，吾書可謂已與以一在哲學理念上之真實的會通。此會通之當有，與由此會通後，中國未來文化必有一新面目，自吾之哲學理念觀之，乃為天造地設者。吾知今之中國學人皆不喜此神祕之論，然吾望人虛懷體察本書之立義，再定其是非。吾書辭繁不殺，又喜用西方式之造句，以曲達一義，然中心觀念在吾心中，實至簡易。唯當今之世，簡易者不加以界畫敷陳，多方烘托，則乾枯而無生命，人不易得所持循。故首四章以縱論中國文化之歷史發展。第五章至第八章，論中國先哲之自然觀、心性觀，及人生道德理想。第九章至十四章，則橫論中國文化之各面：先之以人間世界，以論中國之社會文化，與人在自然之生活情趣；次之以藝術文學精神以論美感；再次之以人格世界，以論中國所崇敬之人物之類型；終之悠久世界，以論中國人之宗教精神與形上信仰。最後三章，則專論中西文化之融攝問題，以解除百年來中西文化之糾結，而昭示中國未來文化之遠景。吾書每章皆自具經緯，各章之義復互相照映，而每章立義，皆先淺近易曉者，以次第及於精微。故即在初學，但循序以讀，皆可得解。亦可先閱藝術文學精神、人間世界、人格世界數章，因所論較為具體，可引發興味，再及其他。吾年來另以語體文所寫之孔子與人格世界、西洋文化之省察，及在「民主評論」與「人生」諸刊所寫論文，並與此書相出入，而說理較淺近切合現實，讀者宜參看。吾書自謂有進於以前論中西文化者，而頗詳人之所略。後之來者固當將進於我，而詳余之所略。「君子尊德性而道問學，致廣大而盡精微，極高明而道中庸，溫故而知新，敦厚以崇禮」，雖不能至，心嚮往之。然此固非一人之事也。

民國四十年孔子二千五百零一年九月二十日唐君毅自序於香港

第十版自序

本書成於民國四十年秋，其目標在本哲學觀點，以論中國文化之精神價值。民國四十二年春，於正中書局出版，迄今已二十五年。此二十五年中，吾在港、臺所出版之著述，約分四類：一類為吾尚在大陸之時已出版或已成書，泛論人生文化道德理性之關係之著，如《人生之體驗》、《道德自我之建立》、《心物與人生》，及《文化意識與道德理性》等。第二類為來港以後表示個人對哲學信念之理解及對中西哲學之評論之著，如《哲學概論》，及《生命存在與心靈境界》二書。此二類之書，皆可謂為本書之純哲學理論之基礎所在。第三類為與本書同時，或繼本書而寫之評論中西文化、重建人文精神、人文學術，以疏通當前時代之社會政治問題之一般性論文，此共編為《人文精神之重建》、《中國人文精神之發展》、《中華人文與當今世界》三書。皆由引申發揮本書最後三章，論中國文化之創造之文中所涵蘊之義理，並討論其所連及之問題而作。第四類為專論中國哲學史中之哲學問題，如心、理、性命、天道、人道之著，此即《中國哲學原論》中之《導論篇》、《原性篇》、《原道篇》、《原教篇》之所以著。而此諸書，則可謂為對本書所只概括涉及之中國哲學之基本觀念，而據之以論中國文化者，作一分析的思辨，與歷史的發展的論述。故二十五年來吾所出版其他之著，無不與本書密切相關。本書之論述哲學與中國文化諸問題，自不如吾其他之著之較為詳盡。然自本書所涵蘊之義理，並連及之問題之豐富，而富啟發性言，則此吾之他書皆不如此書。故今於本書第十版請正中書局以新四號字重新排版，以使字跡較為清晰，讀者少節目力之勞。此新版中，校改錯字，及修正文句不下數百處，唯在內容方面，則此新版於舊版所更改者甚少。讀者宜看吾其他之著，及他人於此中問題之所述，以補本書之所不足。是為序。

民國六十七年一月十五日

《心物與人生》

自序

本書分二部，第一部「物質生命心與真理」，第二部「人生與人文」。為簡單計，乃合名《心物與人生》。以論理次序第一部應在前，但第二部較易引起興趣，讀者亦可先讀第二部再讀第一部。此書目的，在為一般讀者指出一宇宙觀人生觀人文觀的道路。其中只有第一部第七章的三節，比較深奧些，故列為附錄。關於此書寫作之因緣，今略述於後。

此書之第一部，是我在民國三十年前擬名《人生之路》一書之第三部份。其他兩部份，一名《人生之體驗》，已由中華書局出版。一名《道德之自我建立》由商務印書館出版。此部，中華書局本待印行，但是，我當時覺真要講哲學，直接由知識論到形上學到宇宙論，或由道德文化反溯其形上學根據，再講宇宙論，比較更能直透本原。從自然界之物質、生命，講到心靈、知識、人生文化，固亦是一路，然卻是最彎曲的路，故將此部停止出版。不過據我多年的經驗，一般青年學生，一般社會上的人，所易感到之哲學問題，仍是如何從自然宇宙去看人之生命心靈之地位價值，以定其人生文化理想的問題。人如此去想，易有常識、一般科學知識、與流行的哲學意見作憑藉。然亦可隨意引出意見，而止於一些膚淺混亂之談。此部則是一方求不違常識之所共許，與已有之科學知識，一方用一比較謹慎的態度，反復的辯論方式，去次第廓清一般人對此等問題之隨意論斷與膚淺混亂之談者。其用意則在指示一「提高人心在宇宙中之地位」之哲學思想方向。此書對「物質生命心靈三者所表現之各種形式或範疇，物、生物與人之個體性，宇宙最後真宰最後實在為何？」等問題，皆未論及。只以一根思想線索，貫注於反復之論辯之中，使人對自然宇宙之認識，由物至生物至心，一步一步深入而漸達高明。讀者只要耐心依序去看，並將前後文之思想，自己加以綜合貫通，即可逐漸擴展為通達其他真理之自然宇宙觀，確見生命世界之高於物質之世界，心靈世界之高於生命世界，而為自然宇宙之中心。當我寫此部時，唯出於求真理之心，而歸於如是之結論。初不料今之唯物論之思想，竟憑政治力量，而成中國大陸唯一之哲學。本來真理自在天壤間，千萬人信之不為多，一人信之不為少——即無一人信之，真理之為真理也自若。然學人精神之可貴，又在其不忍真理之被埋沒幽囚於黑暗之中。彼雖不敢言已得全部真理，然必望與天下人，各本其理性與良知，共砥礪切磋於探求真理之途中，望被埋沒幽囚之真理，漸昭露顯發於光天化日之下。我之此書縱一無所是，然在其若至愚至笨之對話中，所表示之虛心求真理之態度，處處替對方之疑難設想之態度，則可與天下人共見，而啟發當今一討論學術之正當態度。只此一點，自信可於世有益，故將此舊作，加以修改發表。著作雖舊，而其精神則今日方見其新也。

至於本書之第二部，則多為曾在《人生》一刊發表而再加改正者。此部與第一部同為一般讀者說法，而非對專治哲學者立言。且同重在指示一哲學思想之方向，而未嘗和盤托出全部之結論。讀者無論讀此書之任何一部，如果能由此會通於其他真理、其他思想，則是讀者的成功，亦是著者的安慰。如果只停於此書之所說，則是讀者之失敗，亦是著者的失望。此書是一橋樑，一道路，而尚非一安息的處所。其中所當通到的，比其所已表達出的多。第一部如此，第二部更是如此。其不同處，在前者是以自然為中心，從物質生命論到人心與心之求真理；後者是以人自己為中心，而從人心論到人生與人文。前者是枯燥的論辯，而後者則多少含有情味。前者是對話體，後者是論述體與抒情兼說理的韻文體。又第二部之論文四篇，乃合以說明人類文化，皆原於人心靈精神之求實現真美善等價值。此中〈生命世界心靈世界之存在性與客觀性〉一文，可說是直接本書第一部來的。讀者只要真相信了第一部所說，則必將承認生命世界心靈世界之客觀存在，並可親切的體會到自己之人生，即生於客觀存在之生命世界心靈世界中。〈人心與真美善〉一文，與第一部論人心在自然界中之地位一章及心之求真理一章，有相通處。此文重在指出人之自覺心，不止根於自然世界，而且為昭露顯發真理之世界、（此乃上部心之求真理一章之更淺近的說明）美之世界，並能贊天地之化育，以建立人類之善的理想者。至於〈精神與文化〉，與〈人文世界之概念〉二篇，則本於人之求真美善等之心，以說明人類社會文化之起原，及各種文化領域之分劃。此四篇文字，最淺近易看。一般讀者如不習於上部之曲曲折折之對辯，可以先看此四篇。

至於〈人生之智慧〉一篇，則是藉古人之思想，以發抒我心中之所懷。此文一方要人與現實有一隔離，而發一思古之幽情；一方即是要人真實的提昇其對人生人文之了悟，而逐漸形成一高遠闊大的人生人文之理境，並對人生人文增益其愛護崇仰之情。由此讀者當可自動去形成其對人類未來之文化之理想，這是我本書未論的。在此文中，只有一些興發慧解的字句，供人體味，莫有以前的那種斤斤較量的對辯，或似乎冷靜客觀的討論。在此文的立場中看，那些對辯討論，都是對門外人說門外話。而此文則可謂是說門中庭裏的事，但尚未說到最後。人如果要問，畢竟最後的話如何？則我的答覆是再從庭中，往上看，往裏走，看更大的天地。走到山窮水盡疑無路，將見柳暗花明又一村。這是指的讀者自己內心應有的開悟。

唐君毅自序　四十二年於香港

此上是本書香港亞洲出版社之初版序。此書在香港曾發行至三版，在四十六年後，即無新版發行，仍時有人要買此書。故今改由臺灣學生書局另作新版發行，並增加附錄一篇。是為本書之增訂本。至于此書論心物與人生之不足者之處，則可由我後來之著述，及他人著述，加以補正。

唐君毅補誌　六十三年十月于香港

《人文精神之重建》

自序

一

本書名《人文精神之重建》，又名《中西人文精神之返本開新》。此書名，乃表示我之所祈望，而非謂本書已將人類之人文精神當如何重建之一切內容及一切中西人文精神之返本與開新之道皆說出。本書主要之目的，乃疏導百年來中國人所感受之中西文化之矛盾衝突，而在觀念上加以融解。此融解，乃依於我們之認識了：中國人文精神之返本，足為開新之根據，且可有所貢獻於西方世界。我們又看出西方人文精神亦已有且當有一返本以開新之運動，或人文精神之重建之運動。故此書定名為《人文精神之重建》或《中西人文精神之返本與開新》。此書中所包括者，大皆曾分別發表之論文，在《民主評論》與《人生》二刊發表者尤多。若無該二刊編者徐佛觀張丕介王道三位先生之督促，此諸文未必皆能寫出，今承他們允予重印，特先致感。

本書所集二十五篇文，除一篇外，皆來港五年中所著。寫時雖然非先有預定計劃，但因有一中心問題與中心思想，約依諸文寫作之時間先後次序，即自然形成一貫的線索。配合起來看，便可使諸文所說之義，互相證明。如再加刪節補充，亦可成一更嚴整之系統著作。但為保留每一文之獨立價值與啟發作用計，故改正之處不很多。大體尚保存其本來面目，寧使之終於未濟。使後之來者與我自己，有更進一步之道路可走。各文之內容雖不同，然皆有一些重複之話未刪。歌德曾說：「如真理不重複，則錯誤將重複。」我希望我所說的是真理，有些話是不能不重複的。

這些文章之中心問題，即百年來西方文化對中國文化之衝擊之問題。西方文化思想之最後一次對中國文化之衝擊，即來自俄國之馬列主義之征服中國大陸。由追問馬列主義如何會征服中國大陸，即可引到對中西社會文化歷史之各種省察，以及世界未來之社會文化理想之方向的問題。在中國人之立場上說，即主要是中國未來社會文化之方向的問題。此問題本來很大，我所思索的，只是這一大問題中的一方面。而我之一切文章之討論此問題，都是依於三中心信念，即：人當是人；中國人當是中國人；現代世界中的中國人，亦當是現代世界中的中國人。此三句話，一方是邏輯上的重複語，真是簡單之至。然一方面，則我總覺此三句話，有說不盡的莊嚴、神聖，而廣大、深遠的涵義。這一切文章之和，都不能說到此三句話之涵義之億萬分之一。在此，任何人亦都可有更多的話可說。如果人要在此懷疑，另轉念頭，亦總是可能的。因而要對此懷疑者另轉念頭者，以言論加以答覆，亦是永說不完的。如果不懷疑不轉念頭，則當下即是。所以我之此十數篇文章，說是不足亦可，因確是不足，我亦未能答盡一切可能的懷疑；說是多餘亦可，因如果對此三句話，真能深信不疑者，則此一切話可亦是多餘。同時，對未感到我所感到之問題者，此一切話亦會成為多餘者。所以我在此不能不將我之此書各文之體裁與內容——即所論之問題，與我提示之答案的思想方向，略加說明。

二

此書之文，自體裁方面說，大皆是通論體，而非專門的學術研究論文。此諸通論之文中，有數篇是較偏於依冷靜的理智，從事於概念之分析者，如論真理之客觀性與普遍性、自由觀念之會通第一篇、政治民主與人文之關係。其餘各篇，則大皆是根據一般歷史文化學術之知識，而討論各種問題，意在與人以思想上之啟發者。亦有二三篇是意存激發鼓舞人之精神，而偏帶情感者，如人類之創世紀、宗教精神與人類文化二篇。故讀者亦宜或以純冷靜的理智去了解，或兼以同情的共感去了解。至於內容方面說，則本書分五部。第一部包含〈宗教精神與現代人類〉、〈科學世界與人文世界〉、〈理想的人文世界〉、〈說真理之客觀性普遍性〉。此四篇文皆我五年前初到香港時所寫，可謂本書之導言。此諸文皆意在提示一精神態度，思想觀點，指出我們之所當懺悔所宜嚮往。第一文〈宗教精神與現代人類〉，乃重在指出吾人須以宗教精神担負時代之苦難，以求中西古今之人文理想之會通，以解除此苦難。第二文〈科學世界與人文世界〉，是說明人文世界之全體包括科學，然單純的科學的觀點，不能確立人文世界之價值。第三文〈理想的人文世界〉，乃是以第一人稱的口氣，說說我理想之人文世界。此只是一主觀的嚮往，但尚說不上客觀的理論分析。第四篇則說明真理應有客觀性普遍性，乃是超特殊個人之主觀的，超階級政黨與民族之偏見的。在此，我即一方指出馬克斯之以一切學術上之真理皆特定階級之意識形態之誤；一方表示我們之不能以個人之意見為真理，而應求公是公非的態度。我不以任意的思想為思想自由之目標，而以讓大家能共求客觀公共之真理，為思想自由之目標。故以政治力量控制學術言論之極權政治，固當反對，但以真理只是個人主觀意見，各人有各人之真理之說，亦足堵塞慧根，而不可為訓。我不能說我這些文章每篇皆表現客觀真理，但我總希望能接近不屬於我個人所私有之客觀真理。我常覺客觀真理之難得，自己之思想亦隨時會走入歧途；常是走入之後，又再轉回。所以在有些地方，或比他人思想得更多，更曲折。如果讀者不具此求客觀真理的思想態度，並忍耐一些思想的曲折，則對本書將很難一一看下去。而且亦將不能辨別衡定我所言之是非。縱然我所認識的是公是公非，讀者亦不能相信，因而對讀者莫有真實的好處。所以我決定把此文附入，雖然此文如自哲學眼光看，並不很完備。

三

在確立整個人文的觀點及求客觀真理之態度以後，我們即進至第二部之四文。此中，第一文〈中西文化精神之比較〉，乃自整個人文之觀點論中西文化。此文本為我七年前在南京《東方與西方》一刊所作。此文以西方文化乃以宗教科學為本，而中國文化則融宗教于道德，以藝術居科學在西方文化之地位。中西文化之不同，是我一向所著重。我們須知不同不碍相通；亦正以有不同，而後有會通之工作當作，會通以後亦未嘗不可和而不同。若中西文化為全同，則中西文化之差別，便只有進步與落後之別。通常人都由此以斷中國文化為落後。此說我絕不能承認。信此說者，恆不免歸於自卑自賤，一切隨人腳跟，學人言語，便不能自作主宰，以提起向上精神。故我們必須知道中西文化之有不同，而各有所偏至。但此文所論極疏略，與我今之意見，亦略有出入。但此書中亦不能不有此一篇，故亦附入。

第二部二三四篇〈中國清代以來學術文化精神之省察〉，及〈西方文化精神之省察〉，乃分別論近代中西文化之流弊或毛病之原何而來。我們承認今日是一天下大亂之世，不僅中國文化有流弊或毛病，西方文化亦有。我們今日中國所遭遇之禍害之根原，遠的姑且不說，近的則一方原於中國此三百年之學術精神之降落，一方原於西方資本主義帝國主義與極權主義之侵略。西方資本主義帝國主義之侵略與極權主義之產生，亦有其學術文化思想上之根源，即其學術文化思想之精神之降落。我之所以頗著重以學術文化思想之降落。說明我們所遭遇之禍害之根原。乃依於我們之強調學術文化思想之重要性。創造未來之人類社會文化，必以學術文化思想為先導。故反省一般社會文化之禍害之根原，亦當追尋到學術文化思想之精神之降落；我們乃知如何自根原上謀補救，而去創建開拓未來時代之學術文化思想。我在此二文中，追尋中西學術文化思想精神之降落，歸到清代以來學者精神之降落，與西方近代之人文主義理想主義精神之降落。由此而指出我們要救當今之弊，須再生清以前宋明儒者之精神，發揚西方之近代理想主義，與中西方人文主義之精神。此是求中西學術文化精神之返本。然此返本，則同時是求開新。融會中西方理想主義人文主義之精神，與其文化思想，即開新的工作的始點。故在此部之最後，為人類之創世紀。此文即歸結於論我們當承人類之理想主義人文主義精神，在今日唯物的極權主義之威脅下，抱一創世紀的理想。

四

現代世界上的人多有融會東西文化之理想。但至少在我們中國人之立場，則須以中國文化為主為本。而在馬列主義征服中國大陸之際，我們更先有重新去講出中國學術文化之精神之必要。我們如何去講？此不能只是抱殘守缺的講，亦不能止於純當作歷史知識來講，更不能只是欣賞玩弄的講。而必須置於世界文化思想之前，與之絜長度短的講，並拿出自己之心肝來講。不能只是拘執文字器物講，而要放開其意義來講。於是在本書第三部中，我先以一文論儒家社會文化思想在人類思想中之地位。在此文中，略論到中西社會文化思想中儒道墨法之思想，與西方之社會文化思想之四類型之相似處。而歸結於說明儒家思想之反法家，即反現代極權主義的意義。在此中，同時說明儒家之重全面社會人文，以家族統系、教化統系、政治統系並立，而非以政治統制一切之思想，以祛近人以儒家思想只為統治者之工具之曲說。

第三部第二篇〈孔子精神與人格世界〉，是拙著《孔子與人格世界》（人文出版社）中之數節，一方略說明可敬愛之人格之類型，一方說明孔子之人格之偉大。我在此論孔子人格之偉大，不是如過去論孔子人格者直接說孔子之人格如何如何，乃是透過人格世界中其他人格之精神之讚美，再進而論到孔子之人格。而孔子之人格精神之偉大，最主要的一點，即在能崇敬一切人格世界之人格，以持載人格世界人文世界。孔子之高於其他宗教中之聖者之處，在其不只有高明之天德，而且有博厚之地德。由此而說明我們當崇敬孔子，同時即當體孔子之精神，而崇敬一切人格世界之人格。故我們之崇敬孔子，並非封閉我們之精神於孔子之內。此封閉是不可能的。因孔子之人格精神本身，即是開拓的。崇敬孔子，正所以使我們能崇敬一切人格。崇敬孔子，亦正是所以開拓「我們崇敬一切人格之心量」。由此而尊孔，並非真罷黜百家，乃正所以涵蓋百家而持載百家。而崇敬百家或任一家者，亦當崇敬孔子。由此而在本原上銷除了一切迂固之儒只知孔子，不知其他，與輕薄少年之菲薄孔子的立論根據。

至于本部第三文〈中國先哲之人生思想〉，則主要是就孔子所開啟之儒家人生思想，與以一現代方式的講述。此中著重述中國儒家思想，依仁心以觀自然宇宙之生化，與具內在的和諧，乃不處處見矛盾鬭爭。並說明儒家人生思想重個人，又重個人仁心之涵蓋社會，並平等的表現於各種人倫關係中之平等慧與差別慧。這都是對照已流行於中國之西方人生思想，來烘托出儒家人生智慧之寬平廣大面。儒家這種人生思想，是經得起一切最現代的思想之考驗，而有千古常新之意義的。此文所論雖頗嫌粗略，然讀者儘可循此用心，以達精微。此二篇所論者，頗與拙著《中國文化之精神價值》（正中書局出版）第七、八二章之一部分，內容相同。在義理上後者較完備。然此篇則譬喻較多，文章語氣亦較活潑輕鬆。讀者合而觀之可也。

第三部之最後一文，〈中國今日之亂之文化背景〉，是拙著《中國之亂與中國文化之潛力》（華國出版社）中之一段。此文之用心，在說明中國之固有之文化思想，現在雖然衰落，然仍有其潛力。中國百年來之亂，乃由中西文化之衝擊。此亂不僅是單純的由於中國人之不行，而是由於中國文化精神之好的方面，牽掛著中國之現代化。中國百年來之未能建立富強國家，使科學發達，政治民主，與馬列主義之征服中國，皆由中國之傳統文化精神之好的方面，未與西方文化之好的方面相融合，而互相牽掣抵銷其力量所生之悲劇。此不是泛泛的悲劇，而是真正的由善之衝突而生之悲劇。由此便見將中國今日之亂全歸罪于中國文化之不當，亦見中國文化之不能復不當加以否定。同時亦說明了今日撥亂返治之道，乃在自覺中國文化之精神而認識此潛力。再求如何建立現代國家，發展科學，推行民主；並把支持馬列主義之在中國勝利之力量，轉化為積極的開拓中國文化之前途的力量。由此故知中國當前之文化思想之問題，乃在如何自作主宰的把西方傳來之科學知識、國家觀念、自由民主之觀念，融攝於中國之人文思想中，以銷除、融解由中西文化之衝擊而生的中國人思想上精神上所感之矛盾與衝突。一個人在思想精神中感有矛盾衝突時，行動決不能有力。而此矛盾衝突之銷除，只有求諸己，他人無法代勞。對中國當前之文化思想之樹立，一方是要承繼傳統之人文精神，一方是要開拓此人文精神，以成就社會人文之分途發展。由此即可自覺的建立科學為一獨立之人文領域。由社會人文之分途發展而有各種社會人文組織，即可為民主自由之實現的條件，同時為富強的國家之社會基礎。如此而見吾人之接受西方觀念，正所以完成中國人文精神之發展。此方是立本以成末之事，而非忘本以徇末之事。此即本書第四部之諸文之所以作。除此諸文外，讀者亦可參看拙著《中國文化之精神價值》最後論中國文化之創造三章。

五

第四部第五部諸篇，同是意在疏通中西社會文化之一些觀念上理想上之隔閡，而顯其可互相證明與互相補足之處。第四部第一篇，是本我們對中國文化精神與人生思想之體悟，而根於一自作主宰之精神，以論我們當如何去接受西方之文化思想。在此中，我指出我們應在西方近代思想中，兼重英美型之思想與德國型之思想。而在整個西方思想中，則當兼重近代精神與古典精神。於西方思想外，吾人復不當忘自己之文化思想。此是使我們成為對西方各國家各時代之文化思想之觀察者了解者，而不為一時代一國所囿，以補救百年來中國智識分子接受西方文化之態度之弊。以下五文，則分別就自由民主和平悠久四種理想，加以論列，而皆是通中西之古今來講。在自由觀念之會通上中下三篇中。我先分析八個自由之觀念，然後再看西方文化思想中，由希臘至今所重之自由之種類。最後再以孔子思想代表中國，看其是否具有西方之自由之觀念。在此中我們指出孔子為仁由己之自由義，可原則上涵蓋持載其餘七種。再論中國所缺之自由權利之觀念何以亦可補足。在此中，我們之論自由是連接於人文之觀念以論，不局促於西哲中一家一派之言，而把西哲一家一派之言，安置於吾人所立之觀念系列中。

第四部第五篇〈政治民主與人文之關係〉，第六篇〈中西社會人文與民主〉，亦是將民主政治與社會人文處處扣緊來講，而不空頭論民主政治。此中，我注重說明中國過去之缺民主政治制度，非決無民主精神之證。其缺民主制度之原因，從社會文化方面說，乃在中國文化不似西方文化之為多元而多衝突，緣是而缺西方式之並立相抗之社會團體組織。而中國今後之民主制度之建立，則係於直接由中國過去之重整全之人文修養之精神，與儒家之重全面社會人文之精神，以開拓出此後之分途發展之人文世界，並求各種人文領域中之社會團體組織之有力。此一方是融攝西方民主制度於中國政治，一方亦即中國文化政治自身當有之一發展。

自由與民主之理想，雖可在中國文化思想中求其根據，然此要為西方文化思想所最重視。吾人乃受西方思想之誘發，而真知自由權利之保障之重要，民主制度之重要。於此吾人當感謝西方文化思想之傳入者。而吾人所可以還報于西方之社會文化之思想，則為和平與悠久之社會文化理想。此乃中國所最重視社會人文之理想。天下之和平與人文之悠久，實現於中國之歷史者，亦較為顯著。西方文化思想中，倡和平者固代不乏人。然其文化中之衝突與歷史上之戰爭，畢竟較中國為多。歐洲面積比中國大不了許多，迄今四分五裂，可以為證。而其歷史上第一流之哲人，對天下和平與人文悠久之智慧，皆有所不足。我在第五部〈西方文化與悠久和平〉，及〈西方哲學精神與人文悠久人類和平〉二文中，即謂西方文化中對此二問題，尚不知所以解決之道，並取柏拉圖、亞里士多德、康德、黑格爾之思想為證，一加討論，以見其哲學思想，尚不足為天下太平人文悠久理論基礎之處。此部最後二文，即返而略論印度中國之寬宏博大的和平悠久之智慧所自生，及中國思想與社會文化中之致太平成悠久之道。

民主、自由、和平、悠久是人類人文社會之四大理想。除此以外，如平等、公道、安全、功利、福利等理想，在本書系統中，可說是次要。此等理想，亦可由民主、自由、人生價值及人文價值之概念，所引申出，而包涵於其中。民主即包含政治上之平等。民主亦依于人格之平等。而人格上之平等、政治上之平等，即當引申出生存權利之平等。經濟上機會之平等及人文之創造與享用上之平等。而公道則是求「能得」與「應得」之相當。如各人工作之價值有差別，而應得有差別，似為不平等。然以差別報差別，仍為一平等。公道乃可涵差別之平等。安全乃所以保障人之自由權利，求安全亦即人之自由權利之一種。至於所謂功利福利者，亦不外由權利之運用，而實現一人生價值人文價值，達某一目的得某一效果，感快樂滿足之謂。直用此二名而倡功利主義福利主義，乃未達本源之思想，為本書所不取。但我們可說，欲天下太平，則社會必須有公道平等，欲人文悠久，即須有安全，而有正當之功利或福利之目的之達到。故平等、公道、安全、功利、福利等，亦可包於和平悠久之理想之中。民主自由和平悠久之四理想中，民主是政治的，自由是社會的，和平是國際的天下的，悠久是通古往今來的。民主自由和平，是今日之為生民立命之道，和平而悠久即兼為萬世開太平。至於橫渠先生所謂為天地立心，則宜當自宗教說；為往聖繼絕學，則在乎教育與學問。但今日言學問，當不限於往聖之仁義道德之學。科學、藝術、文學、哲學，皆是專門之學。人類人文世界之全幅開展，必當兼包含宗教科學藝術文學哲學之大盛。宗教求神、科學求真、藝術求美、文學求誠、哲學求慧。神真美誠慧，皆可分別成一純粹的文化理想，與民主自由和平悠久等併列。而我們講中西文化理想之融通，亦尚有種種關於宗教思想、文學、科學、藝術，及專門哲學思想之融通等問題。這都是可以分別討論的。但只就社會人文之理想來說，則民主、自由、和平、悠久已足夠。人類社會有民主、自由、和平、悠久，然後個人之宗教藝術科學文學哲學之創造，乃可日進無疆。而個人之宗教藝術科學文學哲學之創造，亦即所以成就社會人文之民主、自由、和平、悠久。所以我們亦可暫不對這些問題，單獨分別討論。而留俟他書或他人更端另論。至于本書最後一文則為總論中西學術之歷史發展之三階段，以見吾人今日對中西學術持平等觀之可能，並暗示二者之融通之可能。此文可略補方才所言此書所未備之處，堪為本書之後殿。至於附錄中之幾篇短文，則可作本書之餘論看。但此諸文較本書正文為簡單明瞭，青年朋友亦可先看。

六

本書五部之宗旨及關聯，即如上所述。本書雜論中西之文化思想，總不免掛一漏萬。但是中心思想，則依于人當是人，中國人當是中國人，現代世界的中國人亦當是現代世界的中國人之信念。我認為不僅人當自信是人，即上帝亦不能不望人真是一人。不僅中國人當自信是中國人，西洋人真愛中國者，亦不能不望中國人像一中國人。不僅生于現代世界的中國人，當自求成一現代世界之中國人，即中國古人亦必然望我們今日之中國人真成為今日之中國人。本書一切文章皆本于此三信念而作。不過偏重在由第一信念以說第二，由第二以說第三。故第一信念尤為本書之核心。而論列之方式，則大皆取間接一層之方式。如論現實，則追到理想。論現在，則回溯到過去。推尊孔子，則先推尊他人。論中國，則先說西方。然後由理想回到現實，由過去述至當今，由推尊他人以推尊孔子，由西方再返至中國。此種間接一層論列之方式，幾貫注於本書各篇中。因我覺不如此間接一層，則推拓不開，而一切對照不顯。對照不顯，則所論者之價值，不能凸出。然一切義理，要間接一層，推拓開說，從對照上說，則恆不免鼓盪氣機，不能親切平易近人。我亦未嘗不知，對許多義理以親切平易近人之口氣說，有時可更使人感發。這使我自己，有時也厭棄本集中許多文章。但是要蕩除偏見，振刷人心，則本書方式之文章，亦不可少。故仍與以付印。

為使讀者更能了解本書之內容計，我再總結上所說，提出幾項我特別著重之點。此諸點是與數十年來一般時論不必一一皆同的。

（一）本書著重的，是說正面的話，而不重說反面的話。本書在反對任何思想主義時，同時必要正面的想：以什麼代替之？即墨子所常想之問題：「既已非之，何以易之？」

（二）本書之目光，總希望能照顧到一問題之全面，並對古今中西之思想，平等加以尊重。而論其是非高下，則本諸理性。其求全而得偏，與是非不當之處，自甚多。但此乃篇幅之所限，個人學力之所限，與德量修養之不足，而非心之所安。我希望人能指其錯誤而補其所不足。

（三）本書尊重科學在文化中地位，而不以科學在文化中居唯一最高之地位，亦不取一專門科學中之理論以評論人文。

（四）本書肯定宗教精神之價值，並以儒家之人文精神本包含亦當包含一宗教精神。

（五）本書論民主自由，必連社會人文論。本書之根本概念或高級概念，乃人格世界、人文世界、社會人文、人文價值、人格價值之類。民主自由之概念居第二位。但在實際之求民主自由之政治事業中，以民主自由為第一位之概念亦可。

（六）五四時代，以科學與民主衡定中西文化，本書則以人文世界包括科學與民主，以人性人格為人文價值之本原。本書不空頭言民主與個人自由，而連人文價值或人格價值言個人，連人文價值社會人文組織之發展，以言民主自由之何以為應當，與其實際實現之必須條件。

（七）本書以中國之當前之災難，乃由中西文化之衝突、中國文化之缺點與流弊，及西方文化之缺點與流弊混合之所生。中國人之成此悲劇之主角，不能專責他人，亦不能專責自己。

（八）本書承認百年來西方帝國主義資本主義之侵略對中國人心之重大影響，同時著重說明，中國民族之求頂天立地的獨立於世界，乃其深心中最大之要求。我並以為許多善良的人，其參加中共，寄望於中共，而信馬列主義，自下意識中說，正是由欲以西方之「否定此侵略之思想」，否定「西方之此侵略」，而達以子之矛攻子之盾之效果。此種善良之人思想之錯誤，在不知唯物的馬列主義，根本不能正面的成為中國學術文化之指導原則。又不知在政治學術文化思想上，隨人腳跟，學人言語，不能自作主宰，則中國民族永不能真頂天立地的獨立於世界。一個人未有意識精神不獨立，而身體能獨立者。一國家亦未有學術文化思想上不獨立，而國民經濟與現實政治上能獨立者也。故反共而不求學術文化思想之獨立者，亦為本書之所反對。

（九）中國之復興，首賴知識分子在學術文化思想上之自作主宰之氣概之建立。此自作主宰之氣概，不碍對先聖先賢之崇敬，亦不碍虛心學他之長。自尊，尊人，與尊聖賢人格，乃三事一心。凡人只知其一，不知其二者，必不能真知其一。

（十）本書肯定中西文化之不同之價值，亦肯定中西近代之學術思想之價值，且肯定近代以前古典學術文化精神，足補當今之弊。故暗示一中西人文精神之返本以開新之道路。人類之創世紀，不僅係東西人文精神之會通，亦係於近代精神現代精神與古典精神之融合。此方為世界性之真正文藝復興。對此人類文化之遠景言，本書只有引而不發之暗示，而未嘗具體的加以描摹。因此係於人類共同之創造，而非任何人所能機械的預定者。本書論西方文化者，在份量上與論中國文化者，亦不相稱。故本書又名為《中西人文精神之返本與開新》，乃表示我之所祈望與本書之所暗示者而已。此即如此序之篇首所說。我之此書，不希望他永遠流傳。希望人了解之而見諸行事，或著出更好的書，因而此書將被忘掉。一個穀子若不腐爛，亦不能生更多之穀子。我希望讀者讀本書，要在心知其意之後，涵蓋之而超越之，以求有進一步事業上學術上的創造。而不要只停在此書所說。因我自己亦不願停於此。我以後亦擬少寫此類之文章，仍回到比較更切實的學術工作。如果可能，我希望能先將五年前所寫之較富理論性之人類文化之道德理性基礎一書，加以整理出版。故此集之付印對我個人工作，或亦是一段落。在我今日以前所發表一切談一般社會文化問題之文章，此集未收者，皆一律作廢。原文與此集有出入者，亦以此集為準。

中華民國四十三年一九五四年二月一日．君毅自序于香港

重版自序

本書于一九五五年由新亞研究所出版，並列為人文叢書。當時之研究所，意在于人文叢書名項下，出版一般社會人文通俗論著。但後來研究所出版之書，則多屬專門性之學術研究書籍。故雖常有人要買此書，我一直無意加以重版。而我個人之工作，在二十年來，亦偏向專門性之學術研究與教學，更少暇論述一般社會人文之問題，亦覺此書無重版之必要。但近二年來，我有些工作，已告一段落。故決定將若干通俗性之撰述，皆加以重版。如《哲學概論》一書，交香港友聯出版社及臺灣學生書局重版，《中

國人文精神之發展》，交臺灣學生書局重版，此書亦就原來之紙型，由學生書局及新亞研究所分在臺港兩地重版，以應讀者之需。

至於本書內容方面，則此重版，無多改正，只校正若干錯字，並重排其中之一頁。在我寫此書後，更有《中國人文精神之發展》，及最近編成之《中華人文與當今世界》論文集，其中思想，皆繼此書而更進；但與此書之所論，亦無相矛盾之處。二十年來，我以通俗文章論中國與世界之社會人文之根本立場，亦無改變。此書之種種論點，我現在看來，亦大體上仍能成立。其應修正補充之處，自然很多；但讀者能先看此書，再看我後來之所寫，與他人所寫者之進于我之處，可更自求如何可以修正補充之道，亦不為無益。故今加以重版，亦是必要的。

一九七四年三月十日唐君毅于南海香州

《文化意識與道德理性》

自序（一）——寫作緣起

吾寫作本書，始於三十六年尚在南京中大任教時。十之六七，成於太湖濱之江南大學。論宗教一章，成於江西信江鵝湖書院。最後二章第一章及自序，於四十一年成於香港。計地厤四處，時經五載。稿成後，除應友人之約，曾分別發表若干章外，即散置篋中，迄未遑自閱一通。今又匆匆五載矣。憶余初動筆時，本欲只寫一文，論家庭、國家、與天下觀念之建立。及論家庭既畢，即覺有擴大為一總論文化意識之道德理性基礎之必要。遂於課餘絡續寫作。竟成巨帙。余十年來，遭逢世變，安居無地，不免心與境遷，情隨物轉。然在寫此書時，則力求不動於氣，冀明放之四海而皆準之義理之當然為事。唯余對文化及道德之問題，於世書俗說，多所未安。意吾所欲言，皆須歷經曲折而後能達。乃不惜取西方哲學著作之體裁，繳繞其辭，碎義析理。粗心自讀，亦苦文義艱澀。故亦不亟亟於刊行。而五六年以來，余所寫之一般文字，則皆頗求通俗，較切事情，少事剖析，略具華彩。顧此類即事言理之文，隨事宛轉，意氣激昂，亦使人心志外馳，往而不返。其於世為益為損，亦未易論。而其所根據之義理，又咸在此書。則此書之艱澀，抑正在其所陳之思想，如深植根於地下，乃自泥土沙礫之壓抑中，蜿蜒生長而出者。古人言，仁者先難而後獲，君子之道費而隱。區區為學，亦嘗慕此。則此書文義艱澀，亦未為大病。抑亦可助讀者之更能不避艱澀，以深植其思想之本根。乃將此書重次定目錄，是正文句，加以刊行。如世之讀者苦其艱澀，亦無妨與余以前所發表，其他較流暢通俗之著，如《人生之體驗》，《人文精神之重建》等，互相參看。既可觀其互相照映之義理，亦知二者之別，乃文章體類之不同。離之而後雙美，合之則必兩傷。而學問之事，則凝攝之功與發揮之事，初未必相妨。古人云，卷之則退藏於密，放之則彌綸六合。此乃古人為學作文之最高境界。然要必先卷而後放。斯意也，吾固遠未能逮，願與天下賢士共勉之。

四十六年一月卅日

自序（二）——明本書宗趣

一　本書宗趣

本書之寫作，一方是為中國及西方之文化理想之融通建立一理論基礎，一方是提出一文化哲學之系統，再一方是對自然主義、唯物主義、功利主義之文化觀，與以一徹底的否定，以保人文世界之長存而不墜。本書之內容十分單純，其中一切話，皆旨在說明：人類一切文化活動，均統屬於一道德自我或精神自我、超越自我，而為其分殊之表現。人在各種不同之文化活動中，其自覺之目的，固不必在道德之實踐，而恆只在一文化活動之完成，或一特殊的文化價值之實現。如藝術求美，經濟求財富或利益，政治求權力之安排……等。然而一切文化活動之所以能存在，皆依於一道德自我，為之支持。一切文化活動，皆不自覺的，或超自覺的，表現一道德價值。道德自我是一，是本，是涵攝一切文化理想的。文化活動是多，是末，是成就文明之現實的。道德之實踐，內在於個人人格。文化之表現，則在超越個人之客觀社會。然而，一不顯為多，本不貫於末，理想不現實化，內在個人者，不顯為超越個人者，則道德自我不能成就他自己。而人如不自覺各種文化活動，所形成之社會文化之諸領域，皆統屬於人之道德自我，逐末而忘本，泥多而廢一；則將徒見文明之現實之千差萬別，而不能反溯其所以形成之精神理想，而見其貫通、徒知客觀社會之超越個人，而不知客觀社會亦內在於個人之道德自我、精神自我；則人文世界將日益趨於分裂與離散，人之人格精神將日趨於外在化世俗化。所以本書之目的，一方是推擴我們所謂道德自我、精神自我之涵義，以說明人文世界之成立；一方即統攝人文世界於道德自我、精神自我之主宰之下。我認為中國文化過去的缺點，在人文世界之未分殊的撐開，而西方現代文化之缺點，則在人文世界之盡量的撐開或淪於分裂。此義在《人文精神之重建》等書中已詳論。此書之目的，唯在指出道德自我、精神自我之存在與各種文化活動之貫通。我希望中國將來之文化，更能由本以成末，現代西方文化更能由末以返本。這亦即是為中西文化理想之會通，建立一理論基礎，而為未來之中西文化精神之實際的融和，作一鋪路之工作。

二　本書所承於中國思想之處

至於就此書之內容說，則此書是提出一文化哲學之系統。其所以是提出一文化哲學之系統，乃因其對中西文化哲學之思想，皆有所承繼，亦有創新之意見。此書所承者，在根本觀點上是中國之儒家思想。儒家思想始於孔子。孔子之功績，一方在承繼以前中國之六藝之文化。（原始之六藝為：禮、樂、射、御、書、數。禮即道德法律，樂為藝術、文學，射御即軍事體育，書是文字，數是科學。後來之六藝為：《詩》、《書》、《禮》、《樂》、《易》、《春秋》。《詩》屬文學藝術。《禮》屬道德倫理、社會風俗、制度。《書》屬政治、法律、經濟。《易》屬哲學宗教。《春秋》即孔子依其文化理想所以裁判當世，垂教當世之教育法律也。）而孔子則統六藝之文化於人心之仁。以後中國儒家論文化之一貫精神，即以一切文化皆本於人之心性，統於人之人格，亦為人之人格之完成而有。儒家一貫是尊人文的，此與道家之尚自然，為中國思想之兩大支。道家之尚自然，是由於見人文之弊害。而儒家則不主張因噎廢食，而知一切人文之弊害，皆由於人文與其本原所自之人之德性或道德理性相離，由於人之道德自我、精神自我之不能主宰文化。這一意思，是我全部承受的。孔子以後，孟子重義利之辨、人禽之辨，偏重在講人生。荀子則特偏重講文化。文與野對、文與質對、文與自然對。故荀子反自然、重人為，而以自然之性為惡。荀子之哲學，善於講心之主宰性超越性，以對治自然之性，由此便顯出人文世界之莊嚴。但荀子不知人心之本性，乃理性或性理之性，而非其所謂自然之性。故我此書之論人文之基礎不在自然之性，雖同於荀子；而論人文之基礎在能超越主宰自然之性的心之性理或理性，則是孟子之路數。漢儒重教育、政治。經濟制度之建立，以厚風俗而尊天，可謂能重社會文化之實際措施。然文學、藝術、哲學、宗教，在人文世界之地位之高，則在魏晉六朝隋唐。宋明理學家用心之重點，在依性與天道以立人極、明道德。其對社會文化之重視尚不足。永康永嘉一派，重政治、經濟，又太偏於功利。明末顧黃王諸儒。乃直承宋明理學家之重德性之精神，而加以充實擴展，由「博學於文」以言史學。兼論社會文化之各方面。其中王船山之論禮、樂、政教，尤能力求直透於宇宙人生之本原。唯王船山之論性與天道，過於重氣，誠不如朱子、陽明重心與性理之純。然重氣即重精神之表現，由精神之表現以論文化。又較只本心性以論文化者，更能重文化之多方發展。而我今之論文化，即直承船山之重氣重精神之表現之義而發展。然吾人之言心與性理，則仍依於朱子與陽明之路數，此即本書所承於中國儒家思想者也。

三　本書所承於西方思想之處

然本書之論文化之中心觀念，雖全出自中國儒家之先哲。然在論列之方式，則為西方式的，並通乎西洋哲學之理想主義之傳統的。西方哲人之論文化，與中國哲人之論文化之方式有一大不同。中國哲人之論文化，開始即是評判價值上之是非善惡，並恆是先提出德性之本原，以統攝文化之大用。所謂明體以達用，立本以持末是也。而西方哲人之論文化，則是先肯定社會文化之為一客觀存在之對象，而反溯其所以形成之根據。本書之作法正是如此。希臘哲學自蘇格拉底，至柏拉圖、亞里士多德，乃重論文化。然蘇格拉底尤重明道德。其論道德之方式，不似孔子之直指人心之仁孝，以明道德之本，而是就當時社會所流行之道德習慣風俗或道德判斷，加以反省問難，以明道德知識之內心根據。柏拉圖再由論道德與知識，與其他文化如政治、教育之內心根據，以至進求其形而上之根據，此乃一由末返本，由用識體之用思方式。至亞里士多德，遂開始分門別類的論「文藝、倫理、政治、經濟等文化之理性根據」，及「人及其文化與自然世界或神之關係」。人類文化，在亞里士多德，可謂純被推置為一客觀之對象來看。而亞里士多德之哲學，即為後世各種自然科學文化科學之始祖。在亞氏以後，斯多噶、伊壁鳩魯之哲學，均重論人生道德，而帶自然主義之色彩，未能真尊重人文。基督教興，而以宗教統率道德哲學。然科學與文藝、政治、經濟在社會文化中之獨立性，亦皆不免被忽視。至近世之文藝復興、宗教改革，而後科學、文藝及個人之良心、個人之自然欲望、自然情感等之重要性被認識。近世西方文化之多方面之發展，經濟、政治、文藝、哲學、宗教、道德、教育、法律、體育皆一一宛成社會文化中之一獨立領域，乃西洋古代所未有，亦中國過去所未有。然近世之哲學，初只及於人類知識之起源如何，人之理性經驗與知識之關係如何，或如何依純理性或經驗以建立形而上學上之上帝存在或靈魂不朽、意志自由等問題。直至康德，乃由知識論以限制知識世界之範圍；於純粹理性以外，認識實踐理性之重要，由此以提出道德之重要；再由道德以建立宗教、法律、政治，並由理性之顯於自然及超利害心的興趣之出現，以論美與藝術。至菲希特、席林、叔本華、黑格爾等遂皆重精神之表現所成之文化。其中菲希特所重者，在道德與社會文化。席林所重者在藝術、文學、神話。叔本華所重者在由科學、藝術以達於道德，歸於宗教。黑格爾則遍論人類文化之各方面，於家庭、社會道德、國家、法律、藝術、宗教、哲學，皆視為客觀精神或絕對精神之表現，以進而論人類各時代之文化在歷史中所表現之本身價值。與「為繼起之人類文化精神之向上發展之基礎」之效用價值。由黑格爾等所開啟之對人類文化歷史之研究。遂促進近代之社會科學、文化科學、歷史科學之繼近代初期之自然科學、生物科學，而分門別類的發展。大率各種社會科學家、文化科學家、歷史科學家之論文化，在客觀的分析態度上，均精密過於哲學家。然直透本原之涵蓋貫通的智慧，則不如哲學家。他們大皆自原始社會之考察，不同民族文化之比較。社會文化現狀之調查統計，或史料之搜集、整理與分析，以研究人類之歷史文化現象，或再取資於一般社會心理學、自然心理學或其他社會科學中現有之知識或原理，以說明人類之文化現象。其由經驗事實以歸納出一條理，或以現成其他科學中之知識原理為根據以論文化，都可說是一由外以入內之研究方法。此種研究方法自極有價值，但不能說是哲學的，亦非我們今之所取。

在黑格爾以後之論歷史文化之哲學家，除德國西南學派及狄爾泰等外，在現代，有斯賓格勒 **Spengler**、斯普朗格 **Spranger**、凱薩林 **Keyserling**、佛芮德爾 **Friedell**、托因比 **Toynbee** 及卡西納 **Cassirer**。西南學派之溫德爾班 **Windelband**、利卡脫 **Rickart** 及狄爾泰 **Dilthey** 之思想，我只由他人之介紹而知。托因比之書，我亦只看節錄本。但托因比之方法，仍是一歸納的比較文化學之方法，其哲學意味實不夠。溫德爾班、利卡脫之論歷史，重在歷史中人物與事件之特殊個體性與價值性。卡西納之論文化，重由各符象形式之表現於語言神話科學等者，說明其意義。狄爾泰之論文化，重文化之心理意識上之起原。但皆與此書之直重反省吾人之文化意識中所表現之普遍理性者有異。至於佛芮德爾之《近世文化史》與斯賓格勒之《西方文化之衰落》，都是縱論歷史文化之演變。就方法態度方面說，佛芮德爾對西方近世文化之態度乃一諷刺而含幽默感的態度。斯賓格勒對人類文化之態度，則是一同情的體驗一民族文化精神之生長、興盛與衰亡之見於歷史事實之發展者之態度。其論歷史不免以自然生命之歷程相類比，其結論純是悲觀的，與黑格爾之視人類文化歷史之發展為一往向上升進的相反。我之此書，非就歷史以論文化，與黑格爾、托因比、佛芮德爾、斯賓格勒皆不同。他們之豐富的文化歷史之知識，亦非我之所及。我論人類文化之態度，亦非諷刺的或悲觀的態度，並不以文化生命與自然生命相比。我之此書，只是橫面的論各種文化活動之道德理性基礎。此與凱薩林之重論人類文化之精神意義，有相似而亦不全同。因凱氏仍是直接就東西文化之外表之表現，以抉發其精神意義，其方法為即事顯理的，亦不重系統之建立的。凱氏論文化智慧之高，乃今世所少有。其精巧透闢之見，亦我所佩服。我此書則重在言理，且較重系統的。至於斯普朗格之《人生之形式》一書，由人之各種心理意識，以論各種文化活動，亦重各種文化活動之道德價值，乃與此書之方法態度，似最相近者。我亦頗喜其書。但斯氏之態度，乃先從事文化活動之心理意識之分析，再由其相互之配合或衝突之關係，以引出道德價值之問題。而我之此書，則重在於文化活動之心理意識中，隨處指出有道德理性之一貫的主宰作用之存在。故與斯氏之用心仍迥然不同。而此書直接所承受之論文化之態度，在西方，只能說是直本於康德、黑格爾之理想主義之傳統。

康德及黑格爾皆以人類文化為人之理性實現於客觀世界，或精神之客觀表現。康德論文化之最大功績，在以其批導之方法，分清科學知識、道德、宗教、藝術、政治、法律之不同的領域，而一一於其中見人類之理性要求之一實現或滿足。而黑格爾論文化之大慧，則在依其辯證法以指出不同之文化領域，乃同一之精神自我之客觀的表現，其自身所遞展出之精神形態。而人類之歷史，亦即同一之絕對精神或宇宙精神表現其自身於地上之行程。然而黑氏論精神自我之表現為不同領域之文化，以哲學為最高，宗教次之，藝術又次之，國家法律、社會道德再次之，家庭又次之。宇宙精神、絕對精神之表現於歷史，則由中國、印度、埃及、波斯、希臘、羅馬、日耳曼世界，亦顯為次第升進之形態。日耳曼世界中之普魯士國家之政制，為絕對精神之自覺的實現其自身於地上。但對人類未來歷史文化當如何，則他無話說，故其於《歷史哲學》中，終於謂歷史哲學只能說過去，不能說未來。而且如果普魯士之國家政制已為絕對精神之自覺的實現於地上，則理當更無表現更高精神之未來歷史。故黑格爾之絕對唯心論之似樂觀的歷史哲學，一轉手即為馬克斯之唯物史觀，斯賓格勒之悲觀的歷史哲學。而其層層次第上升之歷史觀文化觀，乃一直線式的歷史文化觀，此便非我所採取。又其論文化，恆注重一文化民族與他文化民族之互相戰爭衝突而毀滅，以昭顯其文化之精神價值於後世等處，實帶一潛伏之悲觀精神。此可以說明西方文化，而不能說明中國文化。更不能謂人類之未來文化亦只能如此。其所謂宇宙精神，或表現為人類各文化領域之客觀精神絕對精神，乃一可上升亦可下降而波瀾起伏之精神。其下降後之上升，亦只有先通過其自身之毀滅。黑格爾於此，亦實有極高之智慧。但吾意真正上升之精神，並自覺其所以上升之根據之精神，即可不須通過毀滅以求上升。由是而吾人之論精神之表現為各種文化領域也，亦不須如黑格爾之將家庭、社會道德、國家法律、藝術、宗教、哲學連成一線，以論由前者之自身限制之超越，以轉出後者。吾之論文化，即改而遵康德之精神，以同時肯定各種文化活動，為同一之精神自我之分殊的表現，而不先在原則上決定各種文化領域之高下。

吾書以道德為文化之中心，而不以哲學為文化之最高者，乃承康德之精神。然康德之論道德，注重自覺的道德意志或自覺的道德理想或所謂目的世界之建立。在康德哲學系統中，其外堂是科學知識之世界。其道德生活之所指向者，乃宗教信仰。他又由人人為自覺立法者之道德觀念之應用，即以肯定政治法律中之自由民主精神，並求永久和平之國際關係之維持。至於足以潤澤人之道德生活之嚴肅，使人覺道德理性亦實現於自然界及感覺界者，則為美感與藝術。在其哲學系統中，道德之生活，乃一超越現實之生活。其所謂道德理性皆為自覺的依理性以立法以自律之理性。由此自律，而人之自然心理性向、自然欲望、所求之快樂幸福，皆在道德世界本身無地位。同時一般人之日常生活或文化活動，能不自覺或超自覺的表現人之道德理性之處，皆康德道德哲學之所未加分析者。黑格爾能於一切文化中同見一精神、或理性、在其中之表現。黑氏之精神理性，又非一直向上的，處處直接正面地成就他自己的，而恆是由其向下之否定、或反面之否定、以成就他自己的。道德一名，只是其文化領域中，在哲學、宗教、藝術之下之客觀精神之一領域。而吾人之工作，則是一方承康德以道德為文化之中心，而同時不如康德之只以自覺的依理性以立法自律之道德理性與其所成之道德生活，乃為真正之道德理性，道德生活。我們注重說明：人在自覺上只是實現一文化理想時，亦有不自覺或超自覺之道德理性之表現。人之一切文化生活，在一意義下皆可為道德生活之內容。於是道德生活即內在於人之一切文化生活中。由是而吾人之論道德與文化，即既異於黑格爾之以道德與其他文化領域並列，而置於哲學下之論法、亦異於康德之只承認自覺的道德生活為道德生活，並以自覺的道德生活為一切文化生活之中心，居一切文化生活之上之論法。我乃著重於指明人在自覺求實現文化理想，而有各種現實之文化活動時，人即已在超越其現實的自然心理性向，自然本能，而實際的表現吾人之道德理性。由是而將康德之道德理性之主宰的效用，在人類之文化活動之形成發展上，加以證實。

此即本書論道德文化與西方近世及現代諸哲之異同點，而由之可見本書所承於西哲者也。

四 理想主義、自然主義，自我與理性

本書所承之中西哲人之思想為理想主義、人文主義之傳統。故本書所反對者，即為中西思想中之自然主義、唯物主義或功利主義、現實主義之思想。中國之老莊之自然主義，因其返自然，唯所以去人文之弊害，而其所返之自然乃純樸之自然，或萬化未始有極之自然。他們重致虛守靜而游心於天地萬化之變；故尚表現一形上學或藝術之精神。此非我所主要反對者。現代西方之自然主義者如杜威、桑他耶那等，能盡量承認精神理想亦存於自然之義，此亦非我所主要反對者。我所最反對之自然主義，乃西方近世以人之自然欲望如物質欲望、性欲、權力欲或自然心理，如過去經驗習慣交替反應，或自然環境之決定力量，說明人類文化之形成之自然主義。如馬克斯之唯物的經濟決定論，亨廷頓之地理決定論，佛洛特之文化創造之性欲背景之分析，及尼采之以權力欲之伸展，說明並批判過去之科學或宗教道德之理論，行為主義者之以思想為語言、為一種交替反應或喉頭之顫動諸說，吾人皆以為可以毀滅人類文化之本身價值之曲說。而功利主義者正均以人類文化之價值，唯在滿足人之自然欲望或單純之求快樂之心者。西方功利主義者中如邊沁、穆勒，承認各種文化活動所致之快樂皆有價值。穆勒、席其維克之功利主義，並肯定快樂之有高下之別。其思想對人類文化，尚無害處，並可促進人之力求其行為之產生實效。然如中國之墨家，重功利而只肯定社會經濟事業及兼愛一種道德、與希天賞畏天罰之宗教，即大顯狹隘。而中國之法家，依性惡論及功利主義與道家之虛無思想，而只肯定國家之富強之價值，並否認一切禮樂仁義之價值，則成一反人文之曲說。馬列主義之依唯物主義以主張人之一切文化皆所以助人求生存之說，抹殺宗教與個人創造文化之自由，及超政治之學術、文藝、道德、教育之價值，尤為一足以使人類文化全失本身價值之思想。而一般自然主義、唯物主義、功利主義之思想，均易得不曾有深刻之反

省的思想之一般人之信徒。故我們即聚古今之聖哲之理想主義與人文主義之思想以破之，亦恆不能阻其蔓延。故吾書不重辨吾個人之主張與諸中西大哲之理想主義、人文主義思想之同異。於我所承於中西大哲者，固不加以分別一一指出。即我所異于中西大哲，自認為有創發之見之處，亦不特別標示。而全力貫注於說明此一般自然主義、唯物主義之不足解釋文化之產生，而對各種文化之超功利的精神價值，隨處加以指出。我相信，只要讀者真正一字一句將本書讀過，並處處體會其涵義；則自然主義、唯物主義與功利主義之錯誤，即可完全明了於心。有此明了，人即能真正尊重人類文化，而真正立人道於天地之間，以進而建立人之人格世界，即康德所謂人人自身為一目的之王國。而本書之所以著之最大之目的，與其說在提出個人的文化哲學系統，不如說在對一般自然主義、唯物主義、功利主義之文化觀，與以一徹底的否定，而使人文世界得永保其向上的發展而不墜。

至於說到此書之內容方面，則我並不忽視或否認人類之創造文化之精神，與人所處之自然環境及人之自然本能、自然欲望有關係。但此關係只是一規定的關係，而非決定的關係。此規定的關係，亦內在於人之向上精神之自身。我亦不否認人類之向上精神可以墮落，不否認人類文化之發展至一階段，可以產生弊害。人有時亦當有一求返於自然之意識。但我們以為人之向上精神之墮落，均由於人之精神之陷於其自然的本能欲望。而人文發展之弊害所自生，則由於人文之「自然的」發展，亦即由於我們之不能隨時提起吾人之向上的創造精神，自覺人之文化活動之本原之清淨，而返本以成末。人如果順精神之本性發展，則他只有向上而無向下。即向下後，人只要一念自覺其向下之故，即可重歸向上。故人類文化之弊害，人亦在原則上可以加以挽救。挽救之道，亦即在自覺其弊害所自生，而真知文化之本原之清淨。本書乃擴充孟子之人性善論，以成文化本原之性善論，擴充康德之人之道德生活之自決論，以成文化生活中之自決論。此即一方與宗教家之謂「人嘗知識之果而知羞恥以穿衣，乃人之降落之本」之文化本原之性惡論，及自然主義、唯物主義者之以為文化原於自然本能、自然欲望、自然心理之文化本原的性無善不善論相反。同時一方與人類文化被神所決定之超越決定論之說不同，亦與人類文化被一切自然力量所決定之外在決定論相反。我只承認，所謂精神以外之自然力量，可以規定精神表現之形態及文化之自然的發展可生出弊害。只順文化之自然的發展流行，則其弊害之孳生，亦可使人類文化歸於一悲慘之命運。然因自然力量對人之精神之規定關係，仍內在於精神之自身，所以人總可自覺其精神自身之自動自主性，精神之本性之至善，文化本原之至善，而有一自己決定其未來文化之如何之自由，以自挽救其弊害，而自拔於自然降臨的悲慘命運之外。這是我在本書第一章及最後一章所合以說明的。

在本書第一章，吾人除論人之精神之自決性之外，復兼論人類精神之何以能表現於身體、物質之形相世界，與感覺界之語言文字符號之故。本書未專論語言文字之哲學，即在此附論。最後一章，則除論人之文化之順其自然的發展之所以致文化衰落之故，及挽救之道外，兼對人之創造文化之精神在自然世界之地位，與自然之進化之關係，有一說明。由此說明，可以使我們了解人之精神與自然的心理、自然生命、或自然的物質世界，所遵循表現之理則，與人自覺的理想之建立中所表現之理性，在形上學中可以加以貫通。而吾人之理想主義、人文主義，並不否認：從事實上看，人之精神之出現於自然，乃由進化而來，其出現有其自然之條件。然而所謂由自然進化而來，皆由自然之自己超越而來。故自然之進化出精神，即精神之自己表現、自己呈現。故我們決不走到自然主義。此章涉及形上學宇宙論之問題，然而我們不能充量的自各方加以討論。此章中之所以論及此中問題，唯所以使人不致以我們所謂人之精神，全與通常所謂自然世界或自然進化之事實相脫節而不相干者。

五　本書各章大旨

本書第一章泛論人類創造文化之精神之自主自動性或自決性。末章總論人之文化之弊害之所以產生之故，及如何挽救之道，與人之精神與自然世界之萬物之理則及自然進化之事實之關係。其餘各章，皆是分論各種文化領域中之文化活動之依何種文化意識而形成，與各種文化意識、文化活動、文化理想形成時，其中所實現之道德價值或所表現之道德理性。吾人所謂理性，即能顯理順理之性，亦可說理即性。理性即中國儒家所謂性理，即吾人之道德自我、精神自我、或超越自我之所以為道德自我、精神自我、或超越自我之本質或自體。此性此理，指示吾人之活動之道路。吾人順此性此理以活動，吾人即有得於心而有一內在之慊足，並覺實現一成就我之人格之道德價值，故謂之為道德的。順此性此理而活動而行為，即使吾人超越於有形相之物質身體之世界，並超越於吾人之自然欲望、自然本能、自然心理性向等。吾人由此而得主宰此有形相之物質身體之世界，與吾人之自然本能欲望等，使之為表現此理此性之具。此理此性本身為內在的，屬於吾人之心之「能」的，而不屬於吾人之心之「所」的。故非作為所與而呈現的，亦即非通常所謂現實的，而只是現實於吾人之心之靈明之自身的。故此理此性為形上的、超越的、精神的。順此理此性之活動，為精神活動。精神活動之內在的體驗即精神意識，簡名之曰意識。而當吾人之精神活動，有一自覺或不自覺依理性而形成的對客觀世界之理想時，吾人即有一文化理想而亦有一文化活動。每一文化活動、文化意識，皆依吾人之理性而生，由吾人之自我發出。故每一文化活動均表現一對自我自身之價值或道德價值。由是而吾人所謂道德自我、超越自我、精神自我，創造文化具備文化意識之自我，只是一自我之異名，在本書中，亦交替隨文用之。大率如欲顯其為非一般之現實的所與所對或已成自我，而恆超越於一切所與所對或已成自我之上，只為主而不為客說，即用超越自我。如欲顯其非物質的超形相的、超自然本能欲望等的，則用精神自我。如欲顯其為實現一對人格自身之價值的，即用道德自我。如欲顯其為抱某一文化理想、成就某一文化活動的，則只用自我二字，或冠以一詞如求真時之自我，作某文化活動時之自我等。

至於本書所謂理性之意義，乃以其超越性及主宰性為主。理性之普遍性，乃由其超越性所引出。其必然性由其主宰性引出。吾人可謂理性之發用，首先即表現為一超越感覺形相之世界，而超越物質身體之世界與自然本能欲望等的。吾人之識取人之超自覺或不自覺的理性之活動，當先自此處識取。至於自覺的依理性而成之理想或自然合理性之理想，其普遍性乃直接由此理想之形成，依於吾人之已能超越此上所言吾之個體所具所遇之一切特殊現實而來。能超越特殊之現實，即能形成普遍之理想。凡意念不自限於一特殊事物或一個體自我的本能欲望心理中者，即成具普遍性之理想。意念理想無「私性」，即具公性。無「私性」即禮，公性即仁。禮由仁發，仁由禮現。禮即理，仁即性。二而一者也。而理性之發用，首先乃表現於「私性或自限於一特殊之性」之超越，以主宰吾人之自然活動上。至於所形成之理想為具必然性、普遍性、公性、仁性者，乃以後之自覺所反省出者。吾人既能形成具普遍性、公性之理想，以之裁判吾人偏私之意念或偏私之理想，乃有自覺的建立合理的理想之事。以合理之理想與偏私意念之偏私相對照，乃知此合理之理想，為依理性必然當如此建立者，由是而有康德所論之自覺為普遍立法者之道德意志。故吾人之道德理性，不僅表現為實踐理想之自覺，或自覺之實踐理性活動。理性之最早之表現，即表現於人之日常之情感意志行為中，亦表現於吾人自覺是求一非實踐性理想，如求一真理或美之活動中。唯如是，吾人乃得說道德理性之為一切求一文化理想之實現的文化活動之必然的基礎，而為支持人類之人文世界之永久存在者。

六　本書論各種文化活動各章之次第

至於吾人之論各種文化領域或文化活動之形成次序，則首論者為家庭。在此中，吾人所論者為反對家庭之成立之基礎在性本能之說，而主對「男女之愛之關係之理想」之愛，為夫婦關係成立之基礎。其次則說明人對父母之孝與對兄弟之友之形上學的涵義。由此形上學之涵義，即顯出人之孝友為人之道德理性之直接的顯示，於吾人之自然生命欲望之規定者。在此章，吾人因鑒於家庭之道德之為人所忽，吾人特重說明家庭關係中之常道之重要，並由家庭中之人與人之直接的情感關係中，指出人之超越個體的自我之超越自我或道德自我之存在，以使人易於親切把握此概念，為後來討論之張本。此章中最重要之處，乃論孝友之意義及家庭關係之當求恆常之理由。此可謂皆發前人所未發者。

吾人於第三章論生產技術及社會經濟之文化。在此中吾人首指出人之求生存之慾望，不能為經濟文化之基礎。乃進而說明生產技術之活動，為人依其精神理想，以型範自然之活動。次論生產工具之客觀性，其對人之客觀的社會意識之形成之關係。再及於生產活動中之道德意識，及交換財物以形成之商業之經濟活動中之道德意識，以至於財富分配及財富消費中之合理的理想之討論。在此中，吾人指出由所謂原始的生產活動，至所謂資本主義之經濟、社會主義之經濟理想中，有一貫之精神活動，道德意識之支持其存在。而終於一更高的依消費之目的，以決定經濟上生產行為與分配制度之人文經濟的理想之提出，以此為最合人之道德理性之所要求者。此章重要目的，在辨明人之生產、交換、分配、消費之經濟活動，如無人之精神活動或道德意識之支持，即自始不能存在。而最精要之處，則在指明：如何由公平分配之社會主義之經濟理想中，轉出人文經濟之理想，肯定私產制度之道德理性之基礎。

第四章論政治，則首明人之權力欲或權力意志之不能為政治之文化之基礎。吾人先說明，如無客觀價值之意識，則政治上人與人之支配服從之關係之不可能。次指出人之權力意志之自毀性質，與其必須轉為求榮譽而尊重客觀價值之意識。由是而人與人之權位關係，即須轉為能位、德位、或勢位之關係。而由此以指明人之權力意志之自己超越，而隸屬於一道德意志之路。其次即進而論人之社會團體所以形成之理性基礎，與國家之產生之必然性，及國家之要素，如人民、土地、主權之意義。吾人在此中評論過去各種之國家之學說。而指出其缺點，及其與吾人國家起原之學說之相通，進而論各種政治制度之意識之高下之道德理性基礎。再下即論國家之實在性問題。吾人在此指出國家在一義下為一精神實體之理由，並說明吾人之國家思想與黑格爾之相同處。然後吾人乃進而指明黑格爾對於個人超越自我涵蓋國家之認識，尚有不足，及其不能肯定超國家之天下或世界之觀念，乃其國家學說之缺點。及吾人依何理由可於尊敬吾人自己之國家外，兼尊敬其他國家之道德理性根據。最後再歸於論國際和平與天下一家之可能，與如何在不廢國家之條件，實現此理想之道路。

在第五章吾人論科學哲學之道德價值，此乃表示吾人不視純粹理性之活動與實踐理性活動在根原上為二。吾人以純粹理性之活動，當其目的在真理時，即為一實踐理性所支持者。吾人不以人之科學哲學之活動之目的，只在得真理，而注重說明科學哲學之求真理之活動，即一使吾人超出自然之本能欲望或其他自然心理之束縛，顯出吾人超越自我，而使吾人破除各種感相或知識之執著之活動。故人在科學哲學活動中，亦有一道德價值之實現。然吾人在此章中，仍首論人純求知真理之活動，非一般之實踐理性之活動，亦超越任何實用之目的者。次乃分析吾人求知真理之活動，如何依序進展，以逐步自自然世界之束縛及知識之執著解放，以開出各種經驗科學、數理科學、歷史、應用科學、邏輯、哲學之世界，而歸結於論在何種條件下之求知真理之活動，乃真表現道德價值，否則無真正之道德價值之實現。

第六章論文學、藝術。吾人首明藝術文學之審美的意識、審美判斷與求真意識之不同，次則明審美的文藝活動之所以仍為一表現理性之活動之故。吾人在此中復進而論人之求真理之活動之目的，乃在得具體之真理，而具體之真理則在美中實現，以進而明真理與美二種價值之互相補足性。在此章最後，吾人復分論人之文學藝術之類別，而一一明其與人之科學哲學中之類別，可相對應類比。

在此二章中，吾人對科學哲學文學藝術皆分為高下不同之諸類，加以論列。唯此所謂高下，乃依吾人之討論科學哲學藝術文學之類別時之理論先後之次序，其在先者即較低，在後者即較高。如依另一先後之次序以討論文化之類別，則此高低亦可變者。又凡吾書所論之各種文化活動之高低，均不表示有某一文化活動者在其當下之文化活動中所實現之道德價值之高低。真正由一文化活動之中所表現之道德價值或精神價值之高低，應依其所超越之「為阻礙之自然的本能欲望或自然心理，已成知識、或其他已成之文化活動之機械習慣」之廣度量或強度量上說。如人之自覺的道德行為之道德價值或精神價值之高低，唯依其自覺的加以克制，而自覺的加以超越之「自然的本能欲望或自然心理，及其他一切機械習慣」之廣度量強度量上說也。此義在本書未言及，特提出加以說明。

第七章論宗教。吾人首指出宗教意識為一皈依崇拜神之意識。由說明此意識非其他一切自然本能，自然心理或文化意識之變形，以論宗教意識為一純粹的求超越現實自我，以體現超越自我之意識。而所謂神，即此超越自我之客觀化，而此超越自我又顯示為一絕對超離吾人之現實自我者。吾人在此中，特說明此超越自我與現實自我之對峙而二元化，如何可能，再及於原始之宗教意識之說明，及各種宗教意識之高下之層級。在此，吾人對世界一切宗教意識，皆予以一地位，並提出一較過去人類已有之宗教意識更廣大之宗教意識，為吾人之理想之宗教之基礎。

第八章論道德。吾人在此章之所著重，首是一方說明不自覺或超自覺之道德意識之為一切文化意識之基礎；一方說明自覺之道德意識，為涵蓋一切文化意識者。次即說明自覺的道德意識，為一自覺其超越自我之呈現之意識，由此以論中國儒者所宗尚之人之主要的德性，終歸於論道德活動與其他文化活動之相依。在此中，吾人未詳論道德哲學中之諸問題。吾人之論道德之立腳點，亦未能如康德之扣緊人之尊嚴以論。此文尚是只為就文化哲學觀點以論道德意識者，而非就道德哲學觀點以論道德者。

第九章論體育、軍事、法律、教育四種文化活動。吾人以此四種文化活動，皆為保護人類文化之存在之文化活動。在此章，吾人對每一種文化意識，皆姑分為五型。而此四種文化與其他文化之關係，亦隨文論及。在此章中之精要處，在論體育意識與軍事意識之道德價值之處。而論法律意識之精要處，則在指出最高之法律意識應通乎禮。論教育之精要處，則在指出最高之教育意識為人類之人文世界、人格世界自求延續於自然所生出之文化意識一點。

以上是此書各章之內容或結論。此結論本身之了解不難，唯人未必皆能知此結論所據之理由，則其知此結論，仍同於未知。又一切哲學著作之價值，皆不在其結論，而在其能指出建立此結論之真理由，以使吾人可堅信不移，與其書各章之義，能互相照映而烘托出一中心意旨，而使人直覺其彌綸布濩於全書。此書之中心意旨，即顯示道德理性之遍在於人文世界。而道德理性不顯示於人文世界之成就與創造，則道德理性亦不能真顯示超越性、主宰性、普遍性與必然性於人生與宇宙。吾在各章中對所主張者所提之理由，亦未必能皆充足而必然，而各章之配合，亦未必能皆使讀者直覺方才所言之中心意旨之彌綸布濩於全書。此則固吾之罪，亦望讀者之進而自求之者也。

《哲學概論》

第三版序

本書初應香港孟氏教育基金會大學叢書編輯委員會之請而寫，乃一通俗性的哲學教科用書。初版於一九六一年，再版于一九六五年；皆由孟氏基金會出版，友聯出版社發行。但在臺灣方面，讀者要購此書，則極難購得。前年孟氏基金會停辦，因將版權收回，故於此第三版，交臺灣學生書局及香港友聯出版社分別出版。

關於此書之內容，再版中加了附錄三篇，在今版則無新增加。自此書初版至今，十餘年來，我個人之思想學問自亦有多少的進步，而中國與世界哲學思想，亦有若干之變化與發展。如我現在重寫此書，亦當有若干改易與增補。我所尤引以為憾的，則是此書雖已不同於以前之同類書籍，而開始用中國哲學的資料，以講一般哲學問題；仍嫌用得太少。但人類之有哲學，已有近三千年的歷史。在一二十年中，人類之哲學思想之變化，是不大的。我個人之進步，更是有限的。而概論性的書，亦永不會完全無缺。只能對來學，有若干啟發引導思想的作用，其所供給之基本的知識，莫有很大的錯誤，亦就行了。此書既然過去印行兩版之四千部，都銷售了，今亦時有人要買；而以我現在的時間、精力與興趣，已根本不會去寫此類的書。故今只有照舊重印，不加增補，想於世亦未始無益。至於此書中國哲學資料太少的缺點，則我十多年來所寫之《中國哲學原論》，已由人生出版社及新亞研究所，出版了五本，字數已倍於此書。此五本書雖比較專門，但用此書為教學之資者，亦可加以參考，以補此書之所不足。是為序。

一九七四年三月十日唐君毅於南海香州

自序

哲學與哲學概論之名，乃中國昔所未有。然中國所謂道術、玄學、理學、道學、義理之學即哲學。如朱子之編《近思錄》，依類而編，由道體、為學、致知、以及存養克治之方，再及於家道、出處、與治體、治法、政事、為學，即一包括西哲所謂形上學問題、知識問題、人生問題與社會文化政治教育問題之一哲學概論也。此類之書，在中國未與西方文化接觸以前，蓋已多有之。

至於在西方之學術史上，名哲學概論之書，亦近數十年中乃有之。百年前西哲所著書，其近似哲學概論者，蓋唯有黑格爾之《哲學大全》*Encyclopedia of Philosophy* 一書。其書遍及於邏輯、形上學、自然哲學、及論人心與道德文化之精神哲學，可謂成一家言之西方哲學概論之始。繼此以後，十九世紀之末至廿世紀，德人之為哲學概論者，雖更重便利初學，然亦幾無不重一系統之說明，而帶一家言之色彩。如溫德爾斑 W. Windelband 及泡爾孫 F. Paulson 之哲學概論，即譯為英文，而為英美人初所採用之哲學概論之教本者也。

自廿世紀以來，英美學者所著之哲學概論類之書籍甚多。大率而言，英人所著之哲學概論書籍，不似德人所著，重系統之說明，而較重選取若干哲學基本問題，加以分析。如羅素 B. Russell 之《哲學問題》，穆爾 G. E. Moore 之《若干哲學問題》*Some Problems of Philosophy* 及近尤隱 A. C. Ewing 之《哲學基本問題》*The Fundamental Questions of Philosophy* 之類。即較有系統者如麥鏗然 G. S. Mackinzis 所著《建構性哲學之諸要素》*Elements of Constructive Philosophy*。其稱為諸要素 Elements 而不稱為系統 System，亦即代表英國式之哲學概論之作風者也。

至於美人所著之哲學概論書籍，則早期如詹姆士 W. James 之《若干哲學問題》*Some Problems of Philosophy* 亦為只就問題分析者。然因美國之大學特多，而課程中例有哲學概論一科；於是哲學概論書籍之出版者亦特多。大率而言，則皆較重各派哲學對各哲學問題之答案之羅列，以為一較客觀之介紹，供讀者之自由選擇。其長處在所涉及較廣博普泛，而其一般之缺點，則在對一問題罕深入之分析，並使讀者不知循何道，以將其所列之各問題之答案，配合成一系統。

此外關於法意印度日本等其他國家所出版之哲學概論類書籍之情形，因愚所知更少，茲從略。

至於中國近數十年來所出版之哲學概論類書籍，固亦不少。大率而言，對哲學或哲學史之專門問題有興趣者，恆不肯寫哲學概論類之書，亦不必即能寫哲學概論類之書。而坊間出版此類之書，則以學美國式者為多。罕有重少數問題之分析，及一系統之說明，而意在成一家言者。而一般之共同缺點，則為摒中國之哲學於外，全不加以論列，此實非為中國人寫哲學概論應有之道也。

然在今日欲為中國人寫一較理想之哲學概論，亦實不易。此乃因中國固有之哲學傳統，既以西方思想之衝擊而被斬斷，西方之哲學亦未在中國生根，而國人之為哲學者，欲直接上西方哲學之傳統，亦復不易。必有哲學，而後有概論，有專門之學，而後有導初學以入於專門之學之書。在今之中國，哲學之舊慧命既斬，新慧命未立，幾無哲學之可言，更何有於哲學概論？而此亦蓋少數國人較深研哲學者，不肯寫哲學概論一類書籍之一故也。

愚三年前，承孟氏大學叢書委員會約，撰著此書，初亦遲疑者再。緣愚於二十餘年前即曾編有一哲學概論之講稿，以便教課之用。而愚於大學中承乏此課，前後亦不下二十餘次。然幾於每次之教課內容，皆有改變。或以哲學問題為主，或以哲學派別為主，或以哲學上之名詞概念之解釋為主，或順哲學史之線索，以論若干哲學問題之次第發生為主。而教法方面，則或較重由常識引入哲學，或較重由科學引入哲學，或重由文學藝術引入哲學，或重由宗教道德引入哲學，或重由社會文化問題引入哲學。材料方面，又或以中國之材料為主，或以西方印度之材料為主。幾每年更換一次。在愚個人，實以此為免於厭倦之一道，亦藉以試驗對此課程之各種可能之教法。然迄今吾仍唯有坦白自承，尚不知何為此課程最基本之教材，為一切學哲學者，所首當學習者。亦不知何種教法，為最易導初學以入於哲學之門者。吾今所唯一能有之結論，即真為中國人而編之哲學概論，其體裁與內容，尚有待於吾人之創造。此即愚於應允編著此書之事，所以遲疑者再也。

惟愚既應允編著此書，愚即須試為此一創造。愚之初意，是直接中國哲學之傳統，而以中國哲學之材料為主，而以西方印度之材料為輔。於問題之分析，求近於英國式之哲學概論。於答案之羅列，求近於美國式之哲學概論。而各問題之諸最後答案，則可配合成一系統，近德國式之哲學概論。期在大之可證成中國哲學傳統中之若干要義，小之則成一家之言。然以個人之知識及才力所限，書成以後，還顧初衷，惟有汗顏。而所取之中國哲學之材料，仍遠遜於所取於西哲者之多，尤使愚愧對先哲。唯此中亦有一不得已之理由，即西哲之所言，慧解雖不必及中國先哲所言者之高；然理路實較為清晰，易引人入於哲學之門。而中國先哲之言，多尚須重加疏釋，乃能為今日之中國人所了解。此尚非一朝之事，故仍不免以西方之材料為主。後有來者，當補吾憾。惟於慚汗之餘，愚於寫作此書之時，特所用心之處，仍有數點，足為讀者告。

（一）本書對哲學定義之規定，以貫通知行之學為言，此乃直承中國先哲之說。而西哲之言哲學者之或重其與科學之關係，或重其與宗教之關係，或重其與歷史及文學藝術之關係者，皆涵攝於下。

（二）本書各部門之份量，除第一部純屬導論以外，固以知識論之份量略多，形上學次之，價值論又次之。然實則本書論形上學，即重在論價值在宇宙中之地位；論知識，亦重論知識之真理價值，及其與存在者之關係。故本書之精神，實重價值過於存在，重存在過於知識。唯因知識論問題，與科學及一般知識之關係較多，又為中文一般哲學概論之書所較略者，故在本書中所佔之份量較多。而價值論之思想，則中國書籍中所夙富。即愚平昔所作，亦以關於此一方面者為多。讀者易取資於他書，故於此書所佔份量較少也。

（三）本書第一部，除第一二章論哲學之意義上已提及外；其論哲學之內容數章，於中西印哲學之發展，皆略加涉及。材料雖不出於一般知識以外，然隨文較其重點之異同，亦可使讀者於哲學全貌，有一廣博之認識。至於論哲學之方法一章，於論各種方法之後，歸於超越的反省法；論哲學之價值一章，最後歸於哲學之表現價值，賴於為哲學者之道德修養。此皆他書所未及，而遙契於中西大哲之用心者。

（四）本書論知識之一部，重在問題之分析。於知識之性質，知識與語言關係，知識之分類，普遍者在知識中之地位，知識之起原。能所關係等一般問題，分別討論後。其論歸納原則與因果二章，為經驗科學之根據問題。其論數學邏輯知識之性質及先驗知識問題二章，為純理科學之根據問題，皆較為專門。最後論知識之確定性，真理之意義與標準，及知識之價值，則皆就知識之成果上說。此中論知識之分類第一節及最後數節，與論知識之起原中，對直覺之知之分析及聞知之意義之說明，皆有我個人之主張，及中國先哲之知識觀為據。其餘論知識與語言之關係，及普遍者在知識中地位，能所關係及純理科學經驗科學之根據等問題，則除對流行於西方現代之若干理論加以介紹外，兼重申西方之傳統之理性主義哲學之涵義，以定下暫時之結論。至於論真理之意義與標準，則歸於一融貫西方之諸真理論之一高級之融貫論。論知識之價值之限度，亦依中國先儒之知識觀為說。此皆本部之要點所在。

（五）本書論形上學之一部，非分別問題討論，而重在舉介若干形上學之型類。此乃因每一形上學皆為一系統，以表示一整個之宇宙觀。而各形上學亦可無絕對之真偽。每一形上學，皆可至少展示宇宙一面相。如只分別隸入一一孤立之形上學問題而論，則各家之整個宇宙觀，皆被割裂肢解，神氣索然。此即本部重舉介若干形上學之型類之理由。至於本部對此各型類之形上學，雖未能一一詳論，提要鈎玄，亦不必當；然要無橫加割裂肢解之病。大率本書述形上學之各型類，皆由較純一簡單者，次第及於較深微複雜者。唯此亦非謂較複雜者，在形上學上之價值必較高。故本部先論現象主義，有之形上學與無之形上學，以為最純一之形上學之例證。再繼以生生之天道論，以論中國儒家與陰陽家之宇宙觀之一面。此皆他書所無。而於我個人特所會心之見亦有所陳述。至理型論、有神論、唯物論三章，則分別表示西方形上學之三型。理型凌空，神靈在上，物質在下，各執一端。第九章對偶性與二元論，乃重申先哲陰陽相涵之義，以論中國無自然超自然、心身、心物對立之論之故，以及於西方二元論之諸型。第十章泛神論，則代表西方哲學中之通貫自然與神靈而合心物之哲學。第十一章論個體性及一多之問題，則所以暫結束西方哲學中，對於實有問題（Problem of Being）之討論。十二章至十四章，論宇宙之大化流行及斯賓塞、柏格孫、及突創進化論之哲學，則為以變化之問題（Problem of Becoming）為中心，而關連於近代之生物學之哲學理論。十五章相對論之哲學涵義，乃略述近代之物理學理論，對時空中事物之動靜變化之新觀點。十六章懷特海之機體哲學，則代表承此新物理學之觀點，於自然之流行中見永恆之法相，並於科學所論之存在世界中，重肯定傳統哲學宗教中所嚮往之價值世界之一哲學。十七十八章論西方之唯心主義理想主義，十九章論印度佛學中之唯識論，二十章論中國倫理心性之學之形上學意義，則為分別論述為中西印傳統哲學大宗之唯心論。是皆各足以通天人、合內外、一常變、貫價值與存在，而最切近於人之此心身之形上學，而與本書之第四部價值論可密切相連者也。

（六）本書價值論之部，表面以價值論之數問題為中心，而加以分別討論。其分別討論問題之方式，亦為西方式的。然貫於此部之一精神，及每討論一問題，最後所歸向之結論，則為中國通天地、和陰陽❶以立人道、樹人極之儒家思想。此以儒家思想為歸宗之趨向，在本書之第一二部已隱涵，第三部乃顯出，於本部則彰著。唯此皆非由吾人之先有此成見，而忽略其他之理論之故。實惟是吾人先客觀的遍論其他不同之論，順思想之自然的發展，乃歸宗於如是如是之結論。本書凡批評一說之處，無不先於其優點，加以敘述，期不抹殺一說之長。讀者如不願歸宗於本書每一章之結論部份，或尚不以此結論為滿足，亦可由之以引發啟迪其他更深入之見。或將本書涉及結論之處，暫行略去，自作思索，亦未嘗不可。

（七）本書論哲學之意義，重哲學之通義與局義之比較；論哲學之內容，重東西哲學之重點之比較；論哲學之方法，重各種類之方法之陳述；論知識論問題，價值論問題，重各不同方式之答案之比較；論形而上學重不同形上學系統類型之比較。凡此等等比較異同之處，雖未嘗列為機械之條目，實為本書之精神命脈所在，而異於一般之哲學概論者。亦可名之為比較哲學之導論。

（八）本書無論分析一哲學問題，或介紹一形上系統，皆順義理之次序以取材。非先搜輯若干材料，再加以編排。於論一問題或理論處，詳略輕重之間，或與其他同類之書不同，然絕無雜糅抄纂成篇之事。愚平昔讀書，雖瀏覽甚廣，然必反諸自心，以求其所安。著書為文，素不喜多所徵引，羅列書目。唯今仍遵孟氏會所定之體例，遇較生僻處，皆略加註釋，以取徵信。至所列參考書目，則除與本書

---

❶　本書中論陰陽之義，散見各篇，而引繹之以解決西方之若干哲學問題，乃他書所無，亦愚昔所未論。

各章直接有關者外，或取其所述，與本書所陳相近者，或取其與本書所陳相出入者，或截然相反者，或讀者讀本書後，可觸類旁通者，或其書名宜為學者所知者。惟皆以愚個人親見其書，及視為重要者為限。並非只盡於此，亦非謂讀者非讀之不可。而本書之所據，亦尚有不止此者在也。

（九）本書卷帙較繁，較中西文之同類之書，篇幅或多一二倍。如採作教本或參考書，人可自由加以取材。其中之若干章節，所涉及之問題較深，本應在專門之形上學知識論之課程中，方能討論及者。茲亦在目錄中用＊符號，加以註明。然吾人如以黑格爾之《哲學大全》、朱子之《近思錄》為哲學概論之標準，則本書之所陳，亦未為艱深。故一併編入本書，以待好學深思之士。至於初學凡讀感困難之章節時，亦不宜先動自餒之心，而可先將能讀懂之諸章節，所陳之義，求更加以熟習，再讀難者，則難者亦易矣。

此上九者，為愚成此書後，回顧本書寫作時之所用心，以為讀者告。至於全書編排不當，及訛誤失實，與析理未精之處，自必不少。惠而教之，是賴賢哲。

孔子誕辰二千五百壹拾年，中華民國四十八年二月七日唐君毅自序於香港延文禮士道

《青年與學問》

自序

本書所輯，大體均有關青年之讀書治學及為人的一些短文。這些文章，除在《人生》一刊發表者外，有的是在新亞書院學生所辦之刊物上發表過的。有的是在港九所辦之《中國學生週報》發表過的。這些文章，因為要勉強適應讀者，所以不能暢所欲言。有的地方，並不免用時下刊物筆調來行文，這在我個人是並不願意的。有許多地方，亦寫得不真切。這是我所引為愧疚的。但是我在每寫一文時，我總是在迫切希望青年們能發憤讀書做學問，成就他自己，以開拓中國文化之前途。我並未以敷衍塞責的態度來寫文。所以這些文章所講的道理雖很普通，但我想青年看了，仍可有些好處。加以重印，亦就不算浪費紙墨了。

方才我說，這些文章所講的道理，都很普通。同類的道理在古今大學者的口中，恐怕都是說過的。我這一些文，亦未嘗想把一切古今人所講之讀書治學之方法態度，加以一綜合的說明。所以青年朋友們千萬不要以為看了此書，便知一切讀書治學之方法態度了。應當由此再去看古今大學者之如何讀書如何治學才是。但是我這些文，亦有一好處。即這都是為此時代的中國青年寫的。而且亦都有我個人之體會與經驗為背景。所以儘管古今人多有同類的話，然而我相信，這些文仍多少有一種新鮮的意味。而我所希望於青年朋友的，亦只在其能由是而讀書治學，皆與其個人之體會、經驗連起來，而處處感到一新鮮的意味而已。

這些文之所以如此編排，亦略有一理由。第一文〈說青年之人生〉，可作一篇導言看。這篇文章之主要意思，是說青年之天德並不足貴。只有繼天德以成人德才足貴。故後天的學問工夫決不可忽。後天的學問工夫中，最重要的，畢竟仍是讀書聽講。故第二文〈說讀書之重要〉，第三文〈說閱讀與聽講〉。讀書是以古人及遠處人為師，聽講則是以眼前接近的人為師。學問之第一步在有師。此義在昔人時常說到。但現代青年多忽此，不屑讀書聽講與求師，乃終於自誤，最要不得。第四文〈說讀書之難與易〉，是略說人在讀書歷程中之甘苦。此甘苦是有層級之不同的。故此文仿《莊子》及《禮記》之二段文之筆調來寫。依此筆調，一直寫下去，便似太流走，亦有類游戲。但我之本意實非喜流走與游戲者。故望讀者讀此文時，勿一直滑下去看，要隨處頓住來看。否則，我之罪大矣。

第五文〈說學問之階段〉，第六文〈說學問之生死關〉，是泛就人讀書做學問而逐漸有心得時所經歷之階段與關隘上看。此二文各分五段，皆可一一互相照映來看。

第七文〈精神的空間之開拓〉，及第八文〈新春與青年談立志〉，則是從胸襟志願之擴大提高上講學問之道。此是講的做人之學問與純求知識之學問之交界處。

第九文〈學問之方法〉，是說明許多人孤立的講學問方法之誤，而說明學問方法之了解，實與學問同時進步。第十文〈學問之內容〉，是指出一般人只以求知識為學問之誤，而說明學問之內容乃與吾人之整個生活同其廣大。因我是學哲學者，所以對於哲學所說者稍多。然我卻無絲毫輕忽其他學問之意。

第十一文〈與青年談中國文化〉，是一講青年對中國文化應有之一最簡單的認識。我們今日之講一切學問之目標，一面在成就自己，一面即在謀中國文化之發展。故無論在什麼時候，什麼地方，我們都應念念不忘一些中國文化之長處。此文初是為臺灣之《我們的國家》一書寫的。此書是希望每一國民閱讀的。所以我寫此文亦盡量求淺易明白。我想一中學學生亦能看的。所以附載於此。

第十二文〈說人生在世之意義〉，是提供青年一最簡單的人生觀。第十三文〈薛維徹論現代文明生活之弊端〉，初是介紹西哲薛維徹之思想之一段。此一段文之所以附於此，是要現代青年知道現代社會之文明生活包含許多問題，可使人之精神墮落，青年朋友們應於此警惕。薛維徹是現代一知行合一的哲人，他一生的時間多費在南非洲為土人治病。他的思想是要人回到對於一切生命的尊重。而在我們所要建立的中國未來之社會，亦應能去掉現代都市文明的毛病。人的精神應歸向於樸厚，現代青年之治學做人，亦應有點鄉土氣。只有有鄉土氣而有樸厚的精神之青年，才能真正做學問，使自己成一真正人物。所以在鄉村中的青年，不要氣餒，在都市中的青年，應當時常警惕著現代文明生活的弊害之侵入自己。此即我之所以附入此短文之理由。

依此次序來編輯此諸文，其中亦有一線索，而略成一系統。其中重複的地方與缺漏的地方，自然很多。但是讀者如依此序所說之根本義去看，亦可以把重複的地方去掉，把缺漏的地方補足，而自己形成一個對於讀書治學做人之道的一整個的初步認識。

此書文皆我在四十一年至四十六年所寫，但內容與時間無關。原由人生出版社出版。今人生出版社，將此書讓歸三民書局出版，除增加附錄兩篇外，僅校改若干字句，亦不另作序了。

《人生之體驗續編》

自序

一

本書七篇，乃余七年來之所作，意在為廿餘年前拙著《人生之體驗》之續篇。其與前書所陳者，在思想之核心上，並無改變。其不同之處，要在如本書第七篇引言所說，即《人生之體驗》一書，唯基于對人生之向上性之肯定，以求超拔于吾之現實煩惱之外。而十餘年來則吾對人生之艱難罪惡悲劇方面之體驗較深，故相較而論，前書乃偏在說人生之正面，而思想較單純，多意在自勉，而無心于說教，行文之情趣，亦較清新活潑。雖時露人生之感嘆，亦如詩人之懷感于暮春，仍與人之青年心境互相應合。此書則更能正視人生之反面之艱難罪惡悲劇等方面，而凡所為言，皆意在轉化此諸為人生之上達之阻礙之反面事物，以歸于人生之正道，而思想亦皆曲折盤桓而出，既以自勵，亦兼勵人，而說教之意味較重。行文之情趣，亦不免于紆鬱沉重，如秋來風雨，其氣固不同于暮春。然此書能面對彼反面之事物，更無躲閃逃避，困心衡慮，以斬伐彼人生前路之葛藤。荊榛既闢，而山川如畫。是春秋佳日之得失，固未易論也。然人必歷春而至秋，此書與人之青年之心境，多不相應，而唯與歷人生之憂患，而不失其向上之志者相應；人之讀此書者，亦宜以前書為先，此書遂只能居於續篇之列矣。

此上所言，乃以前後之拙著，其寫作時所依之心境，相較而言。至于置此書於著作之林，其價值何在，即甚難言。而予之寫此書，亦如寫前書，於寫時初實無與任何古今中外之人生思想，比較異同，計較勝劣之見，而事先亦無一系統之計劃。初固未嘗見有所謂著述之林，亦未嘗期必成一著述；而唯直就吾之生此時代，住此人間之所實感實見者而為言，即次第成此七篇。乃依寫作先後，編為一集。唯今既編之為一集，重加反省，見此諸文之宗趣，雖未嘗有異，然亦各有一論題，而其先後寫成，亦約有一秩序行乎其間。又就此七篇之主要義理而觀，各篇之所陳，亦有進於昔賢之所言，而可為開拓一思想之新境界之所資者。茲分別述之於下。唯皆凌空而述，亦不必與此七篇之文句，皆相貼切。蓋須讀者遍觀諸文之後，泯其文句，以會其實義，方能與此所述者相契也。

二

關於此七篇之宗趣，不外如上所謂轉化為人生之上達之阻礙之反面事物，以歸於人生正道。此所謂人生之上達，要在對已成之現實人生，不斷求超升一步。而此超生，對外而言，亦即將自己之人生，由平日所周旋應對之流俗中拔出。此拔出，乃一與流俗之隔離。此隔離非人生之上達之終點，然為其必不可少之始點。此亦為貫注本書七篇之宗趣，而隨處加以提撕者。而人之不能拔乎流俗，則首在不能拔乎流俗之毀譽，故吾人亦當于毀譽之現象，有一如實知，方能轉俗以成真，由流俗之世間以上達於真實世界，而成就吾個人之人格之上升，此即本書第一篇之論題。至于第二篇，則轉而論此個人之心靈之凝聚與開發，及其與世間相接之道。此則意在使此心靈既不隨世間而流蕩，亦不閉塞於其自己，而得與師友相共切磋於「通達而貞定之真理」之途。第三篇論人生之艱難與哀樂相生，則既無世間，亦無師友，唯見一孤獨之個人為求其人生之向上，而遍歷其人生之艱難，以上達於一「哀樂相生之情懷」。此中之言及世間者，皆融入個人所遭遇之艱難與哀樂相生之情懷而論，而真理即在此情懷中，故與前二文之旨趣又略異。在本書諸文中，此文亦為較能相應于一悱惻之情懷而寫成者。第四篇論立志之道及我與世界，則以志願攝情懷。而此志之立，則要在既拔乎流俗之世間，而又置自己於世間，兼攝世間於自己。第五篇〈死生之說與幽明之際〉，則由生說死，由明說幽，而意在由徹通死生與幽明，而以此一心，貫天下古今之人心者。此乃本書各篇中義蘊最為弘深，亦最難為當世所深信不疑者。此蓋必人先信真理之萬古長存，兼具哀樂相生之情懷，與通天下古今人心之志願者，乃能真實契入。第六篇〈人生之虛妄與真實〉，則為尅就人生之如何去除其存在中之虛妄成份——此諸虛妄成份，蓋皆由人之所以為人之尊嚴處之誤用而生者——以論必有個人之知行情志之對己對人，應世接物，及其所以善生而善死者，皆全幅真實化；人之整個人格之存在，乃得成一真實存在。此為遙契於《中庸》之立誠之教者。第七篇〈人生之顛倒與復位〉，則廣說人生之一切墮落、偏執、染污、罪惡之顛倒相，皆緣於人之超越無限量之心靈生命之自體之顛倒性而生，而此性又非其本性。此乃意在由對此顛倒性相之體悟，以反顯人生之正位居體之直道者。依此，而觀人生之墮落而下降，亦所以助其超升而上達，而宗教家之窮人生之染污與罪惡之相者，亦與儒言相資而不二矣。

循上所說，是見此七篇，雖同一宗趣，而各篇亦各有一論題，然其前後相連，亦略有一秩序，要不外拔乎流俗之世間，以成就個人之心靈情懷志願之超升，而通於天下古今之人心，以使人生之存在成為居正位之真實存在而已。而此秩序，則唯是吾將此諸文編為一集之後，無意中所發現。夫我以七年之期，成此七文，平均相隔一載，乃成一篇；而一文之成，例不過三數日，一年之中，三百六十餘日，皆有他事間之。據生理學家言，人生七年，形骸更易，而細胞換盡。然此七文之間，乃亦竟有一秩序，存乎其中，是見人心底層，自有潛流，雖重岩疊石，未嘗阻其自循其道，以默移而前運，此皆不可思議，使我喟然興嘆者也。

三

至於尅就此七篇之文之主要義理而觀，吾今日加以反省，亦可試總括而言之。即此諸文，皆唯是意在指明：一般之求人生之向上者，其所嚮往之理想環境，及其向上之行程，與其向上所依之心性，皆處處與一向下而沉墜之幾，相與伴隨，亦常不免於似是而非者之相幻惑；因而人真欲求人生之向上者，必當求對此沉墜之幾與似是而非者，有一如實知與真正之警覺；人亦恆須經歷之，以沉重之心情負擔之，而後能透過之，以成就人生之向上而超升。此則吾寫《人生之體驗》時，所未能真知灼見及者，而昔之儒者與西方之理想主義者，及當世之賢者，亦未必能於此慇勤加意者也。

自昔儒者言仁，言人我心之感通，由此仁與感通以見天心；西方理想主義者，言人心之形而上的統一，由此以見上帝之心。此乃中西思想之究竟義，吾所夙信受奉持，並樂為之引申發揮者。此七篇之究竟義，亦在乎是。然世罕能知：人之求名求譽以及好權好位之心，亦原於人與我之心之求相感通，其根源亦在人之欲成就人我之心之統一。唯依仁以行，乃希賢希聖之道，而徇逐名位，則沉淪流俗之途。一念而上下易位，其危微之幾，似是而非之際，人亦罕能察及。此即本書隨處諄諄致意之一端，而其要旨，則陳於本書之第一篇者也。

自昔儒者，言天地陰陽翕闢及人心開闔動靜之義，此皆屬於宇宙人生之大理，所以彰彼太極而立此人極之所資。西方理想主義者，亦言正反及消極積極之相互為用，合以顯宇宙之絕對真理，顧又不知於人心之開闔動靜之際，自用工夫，以立人極之義，遂與中國聖學之傳之切切於此者異。然中國聖學之傳，雖切切于此，而言多簡要，對今日世態之日繁，復難資針砭之用。昔賢之偏在正面立言，於此開闔動靜之幾，可被阻滯而旁行歧出以導人生入於陷阱與漩流之義，亦引而未申。此亦吾於寫《人生之體驗》等書時之所忽。本書第二篇，論心靈之凝聚與開發，而處處以心靈之閉塞於陷阱，及流蕩為漩流，以為照應；實即所以彰昔賢所言之人心之開闔動靜，皆各有其旁行歧出，而成人心之病痛之原者在。夫人心之開闔動靜，皆昔賢所謂生生化化，天理之流行之所攝，烏知人欲之根亦即在此流行中乎。而人欲之流行于陷阱，成漩流，亦似天理流行之一動一靜，而實天淵迴隔。此即本書第二篇之微旨所存，而惜所論猶有未盡意者也。

再如於人生之行程，吾昔於《人生之體驗》中，嘗以由求生存、求愛情、求名、求成就事業，以上達于真美善神聖之途說之；其所以必須有此步步之上達，乃由其每一步皆不能自足，此吾昔之所見及，亦西方之理想主義者，以及一切求人生之向上者所同見及者也。然先儒之論人生上達之道，則不喜分為斬截之項別、階段、與步驟或層級而說之，恆直下通真美善神聖為一體，以主宰吾人之此生。孔子所謂志道、據德、依仁而游藝，固無斬截之層級之可言也。依孔子此言以觀，西方所謂求真之科學哲學，求美之文學藝術，以及宗教中之禮儀、教育、政治、經濟之術，及一切實用之技，皆藝也；人之修為之方，其要唯在自省其一一游藝之事是否依於仁，而其發於外，是否有據于己之內部之德，其志是否通於人生之大道而已。此修為之方，其工夫乃在人之時時處處之如此如此自省，以對一一之事，切問而近思，固亦不必分人生之事為項別，而系統的討論人之修道之歷程也。然當今之世，各種社會文化學術事業，皆已明顯化為分門別類之領域，人心之次第著於此諸領域以歷世務，即成一歷程；而人應世接物時，其所依之仁、所據之德，亦原有高下之辨，則吾人亦未嘗不可就其歷世而歷事之歷程，以言其心境之轉易升進之跡相，及所經之道路上之層級。此即吾人今日立言之方式，如吾昔之所為，未嘗不可大異於往昔者也。

然吾人今之分人生之事為項別而言人生之歷程中之心境之轉易升進之跡相與層級，其用意雖是，然徒將此諸層級，由下以次第及於高，加以論述，則可使人產生一幻覺，即以人生之歷程，如能自然向上以轉易而升進者。吾於《人生之體驗》之第二三篇所論，及黑格爾於其精神現象學所論，同可使人發生此幻覺。此則皆由吾人之忽略：人生之行程與步履，實亦步步皆可停滯而不進。其每一步之上達，皆可再歸於滑下沉落；即不停滯而前進，亦步步皆有其艱難。自此而觀，則人生亦如永無進步之可言，其心境之高下不同者，實亦畢竟平等；而人生一世，乃永無可恃，而時時皆當自慄其將殞於深淵。此即徒就人生之歷程，視如向上轉易而升進之歷程而論之者，其所不足之處，亦即本書第三篇論人生艱難之所以作。此篇於每一人生之行程與步履之升進，皆一一舉其艱難，亦即於其升進之中，見退降之幾，而所以使人悟及一切昇進之事，皆有其似是而實非者在也。

復次，人生之道以立志為先。蓋人生之本在心，而志則為心之所向，亦心之存主之所在。先儒固重立志，而佛教之發心，與耶教之歸主，皆同為立志之事中一種。然昔聖賢之言立志，亦皆重在自正面說話。志之所在，即道之所存；志而能立，念念不離於道，及其充實而有光輝，則大化聖神之域，皆不難致。斯義也，吾亦深信而不敢違。然人之立志，如非一往超世之志，或只務個人成己之志，而真為由成己以兼成物之志，則此中並非全為一直上之歷程，而實有一大曲存焉。而唯待致曲方能有誠。然此致曲以有誠之義，則昔賢所未伸，而有待於吾人深知其所以曲。此所以曲，在人之志欲成物者，人必於世間之物有所得，而此有所得，即阻其志之向上，而使人忘喪其初之成物之志。至人之轉而求無所得，則只能歸於超世以成己，而非復為儒者之志，遂使所謂成己成物之言，徒成一虛脫之大話。是皆理有必然，而見人之立志及求成其志業之事中，即有忘喪其志，使志業無成之幾，存乎其中，以成一大曲者。而此中由致曲以有誠，而成就直上之道者，則在人之既拔乎流俗以存超世之意於內，而又須兼本于：置我於世界內及置世界於我內之二義，以觀我與世界之關係，而更在對此二者之分裂之痛苦之感受，而求去此分裂時，立一嚮往志業之根基。以此觀先儒之我與天地萬物為一體之言，則謂之為狀聖賢之大化聖神之域之心境及道體之本然皆可，而以吾人之嚮往於此，即足以立志，則大不可。而一體之義，必先兼自三面分看，而感受分裂之痛苦，實反身而誠，樂莫大焉之初基。宋儒之學，始於尋孔顏樂處，乃唯言人當先求超世，求有以自得之一義。然論及人之成其志業，亦同謂必擔當艱苦。而吾人生於此道術分裂之時代，則正當由分裂之痛苦之感受處，以入於道。人能於分裂之痛苦之感受處，見人心所求之和一，及其本來之和一，則樂亦斯在。是見樂當由痛苦之感受入。若吾人生於當今之世，於一切分裂之痛苦，漠然無感，而徒學二程兄弟初學於周茂叔之吟風弄月以歸，及朱子之傍花隨柳過前川之樂，以此見天地與人之同此生意周流，道體斯在，遂止於是，則亦似是而非之儒學也。

復次，世之論人生者，恆忽於人之有死。然吾人生於今日之時代，方更了然於人之時時可死。今之核子戰，固隨時可將吾人毀滅淨盡也。故吾人之生於死之旁，亦至今日，乃更易切感其義。而人死之可悲，蓋唯宗教家能深知之。吾嘗參加佛教徒之超渡眾生幽靈之法會，而感動不能自已，遂知通幽明之道，大有事在。西方之哲學家，則對人之死之問題，最為麻木，徒視為哲學問題，加以討論而已。中國昔賢之重祭祀，亦純為所以徹幽明之際，而自古及今，皆鄭重其事者，今則罕知其義者矣。夫我對人之情，必慎終如始，事死如事生，然後能致乎其極。而我之情能溢於生者之世界之外，以及於死者之世界，通徹於幽；則生者之世界，亦皆為我之所懷，而我對生者之仁，亦當可更至乎極矣。唯宗教徒之病，在其情入於幽而或復沉於幽，乃不重對一一聖賢豪傑祖宗父母，致其誠敬，則死者之潛德幽光，未必能為我所攝，以還入于明。此即儒者之祭祀之義，所以為切摯。至於宗教徒中如基督教徒之普為死者作禱，佛教徒之普為幽靈求超渡，亦自有其不可思議之功效，非可以常情測。亦皆所以彰露人心之至情必徹於幽之一端，宜當與儒者之祭祀並存而不悖。唯此皆匪特為西方之哲學家之所忽之義，亦世俗之一切學者之所忽之義。而泥於孔子未知生焉知死之言者，亦多撇開此問題於人生問題之外。然實則生死為人之兩面，必合之乃見人之全。既為兩面，則必可徹通。而吾書之第五文，則意在由人之原生於死之上。及死者與後死者之至情之交徹，以言可由祭祀以通幽明之理；故人生之真相，實死而無死，而鬼神之情，亦長在此世間，讀者果有深會於此文之所言，則幽明之間，以及明與明之間，幽與幽之間，另有一縱橫之天路，以使人心相往來，而人之心靈之自身，亦實無能使之死者，則核子戰亦實不能殺人，而實無可畏，唯其造孽不可挽耳。是則非此文所能一一盡其旨者。然人欲有深會於此文之所言，又非深知人之生於死之上，並以其情先由明徹幽而入於幽不可。人之生於死之上者，即生幾存於死幾之上，無死幾則無生幾，不知死幾者亦不知生幾。人之情必由明徹幽而入幽者，即人唯由此乃能竭其仁、竭其仁而後人能真生也。則所謂徒知生而不知死者，不求其情之徹幽而入幽者，實亦不知生與生幾，所謂不見廬山真面目，只緣身在此山中，亦生而未成其為真生者也。此即人之只知生而不知死者之為害。而此不知死，既可使人生非真生，則此「不知死」，正為人之真死幾，以使其生不成真生者。此人之不知死者，乃人生對其生之世界之另一面之大無明，而使人沉墜陷溺于其苟得之一生，亦使其生非真生，而成似是而非之生者。而世之重人生者，乃恆以不求知死為教，而常人亦不敢正對此死，與其生於死之上之事實而觀之，又恆自拂除斲喪其徹幽而入幽之至情，乃視祭祀為多事，以宗教家之為死者作禱，及求眾生之幽靈超渡為無用。而不知此皆證其生而非真生者。茫茫人海，孰為真生？非彼大聖，其孰能知之？

至於本書之第六篇，言人生之真實化，則其中之一要義，在指出人之內在的超越性等，亦可誤用，而為使人之存在包涵種種虛妄成份之一原。第七篇〈人生之顛倒與復位〉，則指出人之超越而無限量之生命心靈之自體之可顛倒，而表現於有限之中，或與之成虛脫，而無數之人生之染污罪惡皆由之而出。

此人之超越性與無限性，皆原為人之無盡尊嚴之所繫，乃我昔所常論，亦西方理想主義之哲學家之所同重視之義。然此二文中則說明其亦為人生之虛妄之一原，及無數人生之染污罪惡所自出。斯所以見此為人之尊嚴所繫之超越性、無限性，亦如不能自持其超越，自持其無限，而自具一沉墜向下而導致虛妄虛脫之幾，而人之超越性及無限性之表現，亦咸有其似是而非之表現。此似是而非之表現，正為人之存在，其真實之程度或反不如其他自然物之存在者，亦見人之罪孽之深重，實遠非禽獸之所及者。夫然，故此人之尊嚴之所繫，亦即人之卑賤之所繫；人之成為高於萬物、靈於禽獸者之所在，即人之低於萬物、罪逾禽獸者之所在。由此而一切讚頌，可歸於人；一切咀咒，亦可歸於人。人可上升天堂，亦可下沉地獄。人之生於宇宙，實為一切虛妄與真實交戰之區，亦上帝與魔鬼互爭之場；而人生之沉淪與超升，乃皆為偶然而不定。吾年來於此之所感切，未嘗不與西方之存在主義之所感切，不期而遇合。蓋皆同為此分裂之世界之反映，亦人類精神生活之行程，歷數千年至今日，遭遇同一問題之所致。至其不同之處，則在彼存在主義者之言此，皆期在暴露人類之危幾，亦更求窮哲學之理致以為言，其精彩之論，遂足驚心而動魄。吾此書所說，於此實自愧不如，亦無意相效。蓋對此一切世界之分裂與人類之危機，亦可只求知其大體上如是如是；如若必窮形極相而論之，亦如圖繪鬼魅以求快意，及至其栩栩如生，且將為鬼魅所食。不如略陳其貌，餘皆默而存之。而人生向上之道，仍要在轉妄歸真，去魔存道，由沉淪以至超升，使分裂之世界，復保合而致太和。故於此一切入妄招魔之人類危幾，唯當于此人生之行於其向上之道之途程中，加以指點而已足。此即吾書之所以雖隨處指出人之上達途程中，所遭遇之反面之事物，頗似有異於先儒及西方理想主義者及吾《人生之體驗》等書，重在自正面立言者，實又更遠於存在主義者以描述暴露為工；而仍是承先儒之重實踐之精神而為言，以期在於人生之正面理想之昭陳與樹立。而此書之只為吾之《人生之體驗》一書之續編，其意亦在乎是也。

《中國哲學原論原道篇》

原道篇自序——述作緣起、宗趣、內容之限極，與論述之方式

一　緣起

以本書之緣起而言，可謂事出偶然。蓋自七年前，吾母逝世，吾即嘗欲廢棄世間著述之事。後勉成《原性篇》，于此篇自序言吾今生之著述，即止于是。旋即罹目疾，乃不遠秦楚之路，求醫異域，幾于不讀書者，半載有餘。病中唯有如《莊子》所謂「視乎冥冥，聽乎無聲。冥冥之中，獨見曉焉；無聲之中，獨聞和焉」；更念佛家五眼之說，聊以自娛。五眼中，肉眼之外之天眼、佛眼，非吾所敢望。然佛家之慧眼、法眼在中國固有之名，即是道眼，則吾意人皆有之，吾亦非無。不必如佛家之謂唯二乘與菩薩，方能有之也。吾于病中，即依此人人本有之法眼、慧眼或道眼，以與起種種思，種種見。吾亦不以此皆為天臺宗所謂見思惑。蓋吾人平日之視而不見，見而實不知者，唯于不視之時，方能更如實知見。吾所知見者，是天地間實有運于至變至動，生滅無常之中，而又至常至靜，悠久不息之道或種種之道在。循此道，則可徹幽明之隔、通死生之變、貫天人之際。此原為古今東西之聖哲所同有之契向。吾初為學，即已慕此哲人之言，有此契向。吾年三十左右，寫《人生之體驗》之〈心理道頌〉一篇時，即言

當循此契向，以寫一書。然以種種問題未能解決，于道所見者，不真不切，故因循未就。然在此病目之時，平日所見之不真不切者，于廢書不讀之際，乃漸宛然在目，時有思維之「徑路絕而風雲通」之境，更無不決之疑。當時慮吾之目疾，不能復愈，意欲仍仿〈心理道頌〉之體裁，以四言韻語，抒吾所見。然亦未嘗不念此道之昭昭然在天地間，乃人所能共知見，不以吾之言與不言，而增損也。不意天假以明，後仍有一目可用。乃于此五六年中，以教課辦公之餘，先寫一書，擬定名為《生命三向與心靈九境》。其大旨是由吾人現有生命心靈之前後向之順觀、內外向之橫觀，上下向之縱觀或豎觀，以開出九境；九轉還丹，而導向于上述之澈幽明、通死生、貫天人之一境。然此書無異自抒其平生求道之歷程，未出吾一人之所見。在吾今生，或當可于此道，更有所窺，亦暫不擬問世，以免自誤誤人。此道既昭昭然在天地間，乃人所能共知見，悟者同悟，迷者自迷，亦原無秘密可言。此與修道工夫，舉足便是深密者，亦不相悖。吾書之歸趣不出于立三極、開三界、成三祭。此可概括吾數十年來一切所思，亦蓋非吾今後之所能踰越者。所謂三極者，即吾于二十年前，寫《中國文化精神之價值》中，所謂人極、太極、與皇極。此三名太古老。所謂三界者，人性世界、人格世界，與人文世界。吾意人性直通于天命與太極。人格之至為聖格，即所以立人極。全幅人文之大化成于自然之天地萬物，而不以偏蔽全，是為皇極。皇者，大也；極者，不偏之中也。此三界之名，較易為今世所接納，而涵義亦更弘遠。至于成三祭者，則專是為徹幽明、通死生、貫天人而設。此是本儒家之禮教，以開攝未來世界之宗教。三祭中祭父母祖先者，是通吾個人之人格所自生之原。祭聖賢與有功德之人者，是通社會人文所自生之原。祭天地者，是通人之性，與有情眾生之性之原。此所謂天地，乃張橫渠所謂稱父稱母之乾坤。乾坤即宇宙生命，或宇宙精神，或宇宙存在之道，而與佛家之一真法界，一神教之梵天上帝之義，相通攝者。然此三祭之有形者，屬于宗教，宗教只中國之禮教之一端，亦只人文之一端。三祭之無形者，即存于人之德性與智慧之一念契會之中。祭者，契也；故當下具足，不待他求。至一般人文之基層，則仍在人對自然物之生產技術之事，人類社會之相生相養之經濟、政治、與人倫日用之事。科學、哲學、文學、藝術之學，則為人文之中心。三祭之事，乃所以由此更向上，充達人之至情至性之量，以完滿人之所以為人，而使人文不只大化成天下之人間，亦大化成于天上之神明；以澈幽明，而成大明；通死生，而超死生；貫天人，而人即天者。此三祭之事，非志在求福，唯是人義之所當為，以順盡人之性情，而立人道之至極。固非如已往之宗教，未脫巫道，恆志在求福，不免使人道倒懸于神道，而以宗教凌駕于人文世界之上之外者也。凡此等等，皆吾之《生命三向與心靈九境》一書之歸趣所存，此外別無高論。但因其皆由對所關聯之種種純哲學之義理，先為判教之功，多辨析西哲之說，故較昔年吾于此所述著，皆大為複雜，而論述之道路，亦更悠阻而多曲折耳。

吾既寫上所述之書，復自顧吾之所知所見，則點點滴滴，仍皆由吾幸生而為中國人，得接前哲之餘緒之故。吾書之有無價值，尚未可定，然前哲之所知所見者，其價值所在，已多有一定而永定者。吾書多針對西哲立論，所論述之問題，自與古人有異，亦自有發古人所未發者。然不識吾書之淵原所自者，亦不能知其所發古人所未發者在何處，抑亦解人難遇于當今之世。故還為此《原道篇》，以廣述此中國前哲對此道之所發明，以報前哲之恩我，亦如陸象山之以六經還注我。吾初意原只欲寫孔老墨之言道者三篇，以補吾昔著《原性篇》於孔老墨之言，因限於體例，而未能及之之憾。三篇既完，方覺責不容已，遂論及其後之哲人所言之道。吾昔年所為之「中國哲學史稿」❶與讀書之隨手抄記，原只堪覆瓿

---

❶ 吾三十年前有「中國哲學史稿」未正式出版，但來港後曾在二大學暫油印為講義。世如有存此講義者，務須全部毀棄為要。

者，多可供我自由取用之資。然因慮目疾延及右眼，故多急就之章，對前哲之旨，或終成孤負。唯在行文之際，亦時有程伊川所謂「思如泉湧，吸之愈新」之感；恆能「濯去舊見，以來新見」。自謂差有進于前此之論述。吾行文不欲崖岸自高，以使人望而生畏，以遠離斯道；亦不能故為謙退，而使人掉之以輕心，還屈斯道。吾以不肖，而傷及吾父母之遺體，盲其一目，而今之天下則半在晦盲否塞之中；亦幸尚留一目，觀另一半之世界于陽光普照之下，兼得成此二書。此皆事出偶然，而亦莫非天賜。又吾此二書寫成以後，字若塗鴉，吾亦苦難自識。若非李君武功，耐心鈔正，此二書亦將長埋天地。上兼述此二書之緣起竟。今更回顧本書之宗趣、內容之限極，及論述之方式如下，以便讀者之觀覽焉。

二　宗趣

（一）以本書之宗趣而言，要不外對唐以前中國前哲所開之諸方向之道，溯其始於吾人之生命心靈原有之諸方向，而論述其同異與關聯之際，為宗趣。故其性質在哲學與哲學史之間。其大體順時代之序而論述，類哲學史；其重辨析有關此諸道之義理之異同及關聯之際，則有近乎純哲學之論述，而亦有不必盡依時代之先後而為論者。

（二）本書與拙著《中國哲學原論》中原理、原心、原名、原辯、原致知格物、原命與原性諸篇，乃分別寫成。此道之名之義，原可攝貫此理、心、性、命等名義，而為其中心。然直對此中心之道而論，其詳略輕重，又自不同。如一中心之圓，與其旁之數圓交切，其間雖有共同之切面，其形仍非一。此書所論，宜與吾前此之所述者，相觀而善。譬諸建築，吾前此於中國哲學所論，皆為立柱，此書方為結頂。其於同一之論題，偶有互相違異者，此書皆有交代，亦應以此書為準。

（三）此書言道雖亦及於天道、物道、佛道二家之教中之出世超世道，然其始點，則在人之生命心靈之活動所共知所共行之道。蓋此人之生命心靈之活動，沿其向上或向下，向前或向後，向內或向外之諸方向進行，即原可開出種種道路，以上及於天，下及於物，內通於己，外及於人；以使其知、其行，據後而向前；由近而無遠不屆，由低而無高不攀，由狹而無廣不運；而成己成人，格物知天；以至如程明道詩所謂「道通天地有形外」，仙家之游於太清，一神教徒之光榮上帝，佛徒之莊嚴佛土，普度眾生，皆可實有其事。然此一切高妙之境，其起點與根原，仍只在吾人之眼前當下之生命心靈之活動，原有此種種由近至遠，由低至高，由狹至廣之道路在。至其有關之義理，則多為前哲所明，學者可循其義理之序而知者。故本書之論述前哲所明之道，亦特重此義理之序。故於一家所明之道之義理之論述，亦大率皆是先近後遠，先低後高，先狹後廣，循下學而次第上達之序而進。此與世之論先哲之道者，或重類別義理之型態，加以比對排列，而不依義理之次序為論，以見其會通者，則頗有不同。

（四）吾所謂眼前當下之生命心靈活動之諸方向，其最切近之義，可直自吾人之此藐爾七尺之軀之生命心靈活動以觀，即可見其所象徵導向之意義，至廣大，而至高遠。吾人之此身直立於天地間，手能舉、能推、能抱、能取；五指能指；足能行、能遊、能有所至而止；有口能言；有耳能聽；有目能見；有心與首，能思能感，即其一切生命心靈之活動之所自發。中國哲學中之基本名言之原始意義，亦正初為表此身體之生命心靈活動者。試思儒家何以喜言「推己及人」之「推」？莊子何以喜言「遊於天地」之「遊」？墨子何以喜言「取」？老子何以言「抱」？公孫龍何以言「指」？又試思仁何以從人？義何以從我？性、情、意、志、思、念、忠、恕之名，何以皆從心？認、識、誠、信之字，何以皆從言？知字何以從口？聖字何以從耳？德行之行從彳亍，初豈非兩足之事？止善之止，初豈非足之止？再思德何以從目、從心？道何以從首？由此便知即吾人當下現成之渾然一身，其生命心靈之活動，所象徵而導向之意義，即至廣、至大、至高、至遠。中國之哲學義理，表現在中國之文字。中國文字之字原，今猶多保存於字形，故其字形直狀吾人身體之生命心靈活動者，今猶可觸目而見。此即中國文化與其哲學中之一無價之寶，足使人得恆不忘中國人之文化與哲學智慧之本原，即在吾人此身之心靈生命之活動者。誠然，字之原義，不足以盡其引申義，哲學之義理尤非手可握持，足所行履，亦非耳目之所可見可聞。然本義理以觀吾人之手足耳目，則此手足耳目之握持行履等活動之所向，亦皆恆自超乎此手足耳目之外，以及於天地萬物。此即手足耳目所以為手足耳目之義理。此義理之為人之心知所知，即見此手足耳目，亦全是此「義理」之流衍之地。故真知手之「推」，亦可知儒者之推己及人之「推」。真知足之「遊」，亦可知莊子之遊於天地之「遊」。充手之「抱」，至於抱天地萬物，而抱一、抱樸，即是老子。盡手之取，至於恆取義，不取不義，利之中恆取大，害之中恆取小，即是墨子。窮手之指，至於口說之名，一一當於所指，即公孫龍也。

（五）此中國哲學之以吾人當下之活動為根，亦自中國古代之原始之政治社會文化中，生長而出。中國之原始之政治社會文化，則直接自生活於此綠野神州之華族生命中生長而出。此華族之生命，初又原是樸實無華。故不同於希臘民族之自始有美麗淒艷之神話者；亦不同於猶太民族之屢經亡國於「天蒼蒼、野茫茫，風吹草低見牛羊」之地上，而寄望於救主天國之來臨者；又不同於征服土民，而創造印度文化之雅里安民族，初不知下民之疾苦，而重自禱於其神祇為事者。此古代之華族生命，蓋先平水土，裂山澤，而成為「大地之子」或地上之勞働者，然後聚宗族，成邦國。故傳說中之聖王如伏羲、神農、黃帝等，並是發明民生日用之器物之人。哲之一字，先用於聖王之負社會政治責任者，而有哲王之名。此中國哲學智慧，乃中國古人在一沈重之「對群體生命之存在」之「責任之負擔」之下，寅畏戒慎之情之中，次第生起，而緩步前進。故其哲學思想，不如希臘哲學思想，初起於殖民地之不負實際社會政治責任之哲人之仰觀俯察者之輕靈活潑，而多姿多采；亦不如印度之吠陀與奧義書中思想，初起於主祭祀之僧侶之閉目冥想者之幽深玄遠，而如夢如醉。復亦不如猶太民族思想之初起於其民族之先知之嘆往希來者之憂思輾轉，而如怨如慕。然此中華民族之哲學智慧，則可謂為此民族之社會政治文化之「舉體俱運」之產物，其思之所及，亦恆為其行之所能及，而穩步前進。遂由樸實無華之生命以次第開出，與「日月光華，旦復旦兮」相輝映之哲學智慧。此則時在春秋之際，有管晏子產諸賢，及孔子之出世。孔子之自言其一生為學，乃由「十五而志於學，三十而立，四十而不惑，五十而知天命，六十而耳順，七十而從心所欲不踰矩」，亦為一穩步而次第升進之歷程。《史記》〈孔子世家〉記孔子幼而「嬉戲常陳俎豆」，乃以習禮始。其歿則《禮記》載其「詠歌而卒」，即以為樂終。此明不同於蘇格拉底之終服藥自殺，釋迦之初從外道出家，耶穌之嘗經魔鬼試探，其生命歷程，皆顯見有波瀾起伏，而多跌蕩，未能平流順進者。吾觀整個中國哲學智慧之次第升進，亦以為大體是一平流順進之歷程。至少不同西方印度哲學思想之發展，其起伏跌蕩之幅度之大。然其平流順進，如江河之宏納眾流，而日趨浩瀚，亦非不進。此亦正可以孔子一生為學之歷程，為一象徵也。

吾之此書，視中國哲學為一自行升進之一獨立傳統，自非謂其與西方、印度、猶太思想之傳，全無相通之義。然此唯由人心人性自有其同處，而其思想自然冥合。今吾人論中國哲學，亦非必須假借他方之思想之同者，以自重。故吾在論此中國哲學之傳統時，即柏拉圖、亞里士多德、奧古斯丁、多瑪斯、康德、黑格耳之思想，亦不先放在眼中，更何況馬克思、恩格斯與今之存在主義之流？此固非謂必不可比較而觀其會通。然要須先識得此獨立傳統之存在，然後可再有此比較之事。大率中國之哲學傳統，有成物之道，而無西方唯物之論；有立心之學，而不必同西方唯心之論；有契神明之道，而無西方唯神之論；有通內外主賓之道，而無西方之主觀主義與客觀主義之對峙。則此比較亦非易事。至若如近人之唯以西方之思想為標準，幸中國前哲所言者與之偶合，而論中國前哲之思想，則吾神明華冑，降為奴役之今世學風也。吾書宗趣，亦在雪斯恥。

三 內容之限極

（一）以本書之內容而言，其導論上，乃論道之名義及類比。此言道之名義，乃重在指出此道之名，在西方及印度之哲學之名言中，可說無全相當者；其所涵之義之廣大豐富，亦其他中國哲學之諸名言，所不能及。此導論上文，言道之類比，則要在以人行之道路為類比，以使人先對「道」作一圖像的思考。此圖像的思考，吾不如今之西哲之或加以輕視。吾以為凡人所思考之義理之有種種方向者，其方向皆可加以直觀。而以圖像表之，吾亦嘗欲於此書所說，皆為之畫圖。唯圖像亦須用文字加以解釋，既有文字之解釋，善觀者亦皆可自形成此種種圖像，故不復畫。至於在導論下，則吾略論孔子以前之諸哲學性之名言，如天命、德、心、性、禮、天道、地道、人道、道等之次第出現。此所據者，唯限於就《尚書》及《詩經》與《左傳》、《國語》數書之哲王哲臣之言而論，以見孔子所論之道，亦淵原有自耳。

（二）本書自論孔子以降，為本書之正文。第一編論周秦諸子之哲學中之道。此中，吾首論孔子之仁道，於此仁道，吾以生命心靈之感通說之。此感通即兼具一己之生命心靈之「前後之度向」中之感通，人我生命心靈之「內外之度向」中之感通，及人與天命鬼神之「上下之度向」中之感通。孔子後有墨子言義道，為一普遍橫通之道。孟子承孔子，辨人禽之別，而言人之心志之向上興起，要在立人自下而上之縱通之道及自近而遠之順通之道，以拒墨子之只知橫通之道。于道家之流，則吾分其型態為三：慎到、田駢、彭蒙，乃順物勢以成其外通之道。老子由法地、法天、法道，以成其由外通而內通之道。莊子內篇則重在言由調理人之生命與心知之關係以成真人、至人、聖人之道。此則能「徇耳目內通」以

「調適上遂」之道也。至莊子外雜篇，韓非之〈解老〉、〈喻老〉，及管子〈心術〉、〈內業〉，則同屬道家之流，亦皆有其言道之新義。今皆於論莊子之道之後，附及之。至於荀子之道，則吾以由內心之知統類，以外成人文統類之道標之，以見其別於道墨二家之道，與孟子之偏重人之內在心志之興起以立人道者。孟、荀皆儒學之大宗。韓非學於荀子，沿荀子之「知通統類」之聖王，而下流，以慕「用智刻深，運法術勢以為政」之「明君」。韓非之智，亦限於知此明君之為政之道。韓非之言，可稱為一標準之法家言。周秦思想至韓非，而儒墨道法之學派皆立。然實皆循思想發展之流，而次第衍成，此為本書所最重。故吾不先持漢人六家九流之說以為據。九流之說，以九流一一皆出一王官，只見學派之分，而實未見其如何流行而成派也。至於世傳之管子書，則其論及政法者，蓋韓非後法家之流之著，而足補韓非所見之偏，以求上達之政道者，今附及之於論韓非文之後。世傳之《禮記》、《易傳》之書，蓋皆屬孟荀後之儒學之流。此與莊子外雜篇及管子書，蓋一時代之著。今由道家之《莊子》〈天下〉篇之言內聖外王，《禮記》中之〈大學〉之言內自明其德，而外新民，《中庸》之言內成己，而外成物，及管子書之除論及政法者外，兼有內業之篇之編入；即見晚周儒道法之流，同趣向在言內聖外王之道，亦遙契孔子言仁道之兼具修己與治人之旨。此中以《中庸》為最能言「人性上通天命，合內外，而成終始」之道。《禮記》中之言禮樂，與《孝經》之言孝，亦為儒學之傳之所獨。至於《易傳》之通天人以為道，則上接其前學者之言通天人之道之旨。《易傳》之特色，則蓋在循卜筮中之「感應之神」之義，更契於孔子之言天命之義，以見神之無方而遍運。此上所及之《管子》、《莊子》外雜篇，《禮記》諸篇及《易傳》諸書，其成書亦或有在漢世者。如《禮記》〈樂記〉，傳為河間獻王所獻；《禮記》〈王制〉，傳為漢文帝時博士著；《禮記》之〈大學〉、〈學記〉亦有謂其由有漢之太學後人所著者。《莊子》外篇有十二經之言，更當是有六經、六緯後之語。然吾則併視為晚周至秦之儒道法之流之著，而不以之代表漢世之思想。此則由於漢世思想之特色，別有所在之故。此上諸書，縱成書有在漢世者，亦當說為挹晚周至秦之思想之流而成。至於周秦諸子之對名言辯說之道，則吾前之《原論》中已有論《荀子》〈正名〉與名學三宗，及《墨子》〈小取〉篇論辯，及孟墨莊荀之論辯三篇，以見中國古代之名辯之學。今則更補以周秦諸子之用名對名之道上下章，於論《韓非子》之法家言之後。此乃總論周秦思想中環繞於中國所固有之「名」之一名之思想之發展，而於人之名字、名謚、名位、名教、名義、名聞、名譽、名實、形名之名，皆統而觀其有關思想之如何次第衍生。于惠施公孫龍之名實之論，世所視為屬邏輯知識論之問題者，今則視之為一更廣大之對名之道中之一節，其前有所承，後有所歸，皆在此一道上。而世之於其言視為怪說詭辭，異釋紛披者，今皆絜裘而振之，以歸其宗趣於至簡，以見其實為此廣大之對名之道上之一節，中國之名言哲學之一隅；更無如在西方哲學中之邏輯知識論在哲學中居優先地位之情形。旨在使彼苛察繳繞之小言，涵攝于今茲所重之大道。至於吾之釋惠施公孫龍之遺文，與他人所釋之同異得失，則非今所暇辨也。

（三）第二編論兩漢經子之哲學中之道。此兩漢思想之主流，自亦有承先秦思想而來者。如陰陽家是。此陰陽家思想之流，在晚周已盛，其五德終始之說，並影響及秦之政治。然必至漢代，此陰陽之思想，乃遍注遍流，而無孔不入，幾為一切學者，所不能外。陰陽家之道，吾名之為順天應時之道。《呂氏春秋》、《管子》、《淮南子》、董仲舒之《春秋繁露》等書，同言此順天應時之道。此順天應時之道，其涵義可通及於人之瞻往察來，求開一歷史上之新時代之其他種種道，皆為前此所未有者也。吾論漢代之哲學思想中之道，除一為上述之順天應時之道之外，二為成就學術之類別與節度之道，三為法天地以設官分職之道及對人之才性之品類之分辨、對人物之品鑒之道，四為道教之鍊養精氣神之道，五為《春秋》學中之褒善貶惡之道，亦即今所謂對人事作道德的或政治的價值判斷之道，六為漢代《易》學中之象數之道，亦即今所謂為存在事物之普遍範疇之道。于此六者，吾皆通貫漢代思想之要義而論，而無意於一一學者之思想，分家而備述之。此則由於吾唯視此上之六者為漢代學者所開之新道，為昔所未有，宜通貫諸學者之所言以併論，而後顯。合此六者，即可說漢人之觀「宇宙」之「節度」，而鍊養精神，以成就人之「日常生活、學術人文、政治社會與其價值判斷」之「節度」之道，乃其有進于周秦學者之言道者也。

（四）第二編中、後論魏晉至六朝之玄學及文藝之哲學中之道。魏晉至六朝承中國固有學術之流，而開之新道，一為王弼之通《易》與《老》之玄學之道，二為郭象之注《莊》中之玄學之道。吾論王弼之《易》學重說其與漢《易》同而異之處，吾論王弼之《老》學與郭象之注《莊》，亦重其與老莊之學之同而異之處。皆意在觀其所開之觀照玄理之新道，果何所似。三為文學之道，本文以陸機、劉勰之若干文學之論，通於玄學儒學之論者為代表。四為藝術之道，本文以阮籍、稽康之論音聲之道，宗炳之論畫道為代表。此魏晉人之成其文藝之道，要在通過「虛無寂寞」，以成其對意象之觀照。此與對玄理之觀照，亦可視為同在一道上。此魏晉六朝之文學藝術之道既開出，而中國之人文世界各方面之道，即皆已全部開出。依道眼而觀諸道，亦皆一成而永成矣。至於吾之論此魏晉以後之文學藝術中之道，則亦如吾之論漢人之《易》、《春秋》之經史之學中之道，皆不同世之專家之所為。其旨唯在指明其各自為一方向之道，而亦自有其獨特之哲學意義為止；乃所以見中國之哲學之思想，不只存於《四庫》之子部之著述之中；即中國之經史之學文藝之學，亦不能自位於具哲學意義之「道」之外，然後可免於「道術將為天下裂」。過此以往，亦非我所及知者也。

第三編論由魏晉至隋唐之佛家之哲學中之道。漢末至魏晉六朝為印度之佛法，陸續傳入中國之時。下及隋唐，而佛家之大宗派皆立。佛法乃宗教，佛教之高僧大德之講經論，重在起信成修；故一般經論之義疏，亦為此而著。然吾今之所重者，則限在言佛道中哲學義理之發展。一般之佛教史，恆不足以應我之所需。故後文所論，亦大皆只就個人之直接讀中國佛書典籍，而述其所見。佛書之為翻譯者，其與印度之原典之文義，是否相合，非我所及知。然吾據中國之翻譯之文，以論中國佛學中之道，亦可暫不問其與印度之原典之文義，是否相合。考其相合與否，應別為一專門之學。即全不相合，吾所論者，亦仍是中國佛學中之道也。

按自佛教入中國後，中國學者自始多兼通儒道之學與佛家之學。若牟子《理惑論》，果為漢末之著，則其書已通三教為言。上述之宗炳論畫，劉勰之論文學，固皆純本於中國固有之儒道思想，然其人則皆兼擅佛學。在魏晉時初講佛學者，亦恆以中國固有之學之義與佛家之義，相比格而論。如竺法雅之依格義講佛學是也。佛家之「佛」，原為「得菩提或智慧者」之稱。然據宋法雲所編《翻譯名義集》卷五謂，羅什弟子僧肇，嘗言菩提之一名，初即譯為道，亦即道之極。晉孫綽〈喻道論〉言「夫佛也者，體道者也」，智顗《摩訶止觀》亦言「菩提者，天竺音也此方稱道。」羅什弟子多兼善老莊。僧肇之論般若學，亦以老莊與孔子之言與佛理互證。今觀僧肇之言所表之理境，實與玄學家如王弼、郭象之理境，正相契合。羅什弟子之道生，則蓋承中國孟子言「人皆可以為堯舜」之義，以言人皆有佛性。唯佛學傳自印度，其初之目標在出世，亦有其自印度帶來之一套與哲學義理有關之特殊問題。僧肇、道生等亦不能不多少對應此套特殊問題，以成其論；故其論所及之義，亦多溢出於中國固有哲學義理之外耳。

（五）吾書之論中國佛學中之道，首重其與中國固有之學中之道之同異之際。唯吾論印度大乘般若學，則不能不多少持之與西方哲學之若干義理，對比而觀。蓋此佛學與西方哲學，皆原出自雅里安之文化。梵文與西方文字固同原。故其哲學問題，亦有相類者。然西方哲學之大流，皆重一般知見，而佛學之般若宗，則正以掃蕩一般知見以證空為學，遂與西方哲學之大流，正相對反。以中國固有之學，亦原非只重一般知見，故般若宗之歸旨，與中國固有之思想之歸旨，亦易相契合。然中國固有思想中，卻又無般若宗之所用以掃蕩知見之種種論辯。此種種論辯之傳入中國，亦大開一哲學思想之天地。至於印度佛學中之唯識法相宗之流，則雖未嘗不歸于證空，而有其所掃蕩之知見；然亦以成就人對種種之法相之知見始，遂更能補中國思想之所缺。至印度之法相唯識宗之所以不能大盛於中國，印度所傳般若學，亦不為後之為佛學者所視為至極，則蓋由中國佛學之次第發展，而更自開之佛學宗派，其立義亦自有進於印度所傳之大乘佛學之故耳。

此中國佛學之發展，其由般若學而天臺宗之學，蓋以南朝之成實學及吉藏之般若三論學，為其過度。然國人為中國佛學史者，或忽此成實學及吉藏學之貢獻，則由僧肇道生至天臺之智顗間之佛家思想義理之次第發展，尚不得而明。吾今茲所論，則自謂可差補此缺。由此以觀智顗之天臺學之新義，亦更得昭顯。智顗之學，除以法華涅槃之教義，為其根本外，亦言禪觀，重戒律，而信淨土。其學弘深闊大，立義亦更有進於吉藏。要之，中國佛學至吉藏及智顗之時代，已如日之中天。故吉藏、智顗，以及時稍後之玄奘，皆輕視中國固有之學。此則與僧肇之尚以孔子、老、莊，與佛家言互證，大不同者也。

至於印度法相唯識宗一流之傳入中國，則始于南北朝時有攝論地論二宗。陳隋之際，有《大乘起信論》一書之出。玄奘自印度歸，而弘揚印度之法相唯識學。其時之法藏，則遙承地論宗之學，本《大乘起信論》之義，以判玄奘所傳之法相唯識學、為始教，謂其立義，尚不如《起信論》之為終教，更於《起信論》之終教之上，立一頓教，以通於《華嚴經》所啟示之圓教義。由此中國佛學之次第發展，而印度傳來之般若學，為天臺學之光輝所掩；印度傳來之法相唯識學，亦終為由法藏至澄觀、宗密之華嚴宗之學之光輝所掩，唐以後遂衰矣。

法藏之言頓教義，以絕言會旨為說，原與禪宗之義通。而法相唯識宗所宗之《楞伽經》，原有說通與宗通之別。般若宗及天臺宗，亦皆有禪觀之學。數者會流，至唐而禪宗盛興。禪宗之教，簡易直截，人得其旨，則當下有所受用。華嚴宗之宗密原學於神會，更為華嚴宗四祖澄觀之弟子，遂為書以會通禪教，而宗下與教下，可並行不悖之旨亦彰矣。

於中國佛學，吾書所論者即止於宗密。此佛學諸宗大師之學，皆如深山大澤，著述等身。論一家之全部義理，亦可成一生之專門之業。吾之所論，則亦要在明其能開一佛學新方向之義理而止，自不免掛一漏萬之譏。然吾所掛之一，亦非苟說，多是反復觀其異同之際，然後為之。吾之所以止於宗密者，則由至宗密之時期，而中國佛學之諸宗皆立。然於中國佛學中所謂淨土宗、律宗、及密宗或真言宗之義，則吾全未特標出之以為論。蓋吾意此諸宗所言之哲學義理，大體實不出法相、唯識、般若、天臺、華嚴與禪宗之所說。吾意法相唯識如佛學中之荀學，般若如老莊，天臺如佛家之中庸，華嚴如佛家之易教，道生之頓悟及惠能之言本心即佛，則佛家中之孟學也。至於密宗之於諸宗所言之心之上，更言一秘密莊嚴心，雖似更有進，然吾亦可說一切佛心，無不秘密莊嚴。又密宗之原，乃印度教與佛教之合流，其重身、口、意三密與種種儀軌，重在修行佈教。吾書只重言佛法中之哲學義理或道，則可存之而不論。此外於律宗之戒律之學，淨土宗之言有種種淨土，若將佛學作宗教而觀，其意義皆至為重大，吾書亦存之而不論。此皆非忽其言宗教之修持工夫與其在佈教上之價值之謂也。

（六）吾此書之論述佛學，即暫止於唐。此中國之佛學，前接中國玄學家之義，其次第發展，亦即其次第攝入於中國學術思想自身之發展之流之中。故吾之論述中國佛學之所止，亦即吾之論中國哲學思想中之道之所止。吾之止於是，固因時間精力之所限。然吾亦可謂自中國哲學之道之諸大方向之開拓言，至唐而至於極。亦如中國之國力，自上古歷漢至唐，而及於世界，其人文亦化及於世界，而極其盛。盛極而衰，由五代宋明至今之中國，則大體上只為一自固自守其民族與人文之局面，於哲學中之道之大方向，唯循前人所定而進，學者要在以辨道而守道行道自任。或道之大方向，已盡於此唐以前人所開拓者，亦未可知。故吾人今亦不能不懷念漢唐前人開拓之功。今斷至唐以為吾書，亦可一醒耳目。然開拓固難，守成亦不易。江山不老，代有賢才，中國哲學慧命相續，自五代宋明至今，吾亦未見有全然斷絕之時。宋以後儒佛諸家之學者，為守道行道，而辨道，亦恆更能至於義理之精微，有非唐以前之學者所及者。宋以後之學者，在承繼昔人所言之道，而付之於個人之身心性命之實踐，及社會政治教化之實踐，而切實行道之精神，亦有大非唐以前之學者所能及者。吾於此書之最後一章，一方略說南北朝至隋唐時期之佛學以外之學術思想，一方略說此五代宋明至今中國學術思想，其以辨道、守道、行道，勝於前世者在何處，以見此道之千古常新，即以暫結束本書。對此五代至宋明以後學者之言道，友人及時賢之論述不少。吾前所述作，亦有數十萬言，則大皆以觀學者之如何辨道為中心。俟稍整理，另冊刊行，但欲對此中全幅辨道之論，舉而述之，尚不能及。此上述本書之內容之限極竟。

四　論述方式

（一）本書論述之方式，不能離此書之宗趣而說。前已言此書乃以對唐以前中國之前哲思想中諸方向之道，溯其始於吾人生命心靈活動原有之諸方向。而論述其同異與關聯之際，為宗趣。故吾書未嘗必求於此一一方向之道，皆窮至其極，而加以盡論。如吾之述儒家之學，未論聖賢氣象，論佛學而不及佛果等是也。然吾亦以為循一一方向之道，窮至其極而論之，乃似可能而又實不可能之事。因凡道皆以無極為極故，亦非必窮至其極，乃得知其會通之處故。論道之要，要在於諸方向之道，知其皆始於吾人生命心靈活動諸方向，如星魚六爪，出於一體。則其始點原自會通。又既論述其同異與關聯，即同時使人得緣其同異與關聯之處，以往復周行於其中，而無不通。故論道之著述方式，要在使所論述者能互相配合照映，以形成一全體之理境。此理境所包涵之義理之成份，可多可少，然必由配合照映，而見其相涵相攝，互容互讓，以合成一全體，具足圓成，無歉無餘。有如碎蛋殼而注蛋於碗中，一蛋可成一全體，二蛋相對如雙目，三蛋成品字形，四蛋成四方形，五蛋成梅花形……皆各成一全體。此皆由其能相涵相攝，互容互讓而致，然論述種種義理之文，至於如此，其事實難。吾慕之而愧未能達。然亦望讀者得會此意，以觀吾書為幸。

（二）一般之見，以中國哲學思想之著述，為缺乏形式系統，故吾人須選取編集其言，以成一形式系統，而論述之。吾意則以為今若以一著述，必先自對其所用一一名言，一一與以一指定之定義，並將其所述之內容，加以類分，使綱目具足，方為有形式系統；則中國哲學思想之著述，其形式系統，誠不如西方哲學思想著述之顯明。然一名言不必只有一指定之定義，而可有各方面之義，同以此名言，為其輻輳之中心。又一系統，可由類分而使綱目具足以成，亦可唯由此系統中之諸義理之依次序先後、或層位高下之連結而成。系統更至少有直線系統、與圓周系統之分，及單一系統與交攝系統之分。系統若為唯依次序先後，層位高下而結成者，或若為一圓周系統或交攝系統者，皆不能只對其義理加以類分，使綱目具足之道為之。中國哲學之著述，對其所述義理，缺乏「類分使綱目具足」之系統形式，然亦非無依義理之次序、層位等，加以編次之系統形式。以先秦之著述而論，如《論語》、《孟子》之書，因其原是答問之語之結集，故原缺系統性。然《論語》、《孟子》經後人編次，亦非全無依序、依類相從之義，今暫不及。至於《墨子》書，則除墨辯諸篇外，皆各以其主旨名其篇，其論說亦有法度，則不能謂無系統之形式。吾觀《莊子》內七篇其諸篇之義，實大皆次第相從。《荀子》亦然。漢儒之著，如董子《春秋繁露》、揚雄《太玄》等，魏晉時王弼之《周易略例》之書，及後之佛家之書，如僧肇、吉藏、智顗、法藏之書，皆顯具系統之形式。近人因先存中國哲學思想著述無系統之心，故論述其中國先哲之學者，恆於諸篇章之文，任意割裂，加以去取，以代編造一系統為事。故於其書之最原無系統者，如墨辯之經與經說上下禪宗宋明儒語錄之類，則最為近人所喜論，因其更可容人任情取捨，以騁其編造系統之能也。近人之論一家哲學者，或又以為必先其名學、知識論，再至其宇宙觀或形上學，更至其人生文化政治社會之哲學，方足成一系統之論述。此乃以通俗西方之哲學概論書之系統為標準，以論述中國哲學之系統。吾昔年之寫《哲學概論》，及寫《中國哲學原論》之第一冊，而以原名、原辯、原致知格物為先，亦未能免俗。然實則人之哲學思想，其次序進行，以成系統，儘可以任何哲學觀念為始點。依中國哲學之傳統而觀，則正當以有關人生之事之學之觀念為始點。故編《論語》者，則以〈學而〉章之弟子之入孝、出弟為先。《荀子》書亦以勸學禮義為先，而將〈天論〉之論宇宙，〈解蔽〉之論心知，〈正名〉之論名者，列於其後。《莊子》則以〈逍遙遊〉之論聖人、至人、神人為先，以〈齊物論〉之論是非之知者為後。人固先有其學為人之事，而有其人生之觀念；再有對其生活所在之宇宙之觀念，更有其若干對宇宙之知識，而有宇宙論；方有對其知識之反省所成之知識論，及其知識表於名言之方式之反省所成之名學。則哲學之論述，又豈必須以名學知識論為先？故論中國哲學中之道，而謂必依一名學、知識論、宇宙論、人生哲學之序以論之，最為吾此書所不取。吾今之論述中國前哲之思想，嘗儘量求依其原著之編次，扼要論述其所陳之義理之次序、層位等，而不任情為取捨，以合於吾一人之主觀所代為編造之系統。而其結果，則吾所發見之中國前哲之思想中之義理，其依次序層位等相結，以具系統性者，或反較世之論者為多。唯凡吾書之扼要論述者，皆宜與原書互觀，方更能識得前哲之旨之全耳。

（三）吾書論述中國前哲之思想，而吾為今世之人，自不能不用若干今世流行之名言。此名言亦恆有為西方哲學之譯名，其義由西方哲學而規定者。然吾仍以中國哲學之名言，乃自成一套，雜以譯名，初不甚調和。故讀者宜於觀名用名之時，知新成之譯名之義與舊名之義之別。即以哲之一名而言，西方哲學 Philosophy 為愛智之義，中國之哲，則為有智之人。愛智則智可為所愛、所求，而未得者。只此去愛、去求之事，即哲學之事。以有智之人為哲人，則只知對智去愛去求者，尚不足以為哲。此外，如本體之名，或以 substance 為之譯名。此 substance 之名，原自希臘哲學，初指「客觀的站立於下」者。故言 substance 恆指一客觀存在之實體。然在中國，則「本初指枝葉之本」，為枝葉之生長或生命之原者。「體」初指人之身體，為人之視聽言動之活動所自出者。合為哲學中之本體之一名，即恆指吾人之生命心靈之主體，而此主體即表現於生命心靈之種種活動或用，如體驗、體會、體貼、體悟、體達等之中。故於「體用合一」之義，以中國文字之「體」「用」之字表之，最易明白。今如以西方 substance 指主體之生命心靈，更言與其用如 function 或 activity 之合一，或先想著西方哲學之本體問題，再以中國哲學中之體用之論，為其答案；則須經一曲折支離之論，而或使人偏向於此體之形上學的客觀義，而忽略在中國哲學中，此體之主體義乃本義，客觀義只是末義。至於譯中國之本體為 reality 者，則當知西方之 reality 乃與現象或幻象對。此與中國之本只與末對，體只與「用」或「相」對，而不與幻象對者，亦有不必同。此外之例，不可勝舉。要之，中國哲學，自原有其一套名言。佛學入中國，其譯名又成一套。今之西方哲學之譯名，再成一套。中國哲學有此種種套之新名言，固皆為豐富中國之學術思想之事，然併用之，又實最易形成種種思想之混亂。吾今為免於混亂計，於論中國哲學時，仍儘量求少用新名。不得已而用之時，讀者亦務須知其義之不同其名之舊義為幸。

（四）吾之此書，初嘗欲以語體文為之，以便初學。然吾之論述，多將所徵引之文句與吾之解釋，一齊俱滾，罕將此二者，離裂而成文。若用語體為解釋，則文氣不順，故仍用淺近之文言。語體與文言，乃文字體裁之別，各有所長，難分優劣。大率中國語體之文，近乎口語。因中國之字多形異聲同，則在口語中，恆於一字，更加上一字，方能使聞者得解。語體之文，亦如將所說者，加以拉長而說之，故易見條理清晰暢達。又語體近於口語，觀者易對所說之事理，有親切之感。讀文言之文，則形聲並觀，耳目並用，在口語中須二字者，文言中一字即足。此即如將所說者，加以凝聚說之，而少廢辭，故宗旨凸出易明。又文言遠於日常生活中之口語，觀者易對所說之事理，起莊嚴之感。然無論語體文言，其表意表義，皆有一文字之技巧，或佛家所謂文字般若。吾於此皆未嘗真用功夫。吾之為文，恆一任氣機鼓盪，泥沙並下，故不能醇雅。又時有冗長之句，使人厭倦，初學或更感艱難。然吾於吾心意之所之，所見之義理之所往，則尚未見有必不能用吾文，加以表達者。其時有冗長之句，亦恆由其所說之義理，須迂迴而達之故，有如登山者之或須環山而進。憶康德似嘗言，其書之長句，如皆化為短句，則其文當更長。吾亦恆有同感。又文字所表之義理，本有其高下、淺深、廣狹、與遠近，如合為一立體；而紙上之文字，則皆一樣大小，以平鋪紙上。故人若不能將平鋪之文字，前後重疊貫通而觀之，使此如一立體之義理，宛然在目，亦不能對此所表達之義理，有如實之知見。再義理之高者、深者、遠者、大者、曲者，亦本自難見，不思則不得。此不必皆與文字之表達有關。此則吾自為吾書之行文，更作辯解之語。然亦非自諱其於文字之技巧，及文字般若，未嘗真用功夫也。

五　餘言

上述本書之宗趣內容之限極，及論述方式竟。今更有餘言，以敬告讀吾此書者，以結束此長序。

吾對中國哲學思想之全體，恆有一整個之觀感。即其雖沿不同道路而形成，然皆自同一本原而發，如長江黃河之同原於星宿海，中國之山脈之同出於崑崙。崑崙山脈有三，黃河、長江並珠江之水亦有三，俱蜿蜒東向於海，以迎日出於滄溟。此可喻中國之思想主流如周秦之儒道墨三家，或後之儒釋道三教之有不同道路，皆可並行不悖。吾人生於今世以觀中、西、印之思想之並流於吾人之心，亦必能見其並行不悖。歐洲之山水，以阿爾蒲士山為中心，以四散延入於東西南北海，其方向恆互相對反。此正可喻歐洲思想之方向歧出，而各見精彩，多矛盾衝突。西方不同哲學理論之結構嚴整，故在外部看，恆彼此對立，不易相通，正如西方中古之堡壘，唯賴其外之牧場草地為之通者。中國之不同哲學理論，其結構疏朗，故在外部看，則恆互相涵攝，則正如中國之宮殿，其樓閣之可隔窗相望者。此乃吾對中西哲學不同之一印象。故吾意論中國哲學，亦不宜只以排比其一一義理，以化之成一西方式之堡壘，以言其義理之骨骼為功。於一切義理之排比，當用以顯義理之流行，如當於人之骨骼之中，更見其血脈。然後中國哲學可成一有生命之物。為顯此義理之流行，吾書於述一家之思想義理時，亦或兼及於後世之學者對此一家之義理，如何重加解釋，或如何重加估價。如吾之論周秦孔、墨、孟、荀、老、莊諸家，恆於文初，兼略論此各家之學之道，在後世學者之心目中之地位之升降起伏。此亦意在增加「對此一家之思想義理之恆活在世代之人心，而為一有生命之物」之觀感。吾書之論此唐以前中國哲學之道，雖漏略甚多，而卷帙已不少。此中之義理流行所成之血脈，亦非一覽可見。故望讀吾書之初學之士，先本好學之志，低首降心，即文而讀，不遺一字，如匍匐而行，五體著地；學曹操詩之「北上太行山，艱哉何巍巍，羊腸坂詰屈，車輪為之摧」；再舉身而起，與此書所說者平齊，而順觀此書所論之義理之流行，如李白詩之「朝辭白帝彩雲間，千里江陵一日還」；然後汰繁入簡，去雜成純，如左思詩之自「振衣千仞崗，濯足萬里流」，以升於此書所說者之上，以俯覽此中國哲學之不同之道；要在見其如中國之山川之蜿蜒東向，以迎東海之日出於滄溟；其不同理論之互相涵攝，如中國之宮殿，其樓閣之可隔窗相望；其義理之流行，亦如音樂之有節奏、次第，與旋律為止。則吾與讀者可相契言外，莫逆於心矣。過此以往，則更當見此中國哲學之道之義理之流行，其精神血脈，直貫注於中國古往今來之人文學術、禮樂風教之各方面，為百姓之所日用，而不可須臾離者：有如江河之水之儲為湖沼，散為支流，盈于溝澮，浸潤于山林皋壤，以遍澤群生。此則更有超于吾書所及之大學問在。當合天下人之聰明智慧以共為之，以見此大學問之大。昔釋迦說法，其所傳之經，數千萬言，而自謂其所說之法如爪上土，未說者如大地土。唐人詩亦曰「流落人間者，泰山一毫芒。」則吾今茲之所言之及于此大學問者，直一塵一毫之不若。安得知此大地土與泰山之天下人，共竭其聰明智慧，以共從事于此大學問哉。

辛亥除夕

《中國哲學原論原教篇》

自序——釋名、內容、論述之方式及本書之限極

一 釋名

此所謂《原教篇》，實即吾著《原道篇》之續篇，乃專論宋明以降儒學發展者。《原道篇》乃與《原性篇》之述唐以前之心性之論，互相交涉；此篇則與《原性篇》述宋明儒心性之論，互相交涉。故初本擬定名為《續原道篇》，又擬定名為《辨道篇》。反覆思量，久而不決，終乃定為《原教篇》。此乃取于《中庸》「修道之謂教」之義。修道之道，固原是道，而凡對人說道，亦皆是教。故原教原道，本為一事，則二名固可互用。唯以《原道篇》既已先行出版，為避重複，故今改用《原教篇》，以名此論宋明儒學之著。《中庸》言「率性之謂道，修道之謂教」，吾之原論，既有名原性與原道者，亦宜有名原教者，以上契于《中庸》兼重「性」「道」「教」之旨。而今標此教之名，以說宋明儒所言之道，歸在修道之道，亦固有與宋明儒學之精神，更能相應之處在也。

原此宋明之儒學，皆意在復興先秦之儒學。此乃由于宋明儒先感此儒學之經秦漢魏晉至隋唐，而日益衰敗，其道若已荒蕪，故須重加修治，以求復興。宋明儒者之復興儒學，又皆不只重一人著書，以發

明此道，而尤重啟發後之學者，共形成學術風氣，以見于教化風俗，而轉移天下世運。故宋明儒者自宋初三先生，即以師道自任。周濂溪通書明謂「師為天下善」。程朱陸王諸儒繼興，共于君道所在之當世之政統以外，更樹立一「道貫古今」之道統，以尊嚴此師道。孔子亦自宋明以降，單稱為至聖先師，遂不同于在漢唐時，稱為素王、或封文宣王者。故謂宋明儒之學，重在為世立教，正與諸儒本懷相應。復次，宋明儒之學，雖重明天道人道之大本大原所在，然尤重學者之如何本其身心，以自體道、自修道之工夫，以見諸行事，非但于此道之本原作思辨觀解也。此體道修道工夫，恆須由面對種種非道之事物而用，如對身心中之種種邪暗之塞、氣質之偏，私欲、意見、習氣、意氣之蔽等，以及博聞強記、情識、想像、擬議、安排、格套、氣魄、光景等似道非道者，而用。若非對此種種非道之物，則道自恆為道，亦不待修也。如世間之道路，無破爛阻塞，亦不須更修也。反之，則人愈能認識此種種非道之物之存在，亦愈須修道。依吾之意，則對此種種非道之物，如邪暗之塞、氣質之偏，意見、私欲等之存在，其認識之深切，其對治工夫之鞭辟入裏，正為宋明儒者之進于先秦儒學之最大之一端：而亦正有類于佛家之求化除人之生命中之雜染無明，以歸純淨之旨者。此皆在吾書，隨處加以說明，而後可見宋明儒者之反本開新、其與佛家離合之義。故宋明儒者之言道，大皆可說是面對非道之物以修道，由非彼「非道」者，以使此道遍滿天下，而無乎不在。故宜說其所言之道歸在修道之教，以成此儒者之道之「非非道以為道，反反以為正」之發展。此固非謂其是教，便不是道也。

二　內容大旨

此《原教篇》之文，皆論述宋明儒學之發展之文。此諸文有為吾三十年前所寫「中國哲學史稿」之章，今除核正所徵引文句外，無多改動者。如論述王船山、羅近溪之學之文是也。此論船山之文，嘗發表于《學原》第一至第三卷，論近溪文嘗發表于《民主評論》百期紀念號。此外則論朱陸陽明之三章，乃九年前所寫，嘗發表于《新亞學報》第八九卷者。其分述宋明理學之章，則一年來據約廿年前以弘之筆名發表于《原泉月刊》之哲學史舊稿重寫而成。其餘諸章，則近月所補作。此即大不同吾《原性篇》、《原道篇》之書，皆是于二三年內一氣呵成之著。今重將此不同時期所寫諸文，整理編輯，使略具一系統，合為一書，其繁簡輕重之間，自難一一配合停當，亦時不免重複之處。然此書亦非雜湊而成，而實意在合此諸文，以彰顯吾所見之整個宋明儒學之發展。此吾之所見，三十年來固無大變，而與他人所見，固有不相雷同，而與吾於《中國哲學原論導論篇》中原太極、原命諸文，及《原性篇》述及宋明儒言太極性命之論，互有詳略，足相發明參證者在也。

依吾之所見，世之謂宋明理學家言，乃直接由儒學佛學之混合而生，其說最為無據。然宋明理學亦自有所自起。此其所自起之學，初當說是與宋理學家如周張二程等並世或其前之其他之宋代儒者之學。此理學家外之宋代儒者之學，則初為經史之學。于經學中則特重《春秋》、《易》，更及于《詩》、《書》、《禮》之學，至其天道性命之論，則初近漢唐儒者，亦帶道家色彩。由此中之經史之學及道家色彩之天道性命之論之發展，乃歸于理學家之周張二程之諸儒之興起。此則略見于本書之前二章。

在理學家之宋儒中，周濂溪、張橫渠之論，皆由言天道以及于人道、聖道。此與並世之帶道家色彩之邵康節，承揚雄言「觀乎天地，則見聖人」之旨者，尚不相遠。然濂溪、橫渠觀天道之思想方式，已與佛家之觀宇宙之方式迥別，與康節大不同。康節重兩兩橫觀天地萬物與古今歷史之變。濂溪則以人極上承太極，縱通上下；以中庸誠明之工夫，去邪暗之塞。橫渠則言太和，以縱橫通貫天人之道；以存神與敦化之兩面工夫，變化氣質之性。至程明道之直下言合內外而天人不二之一道，以識仁、定性，下學上達為教。又與橫渠之合天人內外之「兩」以為「一」者，不同其思路。故明道于橫渠多有微辭。伊川承明道言天人不二，而重「敬義立而德不孤」，「敬以直內，義以方外」之旨；更于一心之內外兩面分性情，由性情之分，以別理氣；更開工夫為內之主敬，與外之窮理致知兩者，以相輔為功。則又是將明道之一本之道，重開為二，則又有似橫渠之立兩以見一。唯橫渠之學初用心在天人之際，以存神知化、盡性至命，為乾坤孝子，以成天人之縱通；而伊川之學，則初用心在性情理氣之際，仍意在承明道之學之「盡性至命必本于孝弟，窮神知化由通于禮樂」，以順通此心身之內外耳。

宋學至南宋，而有朱陸之分流。朱陸之學，乃緣周張之言天人之際，二程之言內外之際，而直下措思于一心中之明覺與天理之際。陸子發明本心，自近明道之言一本。陸子謂「孟子十字打開，更無隱遁」乃本孟子言「萬物皆備于我」之旨，以言宇宙即吾心；亦猶明道之亟稱「孟子之發揮出浩然之氣，可謂盡矣」，乃本孟子之「浩然之氣塞乎天地」之旨，以言仁者之渾然與物同體也。朱子之主敬存養省察致知格物之功，以兼致中和，則明出于伊川之「涵養須用敬，進學在致知」之兩端並進之功。然伊川之學，亦原本明道之學，而朱陸之學亦自有通途。明代陽明致良知之學，緣朱子之格物致知之論轉手，而化朱子之知理之知為天理良知，以還契陸之本心，則由陽明學亦可得此緣朱通陸之途。若詳論之，則朱陸與陽明之言為學工夫，互有異同，宜相觀而善，不當只如羅整菴、陳清瀾及清之為程朱學者，以程朱與陸王為對壘；更當如明之東林學派與劉蕺山之求識其會通。吾此書之論朱陸陽明三賢之學，皆重述三賢之依心性本體，而有之修道工夫，則宜與吾《原性篇》文重在直顯三賢之心性本體之論者，及附錄之朱陸異同探原，重在直辨此中心性本體之問題者，合參而讀。陽明以後，良知之學遍天下，別而觀之，則大率不出「悟此良知或心性之本體即工夫」，及「由工夫以悟本體」二流。此二流之別，亦並可說為學者入門下手工夫之先後次第之別，更無不可通之矛盾。大率浙中之王龍溪，泰州王心齋、羅近溪，皆屬悟本體即工夫之一流。浙中之錢緒山，江右聶雙江、羅念菴，則由工夫以悟本體之一流。又大率言由工夫以悟本體者，在江右之傳，恆于致知之外，兼重「格物」或「敬」之義，以通于朱子；而言悟本體即工夫者，如泰州亦自另有其格物之義。至于東林學派，乃更重格物以明善之義，以補王學專言致知之失，更求會通朱子陽明之教。東林學派既講求自家性命，亦關心天下世道，而重明是非、尚節義。劉蕺山既感晚明王學之弊，亦以東林人雖多君子，而其是非未必皆能本于好惡之正，而倡誠其一己之好惡之誠意之學。此即一攝動察于於穆不已之心性之本體之自存，以成一慎獨而致中即致和之聖學。蕺山既謂宋五子及陽明之學，皆謂其得其統于濂溪，更本濂溪之承太極而立人極之旨，以作人極圖為人譜，歸宗于立人極。而宋明理學之傳由濂溪以至蕺山，其終始相生，如一圓之象，于是乎見矣。

至于明末之王船山，則上承張橫渠言客觀之天道，而重論民族歷史文化，更還重《易》與《春秋》二經之義。遂頗同于宋初儒者之尊尚此二經，及本《春秋》別夷夏之旨者。此又為一終始相生如一圓之象。上之一圓，如宋明儒學之內城之圓，此則如外郭之圓。姑為此二喻，讀者讀全書後自可見得。至于與船山並世之黃梨洲、顧亭林，則上接陽明朱子之學之流，下開清儒之學。此顧黃王與其後之學者，皆不同于宋明理學之儒，只重天理、性理、義理者。乃轉而重言天下事勢之理、古今文物之理；亦不專言內聖之學，而志在于外王之事功。沿此而有清代之顏李之重六藝、清代學者之重文字、器物之理、史學與經世之學。此則非吾書所詳及。唯綜論之于最後之二章，以見宋明儒學之流委。此即本書之內容之大旨也。

三　論述方式

至于就此書之論述方式而說，亦與《原道篇》之為「即哲學史以論哲學」之方式無殊。所謂即哲學史以論哲學者，即就哲學義理之表現于哲人之言之歷史秩序，以見永恆的哲學義理之不同型態，而合以論述此哲學義理之流行之謂。既曰流行，則先後必有所異，亦必相續無間，以成其流，而其流亦當有其共同之所向。唯此宋明儒除專門之著外，其所傳之語錄、書信，亦皆其心血所在，志業所存，而初無組織。故如何選取其要語，連屬為論，大可人各不同。又此宋明諸儒，于先秦經傳既所同習，于儒者相傳之義理，亦共許者多，其論學所用之名辭，復大率相類；故于其所陳之說，多初看亦似皆相差不遠者，如黃茅白葦，一望皆是。而人于諸家思想面目，亦最易混同而觀。今欲于同中辨異，其事不易。而自另一面言，則宋明儒者之並世而生，共坐論道，或以書信講學，又時有口舌筆墨之辯爭。其所以辯爭，蓋多由諸儒之氣質有殊，觀點有別，所欲捄正之學者之病、時風之弊，有所不同，而立言遂不欲雷同，而必「通其變，使民不倦」。此未必皆礙其百慮一致，殊途同歸。今欲于言之異者，會其旨之同，其事亦難。依吾平日之見，嘗以為凡哲人之所見之異者，皆由哲學義理之世界，原有千門萬戶，可容人各自出入；然既出入其間，周旋進退，還當相遇；則千門萬戶，亦應有其通。故今本歷史秩序，以論此宋明儒學中哲學義理之流行，亦當觀其義理流行之方向，如何分開而齊出，又如何聚合而相交會；不先存增益減損之見，以于同觀異，于異見同，方得其通。然後得于此哲學義理之流行，見古今慧命之相續。故此觀同異之事，宜當循諸儒思想之先後衍生，而次第形成之序，由原至流，再窮流竟委，以觀之。如專于其流之既分異之已成處，加以對比平觀，則將只見思想義理型態之相對成別，以為方以智之論述，其極固可至于在義理之世界，見天開圖畫；然尚未必能見其義理型態之相攝之通，而為圓而神之論述，以極至于在義理之世界，如聞天音天樂之流行也。此二境固皆未及企及。然吾于此宋明儒之學，以先有平生涵濡浸潤之功，于論述之際，多順筆直書，不假一意安排，亦不須多言幫補，而時有王維詩所謂「遙愛林木秀，初疑路不同，安知清流轉，偶與前山灣通」之感。此則略得由方之異，以得圓之通之意。故吾望讀吾書者，亦須順文而讀，以得此義理之流行之趣。至于體之于身心，見之于行事，固治宋明儒學之最後之目標。依吾所見，此宋明儒諸賢之言，皆可分別對不同之氣質之人，于其工夫之不同階段，當機得其受用。更以世風之偏尚、學敝之所在，種種不同；其語皆足補偏救弊以為廉頑立懦、興教成化之資。吾對其言，亦如顏回于孔子之言，初無所不悅。讀者若唯以求受用、應用為歸，則其單文隻句，亦有可終身受用不盡，應用無窮者。《莊子》言「焦鷯巢于深林，不過一枝；偃鼠飲河，不過滿腹」，固無取乎多言。此則宜隨意直讀宋明儒之書，亦不必將其遺言，編列為系統，如練兵排隊，翻成冒瀆之罪，亦非必讀吾之此書。吾書固亦不免將昔賢之言，編列排隊之罪也。原此吾之書之所以著，對吾之一己而言，乃由吾既嘗觀義理之世界之門戶之不同，又欲出入其中，冀得其通，更守其至約；亦使吾之心，得多所上契于昔賢之心，更無今古之隔。對當世之學風言，則吾之《原道篇》與此書之所以著，唯意在展示中國哲學義理流行之不息，以使人對此中國之綠野神州上下數千年之哲學之慧命相續，由古至今未嘗斷，有如實之觀解，以助成其亦將不息不已于未來世，而永無斷絕之深信。此亦即吾書之論述之方式，必不安于只為一機械排比之鹵莽滅裂之論，而必勉求如上所述之故也。

至于吾書之限極，則吾亦自知之。此論述之方式之本身，即為一限極。吾有所論述，亦必有所不論述，此亦成吾書之限極。此皆顯然易見。若尅實言之，則吾之論述宋明儒之每家之學，皆只提示吾所視為有較特殊之承先啟後之哲學意義者為止。然一家之學，固不以此而止也。又對此特殊義，吾亦多只略引其一二言為據，未嘗于其言加以盡舉。再則吾于《原道篇》末，嘗謂宋以後之儒者為守道明道而立教，遂有種種儒學內部之辯，亦與佛教及耶穌教士有種種之辯。然今茲此書，則只略及朱陸之間、陽明與朱子間、陽明與同時之學者間、王門諸子之間之辯，及東林、蕺山、船山對王學之評論。其餘則未能一一加以詳析。對儒與佛耶二教間之辯，及佛道二教自身之發展，及其內部之辯，更未能及。又吾書對各家思想之師友淵原，與時代問題之關係，亦幾全無所論述。此則由吾書原不全同世之哲學史，唯重在即哲學史以見哲學義理之故。至于吾書之論述未當之處，為吾書之限極所在，又更不待言。要之，學問無窮，義理無窮，論述之方式亦無窮。《莊子》〈齊物論〉言「知止其所不知，至矣」。則論止于其所不論，亦至矣。至于讀者，若謂此吾二書已所論太多，正當求約、以化繁為簡，則吾此書更有後序一篇，以言將此書與《原論》之其餘五卷所述，及一切學術義理化繁為簡之道，亦可併此序，加以合觀，以為守約之資。

癸丑四月唐君毅自序于南海香洲

《中國人文精神之發展》

重版序

本書於民國四十六年由香港人生出版社出版，初版售盡後，常有人來函要買此書。但因我在此十數年中之工作，皆在純粹之學術研究與教學方面，對一般社會文化之問題，較少論述；覺此書亦無重版之必要，故迄未加以重版。但最近二三年，我對中國與世界之社會文化問題又比較關心；覺我前此之論述，仍對當今及未來之時代，尚有其意義與價值。故一方決定將二十年前由新亞研究所出版之《人文精神之重建》一書，由新亞研究所重印；並將此十五六年來論一般之人文學術及社會文化之文，輯為一冊，名《中華人文與當今世界》，交臺灣之學生書局印行；同時再將此書亦交學生書局重版。因我個人之思想學問二十年來，亦有若干進步與發展，及在寫作時所感受之時代問題不同，故三書內容，自亦有異。然根本思想方向，則前後一貫。此書中對種種問題所持之論點，亦大多仍是我現在之所持。我想對於他人之關心此種種問題者，仍當有多少啟發開導之作用。故今除校正少數錯字外，照舊重印。

一九七四年三月十日唐君毅於南海香州

《中國哲學原論原性篇》

自序

一　本書寫作之宗趣、及其所論述之範圍

本書名《原性》，又名《中國哲學中人性思想之發展》，為《中國哲學原論》之第四編，其前三編為導論編、名辨與致知編、天道與天命編，合為《中國哲學原論》上，已列為東方人文學會叢書，由人生出版社印行。茲編因篇幅較多，故別為一書，今更為之序，以略說明其論述之宗趣、範圍、方式、態度、及內容如下：

吾《原論》諸文，皆分別就中國哲學之一問題，以論述先哲於此所陳之義理，要在力求少用外來語，以析其所用之名言之諸義，明其演生之迹，觀其會通之途；以使學者得循序契入，由平易以漸達於高明，由卑近以漸趨於廣大；而見此中國哲學中之義理，實豐富而多端，自合成一獨立而自足之義理世界，亦未嘗不可旁通於殊方異域之哲人之所思，以具其普遍而永恆之價值。茲論述中國先哲之言性，其宗趣自亦不能外是。

此書之原性，乃與吾《原論》中原命一文，同為通中國哲學之全史以為論，而牽涉之廣，又大過

之。蓋人生之事，無不根於人性，而中國先哲言人性，亦稱天性，故又多由天地之性、萬物之性、萬法之性以言人性。人能成聖、成賢、成佛，而至誠以如神，乃更可由人之成聖賢之性、佛性、神性，以言人性。故吾此書第一章，嘗謂「就人之面對天地萬物，而有其人生理想處以言性，為中國言性思想之大方向之所在。」循此以論中國人性思想之發展，乃勢必於人生宇宙之一切問題，無不牽涉，即將無異為一具體而微之中國哲學史。然吾此書仍力求免於泛濫，唯扣緊此「性」之核心問題而為論。故對關聯於天地萬物之本身，及人生理想之本身，以及如何實現此理想之內聖外王之道，等等問題，恆避而不及。即與言性密切相關之諸言心、言命之說，其未見於吾《原論》上之原心原命之文中者，亦能略則略之。本書附篇有原德性工夫一文，乃就朱陸之辨內聖工夫之問題以為論。此文是吾述朱陸言性既畢，更沿之而寫出者。其中所陳之義，既上接朱陸言性之義，亦下接本書之論楊慈湖、陳白沙、王陽明之說者。若置之本書中，亦原未為不可。唯繼因念其牽涉太多，又可與朱陸之言性之義，分別了解，仍裁為另篇。今若仿此之例，以更述朱陸以外之先哲言內聖工夫者，其言亦可什佰倍於此。此皆見本書之所陳，有其核心之問題，自具界域範圍，而亦自具限極，學者更當自求本書之所無，於其所有之外也。

又即就中國先哲人性思想而言，吾書亦未能一一加以盡論。吾之所以不論，有因非先哲立教之重點所在，或非其明言所常及，而不論之者。如孔子罕言性，墨子、老子、莊子內篇皆不及性。孔墨老莊之言教，實重在直接示人以道之所在，期人之共行，以自成其德。此亦正為原始開創形態之聖哲共同之立教方式。不特孔、墨、老為然，釋迦、耶穌、蘇格拉底、謨罕默德，亦同罕言性也。蓋本聖哲之初懷，必人道先立，人乃更能自反省及：其性之能順道與否；必人德既成，人乃更能反省及：其德之原於性與否；然後人性之何若，乃可得而言。故聖哲之立教之始，恆只直接示人以道，使人成德，於性乃不言或罕言也。昔歐陽修嘗謂，無論性之為善為惡，道德皆不可廢。則於性不言或罕言，非罪也。聖哲既罕言不言，而明文不足徵，則吾雖可為之推說，亦可姑存而不論。此其一。再則吾之所不論者，又有以其非一家思想之核心特色所在之故者。如佛家之唯識宗言五十一心所，不可謂不詳密，亦大有助於吾人對一般人性之了解。然此唯識家心所之分，乃近承俱舍之論，遠本印度以前他家之說，尚非其思想之特色所在，故吾書全未及之。此其二。更則有一家之論，雖非有意沿襲古人，然實不出先賢所論之外，則今既及先賢之說，即唯有對此後賢之論，加以割愛。如韓愈原性之說，上同王充，宋儒如司馬光、王安石、蘇東坡等之言性之說，亦實多早已有之，故皆略而不及。此其三。

此上所言，乃意在說明吾此書所論，不特在中國哲學全體中，乃唯以「性」之問題為核心以為論，而自具限極；即在中國全幅之言性之思想中，亦有所簡擇，而自具限極。學者乃更當自求其所無，於其所有之外也。

二　本書論述之方式、態度與方法

至於尅就此書之所有者而觀，其論述之方式，雖是依歷史先後以為論，然吾所注重者，唯是說明：中國先哲言人性之種種義理之次第展示於歷史；而其如是如是之次第展示，亦自有其義理上之線索可尋。故可參伍錯綜而通觀之，以見環繞於性之一名之種種義理，所合成之一義理世界。此一義理之世界，固流行於歷史之中，亦未嘗不超越於歷史之外，而無今古之可言者也。故吾此書，不同於：將一哲學義理，隸屬於一歷史時期之特定之人之思想，而觀此思想與其前後之其他思想，及社會文化之相互影響之一般哲學史之著，亦不同於：面對永恆普遍的哲學義理而論之之純哲學之著；唯是即哲學思想之發展，以言哲學義理之種種方面，與其關聯之著。故其論述之方式，亦可謂之即哲學史以言哲學，或本哲學以言哲學史之方式也。吾書中如對漢儒之言氣及陰陽五行、魏晉人之言獨體與體無致虛之關係、佛家之言對自性之遍計執、起信論一流思想之言心生萬法、伊川言性即理、及朱子之言理先於氣等處，其所以咸本己意，不厭繁文，為之推說辨解者，皆意在見此諸哲學史上之陳說，所自具之普遍永恆之哲學涵義，有為今世所未知者而言。此固非一般哲學史中所有者也。

至於吾書之徵引古人之言，而論述之之態度，則持與昔之學者相較，其異同亦可得而言。大約先秦學者，如儒墨諸家之言，皆重在直接陳述其心所謂是之義理，其徵引詩書古訓，皆姑取古人略相類似之言以自證，以意逆志，而不必求合其本旨。其評論同時他家之言，亦未必先客觀地研究其為說之果為何若。凡後之學者論學，其徵引他人之言，以自註其說，如陸象山所謂六經註我者，其態度亦類是。此可稱為一哲學家自為宗主之態度。然自漢以降之學者，則其陳述其心所謂是之義理，恆同時自謂其有合於其所崇信宗主之古聖先賢之言之本義或隱義，乃喜輾轉對彼古聖先賢之言，加以訓詁考證，以見其實相合而未嘗違。或進而更謂凡後世之學者所言之美義，皆不出於其所崇信之古聖先賢所言者之所涵隱義之外。此則為兼宗教性之崇信的歷史考證之態度。至於今世之純本歷史眼光，以論哲學者，則亦重文獻之考證，然又初無所謂聖賢之言教為其所崇信宗主；恆於一切哲學思想，皆平等觀之，各視如一歷史時代之社會文化之產物。既無聖賢之言教為所宗主，則所謂聖賢之言教，亦非即足為人類思想之標準所在，其言教中所陳之義理，自非即普遍永恆之義理；而純就人類思想之隨歷史時代而變化以觀之，世間亦實可不見有普遍永恆之義理之存在也。此則為一般自命為純歷史學者之態度，而迥異於自漢至清之學者之信聖賢之言教，足為萬世之標準者也。

依吾之意，凡依上述哲學家自為宗主之態度以為言者，意不在於先究他人之言之本義，即恆長於自道其所見之義理，亦能「以仁心說」其所見之義理以示人，而未必能「以學心聽」他人之言，以見他人所見之義理，則於智未能無虧。《荀子》〈正名篇〉嘗為此「以仁心說、以學心聽」之言矣。然觀荀子之斥孟子，則荀子於孟子，果嘗細究其說，而「以學心聽」之乎？吾不能無疑也。其時如墨之非儒，後世如儒道佛之徒之相非，以及程朱陸王之徒之相非，皆時或未能先細究其所非之說。蓋凡哲人之本其所見之義理，以教後之學者之懷過切，皆不免長於以仁心說，而短於以學心聽，乃恆於智或未能無虧也。

至於凡依上述之兼宗教性之崇信與歷史考證之態度以為言者，則恆善能本恭敬心，以上探古聖先賢之微言隱義，乃能見人之所不見、知人之所未知。恭敬者，禮也。然極恭敬之誠，至於歸天下之美義於所崇信之聖賢，而沒其外、其後之學者之功，則非義也。此則遠如漢儒之謂孔子作《春秋》，乃為漢制法，近如皮錫瑞之謂《易經》非孔子不能作，皆崇信孔子而過之非義之論也。或曰，依義理之相涵以為說，佛家嘗謂一語有無量義，則後之學者，將其自己所見之義理，一一歸諸其所崇信之聖賢，固所以見其謙德，而亦未嘗不可說者。故一切佛弟子之真實語，皆可謂之佛說，一切孔子之徒之真實語，皆可謂之孔子說也。然復須知：今若轉而依孔子與佛之謙德以言，則孔子與佛，于其徒之能就其言，而更引出其所涵隱義之言，必仍將推讓於其徒，而不忍沒其功。一語固可涵無量義，然將此無量義一一說出之語，仍不在此一語中。則謂孟子嘗言孔子之所未言，程朱之言有進於孔孟之所言，皆未嘗不遙契於孔子之謙懷。亦正所以見儒學慧命之相續而不斷者。後之學者將天下之美義，皆歸之孔子，足以見後之學者之謙德，而不足以見孔子之謙德，亦非義也。

若乎上述之第三態度之長，則在知義理之呈現於人之心思，而為人之所言說，必有其歷史上之時節因緣。時節因緣不至，則義理藏於智者之默契與內證，不僅不彰於言說以使人知之，亦可不凸顯於心思之前，以為己之所知。則謂義理之呈現於人之心思，為人所言說，必與歷史中之其他思想及社會文化，有其相互影響或因果關係，乃更考諸文獻，求客觀地知之，可為智矣。依此而視任何哲學思想，皆唯是一時代之社會文化之產物，如一生物之為生物演進之產物，亦未嘗不可也。然謂必無聖賢之言教，足為人類思想之標準，世間不見有普遍永恆之義理之存在，此則為一種「歷史主義」之哲學觀點，而非歷史事實之所證成。歷史之研究，亦無待於此種歷史主義哲學之成立。蓋謂義理之展現於人心，為一歷史的歷程，不同於謂：每一新時代之人所思之義理，即前一時代人所思之義理之否定。則世間自可有流行不息於人心，而亦萬古常新之義理之存在。凡能見及此類義理者，即皆可名之曰人類中之真有智者，而更錫之以聖賢之名。則今謂必無聖賢之言教，足為人類思想之標準，乃等聖賢之言教，與眾說而齊觀，是無禮也。此與昔之歸天下之美義於所崇信之聖賢，同為一偏之態度，非吾書之所取，亦非吾所謂即哲學史以為哲學之態度也。

吾今之所謂即哲學史以為哲學之態度，要在兼本吾人之仁義禮智之心，以論述昔賢之學。古人往矣，以吾人之心思，遙通古人之心思，而會得其義理，更為之說，以示後人，仁也。必考其遺言，求其詁訓，循其本義而評論之，不可無據而妄臆，智也。古人之言，非僅一端，而各有所當，今果能就其所當之義，為之分疏條列，以使之各得其位，義也。義理自在天壤，唯賢者能識其大。尊賢崇聖，不敢以慢易之心，低視其言，禮也。吾人今果能兼本此仁義禮智之心，以觀古人之言，而論述之，則情志與理智俱到，而悟解自別。今若更觀此所悟解者之聚合於吾人之一心，而各當其位，則不同歷史時代之賢哲，所陳之不同義理，果皆真實不虛，即未嘗不宛然有知，而如相與揖讓於吾人之此心之中，得見其有並行不悖，以融和於一義理之世界者焉。斯可即哲學義理之流行於歷史之世代中，以見其超越於任何特定之歷史世代之永恆普遍之哲學意義矣。

然吾人真欲由哲學義理之流行於歷史，以指陳其真實不虛者，咸能相與融和；即必須指陳一切真實哲學義理間，其表面上之衝突矛盾，見於諸哲人之相非之言中者，皆貌似衝突矛盾，而實莫不可由吾人之分疏，而加以解消。此中之疏解之方法，吾意要在就諸哲人所用名言之似同者，而知其所指之實不同；兼知其所指之同者，其所以觀之之觀點或不同，而所觀之方面亦不同；更知其所觀之方面同者，所觀入之層次，又或不同。以不同為同，遂以同為不同，則觸途成滯，無往非衝突矛盾；以不同還之不同，乃能以同者還之同，而衝突矛盾乃無不可解，斯可如莊生所謂「不同而同之」「不齊而齊之」矣。

然今復須知，人之所以用同一之名言，而所指不同、或所指同而人之觀此所指之觀點方面不同、觀入層次不同者；又皆由於人之心思之運用，其方向之不同，或雖在一方向運用，而運用之深度不同之故。此人之心思，原可隨順一名言、及一事物，以有其在種種之不同方向、不同深度之運用，正為種種不同義理，所以得分別顯示於此心思前之理由所在。此中，人若只自限於某一方向、某一深度之心思之運用，即只能知某一方面層次之某一種義理，而於其他方面層次之他種義理，更無所知。人若進而只依其所知之義理，以觀他人所知之不同義理，遂恆不能善會，以如實而觀，乃不免加以歪曲，而以不同者為同，亦以同者為不同；而後諸真實不虛之義理，乃宛然互相衝突矛盾，更不見有融和之道焉。實則此宛然之衝突矛盾，追源究本而論，唯起於吾人之心思，原有不同方向，不同深度之運用，而吾人又恆不免於依其所自限之某一深度、某一方向之心思運用之所知，以觀他人沿其他方向，運用其心思之所知，而不能善會之故。則今欲以不同還之不同，亦以同者還之同，使各當其位，其道又不在只直就其不同而觀其不同、就其同而觀其同；而更應先自察：同此一吾人之心思，原有此不同之方向之運用，足以分別與種種不同之義理相契會。夫然，亦唯有人之善自旋轉其心思之運用之方向，如天樞之自運于於穆者，方能實見彼一一義理之各呈於一一方向深度之運用之前，以咸得其位，如日月星辰之在天；亦方能實見得一切真實不虛之義理，其宛然之衝突矛盾，皆只是宛然而暫有，無不可終歸於消解；以交光互映而並存於一義理世界中。此則吾素有志焉，而未敢云逮，而唯持之以自勉，以論述中國先哲之言之法也。唯今茲之論性，則竊自謂差近之耳。

再復須知，此上所說之宛然之衝突矛盾，固有可加疏解之法；然其所以有此衝突矛盾，亦自有其義理。上文所述「人之不免於其心思在一方向之運用，以觀他人所知」，即其「所以有」之義理也。則人類果一日有此所謂「不免」，此宛然之衝突矛盾，即亦將永存於人類思想史之中，而一切加以疏解之法，其效亦必有時而窮。大較而論，則並世而生之人，互於其所思之義理，更難真相知，最難免於種種「未嘗不可無」之辯爭，而當時亦無人能為之疏解以息之者。斯則有如彼並肩齊步之人，唯互見其頭之側面，而相視如歪面之人，乃互斥其非正。斯亦是勢之所必至，理有所固然，思之可知。夫然，而世乃不能不待於後世之人，以平觀昔人之所思，而分別其言之殊方，與義之各有所當之處。此亦正如唯有彼居後之行人，乃能平觀彼居前之行人，而更能分別其方位之所在也。昔亞里士多德與柏拉圖並世，而亞氏未必能真知柏氏；朱陸並世，而朱未必能知陸，陸亦未必能知朱。然後世之人，其德慧之不如柏亞朱陸者，又未嘗不能知柏亞朱陸之依其運用心思之方向之不同，方致其所見義理之有不同，而各有千秋。則以吾之下劣，今茲論中國先哲之言性，亦固未嘗不可分別諸先哲之心思之不同方向，而分別知其所知於性之義理，見其相融和而不悖，以並存於一哲學義理之世界之處。此即吾之所以不揣冒昧，凡遇先賢之異說糾紛之處，皆盡力所及，為之疏通，以解紛排難。蓋亦將以聊補彼先賢之在天之靈，念其在生之日，或尚有未能相知之憾云爾。若徒學侏儒之立於兩大之間，左右採獲，以折衷為和會，則非吾之志也。吾之寫此書，雖上下數千年，然初非搜集資料，而後次第為之。乃先以數十日之功，一氣呵成其大體。然後絡續補正，更于校對時，字斟句酌；兼以目疾之故，悠悠四載，方得出版問世。故吾亦望讀者先通吾書之大體，然後更察其微旨。吾書于每章每節，皆時具新意，以疏釋疑滯。然皆不宜斷章而直取，唯可隨文以順求，方可于此義理之天地中，得峰迴嶺轉，前路以通之趣。此吾之論述之道然也。至若吾所述論，不免於先哲之言，抑揚過當，還失本旨，或治絲益棼，求通反塞；則學力所限，無可奈何，是吾之罪。然其本旨固自在天壤間，可通之理亦固自在天壤間。此亦唯有期諸後人更匡其不逮耳。

三　本書之內容

吾此書之所陳，吾原已約其大意于最後一章。如更歸攝其義而言，則吾意中國文字中之有此一合「生」與「心」所成之「性」之一字，即象徵中國思想之自始把穩一「即心靈與生命之一整體以言性」之一大方向；故形物之性，神靈之性，皆非其所先也。大率依中國思想之通義言，心靈雖初是自然生命的心靈，而心靈則又自有其精神的生命；「生」以創造不息、自無出有為義，心以虛靈不昧、恆寂恆感為義。此乃一具普遍義究極義之生與心，而通于宇宙人生之全者；非生物學中限于生物現象之生，亦非經驗心理學中限于所經驗之心理現象之心也。依普遍義究極義之心與生，而說其關係，則生必依心，而其生之「有」乃靈；心必依生，而其「感」乃不息。生依心，故此心即心之所以為生之性；心依生，而生亦即心之所以為心之性。生不離形，而有形不同於有生。《墨》經言「生，形與知處也」，而知是心。心能知身之形與物之形，而凡有形者，又皆不同於此「能知之心知」之「無形」。世言有形之物與有形之身相感而有知，實則感已是知，亦已是心矣。未感而寂天寞地，已感而開天闢地，此一感知，即一生之躍起，心之躍起，亦天地之躍起。荀子言：「天地始者，今日是也。」進而言之，則當下之一感知是也。當下之一感知之開天闢地，即無異盤古之開天闢地，上帝之無中生萬物也。在此感知中，此生命心靈自是面對天地萬物，而亦自有其理想，更本之以變化此天地。吾人當下之一感知之如是如是，並無奇特，亦人人當下可實證之此生命心靈之性。然人果能把穩此當下一感知之如是如是，更無走作，則任隨千思萬想，翻江倒海，終可滴滴歸源，無一毫洩漏矣。

然尅就人之千思萬想而言，則其源雖皆出於生命心靈之感知。然此生命心靈既有所感知，而有所思、有所想，即恆以其所感知、所思想者，為其自己，或雜其所感知所思想者，以知其自己。於是真知其自己，遂成大難事。如人離家，遠行異域，既已經年，歸途更須歷千山萬水，回家乃成大不易。於此，人即已還故里，「遙望是君家」，亦初不知其門庭安在。在西方思想，人初乃本其生命心靈之感知，以求窮彼自然之物理，更探彼上帝之密懷，乃離故家愈遠，而其知其自己之性之事，更多是沿其所知于自然或所信之神者，而為之。如亞里士多德以降，直至今之西方之為心理學人類學者，凡只由人為自然萬物中之一類，以求知人之生命心靈之性者，皆唯是沿其所知之自然以知其性之說；而西方中古思想之言人性，即多為沿其所知之神性以知人性之說也。凡此等等，皆與中國文化傳統，自始即面對此心靈之整體，先繪出此一整體之圖樣，於此「性」之一字之中，求自知其自己之性之何若者，其用思之方向，初大異其趣。然人即已能面對此一生命心靈之整體，以求自知其性，其自知之事，亦非一蹴即就。人於此之所見，或偏或全，或深或淺，或泛或切，或透或隔；人仍須歷種種崎嶇之徑路，方漸有豁然開朗之境，又或再迷其道而入歧途。此為學之難，亦知性之學之難，乃人類所共有。此中國先哲之言性之說，所以亦至繁至賾，而難為今世學者之所知也。

然吾今姑避難就易，以說本書所論之中國先哲言性之思想，則亦可歸攝之於上所謂性之一名所涵之義之中。以周秦之思想而論，孔子大矣，其一生之生命心靈之表現於其為人、其文章者，即是性與天道；故其言性與天道，不可得而聞。創教之聖多如是，前文已及。故吾書於孔子言性，唯略言之。下此以往，大率由于中國最早之性字即生字，故學者或徒即生言性，如告子是。此便是識得性字之右一面。孟子即心言性，乃兼識性字之左一面。莊子更識得人心既感知外物，便可以物為己，是為心知之外馳，而離于常心，亦與生命相分裂，使人失其性。此是見到性字之左面右面，雖合在一整體中，而未嘗不可分裂。分裂原於心知之外馳，則唯有心知回返於生命，更與生命冥合，而後能復於此一整體。故莊子之言要在復心以還於生，而返於性。荀子則又見到人之自然生命之情欲，為不善之源，而此生之欲即性，故言性惡；乃倡以心治性，以心主性，亦即以心主生；乃與莊子所見為對反。此告莊孟荀之性，吾書最後章嘗稱之為中國先哲言性之四基型。此四基型中，告莊皆重生，孟荀皆重心；大率後之道家之傳，首重在生，後之儒家之傳，首重在心。此皆由于對此一生命心靈之性之整體之所見，不能略無偏重而來。亦皆不外初由面對此一整體，而各人思想，略有毫厘之方向之異，而分別開出之論。吾人今將其返本歸原而觀，則亦皆未嘗不可會而通之，以見其不出此「性」之一字之左右二面之義之所涵之外也。

告孟莊荀之論，其本身固不如吾人之所說之簡單。告孟莊荀以後，更有種種綜貫之說，如《中庸》、《易傳》、《禮記》所言者。自茲以降，而中國哲人乃更皆言心必及生，言生必及心。秦漢學者更多有將此人性，逐漸加以客觀化，以為人之為政施教、定人之品類之根據，以及視人性為客觀的陰陽五行之表現於人者之說。如呂覽、淮南、董仲舒、王充、劉劭之說。至魏晉而王弼、郭象重個性獨性，更將此獨性，加以空靈化。此皆各代表一形態之人性思想，詳在吾書，而亦皆未嘗溢出於此生命心靈之外以為言者。即王弼郭象之言無、言寂，仍是要講生講心；唯重在說：此生既以「自無出有」為義，則無當是有之本；又此心既是恆寂斯恆感，則寂便是感之本耳。至於佛學東來，則更由無講空，而以空性為萬法之法性，以寂滅為涅槃。知法性即是般若，證涅槃即是佛性佛心。只執「有」不知空者，為妄執性；染業招「感」，而不知涅槃性清淨著，為眾生性。生原是由無出有，心原是恆寂恆感，今眾生執有，而其與物相感之事，無非染業。故佛家主捨染取淨，於有觀空，由生證無生，而歸向于寂滅寂淨之涅槃。此仍不外是一在生命心靈之性上，求返本歸源之學也。

宋明儒言生命心靈之性，固不同於佛學。然亦初非謂妄執之有不當破，亦非謂人當任染業之流行以招感。唯是謂：吾人之生命心靈之「自無出有，由寂而感之創造不息」的生生之靈幾，畢竟不可斷；此「生生之靈幾」，不是妄執，不是染業，亦不當斷，而佛家亦未嘗言其可斷當斷也。若其可斷，則佛亦不能利樂有情，窮未來際也。宋明儒即在此不可斷、不當斷者上，正面立言，謂此生生之靈幾即是性，即是理，即是道，亦即生命之所以為生命，心之所以為心。此生生之靈幾，不在「自無出有」之「有」那裏，亦不在「無」那裏，而在「出」那裏。此「出」不是已有故出，此出是純創造。此純創造，不落在所創造之「有」之中，即非一切執有而生之妄執與染業之所依止，而人亦正當依此純「創造」，以化掉相當於佛家所謂染業之人欲、習氣、意見之類也。宋明儒之一切工夫作到家，只是要成就一個純創造而健行不息，恆寂恆感的心靈生命，是即聖賢之心靈生命也。成就此一心靈生命，即盡此心靈生命之仁義之性，仁至義盡，此外更無所得，故未嘗不空寂。此性是每一個人之獨體之性，亦是一切人之性，亦即生天生地之天地之性，此性無乎不在，而無始無終，盡性之聖賢之生命心靈，其鬼神之在天地，亦體物而不可遺，洋洋乎如在其上，如在其左右，以悠久而無疆，至誠而不息。於此要談玄說妙，亦可說得無窮無盡。但宋明儒於此所言，要必由極高明以道中庸。後之清儒所見，更求平實，乃更不如宋明儒之偏在精神生命、精神生活上說性，而偏在人之自然生命在社會之日常生活上說性，乃有只就一個人在自然與社會中有其血氣之生、與心知之覺上說性，如戴東原之說者。然要之由佛學至宋明儒以至清儒之學，與時賢之承中國言性之傳統所為之論，以及吾個人昔年由文化意識與道德理性，以論人之所以能創造人文之性，雖曰千門萬戶，各自出入；其用思之大方向，仍是要面對生命心靈之一整體，而其全部之思想義理，皆未嘗不可歸攝在此一「從心從生之性字」所涵之義之內，而更無一絲一毫之漏洩也。

丁未二月于南海香州

再版附注　此書再版，除第十三頁及第三二四頁第三五七頁文句，有所改動外，並將初版誤字，加以校正。讀者持有此書初版者，宜自加核對。

甲寅五月于南海香州

《中國哲學原論導論篇》

自序（寫作緣起、本篇大意、與未及之義）

一 緣起

本篇諸文，大皆吾十餘年來，所已分別發表，略經修改，重加編訂而成。故有一貫之宗趣，合具一規模，而初無全盤計劃，以形成一完整無漏之系統。然溯吾個人動念寫此書諸文，則可謂遠始於約三十年前。時吾初於母校中開設一課，名中國哲學問題，並發有若干講義。當時即欲就中國哲學諸問題，分別加以論述，意在以哲學義理發展之線索為本，而以歷史資料，為之佐證。然繼感一家思想之各方面，頗難分別孤立而論，遂棄置其事。數年後，改教中國哲學史，覺斷代分家講述，果順而易行。亦嘗應當時之教育部之約，寫一通俗之中國哲學史，約十五、六萬言。顧其中宋明儒學一部，初只佔三、四萬言，覺其份量太輕，逾二年乃加以擴充。不意宋明儒學一部，又達三十餘萬言，與其他部份，比例不能相稱。其中之王船山一篇，更獨佔十餘萬言，尤為凸出。吾學問興趣，既時在轉變進步之中，旋即於舊稿之率爾操觚，不能當意，故除已發表之小部份外，餘皆等諸廢紙。近二十年來，任教中國哲學史一課，其講授內容，不僅輕重詳略之間，年有不同；而覺今是而昨非者，亦不可勝數；乃不更以寫一教科用書，為當務之急。唯時感中國哲學之中，環繞於一名之諸家義理，多宜先分別其方面、種類，與層次，加以說明；而其中若干數千年聚訟之問題，尤待於重加清理。說明與清理之道，一方固當本諸文獻之考訂，及名辭之詁訓，一方亦當尅就義理之本身，以疏通其滯礙，而實見其歸趣。義理之滯礙不除，歸趣未見，名辭之詁訓，將隔塞難通，而文獻之考證，亦不免唐勞寡功。清儒言訓詁明而後義理明，考覈為義理之原，今則當補之以義理明而後訓詁明，義理亦考覈之原矣。然義理之為物，初無古今中外之隔，而自有其永恆性與普遍性。今果如中國哲學義理之為義理而說之，亦時須旁通於世界之哲學義理，與人類心思所能有、當有之哲學義理以為言，方能極義理之致。然雖曰旁通，吾人又不能徒取他方之哲學義理，或個人心思所及之義理，為預定之型模；而宰割昔賢之言，加以炮製，以為填充；使中國哲學徒為他方哲學之附庸，或吾一人之哲學之註腳。欲去此中之弊，唯有既本文獻，以探一問題之原始，與哲學名辭義訓之原始；亦進而引繹其涵義，觀其涵義之演變；並緣之以見思想義理之次第孳生之原；則既有本於文獻，而義理之抒發，又非一名之原始義訓及文獻之所能限。過此以往，若談純粹哲學，又儘可離考訂訓詁之業以別行，雖徒取他方之哲學義理，或個人心思所及之義理以為論，自亦無傷。然緣中國哲學史中之名辭，而說明其義理，清理其問題，則又舍此上之途莫由。循此途以多從事於下學而上達之功，亦較寫一教科用書之哲學史，更為當務之急；抑必先有此，而後之為哲學史者，乃更有所取資。此即吾之所以棄置哲學史之業，而本書諸文之所以得次第寫出，若還契於吾三十年前之願也。

此依名辭與問題為中心，以貫論中國哲學，亦自有其困難。即哲學名辭之涵義，有廣有狹，問題所關涉，又可大可小。自其狹且小者言之，則凡有一哲學命題之處，即有其所用之名辭與一串問題。一一論之，非一人之力。又一名與他名之義相涵，一問題與他問題相生，殊難斬截劃分；則如對每一名義、每一問題，皆通全部哲學史而論，縱橫錯綜，必將不勝其重複。此則唯有就吾所視為其名之涵義最廣，問題之關涉最大者，擇出若干，暫加孤立；而或通全史以為論，或選數家之言，以至一家之言以為論；於其義之相涉入者，則詳略互見；而要以既見中國之哲學義理，依其有不同之方面、種類、層次，而有不同之型態，實豐富而多端；而又合之足見一整個中國哲學之面目以為準。則吾此書之不能成一完備無漏之系統，固勢所必然，而吾亦初未嘗有一全盤之計劃，然後寫此書也。

吾書既欲見中國哲學義理有不同之型態，實豐富而多端，而又欲其合之足以見整個中國哲學之面目，故吾之說明中國哲學義理之道，既在察其問題之原，名辭義訓之原，思想義理次第孳生之原；而吾於昔賢之言，亦常略迹原心，於諸家言之異義者，樂推原其本旨所存，以求其可並行不悖，而相融無礙之處。蓋既見其不悖無礙之處，則整個之中國哲學面目，自得而見。世有交迕而相礙之枝葉，而觀枝葉之發端於本榦，則初皆並萌而齊茁。世有相激相盪之二流，而觀二流之導源于異地，則初皆自涓涓而始流。萬物既生而相爭相殺，然一一溯其方生之際，則初皆原於天地之化幾，亦並育而不相害。百家異道，若難並存，歧路之中，又有歧焉，往而不返，乃各至一空谷，互不聞足音；異說相糾，而思想之途，乃壅塞而難進。然若能一一探異說之義理之原，如其所歧，而知其所以歧，則歧者既未嘗非道，道未嘗不並行，即皆可通之於大道，而歧者亦不歧矣。故吾人果能運其神明之知，以徹于異說之義理所以歧之原，則糾結無不可解；而人之思想，自無壅塞之虞，可順進而前行矣。「原」之時義大矣哉。今吾書於中國諸先哲之言，若果有能見其豐富而多端，而實不相為礙之處，可合以略見一整個中國哲學之面目者，其故無他，即不忘「原」之一言而已矣。

二　本篇大意

吾寫作此篇之諸文，首成原理及原心四章，今標理與心之名。首二章為原理者，乃以哲學皆明義理，中國哲學之義理固有種種。此文即就其要者分之為六：即物理、名理或玄理、空理、性理、文理與事理。知理之有此六者，即知清儒與今之學者之唯重物理與事理者，蓋不免有昧于義理天地之廣大。理之有此六者，初可由先秦諸子用此理之一字之義訓而見，更可由中國哲學思想之發展中，各時代所著重之義理之不同而見。至於此導論編中，第三四章為原心者，則由于人之知義理必本於理性的心知，而理性的心知，又原有種種。此二章論孟墨莊荀之言心，即意在標示四種形態之理性的心知，此即知類知故的知識心、虛靈明覺心、德性心、與知歷史文化之統類之心。知物理事理，要在知識心；知玄理空理，要在虛靈明覺心；知性理，要在德性心；知人文之理，要在知歷史文化之統類之心。此為吾原理原心二文之內在的相契應處。然此二文之說六理四心，亦只是粗略如此說。如純哲學的討論何以可開吾人之一心為多心之故、此中之多心與多種之理之錯綜關係、以及既開一心為多、分理為多，又如何言心之統一、理之統一，與心與理之統一等，則此二文雖有所暗示，而未能詳及也。

按西方之近世哲學多自知識論入，然其古典哲學則或自理體 Logos 與理性的心靈 Rational Soul 論起，此書之導論篇始於理與心，亦相類似。

本篇第五至第十一章今標以名辯與致知。此所涉及者，略同他方哲學所謂邏輯，語意學與知識論之問題。對此一方面之哲學，似非中國哲學之所長。然待於作進一步之考察者，亦當不少。本編諸文，前二篇為《荀子》〈正名〉與先秦名學之三宗，及《墨子》〈小取〉篇之論辯。此二文重在指出中國先秦名辯之學，世所視為屬於純邏輯上推論之術者，吾今觀之，實多屬於論「語意之相互了解」之問題者。故吾之解釋《荀子》〈正名〉、《墨》辯〈小取〉二文之文句，亦頗有異於前人。此中，吾既謂〈小取〉篇之論辯，在求通人己之是非；又謂《荀子》論正名，重在名定而實辨，以歸在道行而志通；如更合本編第七八兩章論中國先哲對言默之運用，與孟墨莊荀之論辯以觀；即可見中國名辯之學或語言之哲學，乃純以成就人己心意之交通為歸，此實一倫理精神之表現；而超語言界之「默」，又為限制語言界，亦補足語言界之所不及，以助成此心意之交通者。現代西方哲學重語言之分析，有如近代西方哲學之始於重知識。自康德起而作知識之批判，定知識之外限；則今後必有一哲學興起，以作語言之批判，以定語言之外限者。則超語言之默之意義，自當逐漸為人所認識；而中國先哲於此，實先有其大慧。人必習此大慧，然後可自由運用語言，而辯才無礙。此則儒佛道三教同有之境界，非今世論語言哲學者之所及。然此一境界之本身，又如何亦能在語言界中說之，仍有其種種義理層次、語言層次之問題，亦非此編諸文之所能盡及者也。

本篇中第十、第十一章，乃始於考訂《大學》之文句，以論中國格物致知思想之發展，藉以說明中國哲學對於德性之知與知識之知之關係問題之發展與變遷。吾此所重訂《大學》章句，嘗經友人牟宗三先生之印可，及蔡仁厚君於《孔孟學報》，為之證義。或足結束八百年來學者，對此問題之紛紛聚訟，亦未可知。望讀者平心察之，不吝指教。又此一考訂，果可成立，亦復證明一種考訂方法之有效。此方法即「一方要先看義理之所安，以最少對原本之牽動，以重訂哲學文獻章句；一方亦為對昔賢之所訂者之誤，加以指出後，再對其所以誤之原中，發現一思想史上之價值」之方法。又此文下篇，論中國格物致知思想之發展，直述至當代之熊十力、牟宗三二先生之說。再合此文之結論所陳：即可在原則上將西方傳來之一切知識論之說與科學思想，皆全部化為中國之格物致知之思想之發展中，本當有之一章；而亦隶屬於中國學術之大流中，未嘗溢乎其外者矣。

本篇第十二至十八章，名天道與天命，略同西方之所謂形上學之問題。其中論老子之道之六義一篇，只表示一就各方面看道一名之涵義之態度與方法。對老子之道，是否必須如此講，吾以後亦更有其他補充之想法。老子之書，文約義豐，古今中外之人，皆可有其異釋；有如摩尼寶珠，觀者皆可自見其像于其中，蓋無定論之可期。然天地之大，何所不容；存此一無定論可期之書於天地間，自亦無礙；觀者之自見其像，而姑各自視為定論，亦可不相為礙。唯論之者，總應自覺其如何論之方式，所論之方面，與論列之程序，不能任情聯想，汗漫無邊；方可於論列之後，使讀者於某一種思想之型態，躍然若見；則縱非老子之真，亦為天地間之一可能有之老學。吾之此文，亦嘗自勉於斯，故並存之於此。

本篇原太極之三章，始自評論朱陸二賢對周子〈太極圖說〉本身之論爭。此論爭初乃及於此文之是否真周子所著，與太極一名之詁訓二問題。故此論爭，即一朱陸對此文之考證與訓詁之爭。吾今之評論此一論爭，即無異重考證此二賢之考證，重訓詁此二賢之所訓詁。此即見考證訓詁之事，亦恆有待於反覆重勘，不必一定而永定者。然依吾之文，以觀朱陸二賢之所考證與所訓詁之不同，則正由於二賢所見之哲學義理之不同。是見欲判二賢之考證訓詁之得失，正有待於先明二賢所見之哲學義理。是又義理明而後訓詁考證之得失可得而明之例也。

此原太極之三章，由朱陸之辯周子〈太極圖說〉始，而及於周子用太極一名之本義，與張橫渠、邵康節、二程言太極理氣之論，更推擴至太極一名在中國哲學史中之七涵義之分辨，以及朱子言理為太極之思想，言理與心之關係之思想；再及於陸王以降以心為太極，王船山以氣言太極之思想；即合以為中國太極思想之歷史線索之綜論。此中之太極、理、氣之諸名，代表中國形上學之諸究極的普遍概念，正類似上帝，理型、心、質料之為西方形上學諸究極的普遍概念，其涵義皆幽深玄遠，而牽涉至廣。其言之難於妥善，亦相類。蓋唯有多方解釋，而更解釋其所以如此解釋之故，方可使人逐漸心領而神會。此中吾人之解釋，因此諸概念之為究極普遍的概念，亦勢必多少引入純哲學義理討論之域，而非中國哲學範圍之所能限。然本文三篇，緣太極以述中國哲學之言天道，歸在：連於人之本心以為論；與下文三篇，述中國哲學中之言命，歸在：連於人之所以受命者以為論；即合以見中國形上學思想之重徹上徹下，徹內徹外，而不同於西方形上學思想之多為以下緣上，以內緣外之形態者。故人亦不可以吾人嘗多少引入純哲學義理之討論之域，而謂其非中國形上學之特性所在也。

本編最後一文三章，述中國哲學之天命觀，此中所謂天，或指天帝、或指形上道體、或指人所在之世界、或指人之性理本心之自身。此中所謂命，則就此種種義之天，對人所降之命令，所施之規定而言。此文因端緒較繁，故在結論中，姑造作上命、下命、中命、內命、外命之五命之名，以統中國思想中自古及今言命之諸說。合此五命以觀人，人乃自見其為一位於五命之中心之存在；而前三章所言之天道，遂有如散為五命以下臨，以環繞於人之四周者。維天之命，於穆不已，人之所以受命於天之道，亦以所受之命有種種，而有種種。然要之可合以見人居天地間，其責之至重且大；而中國哲學之恆歸在視人為天地之心之義，亦理有固然者矣。

此上諸文，早者成於十三年前，最遲者亦成於二年前，嘗分別發表於《新亞學報》、《新亞學術年刊》、《香港大學五十週年紀念刊》及《清華學報》。二年前吾嘗念：將此諸文分為三編，即可分別代表中國哲學三方面，與西方哲學之論理性的心靈、知識、與形上實在之三方面，約略相當，足以彰顯「中國哲學自有其各方面之義理，亦有其內在之一套問題，初具一獨立自足性，亦不礙其可旁通於世界之哲學」之面目。當時即擬加以整理，修改付印，以補吾於《哲學概論》一書，初欲東西哲學並重，終對中國哲學所論猶略之過；兼以證今後欲講授哲學概論與哲學問題者，即全捨棄西方印度哲學之材料，亦未為不可。不幸二年前，吾母逝世蘇州客寓，吾飄零異域而奔喪無門；自顧罪深孽重，於本書中一切抽象之哲學戲論，尤深惡痛絕，遂復棄置。半年後，乃始執筆整理。其時亦意在摒當舊業後，即斬斷文字孽緣；更于知解名相之外，求原始要終，以究天人之道，通幽明之故。此乃真吾之本分內事也。唯當時念此諸文之外，仍應加原性一篇，以補此上諸文述及心性者之所缺。吾初意，有四五萬言，已足盡抒所懷；並略申昔年與友人徐復觀先生書疏往返，討論其大著《中國人性論史》時，所未盡之意。乃勉自發憤，草寫此文。不料下筆之後，一波纔動，萬波相隨，竟不能自休，若非我作文，文自作我；五十日之內，每日僅以教課辦公之餘執筆，竟成初稿二十餘萬言。雖曰粗疏草率，意者若非吾母在天之靈，加被己身，亦未克臻此。一年餘來，一面將此書交印，一面更對此原性諸章，核查文獻，刪補改正，並加註解；又輔以原德性工夫者一篇，以述由二程至朱陸之工夫論之問題之發展，是為本書次篇。當另冊別行。此次篇之論述人性，乃通中國哲學之全史以為論，要在顯出：「人之面對天地與自己，而有其理想，而透過其理想以觀人與天地之性」，實中國儒釋道三家言人性之共同處。然昔賢所言，自有千門萬戶，今如何緣迴廊曲徑，以出入其間而無阻，則此篇之所加意。此篇既是通中國哲學全史以為論，亦意在指出中國哲學一血脈之流行。竊謂如吾此篇之所論，為不甚謬；而人亦能循此所論，加以觸類引申；即既可實見得此綠野神州之中國，其哲學思想之無間相續，而新新不已；而亦可實見得此哲學傳統，正如張橫渠《正蒙》首章所謂太和，雖中涵相對相反之義之浮沈、升降、勝負、屈伸於其間，而未嘗失其所以為太和；誠足以自立於今之光天化日之下，以和當世鹵莽滅裂之人心。然此又非謂中國哲學之勝義，自吾今茲所言而盡之謂也。

三　本篇及次篇所未及之義

所謂中國哲學之勝義，不能由吾今茲所言而盡者，此首因吾前已自謂：吾唯擇若干連於一定名辭義訓、及其涵義演變之重要問題而論之；又於此諸問題，吾亦未嘗能一一皆通中國哲學之全史以為論。如以對心之問題而言，吾即只論及先秦數家；於秦漢以後之言心之義，即只併入次篇《原性篇》而及之。即以心與性固密切相關，然既是二名，則以心為主而論，與以性為主而論，所攝及者，便當仍有不同。即以秦漢以後之思想而言，其中有以性為主而論時，所當特重，而以心為主而論時，則不必特重者：如佛家之言法性，宋儒之言萬物之性與氣質之性是也。復有以心為主而論時，為吾人所當重，而以性而為主而論時，又不必重者：如心與身與物之存在上的關係問題——若南北朝時人所辯，心（神）是否能離身（形）而能自存之問題，以及心之為一為多之問題——若佛家之論一心或六識八識，與一切眾生之心為一為異之問題是也。唯在宋明儒者，則雖或重性、或重心，然言心必及性，言性必及心，則二者恆必歸于合論。但此非謂一切時代之中國哲學家皆如此也。今吾只通中國哲學史以原性，而未原心，則固已對專連及於心之若干問題，不能不有所忽矣。再如本書此篇有原命之文，此乃以命為中心而論。命固恆原於天，然吾文未以天為中心而論，則於以天為中心之若干思想，亦將有所忽，如天之自身存在問題，天之有始無始，有終無終之類是也。復次，此篇有原理二章，乃通中國哲學全史為論，又有原道一章，則又只及於老子之道。道之與理，固亦於義最近。然既亦二名，則義宜非一。今果以道為中心，而貫及中國哲學全史以為論，又當如何？此亦非此書所及。再復太極之一名，自為中國哲學史之一最高概念，然太和、太一、太素、太初、太始，亦皆名為太，又豈全不值多少分別論之耶？吾書又屢及於氣，然亦未嘗通中國哲學史以作原氣，而氣與質、形、象、數、序，以及時、位，皆同為中國哲學中具普遍性之抽象概念，又豈不皆可各視為一中心概念而論之？

其次，上文所及之心、理、性、命、道、質、形、象、序、數、時、位，諸抽象概念，乃所以說明天、地、人、己、天下、萬物、以及鬼神等諸具體存在者；則吾人又豈不當於原理、原心、原性、原命等之外，作原天、原地、原己、原人、原天下、原萬物、原鬼神，使所論更為具體乎？若再欲求具總攝性之論題，又宜更作原易、原生。因在中國哲學中「易」或「生」之名之涵義，實亦廣大悉備，凡吾人之所以論天地人物之義，固皆可攝於其中而論也。然就天地人物、或「易」或「生」，而客觀地論之，又不如論「吾之所以對天地人物」或「吾之所以處此有『易』有『生』之世界」之道，尤為具體而切近。如以吾之所以對天而言，則畏天不同於敬天，祈天不同於知天，事天不同於同天，奉天不同於制天，悲天不同於樂天。如以對物而言，《莊子》〈天下〉篇嘗論百家之學，於墨翟禽滑釐曰：「不靡於萬物」；於宋鈃尹文曰：「不飾於物」；於田駢慎到曰：「於物無擇」；於關尹老聃曰：「以物為粗」；於莊子曰：「不傲倪於萬物」；《荀子》〈天論〉篇又辨「因物」與「化物」，「思物」與「理物」，「願於物之所以生」與「有物之所以成」之異。此又不必皆同於儒者之言「格物」、「開物」、「正物」、「成物」者也。以對人而言，則「治人」、「用人」、「愛人」、「安人」、「立人」、「達人」，其義亦非一。如先秦法家言治人用人，而不必愛人、墨家更言愛人，而不必求安人；道家求安人，而不必求立人達人。以對天下國家而言，言治天下國家，固似為人之所同。然先秦之縱橫法術之士，言「取天下」、「吞天下」，墨家言「利天下」而「形勞天下」，道家言「均調天下」、「畜天下」、「在宥天下」、「為天下渾其心」，儒家言「保天下」、「平天下」，又不必全同。至於人之所賴以治天下國家者，則有法、有勢、有權、有術、有政、有俗、有兵、有刑、有工、有財、有學、有教，而諸先哲於此等等之所輕重者，又各有不同。以對己而言，則儒家之言「由己」、「克己」、「行己」、「推己」、「盡己」；不同于道家之言「無己」、「忘己」、「去己」，而又務求「勿失己而喪己」者；亦不同於墨家之言「損己以益所為」、「殺己以利天下」者；更不同於法家之言人君之當疑人而「信己」、「任己」者。今更若謂人、己、天地萬物，皆依乾坤之大生、廣生而有，以存於一「大易」之流行中，則客觀的言此天地之道、易道，亦明不如言吾人「所以處此有生生之易之世界」之道，更具體而切近。此中言「養生」不同於「樂生」，「達生」不同于「貴生」，「全生」不同於「尊生」。至于言「舍生」、「超生」與「無生」者，則又別有說。人之觀乎變易者之無常，而欲「占易」

以知來者，此與科學家之欲預測未來，其動機固相類；然與「玩易」而欣於所遇之藝術心情則不同；至與「贊易」以順性命之理，立人道以繼天道，而「成易」之道德實踐，更有異。若於變易中更見大明終始之「不易」，而歸於「未見易」者，又亦別有說矣。

復次，吾人之所以能有種種對待此變易而有生生之世界之道，其所本初在吾人之有識知、情才等，然識知不必即吾心之神明，情才不必即吾心之志願。若乎吾人之「心量」、「胸襟」、「局度」與「器識」，則又為能包括此識知、情才、志願、神明等，以及緣之而實現之真、美、善等價值於其中；兼足以虛涵廣攝所接之人物，以至覆載群生，而範圍天地之化者。至於由此心量、胸襟、局度、器識等，所成之人之品格、德性、風度、神采與氣象，又各有其義。此中德性之名，應用最廣，亦皆及乎人之內質；其兼見於外者，則名士可言風度，英雄可言神采；而宋明儒者乃創氣象之名，以言聖賢，而風度、神采之名，則固皆不足以狀聖賢也。氣象之名，用在聖賢，乃取義於天地，故言仲尼之氣象即如天地，顏子之氣象如春生；而風度、神采之名，固不足言取義於天地也。又尅就人而言，除名士外有才士，英雄外有豪傑，儒家之聖賢外有仙佛，荀子於儒又有俗儒、雅儒、大儒之分。凡此等等，名之所在，即有義存焉，即其名而究其義之通乎哲理者，皆無不可自為一中心之論題；並以其他之名之義為輔，而環繞之，以說其義之次第孳生。是即可見此一名一義，無知而若有知，宛然自有其存于學術世界之生命。若乎吾人之論之，其或當或不當，或泛或切，或深或淺，或偏或全，或透或隔，或圓通或拘礙，則存乎其人之學力與慧解，而相懸不可以道里計。然欲學者要必有可學，欲言者要必有可言。是見即在此書之作法所能及者之內，尚留有種種論題，可供智者之優柔饜飫於其中，而自求所以闡明發揮之道。蓋吾既不欲、亦勢不能一一舉而盡論之者也。

至於在此書之作法以外，則欲更趨向於對哲學思想之「具體之了解」者，自可以一人物為中心，以了解其所陳思想義理之各方面，而見其交輝互映，以成一全體之處。亦更可及其思想、為人，與其家世、師友、山川地理、世風時習之關係，以見哲人固不輕降世，世亦不虛生哲人。又可合師弟相承之諸人為一學派而並論之，以見前賢之引其端而未竟其緒者，後學之尊所聞而進達於高明。更可合一時並起之學派，以見一時代精神之興起，誠若雄鷄一鳴而天下白，春風一至而百卉開。再可合各時代諸學術之精神生命之流行，以觀其由往古以及來今，乃或分而合，或合而分；處處山窮水盡，處處柳暗花明；而黃河九曲，依舊朝東，又有不期其然而自然者。此則皆所謂哲學史之業也。

此外復有更趨向普遍的哲學義理之了解者，即當觀一哲學義理，如何貫於異時異地之賢哲之心，以見東西南北海，與千百世之上、千百世之下，人之此心此理，既以同而異，亦以異而同。此即比較哲學之所為。由此更進，而無古無今，無東無西，無人無我，遂唯見彼哲學義理之世界，上不在天，下不在田，而自光明燦爛，普照河山，齊輝日月。此即純粹哲學家之事業。若乎最上一機，則即哲學而超哲學，是即如人之宛爾乘風，直登天上之瓊樓玉宇，仰首攀南斗、翻身倚北辰；乃復悟得上所言之義理之世界，無論如何廣大高明，皆原在吾心之昭明靈覺之內、亦未嘗不下徹於吾之現實生命與日常生活之中。義理既內通而下徹，全理在事，全事皆理；乃見天上之瓊樓玉宇，正是吾家故宅，斯乃可達於賢哲聖哲之域矣。既達聖哲之域，而可由語言思辨之所及，以更超出語言思辨之外，歸于吾上文所言之默。此即孔子所以謂「予欲無言」，釋迦之所以道「未說一字」。然亦實非不說不言也，其生命生活之所在，行事之所在，無往而非言也；其生命生活所在之世界之事物，亦無不能言也。故彌陀之淨土寂然，而「林池樹鳥，皆演法音」；孔聖之天不言，而「風霆流行，庶物露生，無非教也」。聖哲既達無言之境，自亦能無「無言」，而本無言以出言；斯可既以身教，亦指天地萬物，以代為之教；更自以其言，隨機設教。聖哲之學不厭，全學在教，而「所過者化」；聖哲之教不倦，而全教在學，乃「所存者神」，斯為至極。

以上文所謂至極，觀此書二篇所及，既已限在言說思辨之中，而未能無言無思以通聖境；於言說思辨之範圍以內，又限在中國之哲學義理；於中國哲學義理之中，再限在即名求義之論述方式之內；於即名求義之論述方式之內，吾復只以此少數之名之義為中心，以其他之名之義，環繞之以為論，而尋章摘句，又與世俗學者之蛙視無殊，真可謂立乎至卑至微之地矣。雖曰意在下學而上達，其中亦自有及於高明之義，然其于聖哲之大道之全，誠如滄海之一滴，泰山之一毫。吾自知此書所及者之至有限，居其外者，實無限而無窮。然吾亦正以是得自見此書所及之義理，亦宛然自浮游於空濶，而盤桓于太虛；而吾與吾之讀者，固又皆可如鴻鵠之一舉千里，以自翱翔於吾今茲所言者之外，以自運其神思，更求其勝事矣。吾於吾書，亦嘗自憾其卷帙之繁，而析義多密，而罕通疏之致。即曰滄海之一滴，如諦觀一滴，雖未必即是滄海，然亦宛如大澤；即曰泰山之一毫，如諦觀一毫，雖未必即是泰山，然亦自有丘壑。當今之世人多忙，於此書真得一游觀之士，已大不易。若更不善觀，又將不免陷身大澤，情留丘壑，而不知出，以更求勝事。吾固可謂：世人於此書所陳之義理，未嘗先自困心衡慮，以自入乎其中者，蓋未必能出乎其外。然亦實未嘗欲人之入而不出，以桎梏天下之賢豪於牖下；而心願所存，亦未嘗不在本固陋之所及，以開來者之慧命於無疆。故今更自道其言之所局限者如此云。時為孔子紀年二千五百十六年，歲在丙午之二月十四日。吾母逝世匆匆已二十五月矣。嗚呼痛哉。茲敬以二書獻于吾父母在天之靈前。

君毅附誌

上序乃丙午年作，在此後之五年至辛亥吾除《原性篇》外，又作《原道篇》三卷，述周秦至隋唐之中國哲學中「道」之思想之發展；並將前述宋明至清之儒者言「修道之教」之文，輯為《原教篇》。故今茲將此卷重版，將原有「導論篇」改名「心與理」，而以「導論篇」名全卷。又校出初版訛誤，約一千數百字。凡持此卷初版、及坊間盜印版者。務須照本版改正為要。

甲寅七月

《中華人文與當今世界》

自序

去年孫守立先生，自臺灣來函說，多年來曾收輯了我在若干雜誌所發表之文，望我允許作為一集，在臺灣出版。我與孫先生素未謀面，其盛意十分可感。但直至近日，乃稍暇，將孫先生建議重刊之文，大體一看，並增補了一些文章，使之略成一系統，並定名為《中華人文與當今世界》。因其皆是我居于中國海外之香港，一面回念中華民族之人文精神，一面放眼看當今世界而寫成的。這些文章皆我十七八年來在各雜誌所發表。在十七八年前，我居香港之六七年中，對中國文化的意見，皆見于《中國文化之精神價值》一書，及《人文精神之重建》、《中國人文精神之發展》二書所輯之論文。至于今之此集，則論題更比較廣泛。十七八年的時間，在個人生命上看，亦算很長。但自歷史文化上看，則時間很短。十七八年前的問題，今日仍然存在；而我個人想這些問題的思想方向亦無改變，故這些文章如多少有價值，則亦無妨重加印行。

此書中心之問題，可說，即中華人文如何存在于當今之世界，更有其發展，並求有所貢獻于世界文化問題之解決的問題。此亦是我前此之三書之問題。在十七八年前，我寫前三書時，對當今世界之文化思想，雖有若干書本的知識，但尚缺乏一些切身的接觸。我只是以一居住在中國社會，多少生活在中國文化中的人的資格，去感受世界之文化思想的衝擊，而本中國文化思想對此衝擊的挑戰，作種種的個人思想上的回應。這些感受，我相信或比若干少年時便漫遊世界，在西方留學作事的人可更真切——如在海灘直立的人，更能真切感受潮水的衝擊之力——其所引起的問題與思想，亦可能有更真切深入的地方。但到底仍缺乏一些親身的接觸，以為證驗。我在此十七八年中，卻以種種因緣，使我先後離開所居之香港十二次，得至當今之世界各地漫遊，並與各地民族與若干學術文化界人士有若干生活上的接觸。由此更得以證驗我前之所想，並無方向上的大錯誤。但我同時亦因此接觸之多，而感受到更多精神上的壓力，使我覺得要使中華民族之人文之精神，得真正存在于當今之世界，而成就其自身發展，並求有所貢獻于世界文化問題之解決，實非常艱難，須歷千辛萬苦。個人于此所能盡之力，實微小不足道；亦常不免悲從中來，有無可奈何之感。但我之信心則未動搖；在遇有機會，人們要我講演，或寫文談此類問題時，我只要有時間，亦從不推辭，總希望能多少對此當今時代，發生一些影響。大約此集中之文，三分之二皆是講演，由人紀錄，再經我改正而成。在講演時，我之心靈外向于聽眾，所以亦不免許多適應聽眾的浮泛之語，不能皆鞭辟入裏，而不夠深度。但亦有一些隨機指點，多方譬喻的話。紀錄下來，亦似乎較我一人閉門寫文時，活潑一些。我今將此集之文，重看一次，亦覺其每一文，皆不無若干新妍的意思。我自己講過就忘了，今再看時，亦好似看他人之文一般。我今日如從今再寫同樣題目，亦未必能寫得更好，可能更壞，因精力已不如昔。所以我想今重加印行，以供他人之閱讀，亦當多少不無對人之啟發之益。此諸文中涉及同樣之論題處，前後重複的地方，自所不免。但我常想著歌德的話，即「真理不重複時，錯誤便重複了」，真理亦經常是要「千呼萬喚始出來」，以為人所共見的。

此集之文，今分三部。第一部可姑名導言之部。我今將〈中華民族之花果飄零〉，作第一篇。此一文在十四年前發表，曾引起十數篇他人作文反應，後來亦常有人要看此文的。此乃因海外中國人同有一

「如花果之飄零」之感受。此文乃是我在一情感之激動下寫出的，所以有一感染的力量。但此文之情感太悲涼，故後又寫了第二文〈花果飄零與靈根自植〉言建立信心之道。第三文說〈海外知識份子之發心〉則更意在與人以鼓舞。此三文中雖有若干義理，但在本質上，可說只是一情緒的語言。不過，人生的一切事仍皆當由情志開始，所以今編此三文，為此書之入門，並名為「發乎情」之部。

此下之第二部份的文，可以說是較重說理。此即由第一部之「發乎情」之文，更求「止乎義」之文。此中，由人的學問與人的存在，直至論歷史意識、文學藝術意識，及哲學意識之數文，皆意在為人文學術，確定其意義及其在學術文化世界中的地位。此部中之正文諸篇，及第三部之論儒教與民主理想之三篇理論意味較重，亦可補我昔年《文化意識及道德理性》一書之若干不足之處，乃此書之中堂。其中對不同人文學術之意義的說明，非只是一般之論，而表現若干新觀點，新說法，亦相當嚴整。但亦非學院式的論文，所以其新處何在，亦不必于此更加一一指出。

第三部之文，泛論世界文化問題者三篇，論儒教、論民主理想、論教育，及論禮俗與禮樂生活者各二篇。論中國現代之文化思想、中國文化精神之發展、其現代化、其表現于藝術，為現代世界人所共認、與孔子者共六篇。論中國與世界文化關係者三篇。此即自多方面討論中華人文之精神價值，如何得于當今世界存在、發展，並如何有所貢獻于世界文化問題之解決。此部為此書之外庭。此部論種種問題，就我個人說，其思想之理論基礎，在昔年所著之《文化意識與道德理性》一書及本書之第二部。但亦不須理解其理論基礎，才可讀此部之文。因此世界與中國之文化問題，皆可由具體之文化事象，加以指出。而此具體之文化事象，則為有目者所共見。此具體文化事象，至為複雜，今隨事感發，而加以論說，雖統不出「以人文，立人極」之旨，但亦不免掛一漏萬。故今名之為「感乎世運時勢」之部。

第四為附錄之部，其中附錄一至三文，各代表我個人之主觀心情之一面。此中之第一文，乃近乎遊戲之作。因此書之文太沉重濃郁，故附此輕鬆之文，使略為沖淡；第二文〈懷鄉記〉則是表示我對中國之鄉土，與固有之人文風教的懷念。此實是推動我之談一切世界中國之文化問題之根本動力所在。第三文，則說及我在中學時的朋友，這些朋友亦屬于我之生命之一部。其心情與其在當今時代中之歸于悲劇的命運，數十年來皆時在我感念中。我之對許多文化問題關心，亦常覺似有這些亡友之靈魂，在冥冥中幫助推動。我之附此三文，亦意在表示我之深心，並不喜歡漫天蓋地、四面八方地談種種文化大問題。我原初所感受的問題，皆很小，我所真喜歡的生活，亦只是在有中國人文風教的社會中平淡的生活。只因當今世界之有四面八方狂風暴雨之衝擊，而將中國之人文風教破壞，才逼使我漫天蓋地、四面八方的談許多大問題，其實這不是我的初意，這只是不得已。故細細想來，我此集之正文之一切文章雖說得大，到頭來亦或無甚價值。至于此附錄之部前三文，雖說得小，卻更代表我之生命與生活中的真實東西。這才是本書之真正的正文。至于附錄四之一文，則文中已有前言可說明其所以附載於此之故。今不另作說明。❶

甲寅君毅于南海香州

❶ 本書附錄四為「中國文化與世界」，現改編入全集第四卷。——編者

《生命存在與心靈境界》

自序

本書之宗趣、運思方式、及基本概念，見導論中。本書思想之如何形成，與時代之關係，及吾數十年來為學，所受於吾父母師友之教益，見最後章。讀者可先加以參覽。茲序言只略述此書寫作之簡單經過，及所望於讀者者如下。

吾在此書之最後章，已言吾於三十餘年前，即欲寫此書。此書之根本義旨之及於人生者，於其時吾所寫之《人生之體驗》一書中〈自我生長之途程〉、後之《心物與人生》一書中〈人生之智慧〉二十年前之《人文精神之重建》一書中〈孔子與人格世界〉、及《人生體驗續編》一書中〈人生之艱難〉等篇，皆嘗以帶文學性，而宛若天外飛來之獨唱、獨語，說之。此乃吾一生之思想學問之本原所在，志業所存，所謂「詩言志」，「興於詩」者是也。然欲確定建立此中之義理，而立於體，則須有純哲學之論述以輔助之。上述及於人生之諸文，其在道德哲學及文化哲學上之涵義，則二十餘年前，吾嘗有《文化意識及道德理性》一書之著。然其關涉於哲學中之所謂形上學、知識論之問題，吾初欲於此書論之者，則三十餘年來，除於吾之《哲學概論》、《中國哲學原論》之書，述及中西哲學時，偶加道及外，則迄未有所述著。蓋欲及此形上學知識論之問題，須與古今東西哲人之所言者，辦交涉，與諍論；其事甚繁，未可輕易從事。嘗欲俟學問之更有進，至自顧不能更有進之時，乃從事此書之寫作。然歲月悠悠，此境終未能屆。十二年前，吾母逝世，嘗欲廢止一切寫作，此書亦在其內。二年後罹目疾，更有失明之慮。在日本醫院時，時念義理自在天壤，以自寧其心，而此書亦不必寫。又嘗念若吾果失明，亦可將擬陳述於此書之義理，為我所昔未及言者，以韻語或短文為之。後幸目疾未至失明，乃於九年前，由春至夏，四月之中，成此書初稿；而目疾似有加劇現象，旋至菲律賓就醫。於醫院中，更念及初稿應改進之處甚多。乃於八年前春，更以五月之期，將全書重寫。大率吾之寫文，皆不提筆則已，提筆則一任氣機之自運，不能自休。回頭自觀，隨處皆見有疏漏。於此疏漏之處，此七八年中，絡續有所發現，乃於寫《中國哲學原論》四卷之餘，絡續加以增補，似已較為完善整齊。然以學力所限，終不能達天衣無縫之境，而由動筆至今，計時已將歷十年矣。世變日亟，吾目疾是否復發，或更有其他病患，皆不可知，故決定付印。吾於吾此書所陳述者，雖自謂其乃自哲學問題、哲學義理之本原開始處立根而次第流出，而有其真知灼見，皎然無疑者在。然天地間之義理，其支分派衍，與論述之方式，自是無窮，其流落人間，以見於人之述作者，無非泰山一毫芒。昔黑格爾於臨終前一週，序其邏輯書之再版，謂柏拉圖寫《共和國》，嘗改稿七次，又謂今欲從事哲學著述，當改稿七十七次，於其所著只改稿二次，乃聊以自慰云云。由此推之，則謂今之為哲學著述，當改稿七百七十七次，可也。然吾亦仍可以只改稿二次，及七八年來之絡續增補，聊以自慰也。人之自然生命，終為有限。吾數十年來，恆能於每日晨起，清明在躬，志氣如神時，有程伊川所謂「思如泉湧，汲之愈新」之感，並自謂或能于有生之日，此泉湧之思，當無斷絕之時。亦嘗念程伊川語，人當在六十以後，不得已而著書。吾之此書，則正大皆寫於吾六十前後之年。七八年來，所補此書疏漏，皆更無大創闢之見；而今之精力，更有「夕陽無限好，只是近黃昏」之嘆。昔日所思，已不能盡記。自今以後，唯當使此夕陽之「餘霞，散成綺」，應機隨意言說，以照彼世間後來之悠悠行路人而已。唯人除其一切有限之著述之事，或任何事業之外，人更當信其本心本性，自有其悠久無疆之精神生命，永是朝陽，更無夕陽。此吾之根本信念。吾之全書，實亦唯是自種種思想之方向，萬流赴海，滴滴歸原，以導歸於此一信念之建立，而見此精神生命之流行於天壤，實神化不測，而無方。吾之所言，皆使人游於方內，以更及於方外者也。故吾於吾書，可引志勤禪師之一詩，以自道其所信，更不問徹與不徹曰：「三十年來尋劍客，幾回葉落又抽枝。自從一見桃花後，直至如今更不疑。」再引忘其名之一禪師之一詩，以自道其論述皆逆流上達，滴滴歸原曰：

出原便遇打頭風，不與尋常逝水同。浩浩狂瀾翻到底，更無涓滴肯朝東。

至於吾寫此書，常念在心以自勵者、則為《中庸》之二段語，「君子之道，本諸身，徵諸庶民，建諸天地而不悖，考諸三王而不謬，質諸鬼神而無疑，百世以俟聖人而不惑。君子尊德性而道問學，致廣大而盡精微，極高明而道中庸，溫故而知新，敦厚以崇禮。」

凡此所言，雖不能至，心嚮往之，而於「本諸身，微諸庶民」為始，「溫故知新，敦厚崇禮」為終之旨，尤三致意焉。

茲尚有附陳者，即此書之論哲學問題，其曲折繁密繳繞之處，大皆由其問題之橫貫西方不同學派之哲學而來。初學之士，於此或將感艱難。然對此諸問題之究竟答案，為東方哲學智慧所存者，原自直截、簡易、而明白，不歷西方哲學之途，亦能加以悟會。此諸問題，在有福慧之士，亦原可不發生。若不發生，則亦不需苦思力索，如西哲及吾於本書之所為。故若有初學之士，於此書感艱難，當先自問：是否於此書所及之論題，曾有種種問題。若原無問題，則此或正見其福慧具足，原不必讀此書。若真有問題，而覺此書所論稍深或枯淡無味，則宜先讀吾前所寫之書，尤宜先讀上所提及吾早年所寫之帶文學性之諸文，以引發相應之心情。若既讀吾昔所寫書，仍覺此書無滋味，則亦唯有棄置不讀。要之，吾於此書，雖亦自珍惜，然亦只是一可讀，亦可不讀之書，亦天地間可有可無之書，唯以讀者之有無此書之問題以為定。此不同於聖賢之書，先知、詩人之作，不論人之有無問題，皆不可不讀者，亦天地間可有而不可無者也。世間之一切哲學論辯之著，亦皆可讀可不讀，可有可無者也。此非故自作謙辭，更為世間哲學論辯之著，代作謙辭；而是尅就哲學論辯之著之份位，作如實說。哲學論辯，皆對哲學問題而有。無問固原不須有答，而其書皆可不讀也。昔陸象山嘗言人之為學，不當艱難自己，艱難他人。吾既艱難自己，不當無故更艱難他人。故將此意，並寫在序中。

丙辰之春唐君毅自序於九龍和域道

《宋元理學家著述生卒年表》

序

宋元明之儒學，乃義理之學，非考索記誦，所能為功。然義理在天壤，必待其人而後明；義理無窮盡，而人之發明義理，彰之言說，亦隨時節因緣而異。則後之學者，研治先儒之學，不可不知其人而論其世。考索之功，因欲知學術之流變者之所不可廢；而知學術之流變，則正所以使學者得想見義理之流行不息于天壤，慧命之相續不斷于古今者也。

麥生仲貴，初治文史之學，旋復于天人性命之際，疑慮叢生，遂從吾治哲學，欲藉義理以養心；乃廣讀宋明儒書，亦嘗慨然有求道之志。吾因告以為己之學，固當為本；然居今之世，為人之學，亦不可少；無妨兼本所素習，試為宋元明清諸儒之儒學編年之著，既以自勵，亦便來學。麥生乃往就教于錢賓四、牟潤孫、及嚴耕望諸先生。錢先生更告以編年之著，宜有一年表之書為先，逾二年而麥生遂有此書之成，其用力可謂勤矣。吾于史事，素極疏陋，對麥生此書，愧無所益。觀其所辨証，雖或有異議，其所採擇，亦容有未備；然要可為治宋元之學者，即其所備列之事迹，以觀學術之流變者，有所取資；其有益于世，應無疑義。麥生若能更進而成其明清儒學之年表，及宋元明清儒學編年之著，以畢其全功；再一意于義理之本原，不負其究心于天人性命之初志，則吾之所望也。

民國五十八年七月唐君毅序

《王門諸子致良知學之發展》

唐序

明代儒學，以王陽明為中心。陽明之學，自言初奉朱子之言，如神明蓍龜；而其所自悟者，則還契於象山之旨。故吾嘗為文論朱陸之鄭，亦可由陽明之學以通。陽明以良知言象山之心即理，而其說此心即理之名言，則又多出於朱子。此即陽明學之繼往。陽明言良知之明，萬古不息，恆生生不已，亦不離現在，故聞其教者，皆可直下有所開悟興發，以自知其良知。此是陽明學之開來。此自知其良知者，自亦是良知。良知之明，既生生不已，則學者於此良知之義之所明，以成良知之學者，亦自生生不已。此即陽明學之傳之所以最盛，而王門之士，于此良知之所見者，更不無異同，遂衍而為陽明學之諸流脈之故也。于此陽明學之流脈，黃梨洲明儒學案，依地域而分為北方、楚中、南中、浙東、江右、泰州六者；而浙東、江右、泰州三者，為最著。浙東王龍溪，嘗自謂於陽明之言致良知，「及門者誰不聞，唯我信得及」。又自謂「我是師門一唯參」。而後人或本之以謂龍溪為陽明之嫡傳。然《傳習錄》中之〈天泉證道記〉，又記陽明謂王龍溪與錢緒山二人，當互相取益，則又非謂緒山不能傳其學也。王學中泰州之傳至周海門，為聖學宗傳，則特推尊其師羅近溪。黃梨洲為《明儒學案》，又本其師劉蕺山之說，於二溪並有微詞，謂于陽明之學唯江右不失其傳。故於鄒東廓、聶雙江、羅念菴、王塘南，皆力加表彰。梨洲為《明儒學案》序，謂周海門之書，只是海門一家宗旨，自謂其書能分別各家宗旨。故世以一客觀之學術史稱之。然梨洲於各家之學案前，恆先下評語以為抑揚，亦不免使學者以先入為主。此則不如將此梨洲一人之評語，附於其後，更易使後之學者，先得各家宗旨之真。而梨洲於王門中，偏宗江右，亦正如於王學偏宗龍溪近溪者，之同未必得其平也。

大率王門諸子，除徐愛早逝外，親炙陽明最久者，為王龍溪、錢緒山。陽明與鄒東廓，亦多書疏往返。江右之聶雙江、羅念菴，則於陽明歿後，乃以龍溪與緒山之質證，於陽明稱弟子。泰州之王心齋，亦於見陽明前，先自有其所學。雙江、念菴言歸寂主靜，以識未發之中，近陽明初年教法。然念菴謂陽明之學，「為聖學無疑，而速亡未至究竟」，則亦不以陽明之學自足。念菴又以陳白沙之致虛之說，為千古獨見。此亦與陽明之未嘗一語道及白沙者不同。王龍溪集中之〈天泉證道記〉與《傳習錄》，及東廓學案所記，頗有出入。此記謂龍溪之四無之說，乃陽明所久欲發，以時節因緣未至，而未發之傳心秘藏。天泉會後，適年而陽明歿。此正適足反證此秘藏，非陽明平日所開之教。大約龍溪四無之說，蓋如梨洲所謂陽明之學之三變以後，言致良知，之「時時知是知非，時時無是無非」之旨，而更推衍之以成。至於錢緒山、歐陽德之重在已發處，致是是非非之良知，則蓋同梨洲所謂陽明學之二變，重言良知之「知是知非」之旨者。則宗龍溪者，又可謂其未能盡此陽明之學之三變矣。至於王心齋，則因其先自有其學，故雖為陽明弟子後，仍自持其淮南格物之說，以安身樂生為本。其學數傳至羅近溪，而言大人之身之通天地之生德、仁德，以成其心之靈明莫掩者，見於日用尋常之中。遂以徒孤言一心之靈明者，或自把捉其靈明，而墜光景、入鬼窟，「非天明也」。此則又不同龍溪之專重以一念靈明言良知者也。大率龍溪兼以空寂言靈明，意此靈明原無可把捉。故龍溪嘗疑近溪之鬼窟之說。然近溪則遙承心齋安身樂生之教，知此心之靈明，若不與生渾融，以成大人之身，則終不免於墜光景、入鬼窟。則近溪之學與龍溪不必同，而與陽明之重以靈明言良知者，亦不必同，近溪固謂先達於「性體平常處，未見提撕」也。然陽明之良知，自能生天生地，亦原主乎一身，以有陽明所謂大學問；而泰州之學之重言安樂，亦正特有契陽明樂為心之本體之言，及言「大學問」之旨。其學不如龍溪之務極高明，亦不同雙江、念菴之求盡精微，而希在更致廣大，而道中庸。則泰州近溪之學與陽明之聖學，又未嘗必異也。

由上所述，則王門諸子，雖皆言良知，而其所言之良知之義，自皆與陽明之學有同有異，而亦互有同異。不可視如黃茅白葦，一望皆是。良知生生不已，此人之知其良知之所以為良知之義之學之教，亦自當生生不已，如上所及。故陽明亦嘗謂「說此良知二字，窮劫不能盡」。陽明如不死，則王門諸子之所以說良知者，亦未必非陽明於種種時節因緣下，皆可說者也。則必謂其孰得陽明之嫡傳，亦可爭，而非必爭者也。後之學者，自以其於良知之所見，以還證陽明及王門諸子於良知之所說者，以是其所是，亦即所以致其為後學之良知也已。而於此不必更非其所非者，則以唯其是者乃可學，其非者不可學，亦可存之而不論也。後之學者，果志在學其是者，則當知其同者固可是，其異者，亦可分別其言之所指，以見其俱是，而更觀其通；則為後學者之所可學者多，「尊其所聞，則高明矣；行其所知，則光大矣」。

大率昔之治宋明儒學者，多重直取其言之是者，以為躬行實踐之資，故於昔賢之學，不甚重辨其同異；於其異者，恆視為異端而斥之，乃不免門戶之見。今之學者，於論昔賢之學，則大皆知辨其同異，而於其異者，更喜表而出之，以嚴別其流派或思想之型類，而不重觀其異而俱是之所在，更不重觀其會通。以對王門諸子之學而論，則今世有視王門諸子之學之異，如政治上之左派右派之分之不相容者，又有對勇於立異之李卓吾之學，特加稱道者。此皆見今世論學之捨同好異之風。此與昔人之存門戶之見者之好同惡異，其得失維均。如實而言，則王門諸子之論良知之義，自與陽明有同異，亦互有同異，以成其學其教之日新不已。然其原既同，則其流之異者，亦未嘗不能宛轉和會，以成其通。「通」也者，非「同」非「異」，而能通「同」與「異」。凡論學皆當始於觀同異，更於異而知其通，睽而知其類。此固不止於論王門諸子之學為然也。

麥君仲貴，初治文史，後從予治哲學，而及於宋明儒學。其於宋明儒學之興趣，亦在哲學與歷史之間，故先嘗有宋元理學家生卒年表一書印行。近又從事明清理學家生卒年表之編著，以備為宋元明清之學術作編年之用。今茲之《王門諸子致良知學之發展》一書，原由其在中大哲學研究部之碩士論文，所增補而成。以王門諸子論學之精微要眇，今欲明其同異，觀其會通，為之綜論，而期其圓融周遍，無所不及，自尚非麥君之意。麥君之文，因強探力索之事多；深造自得之功，容尚有所未逮。然麥君之為此書，於王門諸子之原著，可搜求得者，無不遍覽。凡見其與《明儒學案》所錄，有出入者，一語一字之微，皆一一條記；於《明儒學案》之論明儒之學之傳承之體例，既有所商榷；於王門諸子之生平，亦本史傳，於《明儒學案》所述者，有所補正。其功力可謂勤矣。至於其對王門之六派學術思想之論述，則除先略述陽明之學之大旨，於北方、南中、楚中之王門學者，略舉其言，以明其講學之宗旨之所近者外；則於浙東江右之王龍溪、錢緒山、聶雙江、羅念菴、王塘南，泰州之王心齋父子、王一菴、羅近溪之學，皆各為之專論，而殿之以東林之顧憲成、高攀龍與劉蕺山對王學流弊之評論，及周海門與湛甘泉門下之許敬菴之對辯；以明王門諸子之學，在明代思想中之地位。其中於王龍溪、錢緒山之學，則述其互有異同，更論其當如陽明所謂「相取為用」之故。於雙江、念菴之言歸寂主靜、存未發之中，則溯其原於先儒言寂感及已發未發之旨；於心齋之淮南格物說，亦更述及於先儒之格物之論，以資比較。此皆意在說明王門諸子之所見之義，遙通於先儒之學者。要之，則麥君此著，可謂能對王門諸子之學，通觀其大體；於其宗旨之同異，亦能本歷史文獻，加以疏通而證明之。此較之黃梨洲之為《明儒學案》之偏尊江右，及近人之偏尊所謂左派王學，於《明儒學案》所不道之李卓吾之流，加以盛稱者，實可謂更能為一客觀之論述，足以為來學之士之所資。故樂而為之序云。

癸丑年正月初五日唐君毅序於香島

牟宗三序跋輯錄

《邏輯典範》

前　序

出體徵數

本書分四卷。第一卷為邏輯哲學。哲學者釐清底活動之謂，是對於一個對象的說明。邏輯哲學是對於邏輯所加的一種說明。說明是說明其本性，釐清其範圍。所以不名曰邏輯原理，或邏輯基礎，而名曰邏輯哲學。原理者是此物所據以推出者之謂；基礎者是此物所根以成立者之謂。有原理有基礎，必是此物可以化歸於某物。但邏輯實不可化歸於某物。否則，邏輯就會不是邏輯。故邏輯不能有基礎。

第二卷為邏輯正文之一，名曰真妄值系統。此為現代邏輯之真精神，即現代邏輯界所貢獻的，只此一點是新的。其餘不無新貢獻，但袛是支節；或其表面是新，而其實並不新。此卷分兩部分：一為橫的系統，講真妄值之間的關係；一為縱的系統，講真妄值之推演。

第三卷為邏輯正文之二，名曰質量系統，或推概命題之推演系統。此為傳統邏輯之新解析。所謂新只是解析的新，並非本質的新。現代邏輯中有一種「命題函值」的符號，傳統邏輯的命題式，可利用之而作解。這種「命題函值」的發見，雖是新的，卻是支節。故不能說這是現代邏輯的真精神。本卷分三分：一為推概命題之組織與推演；二為推概命題之主謂式系統Ｉ，此即傳統邏輯之直接推理；三為推概命題之主謂式系統Ⅱ，此即傳統邏輯之間接推理。質量系統是從命題之質（肯定或否定）與量（全稱或偏稱）看命題之間的關係；真妄值系統是從命題之真假值看命題之間的關係。前者從外範說，後者從內容說。兩者實是同一關係之兩面觀。這個消息，我得之於ＡＥＩＯ的對待關係中。如是，古今邏輯，表面之不同，可以恰合而無間。

第四卷為純理之批導（或知識論之前引）。本卷分三分：一為數學基礎之批評，所批評者為羅素與懷悌海所表現於《算理》中的數學思想；二為數學基礎之建立，即本書所主張的數學之純理學的基礎；三為超越辯證與內在矛盾的評判，在此我評判出一個哲學的路數。此卷所論雖不是邏輯，但直接間接都與邏輯有密切的關係。非於「邏輯之理」有確切的認識，不能解決之或說明之。邏輯是解決此等問題的鑰匙，猶如拱石之於拱門。

理性的指出

本書的中心思想是想表現出一個普遍而公共的邏輯之理。普通常說任何思維必須是邏輯的。此即是說，不管你所講的合事實否，有價值否，但表現你的說統必須是前後一致，不相矛盾。這即是所謂邏輯的。此種「邏輯的」特性，不限於某一定之人，某一定之思想；乃是任何人，任何思想所必遵守的。這即表示說，我們人類思想中必須有一個公共的標準；也即表示說，此公共的標準就是人類的理性，人之所以為理性動物者在此。但是說到理性的動物，我們對於「理性」一詞，能形容為合理的，或形容為知善惡、別是非。在前者，全理可以解為合情理、合事實：這是從行為或評判行為而為言，是有所對、有內容的。在後者，知善惡、別是非，是從內從主方面而為言，言吾人先驗地有此能力，即所謂良知良能是也。由善惡進到如何成善去惡，這是實踐理性的表現；由是非進到據推理以顯思想中之理則，這是純粹理性的表現。實踐理性一層且不論。純粹理性即是邏輯之理。這是無所對、無內容的。邏輯之理只限別是非。所謂別者非別所是所非者，乃別「本是非以推理」所顯之推理過程中之對或不對者。別所是所非者，須靠經驗，結果有真有假。這是有所對、有內容的。別推理過程中之對或不對，無須經驗，乃純理之呈現。這是無所對、無內容的。此種純理即是邏輯之理，亦即是理性。「理性的」一詞，當就此而言。從此著想，始可顯出邏輯之理。此理只能是一，而不能是多。此是一切思維之唯一的座標，不可避免的座標。

表達理性的各種系統

但邏輯之理是一空名。當我們要鋪陳其具體內容，即當我們要表達此邏輯之理時，因所用的工具之不同，常可有不同的表達系統。此種系統，我們名之曰屬於邏輯的系統，即因表示邏輯之理而成者；至其所表示的對象，我們名之曰邏輯自己，即邏輯之理，或理性自己。前者可以是多的（但不必是多的），而後者只能是一（必是一）。現在有些邏輯家，不認識邏輯之理，因而亦不認識邏輯自己，遂將於表達時，只因定義與公理所成的表達系統，認為邏輯。即是說，只認屬於邏輯的系統為邏輯，而邏輯自己便不復認識。但我個人以為屬於邏輯的系統實不是邏輯，而只是句法之連結。它們是表達邏輯的各種系統。此皆是形下的、表面的。若局限於此，必不能認識邏輯之理，因為它們是因界說與公理而造成。而界說與公理卻又是隨便的，並無必然性。所以若只以表面的為邏輯，則邏輯的絕對性，必被消滅。因此邏輯之理必須認識。現在的人們，因為不認識邏輯之理，而只限於句法之連結，所以遂有選替邏輯之稱，因而又有各種選替系統之可相消與不可相消，可相容與不可相容等問題的討論。假使能認識邏輯之理，且能認識句法之連結不過是形下的表達工具，又能認識定義與公理是很隨便的，因人而異，並無必然，則相消與否，相容與否，直不成問題。不能相消，即讓它各自存在；不能相容，亦不能說邏輯是多。因為這些原不過是些表現，表現固不妨其是多也。

別異類同與肯定否定

邏輯之理是所要表現的。理者理則，有理必有則。此「理則」是思想上的，故為主為內。在此有一問題，即此理則由何而顯？曰由肯定、否定之推演而顯。其所據者有四觀念：一曰二分，二曰同一，三曰拒中，四曰矛盾。此四觀念即理性之則也。其由之展轉而遞演者，亦理性之則也。我們於此再不須立一法則以解之。即再不須追求解析肯定、否定或四觀念何以立之法則。我們不說肯定、否定所根據之法則為邏輯，而說由肯定、否定遞演所顯之理則為邏輯。此理則即邏輯之理也。如果要為此肯定、否定立一法則，亦未嘗不可。譬如肯定表示同，否定表示異。汝在此可說同異是更根本的，是否定、肯定之所依。再前進一步，汝還可說，同異仍有所依：依於「如」（即如如，或絕對），依於「反」。老子曰：「反者道之動。」道是絕對，無分別。有反始有動，始有異。「同」依於「如」，「異」依於「反」。此皆別異類同之內在法則也。若以此為解析肯定、否定之法則，並以此為邏輯之基礎，或以為邏輯之理在此，則皆為出位之思。蓋同異、道反，皆形上之原則，乃為「有」而非「思」。或可說「思之則」以「有之則」解析之，即思即有，是謂思有合一。但思有合一是元學所有事，非邏輯之所宜。肯定、否定是思的，不是有的。邏輯之理由思顯，不由有顯。故邏輯之理是肯定、否定遞演所顯之理則，非別異類同之法則。別異類同之法則可有兩方面的解析：一是別異類同所根據以可能的法則，此是本體論的原則；二是根據同異以演化所顯的法則，此是宇宙論的原則。前者屬有屬體，後者屬事屬用。皆非邏輯之思的理也。吾若說邏輯之理是肯定、否定推演之所顯，則純屬思的，而非有的；屬邏輯的，而非屬事的。是邏輯之「理」的發展，而非「有」之「事」的演化。即如黑格爾說此「有」之演化為邏輯而非事實，但以吾觀之，仍為事，而非思，仍為有之理，而非邏輯之理。所謂邏輯只是「邏輯的」，而非「邏輯自己」也。故在此可斷定說：肯定、否定遞演所顯之理則即是邏輯之理，亦即邏輯自己。這個推演所成的系統即是標準系統，即二價邏輯是也。

邏輯之理之義用

我們必須透過句法之連結而直觀理性自己，在此即是邏輯存在的地方。句法的連結是邏輯的消極意義，而理性自己則是邏輯的積極意義。這個積極意義的純理，我們可以從兩個方向看其義用：一是向外，在此，邏輯之理表現而為知識或思維所以可能之紀綱；一是向內或向上，在此，邏輯之理可為主宰性或自動性之引得，由此而直接體證一個形上的實體。此實體不能因理解而辨識，只能因體證而證得。此元學實體可以指示一實現之理。在向外方面，邏輯之理之紀綱性可以指示出任何現象必有一紀綱之理。紀綱之理是現界，實現之理是體界。前者是多，後者是一。多者各以類從，一者妙用無窮。前者使自然界（現界）可能，後者使元學或道德學（體界）可能。前者為內在，後者為外在（超越）。然如無紀綱性，則無主宰性，亦無自動性；反之，如無自動性，則無主宰性，亦無紀綱性。如是外在即內在。是謂顯微無間，體用合一。

康德不識邏輯之理之義用

康德極言理性矣。但其意義之所指卻極廣泛而不定。茲就其講述所及者而論之。他所謂純理當是「是」之軌範者；他所謂實踐之理當是「宜」之軌範者。故康德之理是依有所對有內容而為言。是即其所謂超越邏輯。渠並不認識邏輯之理之義用。渠云邏輯之理是一切理解之準繩，並無內容，不足說明知識何以成。能負此責者，為超越邏輯。但著者以為此說明知識者，非邏輯，乃知識論也。此是「知識關係」這個現象之綜的說明，非邏輯之理之說明也。渠致力於超越邏輯，遂將為一切理解之準繩的邏輯，束諸高閣，置之於無用之地，而其所謂為理解之準繩者亦成空話矣。殊不知此為理解之準繩者即知識或思維所以可能之紀綱。因此理為思維之紀綱，遂依此義，名為紀綱邏輯。又此理在知識或思維中有優越的地位，有機構的作用，故依此義，亦得名為超越邏輯。只此一物，隨其用而異其名。若非如此，則邏輯之理直成無用之物，何用理性為也？康德誠不免於徇物他求，舍本逐末，而陷於戲論之譏。

康德理性之外鑠性

因為康德不識邏輯之理之義用，遂尋得一些不相干的物事，外鑠而為內，使心體為一垃圾筐子，不得清淨自在。在此筐子中，有三套物事：一為直覺格式，二為理解範疇，三為理性理念。互相統屬，亦各有義用。直覺格式為時空，使數學幾何為可能。理解範疇，為數十二（總括言之，曰本體曰因果，兩者而已）使自然科學為可能。理性理念曰上帝（真宰），曰永生，曰自由，使道德神學為可能。雖頗具匠心，而硬加把捉。譬若義襲而取，非集義而生也。

康德外鑠理性之義用

康德以為他這個系統不能有所更動。一有更動，矛盾隨之。此亦未免言之過甚。著者以為數學並不依於直覺，亦不依於時空。數學只依於邏輯之理。此理動而愈出，不依官能，獨起籌度。此即是數學之根據。又以為無先驗的自然科學。理解範疇皆為設準，乃方法上之先在，並無必然性。只能為主觀的調節原則，不能為對象的構造原則。紀綱思維者，非紀綱對象者；知識可能的條件，不是知識對象可能的條件。只要我們的「理解」是可能的，則科學即是可能的。至於理解的對象如何可能，在此不必問，亦不須問。問之亦無用。（相信它有條理，不過增加信心而已。）至於科學知識之價值如何：是必然，抑是或然，亦不必問。它自然是或然的。想使其成為先驗而必然，徒是妄想。復次，理性之紀綱性使理解為可能。理解即理性之理解，即如理而解。如理者按理也。按理而推求下去，則理解即成立。所解者乃直覺（知覺、感覺）所報告之色相（所與）。理性運用於理解之中而使其可能；其流注所成之點，便是知識。理解是如理而解，由事以限。理即理則，事即色相。乃一體而轉，非有層級之別。最後，由理性之紀綱性，證得主宰性、自動性，這便是道德之基礎，元學可能之根據。在此，康德大體是對的。但真宰、永生兩理念，不能由理性之綜和以供給，不能當作一物以虛擬。理性之自動性、主宰性，即自由之所依：真宰依於自動，永生依於真宰。此須返觀內證，直指本體而為言。不可以知測，不可以物擬。若康德由理性的綜和以供給者，是即以物擬矣。（雖然康德已證明不可以知求。）若以物擬，則真宰、永生，非是頑空，即是泥執。故康德大體雖對，尚未至於善也。（詳評見第四卷第三分）

羅素不識邏輯之理

康德不識邏輯之理之義用，其乖錯已如上述。羅素力言邏輯，亦不識邏輯之理。因不識此理，故其數學未歸於邏輯，實歸於原子論之元學。此大謬也。因為歸於原子論的元學，故須「無窮」之假定（即無窮公理），又須「關係」之假定（即選取公理或相乘公理）。此種假定，足使數學落在空裏，無必然而妥當之基礎。（詳評見第四卷第一分）

書成志感

本書草創於未亂之先，完成於亂離之後。時閱五載，地歷南北，未嘗一日輟筆。國勢至此，不能籌一策。偷生邊陲，乾絞腦汁。於蒼生何補？是以可痛也！然風雨如晦，雞鳴不已。吾於東西兩大學統，如能得其自然之絜和，則新理性之曙光顯於異代，於己於國，皆不無少慰也。七七變後，稿之大半存於北平張東蓀先生處。今年復由友人張遵騮兄冒萬難自北平帶出。感激之情，雖萬劫不能已也。

《理則學》

序

本書是應教育部之約，作教科書用的。吾前有《邏輯典範》一書，由商務印書館出版。該書開荒之意重，雕琢之工少。故錯亂不審之處甚多。一由於自己之魯鈍，一由於工夫之不熟。苦思孤學，蓋甚悔其提前出書之孟浪。今藉此機，用以補過。

又該書於邏輯系統之講述外，理論的討論獨多。其意是想扭轉近時邏輯家對於邏輯數學之解析，使吾人之思想接上康德的途徑，重開哲學之門。此部工作，可名曰邏輯哲學。該書中實以此意為重。其大體規模雖不變，然仍嫌粗疏不透。本書只就邏輯系統，作內部的講述，不牽涉理論的討論，以符教科書之旨。至於邏輯哲學方面，則吾將另寫一書以備之。

本書分三部：第一部傳統邏輯，第二部符號邏輯，第三部方法學。如從邏輯系統方面說，除傳統邏輯一系統外，近代所發展的符號邏輯大體不過三個系統：一是邏輯代數，二是羅素的真值函蘊系統，三是路易士的嚴格函蘊系統。本書對於此三系統，俱有講述。在以前，一本普通教科書裏，很可以不講及此，認為這是高級的，或以其表面符號的緣故，認為與傳統邏輯根本不同，完全是兩回事。但是邏輯學發展至今日，這些都已經成為普遍通行的了，而且與傳統邏輯亦並不是根本不同，完全兩回事。我們不要為表面的符號與其表現的形式所隔住。它們的基本概念實已蘊藏在傳統邏輯裏，所以我們可以把這些看成是一個大系統底發展，而就傳統邏輯言，則亦不過是這個大系統底一部門，或較為普遍的符號邏輯之一部門。以此之故，我們站在邏輯學為一完整的學問之立場來看，其基本的一套，當該包括這一些發展。我們這樣看，是把傳統邏輯提升了，融攝到一個較為普遍的符號邏輯這一概念裏去，不為它的二千年歷史所隔住。本書只把這基本的一套表出，再向前進，當該屬於「數理邏輯」（mathematical logic）範圍內。為此之故，命題函值論（theory of propositional functions）、類型說（theory of types）、摹狀論（theory of descriptions）等，本書皆不涉及。故 Quine 寫《數理邏輯》即從命題函值起，而於本書所講者皆從略。

寫書與教、學皆不同。寫書是就這一門學問底完整性言，須對這門學問負責。無論是高級的或是初級的，都有一定的終始。至於教與學，則有時間性，而且亦須顧及對方底程度。這當然須有斟酌遷就的餘地。所以在一部書裏，雖把這基本的一套都具備了，而自教學上說，卻不必限一時都教完、學完。試就大學一二年級言，據我個人教書的經驗，此課程每週兩小時，一年修完。但是一年每週兩小時，實講不了這麼多。大體只有第一部與第三部中的歸納法就很夠了。第二部可以說完全講不到。而就普通一般人言，如不想讀哲學，亦不想再繼續進修邏輯，則在常識上與運用上，亦只有第一部與第三部中的歸納法就很夠了。可是一個人的興趣亦隨時有轉向，而一部書也不能完全為教學的時間所限，亦不能完全為一般人的只求常識與實際運用所限，總得有相當的持久性，以備一個人的興趣之來臨，以及教學時間以後的繼續自修。以此之故，第二部是必要的。而且講這第二部，也不能只簡單地介紹幾個符號，因為這完全沒有用，徒增加一個人的糊塗。或者完全不講，要講，即須有相當的足夠性與完整性。因此，一個人他或者完全不讀，他要讀，即須使他有所得。

個人，如想讀哲學，譬如哲學系的學生，則無論在一時或不同時期裏，把這全書仔細讀過，是需要的，這對於他是有用的。如讀哲學，不想走數理哲學或科學底哲學之路，則本書所備亦儘夠了。當然一個人，無論在那方面的知識，都是愈多愈好。我這裏是就最低限度說。如果想走數理哲學或科學底哲學之路，或是想繼續專研邏輯，則對於第二部弄熟了，他也很容易進到數理邏輯底範圍去，很容易使他接得上。

本書從頭講起，從與傳統邏輯相干的基本概念一個一個地講下去，一直發展至路易士的嚴格函蘊系統止。翻開一看，因為符號的緣故，好像很麻煩，其實很簡單。只要從頭逐章逐節，每步不要隨便放過，往復幾遍，即可無師自通。一個初學的人，開頭兩章是個難題。只要這兩章通得過了，以下便都通得過。試想一個青年人，剛從高中進到大學，雖然他已經有了演算數學與幾何的智力，但是運用思想以思考問題，這是一竅未開。因為數學究竟是比較機械的，這與邏輯的思想或是運用思想以學邏輯，畢竟不同。所以從運用思想以思考問題上說，一個剛進大學的青年人還是在混沌狀態中。即是說，他的覺識與聰明尚是在感覺狀態中：他可以有很豐富的想像力，他也可以有世俗的聰明，但這些都是具體的、感覺的、野馬式的，尚未進到「思想」的境界。所以叫他突然從感覺狀態進到思想境界，這一步是很吃力的。他如果能衝破感覺狀態，進到能對於一個對象施以思想上的分解，能把握其中什麼是共理（共相），知道什麼是概念，會運用概念去思考，使自己的心靈成為概念的，這個難關就算通得過。但是這一步並非容易。頭兩章所講，就是訓練他這一步。這對他以往所知的說，完全是陌生的。按說，開頭來這一悶棍，好像不應該。但這卻是必須的，而且從這裏起，比任何其他起點都恰當，都比較容易接近。所以這開頭的一難關是不可免的。只要那裏面幾個基本概念，如共相、殊相、類、抽象、具體、定義、內容、外延等，都能把握住了，此後就可看下去。

傳統邏輯與符號邏輯雙方各有其難易。前者比較實際，好像是容易，但正因其較實際，牽連的多，頭緒多，所以比較難。後者較單純，好像是易，但它的單純正由於它的形式化、工巧化，更抽象而遠於實際，所以它又難。因為它本身是由傳統邏輯中提煉出來的。近時中國方面學邏輯的，常不免好高騖遠，忽略傳統邏輯，直接從符號邏輯入，對初學者亦常以符號邏輯中的概念來講授，這只有增加糊塗，使人摸不著邊，望而生畏。吾未見其可。「學然後知不足，教然後知困。」在教學底過程中，可以使人終始條理，步步落實。我們不能一味趨新奇，好高遠。所以還應當回過頭來把傳統邏輯步步弄清楚確定了才行。又，講符號邏輯的，又大都直接自羅素的「真值函蘊系統」起，而對于其前身之「邏輯代數」，則又略而不講，而又因為某種偏見，對於路易士的「嚴格函蘊系統」，亦忽而不顧。吾嘗躬自蹈之，今始知其不可。

邏輯學有它自身獨立的領域，獨具的題材，不能隨意氾濫。它就是這些「故實」，只須順著它一個一個講下去，都經歷過了，也自然知道它的意義與本性。因此，本書並沒有開頭討論它的範圍、意義與定義等問題，也並沒有開頭先給它下一個定義擺在那裏。

關於方法學方面，也應當說幾句。歸納法是科學方法。這在獲得科學知識上說，當然是重要的。但它本身卻是簡單的。這不是邏輯學的主文。它的重要是在你實際去作科學研究，並不是它本身有什麼奧妙。現在人們以為在這科學時代，科學重要，所以講邏輯當該多注意多講科學方法。多注意可以，多注意是叫你實際去用，並不是在邏輯學裏要多佔篇幅，所以，說多講是外行話。在思想訓練上說，它遠不及傳統邏輯與符號邏輯。在邏輯學裏，要多講歸納法，這須要牽連到兩方面：一是因果律方面的問題，這是哲學的討論；一是概然方面的問題，這是「概然邏輯」中事。這都不是歸納法本身的事。就是概然邏輯也要以符號邏輯為基礎，這是邏輯學中很專門的一個部門。我承認我並不能講這方面。

當年培根與米爾都重視歸納法。培根有《新工具》一書，力反亞里士多德的形式邏輯，認為它無用，不能使吾人獲得科學知識。米爾的《邏輯系統》（*System of Logic*），即嚴復所譯的《穆勒名學》，以歸納為主。他想把演繹推理都吸納到歸納過程裏面去，他認為數學命題也是由經驗普遍化而成的。這些見解早成過去，現在無人承認。這表示他對於邏輯數學的認識很不夠。還是傳統邏輯有其顛仆不破處。不過由於他兩人，把歸納法湧現出來，在普通邏輯裏佔一席地，這也是很有功的。佔一席地是說它是方法學，這與純邏輯不是一回事。而且它也不是邏輯學裏的主文。要想提倡科學，科學方法固然重要，但邏輯數學更重要。而且這後兩者更是西方文化希臘精神底主脈。吾人不可太淺近。

辯證法是玄學方法，在邏輯學裏本可不涉及，但為社會需要，時代的關係，亦有弄清楚的必要。共產黨大講辯證法（他們的唯物辯證法），力反形式邏輯，影響社會人心甚大。所以我們也不能置諸不理。我的斷定是如此：辯證法，作為玄學方法看，它足以使吾人開闢價值之源，樹立精神主體，肯定人文世界。而「唯物辯證法」則不可通。人們一見說辯證法是玄學方法（即形而上學的方法），一定大不高興。共黨加上唯物二字，便認為它的唯物辯證法是科學的。其實科學並不等於唯物，而無論如何，辯證法總不會是科學的，亦不會是科學方法。唯物辯證法亦並不是「辯證法」。說辯證法是玄學方法，不是科學方法，並不函有劣義。凡事各有所當。關於辯證法的兩章，是本書底附錄，以示其並非邏輯學之正文。

普通寫教科書，每章末都附有習題。我以為這是不必要的，只要把邏輯系統內部的物事弄熟，自然會事理分明，條理清楚。習題亦不過是重複系統內部所講的東西。在學習時，反復推敲，審思明辨，亦就行了。

中華民國四十四年元月牟宗三序于台北

《認識心之批判》

序言

當吾《邏輯典範》出版之時，吾即開始醞釀此書。至今已十餘載，中間屢經易稿。於三十八年來台時，大體俱已寫成。遭逢時代劇變，五六年來，乃多從事歷史文化方面之疏導。此稿藏之篋篋，初不意此時能印此書也。

《邏輯典範》，從邏輯方面說，實非一好書，然從促成此書方面說，則有極大之作用。故該書，只於我個人方面有過渡之價值，實無客觀之價值。蓋吾治邏輯，首先注意者，乃在對於純形式推演之邏輯系統，追問其是否有先驗之基礎。吾初無「先驗」一觀念，亦不解其為何義。然當吾讀各種邏輯系統時，步步審識，步步追問，乃逼迫我不得不承認邏輯實有其先驗之基礎。如是，我不能贊同時下一般人所主張之形式主義與約定主義。我亦不能贊同潛存世界說，以及羅素的邏輯原子論。理路如此清楚，步步追去，乃知吾所形成者是一種「超越的解析」。對形式主義與約定主義言，吾所形成者，乃是理性主義與先驗主義；對歧出外陳之潛存世界說以及邏輯原子論言，吾所形成者，乃是攝邏輯於「知性主體」之「主體主義」。凡此俱在吾邏輯書中困思以至，奮勉以得，雖粗而不精，而輪廓俱在。而吾同時亦恍然洞曉康德哲學之精義。

邏輯上之先驗主義與主體主義既經成立，則吾可直接了解一「客觀的心」，或「邏輯的我」，乃至進一步康德所說之「超越的統覺」，或「超越的我」。如是，此書之規模即大體已成。此皆為吾邏輯書所開啟，故云於促成此書有極大作用也。然步步展開，枝葉相當。系統整然，辨解以成，則寂天寞地，煞費苦思。蓋對於邏輯數學之認識，雖已至先驗主義與主體主義，而對於康德哲學各部門之內容，則有重新調整之必要，此所以名曰「認識心之批判」，亦即等於重寫一部《純理批判》也。是故所契者乃康德之精神與路向，而非其哲學之內容。吾以為如此即可以復活康德，重開哲學之門。蓋十九廿世紀以來，物理、數學、邏輯之發展，表面觀之，在在皆與康德精神相違反。順時以趨者，以為康德死矣。然就此各方學術之發展，順成而趨，則哲學亦死矣。故吾此書之作，一方所以復活康德，一方扭轉時風，亦所以復活哲學。

人之心思發展，了解過程，常是易於向「所」，而難於歸「能」。向所，則從客體方面說；歸能，則從主體方面說。向所則順，歸能則逆。古賢有云：順之則生天生地，逆之則成聖成賢。吾可藉此順逆兩向以明科學與哲學之不同。向所而趨，是謂順。「順之」之積極成果惟科學。若哲學而再順，則必錦上添花，徒為廢辭。故哲學必逆。由逆之之方向以確定其方法與領域；其方法必皆為反顯法與先驗法，其領域必為先驗原則、原理、或實體之領域，而非事實之世界或命題之世界。維特根什坦曾說：哲學只是一種釐清活動，科學則是一組命題。哲學不與科學並列，或在其下，或在其上。此意甚善。然所謂釐清活動，有消極與積極之別。向所而趨，順既成事實而釐清之，則為消極意義。逆而反之，其釐清為積極的，蓋能顯示一先驗原則之系統也，故能獨闢一領域。而消極意義之釐清，則或只是吾人名言之釐清，或只是科學事實經驗事實之釐清，或只是各種命題性質之釐清，要皆浮於既成事實之表，無所開闢，無所增益。釐清以後，還只是此事實。今之所謂邏輯分析，大抵皆此類也。故彼等反對先驗原則，取消形上學，以為形上學只是概念之詩歌，空洞言詞之遊戲，毫無實義。其結果便只有科學一標準。然若科學，則只科學而已耳，何必再來此一絡索？此種釐清，在吾人主觀之學習過程上，自有其意義與價值，然若從學問上，客觀上，如此割截局限，則從學問上客觀上言之，亦可說此種釐清徒為廢辭，其為玩弄字眼，名言之遊戲，殆尤甚焉。蓋於科學、哲學兩無助益也。

向所而趨，亦可由所而逆，此則古希臘之傳統，以及康德前之理性主義，皆然。然由所而逆，則正康德所謂獨斷的，非批判的。順所而逆，而不知反，則必有羅素所謂推不如構，以構代推。而至以構代推，則由所而逆之形上學即不能立，上段所述之取消，正其自然之結果也。則今人之以科學為唯一標準者，亦不足怪矣。故吾常云：今人言學只有事法界，而無理法界：無體、無理、無力。此是休謨之精神，而亦為消極釐清之所必至者。

吾初極喜懷悌海。彼由現代物理數學邏輯之發展，上承柏拉圖之精神，建立其宇宙論之偉構。此確為當代英美哲人中之不可多得者。然自吾邏輯書寫成後，吾即覺其不行。蓋彼亦正是由所而逆也，而其所使用之方法又為描述法。此雖豐富可觀，實非入道之門。蓋其「平面」的泛客觀主義之宇宙論實未達「立體」之境，故未能盡「逆之以顯先驗原則」之奧蘊也。彼於此平面的泛客觀主義之宇宙論上渲染一層價值觀念之顏色，而不知價值何從出，價值之源何所在，此則尚不如羅素等人之「事實一層論」、「道德中立論」之為乾淨也。價值之源在主體。如不能逆而反之，則只見價值之放射，而不知其源頭之何所在。此則「超越的分解」缺如故也。即道德中立矣，亦必有其根源之所在。於經驗事實，科學命題上為中立，而彼總是一「實有」。劃清界線可，忽而抹殺之則不可。正視此實有，由主體方面逆而反之，以反顯其先驗之原則，是則「超越的分解」之職責也。吾薰習於羅素、維特根什坦等人之釐清活動有年矣，吾固極稱賞其乾淨而灑然。然由其釐清之活動，亦必然澄清出一界線，由此界線之浮現，亦必然湧現出一主體。屬「所」者是何事，屬「主體」者是何事。沙水顯然，何可泯沒？若於此肯虛心以正視，則世之紛呶者亦可以止息矣。

主體有二：一曰知性主體，一曰道德主體。茲所言之「認識心」即知性主體也。邏輯、數學俱回歸於知性主體而得其先驗性與夫超越之安立，而知性主體亦正因邏輯、數學之回歸而得成為「客觀的心」、「邏輯的我」。此「我」施設形式網以控御經驗，則科學知識成。故科學亦必繫屬於知性主體而明之，此所謂逆明也，由主而逆也。由主而逆，則彰超越之分解。順所而趨，則只邏輯分析，所謂消極意義之釐清也。

當吾由對於邏輯之解析而至知性主體，深契於康德之精神路向時，吾正朝夕過從於熊師十力先生處。時先生正從事於《新唯識論》之重寫。辨章華梵，弘揚儒道。聲光四溢，學究天人。吾遊息於先生之門十餘年，薰習沾溉，得知華族文化生命之圓融通透，與夫聖學之大中至正，其蘊藏之富，造理之實，蓋有非任何歧出者之所能企及也。吾由此漸浸潤於「道德主體」之全體大用矣。時友人唐君毅先生正抒發其《道德自我之建立》以及《人生之體驗》。精誠惻怛，仁智雙彰。一是皆實理之流露。卓然絕虛浮之玄談。蓋並世無兩者也。吾由此對於道德主體之認識乃漸確定，不可搖動。如是，上窺《易》、孟，下通宋明儒，確知聖教之不同於佛老者，乃在直承主體而開出，而華族文化生命之主流確有其獨特之意義與夫照體獨立之實理，不可謗也。良師益友，助我實多。撫今追昔，永懷難忘。而遭逢時變，熊師以年老不得出，尤增感念。

乘近代學術之發展，會觀聖學之精蘊，則康德之工作實有重作之必要。吾茲於認識心之全體大用，全幅予以展現。窮盡其全幅歷程而見其窮。則道德主體朗然而現矣。友人勞思光君所謂「窮智見德」者是也。認識心，智也；道德主體即道德的天心，仁也。學問之事，仁與智盡之矣。中土聖學為明「德」

之學，茲書之作即所以遙契而啣接之者也。至於明德之學，即道德主體之全體大用，則將別見他書，此不能及。惟開出道德主體，而後道德宗教、歷史文化，乃至全部人文世界，始可得而言。數年來於此多有論列，其純哲學之根據即在此書。

夫以如此枯燥繁重之書，實當今不急之務，而胡永祥先生毅然介之於友聯，其識量不可及也。而友聯同人於經費艱困之際，坦然承受而無難，如非有精誠服務學術文化之熱忱，何克臻此？勞思光先生精研康德，以為表面雖不急，而實為最急。謬予推許，贊助良多。感何可言，並此識謝。

民國四十四年五月　牟宗三序於台北

重印誌言

此書醞釀於艱苦抗戰之時，完稿於魔道披靡之日。三十八年來台，本擬束諸高閣矣。乃當時香港友聯出版社欲於忙裡偷閑，承印此書。此書出版後，幾無人能讀；即有能讀之者，亦無暇過問；即吾個人亦因時代巨變而移其心力於文化問題之疏通，不再耗精費神於純粹思辨哲學之領域。如以擬人詞語說此書，則此書亦可謂「生不逢時」矣。今時過境遷，社會上漸有需要此書者。如是於久已停版之後，乃付諸重印。

此書要為吾四十以前純哲學學思之重要結集。自今觀之，當然有許多不滿意處，亦可謂並非吾之成熟之作，至多是前半期粗略之成熟。三十餘年來，吾於中國各期哲學有詳細之解釋，如《才性與玄理》乃解釋魏晉期者，《佛性與般若》乃解釋隋唐佛教者，《心體與性體》以及《從陸象山到劉蕺山》乃解釋宋明儒學者，此足使我於中國哲學有較明確之了解。此外，吾於康德哲學亦有較透徹之了解。吾將其

《純粹理性之批判》，以及其《道德底形上學之基礎》與《實踐理性之批判》，皆譯成中文。了解中國哲學固不易，了解西方哲學更不易，決非浮光掠影，望文生義，遊談無根者所可契入。學力不及，解悟程度不足者，鮮能有相應而諦當之理解。

吾經過近三十餘年來中西兩方面之積學與苦思，反觀《認識心之批判》，自然不免有爽然若失感。最大的失誤乃在吾那時只能了解知性之邏輯性格，並不能了解康德之「知性之存有論的性格」之系統。吾是想把羅素與維特根什坦等人所理解之邏輯與數學予以扭轉使其落實於知性，而以先驗主義與理性主義解釋之，一方面堵絕形式主義與約定主義之無根之談，一方面復亦堵絕將邏輯與數學基於邏輯原子論之形上學之岐出之見，此則特彰顯知性之邏輯性格，將其全體大用予以全部展示與系統陳述：此可謂以康德之思路融攝近世邏輯、數學之成就於純粹知性者也。此一思路，乃英美人所不走，亦非德國新康德學派所能至者。然所謂以康德之思路融攝近世邏輯與數學之成就於純粹知性，此所謂康德思路只是初步一半之康德思路，並非完整正式之康德思路，蓋吾不能了解其知性之存有論的性格之主張，故吾當時於知識論尚只是一般之實在論之態度，而非康德之「經驗的實在論」與「超越的觀念論」之系統也。

但知性之邏輯性格之充分展現於認知心之本性與限度之把握極其重要，因而於訓練西方哲學之訓練發展中亦為極重要之一步訓練。學西方哲學不是學一些空洞字眼與雜陳之觀念也。對於認知心有充分認識矣，自能進而正視道德心。欲想由知性之邏輯性格進而契悟康德之「知性之存有論的性格」以及其現象與物自身之超越的區分兼及其將一切對象分為感觸物與智思物之兩界之分，則須精讀康德之書。若再讀吾之《現象與物自身》一書，則可以知吾之學思之前後期之差異，而《智的直覺與中國哲學》一書則是一過渡之思想（此書校印不佳亦不成熟）。若再進讀《圓善論》，則可以知「消化康德並使之百尺竿頭進一步」之道，並可以知中西哲學會通之道。如此前進，則返觀《認識心之批判》固有不足，然亦有其必要。

今茲重印，只改正其涉及羅素原文處之錯誤，其餘粗略不審不諦處，則保持原文不變，無暇一一詳改，一在保存初期學思之程度，一在所以誌吾過也。然初期原創氣氛不可掩，亦自有其感發力也。

吾之寫此書實以羅素學與維特根什坦學為背景，故讀此書者必須有讀《數學原理》（羅素與懷悌海合著者）之訓練。至若維特根什坦之《名理論》，則吾於最近已重新譯出（新者對張申府先生之最早舊譯而言），讀之亦可以窺維氏學。然吾之以彼等為背景，並非走彼等之路，乃正開始走康德之路，欲以康德之思路扭轉彼等而融攝之也。

民國七十六年元月　牟宗三

《歷史哲學》

增訂版自序

此書于民國四十四年由強生出版社印行。數年前強生出版社停業，此書已無存者。今稍加增訂，改由香港人生出版社印行。

此書初版時，友人唐君毅先生曾為文推介，題曰〈中國歷史之哲學的省察〉，文中對于歷史哲學之重要以及其基本概念，皆有所申說。當時吾有一文酬答，題曰〈關于歷史哲學〉。今得唐先生之同意，將此兩文附錄于書後，以作引論，以利讀者。讀者先觀此兩文，或可對于歷史哲學之大義先有一鳥瞰。

又，本書第四部第一章第一節復增補論賈誼一段。此為初版所無者。外此一切照舊。不妥之字句，稍有改正。但不多。

吾本想有一較長而完整之引論置于篇首。但當寫此書時，復隨機撰寫他文以暢其志。所有關于歷史文化之議論，皆見他文。此諸文字，先已分別輯為兩書：一曰《道德的理想主義》，二曰《政道與治道》。凡引論中所欲說者，實皆具備于此兩書。故亦不必再事重複。故凡讀此書者，希能取該兩書合觀，庶可得其全部底蘊。此三書實為一組。其中心觀念，扼要言之，實欲本中國內聖之學解決外王問題者。

吾之學思大體可分三階段。四十以前，致力于西方哲學，乃有

一、《邏輯典範》

二、《理則學》

三、《認識心之批判》

三書之寫成。《邏輯典範》原由商務印書館出版。此書較蕪雜，乃改寫為《理則學》，由正中書局出版。五十以前，自民三十八年起，遭逢鉅變，乃發憤寫成

一、《道德的理想主義》

二、《政道與治道》

三、《歷史哲學》

三書。夫此三書既欲本中國內聖之學解決外王問題，則所本之內聖之學實不可不予以全部展露。佛家語所謂「徹法源底」，此內聖之學正是一切法之源底也。須有以徹之，乃可見究極與歸宿。故五十而後，數年來，吾即著手預備以下四書：

一、《原始典型》：此主要講先秦儒道兩家。

二、《才性與玄理》：此主要講魏晉一階段。（此書已大體寫成，在籌印中。）

三、《佛性與般若》：此主要講南北朝隋唐之佛教。

四、《心體與性體》：此主要講宋明一階段。

此四書合而為一，綜名曰「心性之學」。以前本儒道兩家以與佛教相觀摩。此後則將本儒釋道三教以與西方宗教相觀摩。

時代演變至今日，人類之命運，中華民族之國運，中西文化之命運，實已屆嚴重考驗之時，誠已面

臨黑格爾所謂「上帝法庭」之前矣。其將自此沈淪以終乎？抑將躍然以起乎？此不可不徹底省悟也。吾以疏通中國文化為主，會而觀之，則了然矣。是為序。

中華民國五十一年元旦牟宗三序于香港

自序

自問記聞不廣，不當涉足歷史。然心中所蓄，似與史實之特瑣碎者，不甚相干。就普通所周知之大事件，通觀時代精神之發展，進而表白精神本身表現之途程，乃本書之所重。自五四以來，治史專家，多詳于細事之考證，而不必能通觀大體，得歷史文化之真相。吾華族歷史，演變至今，非無因者。若能茫昧不覺，交引日下，則民族生命，文化生命，勢必斷絕，而盲爽發狂，靡有底止。是故貫通民族生命，文化生命，以指導華族更生所必由之途徑，乃為當今之急務。故不揣固陋，述大事而窺大體。

即此大事之敘述，多本于錢穆先生之《國史大綱》。此應聲明者一。復次，國史出于史官，而指導吾華族發展之觀念形態與文化意識，俱可由古史官在政治運用中之地位得其滋生之線索。此義本于柳詒徵先生之《國史要義》。此應聲明者二。王船山《讀通鑑論》及《宋論》，乃往賢講歷史者之絕響。彼于《讀通鑑論》末卷敘論四有云：「其曰通者，何也？君道在焉，國是在焉，民情在焉，邊防在焉，臣誼在焉，臣節在焉，士之行己以無辱者在焉，學之守正而不陂者在焉。雖扼窮獨處，而可以自淑，可以誨人，可以知道而樂。故曰通也。引而伸之，是以有論。浚而求之，是以有論。博而證之，是以有論。協而一之，是以有論。心得而可以資人之通，是以有論。道無方，以位物于有方。道無體，以成事之有體。鑑之者明，通之也廣，資之也深。人自取之，而治身治世，肆應而不窮。抑豈曰：此所論者立一成之例而終古不易也哉？」由船山之通論，打開史實之糾結，洋溢「精神之實體」。以其悲憫之仁心通徹于整個歷史而蕩滌腥穢。若欲于史實之僵局中通透歷史，窺出貫徹歷史之「精神實體」，則船山之書乃史家所必讀者。吾以此為底據，而不悖于往賢。此應聲明者三。（關于船山論史之態度，吾言之于本書第三部第三章第七節末段。）吾不悖于往賢，而有進于往賢者，則在明「精神實體」之表現為各種形態。吾于此欲明中國文化生命何以不出現科學、民主與宗教，其所具備者為何事，將如何順吾之文化生命而轉出科學與民主，完成宗教之綜和形態。此進于往賢者之義理乃本于黑格爾歷史哲學而立言。此應聲明者四。

一哲學系統之完成，須將人性全部領域內各種「先驗原理」予以系統的陳述。自純哲學言，人性中，心之活動，首先表現為「理解形態」。依此，乃有理解之先驗原理之顯露。在此，邏輯、數學，俱依先驗主義，而有超越之安立。而科學知識亦得以說明。其次，則表現為「實踐形態」。依此，乃有實踐之先驗原理之顯露。在此，「內在道德性」之骨幹一立，則道德形上學，美的欣趣，乃至綜合形態之宗教意識，俱得其真實無妄，圓滿無缺之證成。在理解形態中，吾人建立「知性主體」，（即思想主體）。在實踐形態中，吾人建立「道德主體」。此兩主體乃一心之二形，而由道德形上的心如何轉而為「認識的心」（知性主體），則是心自身內在貫通之樞紐。凡此，俱見于《認識心之批判》。在純哲學是如此，轉而觀歷史，則心之全部活動轉而為「精神」表現之全部歷程。在純哲學，吾可純邏輯地建立其系統。觀歷史，則必須就史實之發展觀其縱貫之表現，在發展途程中完成此系統。依是，精神表現之各種形態，各種原理，其出現也，在各民族間，必有先後之異，亦有偏向之差，而其出現之方式亦有綜和與分解之不同。是以人類各民族史之精神表現，必在其發展奮鬥中，刮垢磨光，而趨于系統之完成，歸于精神之大通。故歷史之精神表現即是一部在發展途程中企求完成之哲學系統。

中國之文化生命，首先表現出「道德主體」與「藝術性主體」，而表現此兩主體之背後精神，一曰「綜和的盡理之精神」，一曰「綜和的盡氣之精神」。由前者，有「道德的主體自由」；由後者，有「美的主體自由」（即黑格爾所謂「美的自由」。）然而「知性主體」則未出現，因而精神表現之「理解形態」，終未彰著。是以，就純哲學言，儒家學術發展至宋明理學，只完成「道德形上學」，而理解之先驗原理則未觸及。就歷史發展言，邏輯、數學、與科學，未出現，而國家、政治、法律，亦未達其完成之形態。在學術方面，邏輯、數學、科學，在集團生命之組織方面，國家、政治、法律，此兩系為同一層次者，而其背後之精神俱為「分解的盡理之精神」。而此精神之表現必依于「知性主體」之彰著，精神之「理解形態」之成立。此恰為中國之所缺，西方文化生命之所具。故在中國歷史發展中，其精神之表現，國家政治法律一面之「主體自由」，（此可簡稱曰「政治的主體自由」）亦終隱而不彰。黑格爾謂中國只有「合理的自由」，而無「主體的自由」，正謂此也。（詳解見第一部第三章。）然彼論及「主體自由」，不知有各種形態，（如道德的主體，藝術性的主體，政治的主體，）是其蔽，亦是其不盡解中國處。「政治的主體自由」與「知性主體」恰相應。普通自不于「知性主體」處說「自由」，然知性主體之彰著，理解形態之成立，亦正是心之光明之顯露，精神表現之一步解放也。

西方文化生命一往是「分解的盡理之精神」。（在此有科學，民主，與偏至的宗教。）中國文化生命一往是「綜和的盡理之精神」與「綜和的盡氣之精神」。然此所謂「一往」是有時間性。從精神之所以為精神之「內在的有機發展」言，必在各民族之發展途程中一一逐步實現而無遺漏。唯如此，方可說人類之前途，精神之大通。亦唯如此，方可說：歷史之精神表現即是一部在發展途程中企求完成之哲學系統。

吾書如其有貢獻，即在完成此「歷史之精神發展觀」，恢復人類之光明，指出人類之常道。任何事業不能背棄此光明與常道而可以有價值。是以足以毀滅人類而歸于漆黑一團之唯物史觀在所必闢。仁心之不容已是一切光明之源泉。一切歷史在此中演進。孰謂邪妄者一時之歪曲而可以抵禦光明之洪爐乎？眾生可悲，自身可悲。知自身與眾生之可悲，則己與眾生即得救矣。玩人喪德，玩物喪志，玩世不恭。知喪德喪志不恭之為大惡，則幡然歸來，人物可救，世亦可安。

吾書自夏商周至東漢止。此後一時不能再寫。一因資具不備，二因學力有限。然規模綱領已具于此。非必盡論四千年也。

中華民國四十四年五月牟宗三序于台北

《道德的理想主義》

修訂版序

此書與《歷史哲學》及《政道與治道》合為一組，大抵皆是自民國三十八年至四十八年十年間所寫成者。此十年間乃是吾之文化意識及時代悲感最為昂揚之時。此之蘊蓄由來久矣。溯自抗戰軍興即漸有此蘊蓄。當時吾與熊先生同住重慶北碚金剛碑，朝夕惕厲，啟悟良多。又時與友人唐君毅先生聚談，最為相得。當時唐先生正寫其《道德自我之建立》，而我則正在繼《邏輯典範》後醞釀《認識心之批判》。日常工作是如此，而瞻望國家之艱難，時風之邪僻，怵目驚心，悲感益增，所蘊蓄者固有超出有形工作之外者矣。此種蘊蓄不能求之於西方純邏輯思考之哲學，乃必求之於能開闢價值之源之孔孟之教。深入於孔孟之成德之教，始可暢通吾人之文化意識。有正面正大之文化意識，始能發理想以對治邪僻，立大信以貞定浮動，而不落於憤世嫉俗，或玩世不恭，或激情反動，或淺薄的理智主義。此種蘊蓄至三十八年抵臺乃全部發出，直發至十年之久。此期間，唐君毅先生所抒發者尤多，如《中國文化之精神價值》、《人文精神之重建》、《中國人文精神之發展》、《文化意識與道德理性》等書，皆此期間所寫成者。唐先生書多重在正面疏通中國文化之精神與價值，使人對於中國文化有恰當之理解，糾正五四以來之否定主義；而我此期間之三書則重在批抉中國文化之癥結，以期蕩滌腥穢，開出中國文化健康發展之途徑。此兩方面互相配合，遂有〈中國文化宣言〉（為中國文化敬告世界人士）之作。此文由唐先生執筆，加上張君勱先生、徐復觀先生及我個人四人聯名發表者。此文可為此十年間吾人努力之綜結。當然，只看此文，不必能知其詳。仍希讀者取此期間諸友之作而詳讀之，當可知其底蘊。今唐先生已歸道山，吾述此一階段，不能無傷痛之感也。

就吾個人言，此一階段過後，吾所努力者仍本此階段之文化意識進而向裏疏通中國文化傳統中各階段之學術思想，藉以暢通吾華族智慧方向之大動脈，如《才性與玄理》乃疏通魏晉一階段者，《佛性與般若》乃疏通南北朝隋唐佛教者，《心體與性體》乃疏通宋明一階段者。此可謂由出而入。若不入，則根不能深，體不能通。但既入矣，亦應復出。若不出，則用不能廣，枝葉不能茂。入而復出，仍不出自三十八年至四十八年十年間所發揚之文化意識之規模。蓋吾人所遭逢之時代問題仍是文化問題。此問題並非一講過即完者，乃須繼起者不斷之理解與講述，始能端正行動之方向。讀者若能出而入，入而出，「出入雲水幾度身」，必能發大願，立大信，暢通自己之生命，克服國家之魔難。未有道眼不明而能立國于斯世者。是為序。

中華民國六十七年四月

序

一

吾於民國三十八年來台。適值友人徐復觀先生創辦《民主評論》半月刊於香港。時大陸淪陷，天翻地覆。人心惶恐，不可終日。吾以流浪天涯之心境，逃難於海隅。自念身處此境，現實一切，皆無從說起。惟有靜下心去，從事文化生命之反省，庶可得其原委而不惑。面對時代，深維中華民族何以到此地步，實不可不予以徹底之疏導。於是，一方草《歷史哲學》以專其心，一方隨機撰文以暢其志。凡此等文字，大抵皆刊於《民主評論》。今《歷史哲學》已於四五年前成書印行，而隨機所撰之文直至今日方得彙集成編。即此《道德的理想主義》是也。

二

近時整個時代之癥結端在文化理想之失調與衝突。西方文化入近代以來，本有其積極之成就：一為民族國家之建立，二為科學之發展，三為自由民主之實現。此中皆有人類之積極精神在。然民族國家之建立固是每一民族之佳事，而因緣際會，演變而為帝國主義，則國家亦適為近人詬詆之對象。科學之發展固是知識上之佳事，然人之心思為科學所吸住，轉而為對於價值德性學問之忽視，則亦正是時代之大病。自由民主之實現固是政體上之佳事，然於一般生活上亦易使人之心思益趨於社會化（泛化）、庸俗化，而流於真實個性、真實主觀性之喪失，真實人格、創造靈感之喪失，則亦是時代精神下低沉之徵象。此後兩者所轉生之時代病，吾人名之曰人類精神之量化，亦曰外在化。馬克思順西方階級鬥爭之歷史，認為近代之成就皆是第三階級之成就，而於其流弊，則集中其觀察於資本主義以及帝國主義之罪惡。因此順第三階級推進一步提出第四階級之解放問題，而有共產主義之宣言，因而有共產黨之組織，與無產階級之革命。而其基本精神，則順先在之量的精神而更推進一步，徹底以唯物論為立場，此為量的精神之極端化。量的精神之極端化，在政治上表現為極權，在社會上表現為集體農場、人民公社，視人民如螞蟻，如螺絲釘，結果為徹底之虛無主義，將人間投置於漆黑之深淵。此為此時代大病之所在，演成今日極權與自由兩世界之對立。此大病之來臨，將侵蝕任何細胞而毀滅之。而對治此大病之自覺與反省以及建立自己積極理想之途徑，則始終不透徹，未發見。而世人猶懵然不覺而背馳！

歐西凡有理想主義之情調，對於歷史文化有通識者，皆深感近代量化精神之必日趨於墮落。斯賓格勒《西方世界之衰頹》，其論每一民族之十九世紀必繼之以大帝國之來臨、崩潰，而最後必歸於洪荒，實即已照察到此基本弊病，而見其必下趨而不可挽。其他如許維徹、索絡肯等，亦皆能認識近代精神之喪失其德性之理性，而唯是以感性與技術為主。存在主義在時代精神上亦是對人之社會化（泛化）、群眾化（客觀化）而來之反抗。尼采之超人則是對時代精神之庸俗而發。然而這一切思想家皆只能識病，而不能治病。其故即在未能獲得其表現理想之健康途徑。甚至其各人本人之思想即已在病態中。尼采本是極反量化之精神者，然其本人之質的精神卻純是非理性之生命的。此種非理性主義的浪漫理想主義演生出希特勒，益為世所詬病，而成為此時代之禁忌。存在主義則猶在摸索中，尚未開出其理性之坦途。許維徹有極佳之質地，而學思不能弘通。索絡肯知理性之重要，而不能透其全體大用。至於斯賓格勒則是一悲觀之宿命論者。其論歷史文化之基本原則尚落在自然生命上而為「以氣盡理」者。凡此皆足以見時代之嚴重與對治大病之不易，亦足以見表現理想站住自己之不易。本書即以此時代病之認識為背景而發出健康的理想主義之呼聲。

三

此書集文共十四篇。雖非一學術上之專著，而實為一中心觀念之衍展。其目的唯在對時代喚醒人之價值意識、文化意識、與歷史意識。故其中心觀念之衍展亦在環繞此三者而為其外延。

此中心觀念為何？曰即孔孟之文化生命與德慧生命所印證之「怵惕惻隱之仁」是也。由吾人當下反歸於己之主體以親證此怵惕惻隱之仁，此即為價值之根源。亦即理想之根源。直就此義而曰「道德的理想主義」。

此怵惕惻隱之仁是了悟性命天道之機竅。故直由此而立「人性論」，以期吾人處此時代能正視人性之尊嚴，並於人性有一正確而鞭辟入裡之了悟。吾之言此，並非廣徵博引，以求成一新說，乃直接祖述孔孟之所開闢，以為外此並無更佳之途徑。又吾之言此，亦非由純理論之思辨以極成此義，此為學院之工作，於吾此處之目的乃不適宜者。吾之言此，乃直接點醒而肯定此義，以對治共黨之唯物論與馬克思之人性論，以見其時代之意義與文化上之意義。此為怵惕惻隱之仁之第一步衍展，衍展而為人性論。

再進即為踐仁之過程，由此而有家、國、天下（大同）之重新肯定，其極則為「與天地萬物為一體」。此則為虛無低沉之時代樹立一立體之綱維，並對治共黨之邪惡而徹底與之相翻者。以為非自己如此站得住，不足以言挽救人類之狂流，非如此認得透，不足以言識時代之癥結。

此綱維一立，則隨時照察，隨時對治，亦隨時建立其自己。故不唯揭穿共黨之膿毒，亦針砭自由世界之低沉。不唯明破共黨唯物論之邪謬，亦隨時糾正自由世界時風學風之流弊。故於法人存在主義者薩特利之「無人性與人無定義」說，必疏而通之，以袪其蔽。於德詩人侯德林所言之「上帝隱退」，亦必詳明其所以，而指出時代學風之無體、無理與無力。於言自由之重個體者，必進而明「真實普遍性」如何而可能，以期解消普遍性與個體性之衝突。於科學一層論、理智一元論者，必進而明價值之源以立根本，使有以知此本源之不可抹殺。價值意識提不起，即不能言文化意識與歷史意識。價值本源不清，縱有文化意識與歷史意識，亦不能透徹其本源，而或落於自生物生命觀文化。故於斯賓格勒之周期斷滅論，必進而明文化所以悠久之超越根據，而歸於「世界有窮願無窮」。「願」發自怵惕惻隱之仁。有此願力，以理生氣，而不只是「以氣盡理」，則歷史文化即不斷滅。此皆所謂隨時照察，隨時對治者也。

不惟隨時照察，隨時對治，亦且隨時建立此綱維。故「道德的理想主義」亦必函「人文主義之完成」。不惟極成此綱維，而且依據此綱維，開出中國文化發展之途徑，以充實中國文化生命之內容。由此而三統之說立：

一、道統之肯定，此即肯定道德宗教之價值，護住孔孟所開闢之人生宇宙之本源。

二、學統之開出，此即轉出「知性主體」以融納希臘傳統，開出學術之獨立性。

三、政統之繼續，此即由認識政體之發展而肯定民主政治為必然。

此皆為隨時建立此綱維，而為此綱維之所函攝而融貫者。

四

本書中心觀念之衍展，其範圍只如此。吾前已言，吾之言此中心觀念乃直接祖述孔孟者。孔孟開出此觀念，經由宋明儒者之闡發，其義蘊深遠而廣大。吾茲簡單之點醒與肯定，悉以此為背景。假若對此背景不能稍有感觸，則不能知此中心觀念之真切與嚴肅。此將有一「心性之學」全幅展露之。

又關於歷史文化者，吾茲所言。皆是由此中心觀念所投射之作用以牽連及。至於落到歷史文化上而有深切著明之表現。則有《歷史哲學》在。

關於中國文化發展之途徑，重在說明以前所以不出現科學與民主之故，以及今後如何能轉出之之理路。茲書所言，亦只是隨文作簡單之涉及。詳論則將有《政道與治道》一書。此已刊載多篇。但因系屬專論，故別成一書。

又吾此書所開闢之各領域，其哲學系統之根據乃在吾《認識心之批判》。其措辭運思有牽連到西方哲學者，或以西方哲學之術語與概念為根據者，其表現之路數亦悉以《認識心之批判》為本。

是以此書雖非某方面之學術專著，然悉以吾其他作品為根據，而亦是其他作品之尾閭。凡學問、真理，皆有其時代與文化上之作用。如吾其他作品所表現者為體，則此書所言即其用也。是以此書乃關聯整個時代與文化，將人類有史以來所表現之各方面之真理，如道德宗教方面、科學方面、哲學方面、政治方面，予以重新之提醒，而投射其時代之意義，以見其對治共黨之作用。故措辭行文類皆粗枝大葉，而又多激憤之辭。蓋亦悲感使然。又旨在啟發與對治，故雖言之無文，而真性情不可泯也。試思自三十八年以來，至今已十年矣。回想當時之心境，乃直天崩地坼，斷潢絕港之時。吾尚有何顧慮而不敢直對華族文化生命負其責以用其誠乎？中華民族之有今日，豈惟政場中人之罪過？時風學風，知識分子，亦皆與有責焉。人人皆當有一徹底之反省，以自贖其罪戾。若仍膠著故習，不知自反，則罪莫大焉。故撥開一切現實之牽連，直透孔孟所開闢之本源，以之為評判之標準，當無愧於先聖，亦無負於華族。

五

吾人所處之時代是「觀念災害」之時代。非通常所說之天災人禍，乃是觀念之災，觀念之禍。共黨以其邪惡之觀念系統到處決裂澌滅。人類自有歷史以來所表現之每一真理、價值標準，皆動搖而不能自持自見。似皆在搖搖欲墜而不能站住其自己之時。蓋除科學外，凡屬價值領域內之內容真理（intensional truth）皆與成習、現實，相糾結。成習、現實，不能無弊。如是，人只見成習現實之弊，而不能見其中之真理。又「百姓日用而不知」，以其感觸之直覺，亦只能膠著於成習現實，而不能見其中之真理。值此大變亂之時代，一切傳統，成規成矩，皆在朝不保夕，隨時可被風掣電捲以去。如是，價值標準、內容真理，亦隱伏於成習現實之中而隨之流逝以俱去。共黨即從成習現實中看一切，以其邪惡之觀念，橫衝直撞，遂造成大顛倒、大決裂。是以今日一切成習現實俱不足恃。惟有撥開一切成習現實而提練其中之真理，方有真正之立場。凡價值領域內之內容真理，俱須一一提練而考驗之，藉以堅定自己之信念。每一內容真理，面對共黨之澌滅，俱當乘此機會，重新釐清而確定其意義，藉以彰顯其自己，站住其自己。每一真理能彰顯而站住，自持而自見，即於共黨有一對治之作用。

從最簡單之孝弟、人倫起，進而至於人性、理性、正義、理想、自由、民主、家庭、國家、大同、普遍性、個體性、絕對、全體、乃至宗教之神性等等，因現實之牽連，皆有其似是而非處。然此中亦皆有其真理性與真實性，無一而可廢。面對共黨之決裂澌滅，俱須提練而考驗之，重新釐清而肯定之，使人人皆期能正視而有正解，隨時覺醒而消除其假借之歪曲。既得正解，則每一內容真理皆是一道防線，亦是一道光明。此即本書所欲作者，亦即前文所謂關聯整個時代與文化，而投射真理之時代意義以見其作用者。能投射出其時代之意義而見其作用，即是豁醒其自己，站住其自己。此即所謂考驗。吾人只有在此內容真理之考驗上立根基，始能有肯定、有信念，而不落於虛無主義之深淵。

當三十八、九年之時，人皆有憂惕迫切之感，亦有思哀思危之意。吾言之而人可聽。十年後之今日，此種哀危之思，已成明日黃花。瞻望大陸，一海之隔，儼若楚越之不相干。共黨之刺激已不復切於人心。則吾此書所言，人亦必淡然視之，認為迂固不切事情。甚或斥之為書生之狂言，亦所難免。人之了悟內容真理，常視其機。機至則甚易知，甚易明，而見其為不可移。機不至，感不切，心不開，固蔽不通，激越反動，則雖舌弊唇焦，亦無益也。雖然，慧命不可斷，人道不可息，故仍存之，以待來者。

民國四十八年八月牟宗三自序於大度山

《政道與治道》

新版序——從儒家的當前使命說中國文化的現代意義

此文是在東海大學「中國文化研討會」上的一篇講辭，由朱建民同學筆錄而成。其中關於現代化的基本觀念即基於此書。今值此書重版，即以此文作新版序，期讀者可先有一鳥瞰，然後再深入此書之義理。

——著者誌

一　儒家的常道性格

首先，我們要表明儒家的義理與智慧具有「常道」的性格。儒家，從古至今，發展了幾千年，它代表一個「常道」——恆常不變的道理。中國人常說「常道」，它有兩層意義：一是恆常不變，這是縱貫地講它的不變性；一是普遍於每一個人都能夠適應的，這是橫地、廣擴地講它的普遍性，即說明這個道理是普遍於全人類的。「常道」沒有什麼特別的顏色，就如同我們平常所說的「家常便飯」；它不是一個特殊的理論、學說，儒家的學問不可視為一套學說、一套理論，也不是時下一般人所說的某某主義、某某 ism，這些都是西方人喜歡用的方式。凡是理論、學說，都是相對地就著某一特點而說話；局限於某一特點，就不能成為恆常不變的、普遍的道理。儒家的學問更不可視為教條（dogma），西方的宗教有這種教條主義的傾向，可是儒家的「家常便飯」絕不可視為獨斷的教條。又有一些人講孔子，常為了要顯示孔子的偉大，而稱孔子是個偉大的教育家、政治家、外交家、哲學家、科學家、……，把所有的「家」都堆在孔夫子身上。依這種方式來了解孔子、了解聖人，是拿鬥富的心理來了解聖人。表面上看來，似乎是推尊孔子，實際上是糟蹋孔子。事實上，沒有一個人能成為那麼多的專家。凡是拿這種心理來了解孔子，都是不善於體會聖人的生命，不能體會聖人之所以為聖人的道理安在。

常道不可捨棄

我們今天把儒家的「發展」與「使命」連在一起講，而講演的重點則在使命上。使命是就著眼前說，在這個時代中，儒家擔負什麼樣的使命、責任。然而儒家並非今天才有，因此在談它的使命之前，我們亦當該照察它過去的發展。在過去兩千多年歷史中的發展，儒家這個學問既然是個常道，則在每一個時代中，當該有其表現。發展到今天，儒家這個學問又負有什麼責任呢？這是個嚴重問題，在今天問這個問題，要比以往任何時代都來得嚴重。何以會如此呢？因為我們今天談儒家的使命，似乎還可再反問一下：儒家本身今天是否還能存在呢？能存在，才能談使命。若自身都不能存在，還談什麼使命呢？若是儒家本身都若有若無，幾乎不能自保，所謂「泥菩薩過江，自身難保」，還談什麼當前的使命、責任呢？

在以往的時代中，沒有這個問題；但是在今天這個時代，就有這個問題。以往一般人，不論是士、農、工、商提起聖人，沒有不尊重的，提到聖人之道，每個人都能表現相當的敬意，沒有不肅然起敬的。不但整天捧著聖賢之書的讀書人是如此表現，即使是農、工、商，亦莫不如此。但是在今天講聖人之道，就沒有這個便利。今天這個時代，先不談農、工、商，即使是讀書人亦很少有尊重聖人之道的，亦很少有了解聖人之道的。在以往，從小即讀《四書》、《五經》，今天的讀書人卻是愈往上讀，離開

《四書》、《五經》愈遠。知識份子把儒家這個常道忘掉了，很難接得上去。事實上，也許農、工、商對於聖人之道還客氣些，還保留一些尊重，知識份子反而不見得有此「雅量」。因此，在今天講儒家在當前的使命，尤其成了個嚴重問題。要是大家都把聖人之道忘掉了，認為它是不適應時代的落伍之學，那麼這種被時代拋棄的學問還談什麼當前的時代使命呢？

我認為這只是這個時代所表現的一個不正常的變態現象；落實地看，並不如此，所以我們仍可講儒家在當前的使命。我之所以要指出這些不正常的現象，乃是要大家正視、嚴重考慮「儒家本身存亡」的問題。儒家這個常道落到今天這種若有若無的地步，幾乎被世人忘卻、拋棄，這是不合理的。既然是常道，怎能被忘掉！怎能若有若無！常道而被埋沒，這是任何人良心上過不去的。假若良心上過得去，這就不是常道。既然是常道，我們就不能讓它被埋沒下去。這是就儒家本身存在的問題而言。另外就其牽涉到外界的作用、使命來講儒家在當前的使命，也是比其他任何一個時代都難講。因為現在來說儒家的使命，不只涉及它本身存亡的問題，還得涉及到其他的一些特殊問題，才能顯出「使命」的意義。尤其是牽涉到現代化的問題。

中國從清末民初即要求現代化，而有人以為傳統儒家的學問對現代化是個絆腳石。因此，似乎一講現代化，就得反傳統文化，就得打倒孔家店。事實上，儒家與現代化並不衝突，儒家亦不只是消極地去「適應」、「湊合」現代化，它更要在此中積極地盡它的責任。我們說儒家這個學問能在現代化的過程中積極地負起它的責任，即是表明從儒家內部的生命中即積極地要求這個東西，而且能促進、實現這個東西，亦即從儒家的「內在目的」就要發出這個東西，要求這個東西，所以儒家之於現代化，不能看成是「適應」的問題，而應看成是「實現」的問題，唯有如此，方能講「使命」。

二　儒家第一階段的發展

我們在此先照察一下儒家在過去兩千多年中的「發展」。大體說來，可分成兩個階段，今天則屬儒家學術的第三階段。這是個大分期的說法。

儒家學術的第一階段，是由先秦儒家開始，發展到東漢末年。兩漢的經學是繼承先秦儒家的學術而往前進的表現，而且在兩漢四百年中，經學盡了它的責任，盡了它那個時代的使命。從漢武帝復古更化說起，建造漢代大帝國的一般趨勢，大體是「以學術指導政治，以政治指導經濟」，經學處於其中，發揮了它的作用。因此，不能輕視漢代的經學，它在那個時代，盡了它的責任、使命；盡得好不好，是否能完全合乎理想，則是另外的問題，至少在漢朝那種局面下，儒家以經學的姿態出現，而盡了它的使命。

先秦儒家與先秦諸子齊頭並列，至漢朝，以經學的姿態表現，一直發展到東漢末年，即不能再往前進了。漢朝大帝國亦不能再往前發展了。這已是絕路，任何人出來也沒辦法；照前人的說法，即是「氣數」盡了。當時郭林宗即謂：「大廈將傾，非一木之所能支也。」此即表示那個時代要「峰迴路轉」了；順著以前所定的那個模型，已走到盡頭了。「氣數」不是可以隨便說的，一個力量興起，必得維持相當長的時間，才能說氣數。在東漢末年那個關節上，說「氣數」才有意義，說「峰迴路轉」也才有意義，在此方顯出無限的蒼涼之感、沈穆的悲劇意味。若只是一些小彎曲，亦用不上「峰迴路轉」這種形容，必在看看就是死路，然而卻絕處逢生，在絕望至死之際，忽有一線生機開出，這才是「柳暗花明又一村」。這種情形好比修道人所說的大死大生。

這個「峰迴路轉」，開了另一個時代，即是魏晉南北朝隋唐這一個長時期。照中國文化的主流，照儒家的學術而言，這一大段時間算是歧出，岔出去了，繞出去了。儒家的學術在這個時代中，暗淡無光彩。魏晉盛行玄學，乃依先秦原有的道家而來；儘管道家是中國原有的，但不是中國文化生命的主流，因此仍屬中國文化之「旁支」。玄學雖屬歧出者，但仍是繼承中國原有的道家，至於東晉以下，歷經南北朝、隋，以至唐朝前半段，這一個長期的工作則在於吸收佛教，消化佛教。佛教則純屬外來者，當時即初以道家為橋樑來吸收佛教。

南北朝兩百多年，中國未得統一。南朝宋、齊、梁、陳，北朝則是五胡亂華，在這兩百多年的混亂中，處在當時的人，不是很好受的。我們今天處在這個動亂的時代中，由民國以來，至今不過六十多年，這六十幾年的不上軌道、種種不正常的現象，在歷史上看來，並不算一回事。所以大家處在這個時代中，應該有絕對地肯定的信念，這種不正常的現象總是會過去的。

從南北朝到隋唐，佛教不但被吸收進來，而且被中國人消化了。這等於消化另一個文化系統，並不是一件簡單的事。在長期的吸收、消化中，佛教幾乎成了中國文化中很重要的一部份，充實我們文化生命的內容。佛教在中國文化中發生了很大的作用，這是事實；至於進一步衡量這個作用的價值、利弊，則屬另一個問題，我們今天暫不討論。

文化生命不可摧殘

從魏晉開始，乃中國文化的歧出。所謂「柳暗花明又一村」的「又一村」即指的是此一歧出的階段——魏晉、南北朝到隋唐。到了唐末五代，這也是中國歷史中最黑暗的一個時期。五代不過佔五十多年，卻有梁、唐、晉、漢、周五個朝代。每個做皇帝的，原先都想萬世一系地往下傳，而今每個朝代卻至多不過十幾年，可見五代這段時期是個很差勁的時代，更重要的是這個時代的人喪盡了廉恥。所以，一個民族糟蹋文化生命，同時就牽連著糟蹋民族生命。什麼叫做糟蹋文化生命呢？在這裡所表現的即是人無廉恥。五代人無廉恥，代表人物即是馮道，亦如今日大陸上有所謂的「四大不要臉」，其中領銜的即是郭沫若與馮友蘭。你想，誰願意不要臉呢？誰能沒有一點廉恥之心呢？唐末五代的人難道就自甘下賤嗎？但是，五代這個局面就把人糟蹋得無廉恥。大陸上，黃帝的子孫，那能沒有廉恥之心呢？為什麼能夠出現「四大不要臉」呢？難道說郭沫若、馮友蘭就願意不要臉嗎？這都是毛澤東糟蹋的！這都是共產主義糟蹋的！才使得人無廉恥。這「四大不要臉」不過是因為他們較有名氣，易受注意，而特別舉出來。事實上，豈只這四個人而已，一般人誰敢有廉恥之心呢？共黨在內部批鬥時，常以「風派」抨擊他人；其實，那一個人不是風派呢？在共產黨的統治下，今天鄧小平要現代化，誰敢說不現代化？以前毛澤東要文化大革命，誰又敢說不文革？誰敢出來說句反面的話？他們還對那些投機的人名之曰「風派」，事實上，那個不投機呢？這句話在自由世界說，是有意義的；在那個極權的世界說，是沒有意義的。有的人聽了這些話，還以為共產黨在講氣節，講廉恥。「氣節」、「廉恥」，在自由世界的人才有資格說，這些名詞也才有意義；在那個專制暴虐的政權下，說這些話都是沒有意義的，完全不能表意的。

又如共產黨以前在海外宣傳大陸沒有失業，而謂在共產主義統治下沒有失業，在資本主義的社會中則到處有失業問題。頭腦簡單的人聽了，還誤生幻想，以為不錯。其實，這只是要文字語言的魔術，專門騙那些頭腦簡單的人。試問，你有不失業的自由嗎？你有不工作的自由嗎？在自由世界，才有失業、不失業的分別，才可說有氣節、講廉恥。因為人們有自由，法律上保障人的獨立人格，承認人的尊嚴。有了自由，人即須負責任。再深一層說，人有道德意志、自由意志，才能談有氣節、有廉恥的問題。在大陸上，誰敢說我有自由意志呢？所以，共產黨要的那些文字魔術，都是沒有意義的話。偏偏有些人利用這個機會，去捧葉劍英、鄧小平。其實，說穿了，一丘之貉。當年鄧小平做副總理的時候，還不是順著毛澤東的話轉，還不是一樣地拍馬屁。根本的關鍵在於共產黨的本質即是徹頭徹尾地摧殘、斲喪人的廉恥。孟子說得好：「所欲有甚於生者，所惡有甚於死者。」然而，說是這樣說，現實上人到了生死關頭，誰不害怕呢？要承認人有自由意志，才能表現「所欲有甚於生者，所惡有甚於死者」；假定人沒有自由意志，連這句話都不能表現。你想死，我還不讓你死呢！以前的人可以出家，今天在大陸上，往那裡出家呢？以前的人可以不作官，今天連不作官的自由也沒有了。你沒有不參加政治的自由，你沒有不參加人民公社的自由，你也沒有不接受政治洗腦的自由。在那種統治下，人喪失了自由，想要「所欲有甚於生者，所惡有甚於死者」，你都做不到。

中華民族發展到今天，大陸的同胞被共產黨圈在人民公社，不能講廉恥，不能講氣節。這個就是作賤人的生命，作賤文化生命，同時亦即作賤我們這個民族生命。這個生命被繼續作賤下去，是個很可悲的現象。問題即在於共產黨能夠作賤到什麼一個程度？人性究竟還有沒有甦醒的一天？人性能否覺悟，而發出力量把共產主義衝垮？有沒有這麼一天呢？我個人對此一問題，不表悲觀，但也不表樂觀，我希望大家注意到這是一個很艱難的問題，需要隨時警覺的。說起來，「人之初，性本善」，在太平年間這樣說是容易的，若是現實上沒有表現出善，我就通過教育等方法使你容易表現；但是這句話在今天的大陸，就不那麼容易。不過，人性總有復甦的一天，至於拉到多麼長的一段時間就很難說。我說這個意思，就是要加重這個觀念——文化生命不能隨意摧殘；摧殘文化生命，同時就影響民族生命。文化生命不能摧殘太甚，一個民族是禁不起這樣摧殘的。就好像一個人得些小病是無所謂的，生長中的痛苦是不可免的，但是大病就不能多患。又如一個人的命運不能太苦、人受點挫折、受點艱難困苦是好的，但是挫折太多，苦太重，就會影響人的生命。

三 儒家第二階段的發展

上面說到唐末五代是中國歷史上最黑暗的一個時期，其黑暗之所以為黑暗的原因，即在於無廉恥。說這層意思，也是要大家了解下一個階段——宋明理學。宋明理學是儒家學術發展的第二個階段，就是對著前一個時期的歧出而轉回到儒家的主流。理學本質的意義即在道德意識的復甦。何以宋人出來講學，特別注重道德意識這個觀念呢？

自清朝以來，以至於民國以來，提到理學家，一般人就頭疼，如同孫悟空聽到金箍咒一樣。誰敢做理學家呢？可是只因為自己做不到，就用種種譏諷的字眼來醜詆、笑罵，這是清末以至於今的一個可怪的風氣。其實，道德意識有什麼毛病呢？宋明理學家主要就是要喚醒道德意識，這又有什麼不對呢？有什麼可以譏笑的呢？宋明理學家之所以重視道德意識，主要即因他那個社會背景、時代背景就是唐末五代的那個「無廉恥」。人到了無廉恥的地步，人的尊嚴亦復喪盡，這就成了個嚴重問題。亦即謂文化生命沒有了，就影響你的自然生命。這句話，大家聽起來似乎覺得有些因果顛倒。其實不然。一般說民族生命、自然生命沒有了，就影響文化生命；我現在倒過來說，文化生命摧殘得太厲害，你的自然生命也沒有了，一樣的受影響。抗戰以前，共產黨在江西盤據了一段時間，等到剿共把他們驅逐出去以後，這些地區好幾年不能復興，即是被共匪摧殘得太慘。所以，一個地方窮，不要緊，只要有人去努力開墾，明天就富了；若是把人的生命糟蹋了，沒有人種田，則成了嚴重問題。

我舉這個例，即說明文化生命摧殘太甚，自然生命也不會健康旺盛。所以今天大陸上，共產黨摧殘文化生命，使人成為白癡，成為無廉恥，究竟將來影響到什麼程度，就很難說。想起來，這是個很可怕的現象。一個不正常、變態的暴力，若想把它恢復過來，並不容易。

甚至到最後，他們本身亦不會覺悟，有個結果，就是發瘋。在過去也有這種經驗，老輩的人說過，當年太平天國洪秀全、楊秀清等人打到南京，本來就已不正常了，但他們還有戰鬥力，還是不好對付，殘暴地用兒童作衝鋒隊，這和共產黨用人海戰術一樣地可惡。到了太平天國覆亡後，轉成捻匪，結果那些殘眾都發瘋。當年聽老輩談這些事，心中就有非常多的感觸。一個太平天國鬧了一下，就糟蹋中華民族如此之甚，而今共產黨統治大陸同胞、黃帝的子孫，以那種方式來統治，統治那麼久，對中華民族生命的摧殘當然更甚。這不是個大悲劇嗎？聖人說要悲天憫人，這才是可悲的事。所以，廉恥不可喪盡，不可任意地斲喪。人的生命不可完全感性化，完全形軀化，完全軀殼化。完全感性化，完全軀殼化，就是老子所說的「五色令人目盲，五音令人耳聾，五味令人口爽，馳騁畋獵令人心發狂。」人的生命不能完全感性化，即表示隨時需要文化生命來提住。代表文化生命的廉恥、道德意識，更不可一筆抹殺，不可過於輕忽。所以理學家出來，儘量弘揚儒家，對治唐末五代的無廉恥而講儒家的學問。至此，經過魏晉南北朝、隋唐這一長時期的歧出，儒家學問再回到它本身，歸其本位，而轉回來的重點則落在道德意識上。

儒家的學問原講「內聖外王」，宋明儒則特重「內聖」這一面。「內聖」是個老名詞，用現代的話說，即是內在於每一個人都要通過道德的實踐做聖賢的工夫。說到聖賢，一般人感覺高不可攀，甚至心生畏懼；實則道德實踐的目標即是要挺立自己的道德人格、道德人品，這是很平易近人的，沒有什麼可怕。我們對「內聖」一詞作一確定的了解，即是落在個人身上，每一個人都要通過道德的實踐，建立自己的道德人格，挺立自己的道德人品。這一方面就是理學家講學的重心。可是儒家原先還有「外王」的一面，這是落在政治上行王道之事。內聖外王原是儒家的全體大用、全幅規模，大學中的格致誠正修齊治平即同時包括了內聖外王；理學家偏重於內聖一面，故外王一面就不很夠，甚至弘揚不夠。這並不是說理學家根本沒有外王，或根本不重視外王，實則他們亦照顧到外王，只是不夠罷了。

我們今天說宋明儒雖亦照顧到外王而不夠，這個「不夠」，是我們在這個時代「事後諸葛亮」的說法。在當時，理學家那個時代背景下，他們是否一定覺得不夠呢？這就很難說。固然理學家特別重視內聖的一面，然他們特別重視於此，總有其道理；在他們那個時代中，或許他們亦不以為這種偏重是不夠的。外王方面，在那種社會狀況、政治形態下，也只好如此，不能再過份的要求。我們得反省一下，外王方面開不出來，是否屬於理學家的責任呢？政權是皇帝打來的，這個地方是不能動的，等到昏庸的皇帝把國家弄亡了，卻把這個責任推給朱夫子，朱夫子那能承受得起呢？去埋怨王陽明，王陽明那能擔當得起呢？所以，批評理學家外王面不夠，這個夠不夠的批評是否有意義，也得仔細考慮一下。在那個時代，那種政治形態下，也只好這樣往前進了。外王方面夠不夠，不是理學家所能完全決定的；不是他能完全決定的，也就表示不是他能完全負這個責任的。我們把這個責任推到理學家的身上，這是「君子責備賢者」的批評，這是高看、高抬知識份子，這也就是唐君毅先生所說的：只有知識份子才有資格責備知識份子，只有王船山、顧亭林才有資格責備王陽明。只有在這層意義下，我們才能責備理學家，謂之講學偏重之過，不應只空談心性，仍應注意外王、事功。這還是在講學問之風向的問題上說的。

四　儒家的當前使命——開新外王

以現在的觀點衡之，中國文化整個看起來，外王面皆不夠。就整個中國文化的發展來看，以今日的眼光衡之，確實在外王面不夠，顧亭林那些人的要求外王、事功，也是對的。今天仍然有這個要求。可歎的是，今天不僅外王面不夠，內聖面亦不夠，儒家本身若有若無。但是儒家若為常道，則人類的良心不能讓這個常道永遠埋沒下去，這得訴諸每個人的一念自覺。

儒家學術第三期的發展，所應負的責任即是要開這個時代所需要的外王，亦即開新的外王。「新外王」是什麼意義呢？外王即是外而在政治上行王道，王道則以夏、商、周三代的王道為標準。照儒家說來，三代的王道並非最高的理想，最高的境界乃是堯、舜二帝禪讓，不家天下的大同政治。儒家的政治理想乃以帝、王、霸為次序。帝指堯、舜，堯、舜是否真如儒家所言，吾人不必論之，但此代表了儒家的理想則無疑，以堯、舜表現或寄託大同理想。三代則屬小康之王道。春秋時代的五霸則屬霸道，以齊桓公、晉文公為代表。從前論政治，即言皇王帝霸之學。在帝上再加上一個皇，即指三皇而言，此當又是一層境界了，這且不說。齊桓、晉文的境界雖然不高，但比得秦漢以後的君主專制要好；君主專制以打天下為取得政權的方法，在層次上是很低的。當初商鞅見秦孝公，先論三皇五帝之道，孝公不能入耳；而後言王道，仍嫌迂闊；再而言霸道，終大喜。可見前人對於政治理想是有一定的次序。秦孝公之喜霸道，乃因它能立竿見影，馬上見效，而儒家的學問往往不能滿足這一方面外王、事功的要求。早在春秋戰國，即有墨家因此而批評儒家為無用。司馬談〈論六家要旨〉中，亦批評儒家云：「博而寡要，勞而少功」。後來南宋陳同甫與朱子爭辯，亦是基於要求外王、事功的精神。而實際上，要求外王中，就涵著要求事功的精神。陳同甫以為事功乃賴英雄，而講英雄主義，重視英雄生命，推崇漢高祖、唐太宗。此雖可有廣義的事功，而不必合於王道。到了明末，顧亭林責備王學無用，亦是秉持事功的觀念而發。而後有顏李學派的徹底實用主義。一般人斥儒家之無用、迂闊，評之曰：「無事袖手談心性，臨難一死報君王」，以為不究事功者最高的境界亦不過是此一無奈的結局。這些都是同一要求事功的意識貫穿下來的，這是一個由來已久的老傳統，在中國文化中是一條與儒家平行的暗流，從墨子開始，一直批評儒家的不足。這個要求事功的傳統再轉而為清朝乾嘉年間的考據之學，則屬要求事功觀念的「變型」。乾嘉年間的考據之學以漢學為號召，自居為「樸學」，以此為實用之學，以理學為空談、無用，骨子裡還是以有用、無用的事功觀念為背景。

何以謂「樸學」為要求事功觀念的「變型」呢?因為他們雖然批評理學無用,而其本身實際上更開不出事功來。這些考據書生沒有一個能比得上陸象山、朱夫子、王陽明;這些理學家都有幹才,都會做事,只是不掌權而已。然而考據家假「樸學」之名,批評理學無用,背後的意識仍是有用、無用,即可謂之乃事功觀念的變型。事實上,這種變型更是無用,故實非事功精神之本義。由此轉而到民國以來,胡適之先生所談的實用主義,以科學的方法講新考據,實仍屬此一傳統,背後仍是要求有用,責斥無用。我們可以看出,儒家這條主流,旁邊有條暗流,這條暗流一直批評儒家無用而正面要求事功。這個傳統從墨子說起,一直說到胡適之所倡的新考據的學風,可謂源遠流長。但是這裡面有個根本的錯解。吾人須知若是真想要求事功,要求外王,唯有根據內聖之學往前進,才有可能;只根據墨子,實講不出事功,依陳同甫的英雄主義亦開不出真事功。希望大家在這裏要分辨清楚。

中國人傳統的風氣,尤其是知識份子,不欣賞恰當意義的事功精神,此乃反映中華民族的浪漫性格太強,而事功的精神不夠。事功的精神是個散文的精神,平庸、老實,無甚精采出奇。蕭何即屬事功的精神,劉邦、張良皆非事功的精神,可是中國人欣賞的就是後者。蕭何的功勞很大,所謂「關中事業蕭丞相」,但因其屬事功精神,顯得平庸,故不使人欣賞。漢朝的桑弘羊,唐朝的劉晏皆為財政專家,屬事功精神,然而中國人對這一類人,在人格的品鑑上總不覺有趣味。事功的精神在中國一直沒有被正視,也沒有從學問的立場上予以正視、證成。中國人喜歡英雄,打天下、縱橫捭闔,皆能使人擊節稱賞。由於中國人在性格上有這種傾向,所以毛澤東才能投這個機,就是因為他不守規矩,亂七八糟,而帶有浪漫的性格。再高一層,中國人欣賞聖賢人物,不論是儒家式的或道家式的。中國人的文化生命正視於聖賢、英雄,在此狀態下,事功的精神是開不出來的。事功的精神即是商人的精神,這種精神卑之無甚高論，境界平庸不高，但是敬業樂群，做事仔細精密，步步紮實。英美民族是個事功精神的民族，歐陸的德國則表現悲劇英雄的性格，瞧不起英美民族，但是兩次大戰戰勝的卻是這些卑之無甚高論的英美民族。所以這種事功精神是不能不正視的。

中國人的民族性格在某一方面就是缺乏這種英美民族的事功精神。英雄只能打天下，打天下不是個事功的精神，故不能辦事；聖賢的境界則太高，亦不能辦事。而中國人欣賞的就是這兩種人。所以事功的精神萎縮。這裏沒有一個學問來正視它，證成它，開出它，所以現在我們想要從儒家的立場來正視它。儒家最高的境界是聖賢，聖賢乃是通過一步步老老實實地做道德實踐、道德修養的工夫而達到的。儒家的立場是重視豪傑而不重視英雄，故從不高看漢高祖、唐太宗，故順著儒家理性主義的發展，在做事方面並不欣賞英雄，我們在這裡可以看出一個很好的消息。

但是在以前那種狀況下，儒家的理性主義既不能贊成英雄，故其理性主義在政治上亦無法表現。儒家的理性主義在今天這個時代，要求新的外王，才能充分地表現。今天這個時代所要求的新外王，即是科學與民主政治。事實上，中國以前所要求的事功，亦只在民主政治的形態下，才能夠充分的實現，才能夠充分的被正視。在古老的政治形態、社會形態下，瞧不起事功，故而亦無法充分實現。這種事功的精神要充分地使之實現，而且在精神上、學問上能充分地證成之，使它有根據，則必得靠民主政治。民主政治出現，事功才能出現。若永停在打天下取得政權的方式中，中國的事功亦只能永停在老的形態中，而無法向前開展。這句話請諸位深長思之。

要求民主政治乃是「新外王」的第一義，此乃新外王的形式意義、形式條件，事功得靠此解決，此處才是真正的理想主義。而民主政治即為理性主義所涵蘊；在民主政治下行事功，這也是理性主義的正當表現。這是儒家自內在要求所透顯的理想主義——理性主義的理想主義。

另一面則是科學。科學是「新外王」的材質條件，亦即新外王的材料、內容。科學的精神即是個事功的精神，科學亦是卑之無甚高論的。英雄不能做科學家，聖人則超過科學家，故亦不能做科學家。天天講王陽明，講良知，是講不出科學的，因為良知不是成功科學知識的一個認知機能。然而科學亦可與儒家的理性主義相配合，科學乃是與事功精神相應的理性主義之表現。科學亦為儒家的內在目的所要求，儒家並不反對知識。在以前的社會中，那些老知識也就足夠應付了，然而今天的社會進步，往前發展，要求新知，亦屬應當的要求。儒家內在的目的即要求科學，這個要求是發自於其內在的目的。何以見得呢？講良知，講道德，乃重在存心、動機之善，然有一好的動機卻無知識，則此道德上好的動機亦無法表達出來。所以，良知、道德的動機在本質上即要求知識作為傳達的一種工具。例如見人重病哀號，有好心救之，然卻束手無策，空有存心何用？要有辦法，就得有知識。所以有人說西醫中發明麻醉藥者為大菩薩。菩薩講慈悲，然若只是空講慈悲，又有何用？發明麻醉藥，使人減少多少痛苦，不是大慈大悲的菩薩嗎？所以，不論佛教表現慈悲，或是儒家表現道德動機，要想貫徹其內在的目的，都得要求科學，肯定科學。

科學知識是新外王中的一個材質條件，但是必得套在民主政治下，這個新外王中的材質條件才能充分實現。否則，缺乏民主政治的形式條件而孤離地講中性的科學，亦不足稱為真正的現代化。一般人只從科技的層面去了解現代化，殊不知現代化之所以為現代化的關鍵不在科學，而是在民主政治；民主政治所涵攝的自由、平等、人權運動，才是現代化的本質意義之所在。共產黨亦可講科學，然而他的極權專制卻是最落伍的。我們在此要爭取先聲。幾十年來，共產黨罵人反動、不革命，事實上，這些批評都是虛妄地倒打一耙。我們在此要把頭抬起來，要肯定我們才是理想所在，才是進步，才是現代化，才是真革命，一革永革。我們要認清共產黨才是最頑固、最殘暴、最落伍、最反動的。他能代表個什麼理想呢？他那能有什麼現代化呢？所以不要被共產黨耍弄的一些名詞迷惑。假如在這個時代，儒家還要繼續發展，擔負他的使命，那麼，重點即在於本其內在的目的，要求科學的出現，要求民主政治的出現——要求現代化，這才是真正的現代化。

五　「中國文化」一詞的恰當意義

上面所談的，乃是儒家的發展及其當前使命；接下來，我們所要談的主題也與此類似，不過從另一個角度來看這個問題，範圍也稍廣些，就是討論中國文化的現代意義。

在討論之前，我們先得對「中國文化」這一個名詞有較明確的了解。上面談過，中國文化的核心內容是以儒家為主流所決定的一個文化方向、文化形態。我們現在講中國文化的現代意義，這裡提到的中國文化，並不是指以往隨著各時代所表現的那些文化現象、文化業績的一個總集、總和。以往過去的各時代各階段的文化業績，如各時代的風氣、風俗習慣，所表現的種種現象，事實上已經一逝不可復返了。我們不能夠只是懷念過去，抱著「數家珍」的心理。當然，「數家珍」亦非完全沒有意義、價值，但是我們今天所講則不在此。平常的講法容易將中國文化靜態化，靜態化而把中國文化推到過去某一個階段所表現的那一大堆。這樣想，即容易流於只留戀過去。然而過去再怎麼好，對現在亦無甚幫助，這樣講中國文化沒有多大意義，而且如此亦無法說中國文化的現代意義。

例如，若問清朝那些典章制度、風俗習慣在現代有何意義，討論起來甚麻煩，亦屬不相干的問題。又如問納蘭性德的詞在現代有何意義，雖非必不可討論，但無甚意義，亦不相干。如此討論下去，無窮無盡，繁複瑣碎不堪，實無甚價值。有些學者討論問題即落在此一方向，常說中國人以前如何，西方人又如何，以此宣揚過去文化的業績。這是在講歷史，數家珍。但對眼前的時代當作一個問題來看時，我們很容易看出這些說法的不中肯，對將來毫無交代。

許多外國人來中國，亦採此種錯誤的態度，而要來台灣「尋找」中國文化。看看台北的高樓大廈和紐約的似乎也差不多，中國文化在哪裡呢？於是中國朋友就帶他們去故宮博物院看骨董，去國軍文藝活動中心看國劇。事實上，文化怎能是個具體的東西，而放在那裡讓人尋找的呢？以這種「考古」的態度來「尋找」中國文化是不對的。他們來此找尋中國文化，就如同去埃及看金字塔一般，希望找到個中國的「金字塔」來代表中國文化。可是大家要知道，我們的文化是個活的文化，還要繼續生長的，哪能視同於埃及的死文化？西方人這樣看，因其有優越感，中國人則不應該有此態度，隨順著西方人考古的態度而跟著轉，這是相當不利於我們的。西方人亦重視「漢學」，然而他們卻是以研究骨董的態度來看「漢學」。在這種態度下，「漢學」這個名詞亦包藏了不利於中國文化的輕視心理。可是有些中國人卻以西方人的態度為標準，甚至說世界上只有兩個半漢學家，而我們中國人只佔了半個，這是非常可惡的洋奴心理。所以，我們中國人在此一定要貞定住自己本身的存在價值，絕不能不自覺地順著這些怪現象往下滾。

我們不能採西方人考骨董的態度，亦不能採取以往那種「數家珍」的態度，然而我們當以何種態度來看中國文化的現代意義呢？

「中國文化」乃是以儒家作主流所決定的那個文化生命的方向以及文化生命的形態，所以我們講中國文化的現代意義，也即是在講這個文化生命的方向與形態的現代意義、現代使命。生命是一條流，有過去，有現在，有未來，過去、現在、未來是一條連續的流，依此，我們才能談這個問題。我們從堯、舜、禹、湯、文、武、周公、孔子，一代代傳下來的，不是那些業績，而是創造這些文化業績的那個文化生命的方向以及它的形態。形態即指這個文化生命以什麼方式、什麼姿態、什麼樣式來表現。這個樣式、這個姿態在春秋戰國時代已經表現了，盡了它的使命；在兩漢四百年亦表現了，盡了它的使命；在魏晉南北朝隋唐，它也表現了，也盡了它的使命；在宋明的階段亦復如此；在清朝三百年又以某種姿態出現。這一條生命流在這兩千多年來的表現，都是彎彎曲曲的，當然其中有正有邪，有向上有向下。雖是曲曲折折的，但總是一條生命流往前進；只有從這個角度看，才能講這個生命的現代意義，亦即它在這個時代當該做些什麼事情，當該如何表現。這個問題當該如此來看，因為我們的文化不是個死的，而是個現在還活著的生命，還需要奮鬥，要自己做主往前進。若是把我們的文化限在過去，而只劃定為考古的範圍，直成了死的骨董，這樣不是把中國文化看成活的文化，而是視之為死的文化。若是到處去「尋找」、「發現」中國文化，這種態度根本上即是錯誤的，骨子裡即是認為中國文化是死的，現在已不存在了。我們是個活的生命，我們生在現在，有現在的一個奮鬥的方向，也應該有現代的表現，哪能以找骨董的方式來找中國文化的代表呢？這個態度本身即是個輕視中國文化的態度。想要了解中國文化，即應和中國人接近，了解中國人的生活方式，如何地談天，如何地交朋友，如何地思考問題。若是到處參觀，走馬看花，哪能了解中國文化？孔子、《論語》也不能看成骨董，他還是個生命，是個現在還活著的生命、智慧，絕不可把他當作骨董而看死了。

六　中國文化的現代意義——開出對列之局

我們了解中國文化是以儒家為主流所決定的生命方向後，即可順著上面所講的儒家當前之使命來看這一個生命方向在現代應該以那種姿態來表現。

中國文化的現代意義，亦即其本身的現代化，首先即是要求新外王。王道有其具體的內容，而不只是籠統地說仁義道德。黃梨洲曾云：「三代以上，藏天下於天下；三代以下，藏天下於筐篋。」這是一句原則性的話，不是籠統浮泛地說的，而且相當的深刻，且有真切感。這句話在今天看來，仍然有意義，而且意義更為顯明。「三代以上，藏天下於天下」，以今天的話說，即是個「開放的社會」（open society）。「三代以下，藏天下於筐篋」，即是家天下，以天下為個人的私產。這種情形在以往的君主專制下，還沒有今天共產黨做得那麼絕，共產黨算是做到家了。以往中國人的理想是「藏富於民」，而共產黨倒反過來把天下的財富集其一身，形成新階級；共產黨可說是家天下的極端，以前是要求藏富於民，現在則成了「藏富於幹部」。黃梨洲又云：「三代以上有法，三代以下無法。」三代以上有法度，這個法乃是保障「藏天下於天下」，這種法治是多麼的深刻，這才是真正的法治，法家所講的法比起來是差遠了。三代以下沒有真正的法度，有的只是皇帝個人的私法，就好像毛澤東私訂的法律。

民主政治能夠表現一些「藏天下於天下」的理想。儒家學術最內部的要求亦一向在於此，但是從未在現實上出現，而今天之現代化亦主要在要求此一理想的實現。此亦即是儒家當前使命所要求的「新外王」。民主政治是新外王的「形式條件」，事功在此形式條件的保障下才能充分實現，在民主政治下才有事功，才能讓你做事；除此之外，還需要科學知識作新外王的「材質條件」。新外王要求藏天下於天下、開放的社會、民主政治、事功的保障、科學知識，這就是現代化。中國文化發展至今，仍是個活生生的文化，我們不可委順西方人輕視的態度而把自己的文化當成一個被西方人研究的骨董。我們是個生命存在，仍得往前進，往前奮鬥，在我們前面有不斷來臨的問題有待我們解決，怎麼能採取那種看骨董的態度來了解中國文化呢？我們要自己做主，要繼續生存下去，現代化是我們必得做的事。現代化雖先發自於西方，但是只要它一旦出現，它就沒有地方性；只要它是個真理，它就有普遍性；只要有普遍性，任何一個民族都當該承認它。中國的老名詞是王道、藏天下於天下，新名詞則是開放的社會、民主政治，所以，這是個共同的理想。故而民主政治雖先發自於西方，但我們也應該根據我們生命的要求，把它實現出來，這就是新外王的中心工作。對於這個觀念，當年孫中山先生辛亥革命時，非常清楚。以後漸漸變形、模糊，而被人忘掉了。當然，這與現實政治曲曲折折的影響有關，我們現在也不必去深究其原因。孫中山先生辛亥革命即是嚮往民主政治，所以孫先生雖出任第一任臨時大總統，但在正式選舉時，卻能讓給袁世凱，這就是中國政治現代化的第一步。這個第一步是從現實上的實行來說是第一步，然而這卻是儒家早已要求的理想。這種王道，黃梨洲已經說得非常清楚了。

五四運動以後，新文化運動正面喊出的口號即是要求科學與民主。當時是抓住了現代化的關鍵所在；當時除此正面的要求外，反面的口號則是反封建、反帝國主義。可是後來的發展，一直到今天大陸上的情況，科學也沒出來，民主政治也未實現。享受科學技術的現成的成就，大家都很高興，可是要腳踏實地的去了解科學，研究科學，則少有人肯為之。正面的兩個口號沒有發生作用，倒是反面的兩個口號發生了作用。「反帝國主義」，大家容易了解，因為身受其害，對它有清楚的觀念。至於「反封建」，大家對於這個名詞似乎都有些觀念，但卻不清楚，說不出個所以然。最後，「反封建」倒成了個象徵的意義，象徵些什麼，代表些什麼？也很難說。實則這個名詞，不論從中國或西方歷史看來，都只是個借用的名詞。照西方來說，封建是羅馬帝國崩潰之後，各地方各民族退而求自保的時代。若是「反封建」是反這個封建，那麼羅馬帝國未崩潰之前，即不能算是封建；封建時代以後至於今，亦不算封建。那麼你反的又是什麼呢？難道是反羅馬帝國崩潰之後的那一個散落的狀態嗎？照中國講，封建是西周三百年周天子的封侯建國，作用乃是集體開墾，充實封地，以「拱」周室；封建在這裡帶有積極的意義，與西方的恰相反。然而中國自秦漢以後即無封建，那麼你反封建是反什麼呢？難道是反西周三百年嗎？我們在此可以看出，「反封建」並沒有一個清楚而確定的意義。其實，它只是一個籠統的象徵的觀念，實即反對一切「老的方式」，而以「封建」一詞代表之，概括之。當時的反封建就是反對過去那些古老的方式，而認為五四以前都屬於過去的、老的方式。

然而，什麼是「老的方式」呢？「老的方式」的內容是什麼呢？所要求的「新的方式」又是什麼呢？二者之間的對照與本質的差異點又在哪裡呢？

我們把新的方式、現代化的內容列舉出來，即是民主政治、事功、科學等。這一套即是西方自文藝復興以後所創造出的近代文明。整個這一套的內容中間有個共同的基本精神，我們可以用一個名詞來說明，即是 co-ordination，可以翻譯作「對列格局」，這就是現代化最本質的意義。我們也可用《大學》所嚮往的治國平天下的理想——「絜矩之道」來說明「對列格局」；絜者合也，矩即指方形，絜矩之道即是要求合成一個方形，這樣才能平天下。亦可用《易經》的「保合太和乃利貞」來說明，保合即是保持合作而成一個方形，如此方能成個大諧和（太和）。若必欲比他人高。去征服而使他人隸屬於我，即不能成「絜矩」，天下亦不能平。現在這個時代，從希特勒、史達林，以至於毛澤東，都想把自己「首出庶物」，把一切東西隸屬於自己，這樣天下永不能平，這是個很顯明的道理。交朋友亦是如此，「與朋友交，久而敬之」。若不尊重對方，這朋友交不下去。尊重對方，即是成兩端，兩兩相對，此即是個「對列的格局」。唯有依絜矩之道，成個對列的方形之局，天下才能平。若是一味講帝國主義的征服，是絕不能平天下的。

七　中國現代化的道路——轉理性的作用表現而為理性的架構表現

西方經過大憲章的奮鬥，一直奮鬥到今天，英美所表現的現代化的精神，即是在爭這個對列之局。社會上不容許有特權的存在，所以說自由、平等。講人權運動即是重視個體。每一個個體都是頂天立地的，在社會上都是一個單位，你也是個單位，我也是個單位，我怎能隸屬、臣服於你呢？一隸屬，一臣服，即不成對列之局了。現代化主要即是要求對列之局。西方要求現代化是通過階級鬥爭而出現的。階級在西方的歷史中原是有的，所謂四階級：僧侶階級、貴族階級、第三階級（布爾喬亞——資產階級）、第四階級（普羅里塔里亞——無產階級）。馬克斯所了解的不屬此類，他所利用的乃是埃及法老政治的路線，不是西方自希臘以來正面要求自由、平等、博愛的階級鬥爭。社會上有不平，當然要鬥爭，然而先得問為什麼而鬥爭，當該是為了理想而鬥爭，不能說是為了形成「新階級」而鬥爭；為了報復，卻不是為了理想而革命，這是共產黨革命的根本錯解。

中國的階級分野不顯明，自春秋戰國的貴族政治崩潰以後，君主專制的形態在政治上雖不合理想，但是下面的社會卻沒有階級。隨著王朝的更替，固然有些特殊的勢力，但是不能成為一個固定的階級，所以會有「公侯將相本無種」這種話。中國的社會，基本上是屬於士農工商並列的形態，套用梁漱溟先生的話，即是「職業殊途，倫理本位」。士農工商只是職業的不同，不可視為階級。

同是要求現代化，西方與中國的源泉不同；西方是根據階級鬥爭而來，中國社會則只是「職業殊途，倫理本位」，階級的分野不清楚。中國以前取得政權的方式是靠打天下而來的，政權的泉源是非理性的，是皇帝打來的，旁人不能過問，所能過問的只是第二義以下的。除了政權來源這一方面不能觸及之外，中國以往在其他方面是非常自由、平等。我們可以說，中國以前只有「治權的民主」，而沒有「政權的民主」。從考進士、科甲取士等處，即可見治權是很民主的。但是，真正的民主政治是在「政權的民主」。唯有政權民主，治權的民主才能真正保障得住。以往沒有政權的民主，故而治權的民主亦無保障，只有靠著「聖君賢相」的出現。然而這種有賴於好皇帝、好宰相出現的情形是不可靠的，所以中國以前理性的表現只是作用的表現。在此作用的表現上雖是相當的民主、自由，然因政權不民主，此處的民主亦無真保障，所以還是得要求現代化。

中國現代化的道路不能模倣西方通過階級鬥爭的方式，這是因為社會背景、歷史背景不同。民主政治的實現，並不是一件容易的事。西方亦是經過長期的奮鬥而後才達成這個政治的現代化，這是很可寶貴的。西方的社會原有階級的存在，社會中有些不同的力量，有些中流砥柱在那裡撐著，這樣的社會容易顯出絜矩之道，容易構成對列之局。階級並不一定就是壞的東西，照黑格爾的歷史哲學講，階級是從民族的生命中發出，在文化中有其作用的。（印度的階級則是死的。不能起作用。）中國自秦漢以後，把階級打散了，社會上沒有既成的力量，不容易成個對列之局。下面愈散漫，上面愈容易形成極權專制。當年孫中山先生亦感覺到這個問題，說中國人的自由太多了，如一盤散沙。（此嚴格講不是真正的自由。）所以我們要肯定社會的力量，此即是要顯個絜矩之道，對極權專制有個限制，不能讓他隨意揮灑。西方自大憲章以來，就是爭這個東西。中國本來早已有了治權的民主，但是因為政權不民主，則此一民主亦不可靠，所以我們現在再順著這個基礎往前推進一步，要求政權的民主，把理性的作用表現轉成理性的架構表現，亦即轉成對列格局的表現。這才是中國現代化的正當途徑，不可拿西方階級鬥爭的格式硬套在我們身上。

西方的政治現代化是靠著自然的歷史、社會作其憑藉而摩盪出來的，然而還是得經過長期的鬥爭。我們的社會沒有階級，歷史背景、社會背景和西方不同，所以出現這個東西非常困難，否則共產黨也出不來。共產黨是徹底反對這個東西的，他們是最反動的，他們要求的只是科技的現代化，而不是政治的現代化。這條路是很難走的，然而我們非得往此走不可，再困難也得走，不能像共產黨一樣虛妄地跨過去；如此，即得靠文化的力量、思想的自覺。所以，知識份子思想上的自覺是很重要的，依此而發動文化的力量、教育的力量來創造這個東西；這就是我們現代化的道路。

可是，民國以來的知識份子，在這方面的思想自覺是很不夠的，否則，共產黨那能得逞呢？這裡需要很大的「克己復禮」，在此沒有很高的境界，卑之無甚高論，就談玄理說是不過癮的。但是我們就需要這個東西，所以要靠大家的自覺。平常大家也不聽這些，尤其新文化運動以後，社會上流行的都是社會主義的意識，自由、民主倒成了令人討厭的庸俗名詞，更被共產黨醜詆為小資產階級的專利品。我們今天遭受到共產黨這個挫折，從三十八年撤退到台灣，就是要徹底正視這個切身的問題，此即「民主建國」、「政治現代化」的工作。

現代化的基本精神是「對列格局」（co-ordination）之形成，而所謂反封建，即是反老的那一套。老的方式即是理性的作用表現所表現的方式，基本上亦可用 sub-ordination 這一個名詞來代表，亦即是個「隸屬」的方式。中國文化幾千年來的表現，一方面覺得也還不錯，「職業殊途，倫理本位」，治權民主。在這個制度的安排下，大體不錯，亦有相當的合理性，所以我們說中國早有了理性的作用表現；當然，一般人的表現有過與不及的地方，總是不可免的，那是另一回事。然而，另外一方面，我們又常感到中國文化的不夠，這個不夠的關鍵即在政權不民主，亦即缺乏理性的架構表現。在這種情形之下，整個文化在現實上的表現，大體上呈現的即是個 sub-ordination 的形態。這就是黑格爾所說的，東方世界只知道一個人是自由的。這一個人即是皇帝。而即此一人是自由的，也不是真正的自由的，不是架構表現下之理性地自由的，只是情欲、氣質的奴隸，隨意揮洒的自由。此須了解黑格爾的歷史哲學所說自由之意義。以前的宰相代表治權，然而宰相有多大權力呢？今天要你做宰相，你就做，明天不要你做，把你殺掉，亦無可奈何，毫無辦法。中國傳統政治在現實上的表現，大體是個「隸屬」的方式，不能表現出絜矩之道。

我們離開這些現實的政治表現，再從文化理想、學術方面來看。中國以往的學術是向上講的，儒、釋、道三教講學問都是如此。儒家講成聖成賢，道家講成真人，成至人，佛家講成佛，成菩薩，這都是重個人修養的向上發展。在向上發展的方向中，對列之局是出不來的，所以中國人喜歡講「天地萬物一體」、「物我雙忘」。在第一關上，喜歡講「首出庶物」，把自己的主體性透出來，「先天而天弗違」。依儒家講，此乃是先見本體，有如禪宗所說的「截斷眾流」、「涵蓋乾坤」。先把主體透出來，這是講聖賢學問，往高處講的一定方式；這是講道德、宗教，不是在講政治，更不是要每個人都做皇帝。可是一般人不了解這個分際、分寸，而說凡講透顯主體者都是在幫助極權專制。所以首先得把問題的分際弄清楚。講道德、宗教不同於講政治，不可相混。而且，依著道德修養而言，「截斷眾流」、「涵蓋乾坤」的透顯主體只是初步，最高的境界乃是「隨波逐浪」。莊子亦是如此，往上透的時候說「天地與我並生，萬物與我為一」，但是《莊子．齊物論》的思想並不是像毛澤東一樣，要天下人向他一個人看齊，而是天下一切事物一體平鋪，統統擺在那裡，這是個絕對的自由、絕對的平等。但是這個絕對的自由、絕對的平等是在道德修養的境界上說的，它是修養的「境界」，不是政治。《莊子．逍遙遊》的「自由」、〈齊物論〉的「平等」，乃是超越意義的自由、平等，並非政治意義的自由、平等，二者的層次全然不同。當然，在最高的境界講自由、平等，據此而下，亦不會反對政治上的自由、平等。所以，道家是反共的一個最好的思想。從這裡可以很明顯的看出，儒、釋、道三教怎麼會幫助極權專制呢？這完全是錯誤的聯想。

中國人以前的理想在講道德宗教方面是往高處講，圓實處講。我們現在所講的下面這一層，亦即現代化的問題，在以前那種社會裡並不成個問題；依著它那種形態，在當時是夠了，也有相當的合理性，所以講學的重點不在科學知識，而在講超越科學知識的道德宗教。

但由於缺乏這一層，現代人即可責備以往之不足。以往兩千多年是以在道德宗教方面的表現為勝場，它所樹立的固是永恆的價值，但是現在我們知道，只在這方面表現是不夠的，學術還是要往前開，還是得順著顧（亭林）、黃（梨洲）、王（船山）的理想往前開外王。要求開出下一層來，則學術不能只往上講，還得往下講。民主政治、科學、事功精神、對列之局的這一層面，卑之無甚高論，境界不高。中國人原是浪漫性格強，欣賞英雄、聖賢，而不欣賞這種商人的事功精神。事功精神是個散文的精神，既不是詩，也不是戲劇，戲劇性不夠，也沒多大趣味。從哲學來講，事功精神屬於知性的層面，如黑格爾即名之曰散文的知性，或學究的知性。從人生境界來說，事功精神是個中年人的精神，忙於建功立業，名利心重，現實主義的情調強。而我們中國人要現代化，正是自覺地要求這個事功精神，並且得從學術的立場，給予事功精神一個合理的安排、合理的證成。

八　中國文化主位性的維持

我們以上皆是從時代的觀點來看中國文化這條生命流在今日如何盡它的使命，由此而論其現代意義。然而我們仍當從另一個角度來看中國文化，亦即由其本身看，中國文化是否有其本身的主位性？此則不只是一個應付一時需要的問題，此乃永恆性的、高一層次的問題，不是方才所談那些新外王等的時代問題。

假如中國文化還有發展，還有他發展的動源，還有他的文化生命，那麼，我們不能單由民主政治、科學、事功這些地方來看中國文化的問題，而必得往後、往深處看這個文化的動源、文化生命的方向。這是從高一層次來看中國文化如何維持其本身之永恆性的問題，且是個如何維持其本身之主位性的問題。儒家是中國文化的主流，中國文化是以儒家作主的一個生命方向與形態，假如這個文化動源的主位性保持不住，則其他那些民主、科學等都是假的，即使現代化了，此中亦無中國文化，亦只不過是個「殖民地」的身份。所以，中國文化若想最後還能保持得住，還能往前發展，開無限的未來，只有維持住他自己的主位性始得。對於這個文化生命動源的主位性，我們要念茲在茲，把他維持住，才算是對得起中國文化。

這個中國文化維持其主位性的問題，在這個時代中，究竟表現在哪些方面呢？就是表現在這個文化的主流與其他幾個大教的比較問題上，亦即表現在「判教」的問題上。

此問題首先對基督教而言，其次對佛教而言，其次對道家而言。中國文化以儒家作主，這個文化生命主要的動向、形態是由儒家決定的。在以往幾千年中，道家並不能負這個責任，從印度傳來的佛教亦不能負這個責任。雖說中國人吸收了佛教、消化了佛教，佛教亦對中國文化有所影響，然而它卻始終不能居於主流的地位。主流的地位是在歷史上長期的摩盪中自然形成的，不是可以隨便拿掉或替代的，亦不是可以隨意放棄的。信仰自由是一回事，這是不能干涉的，然而生而為中國人，要自覺地去作一個中國人，存在地去作一個中國人，這則屬自己抉擇的問題，而不是信仰自由的問題。從自己抉擇的立場看，我們即應念茲在茲，護持住儒家為中國文化的主流。我個人並不反對基督教，亦不反對信仰自由，然而，現在每一個中國人在面臨這個問題時，都應該有雙重的身份，雙重的責任。首先，得了解儒家是中國文化的主流，這個主流是不能放棄的。若是基督教能使你的靈魂得到安寧，當然很好，我也不反對你信仰基督教。但是在這信仰的同時，身為中國的基督徒亦當自覺到自己有雙重的責任，雖然是信仰基督教但也絕不應反對中國文化的主流是儒家。我不反對基督教、天主教，可是我堅決反對他們拿著基督教、天主教來篡奪或改篡中國的文化，更不可把中國歷史黃帝、堯、舜、禹、湯、文、武、周公、孔子的傳統改成耶和華、摩西那一套。若是這樣子搞下去，這和共產黨把馬、恩、列、史掛在天安門上奉為老祖宗又有什麼兩樣？

我不像宋明儒那樣闢佛，我雖也辨儒佛同異，但並不反對、貶視佛教本身的價值，可是我反對以佛教來貶視儒家。以前內學院將孔子列為第七地菩薩，我就反對。佛家最高的是佛，儒家最高的是聖人，聖人與佛都是無限性的格位，為什麼一定要把孔子列為佛家的第七地菩薩呢？這太沒道理。我不反對佛教，已經很客氣了，可是反過來，你卻要貶視儒家，這就不對。為什麼一定要反對聖人之道呢？聖人之道有那裡對不起你呢？這樣還能算是存在的中國人嗎？

現代信基督教的人最怕人說他信的是洋教，而自辯曰宗教是普世的。事實上，上帝是普世的，基督教卻是西方歷史中發展出來的，這怎麼能是普世的？上帝是普世的，就好比孔子講道理也不是單對著山東人講，乃對著全人類講的。這個分際必得弄清楚，才不愧身為一個現代的中國人；一方面不妨礙信仰自由，另一方面絕不抹殺儒家在中國文化中的主流地位。有人罵我們這是「本位主義」。然而，這種本位主義有什麼不好？每一個民族事實上都是本位主義，英國人以英國為本位，美國人以美國為本位，何以獨不許我們中國人以中國為本位呢？若是這叫本位主義，又怎麼能反對呢？

九 結語

最後，我們做一個總結，來看今日中國知識份子所應做的工作。首先，要求現代化先得有現代化的頭腦，每一個概念各歸其自身，每一個概念都有恰當的意義，分際清楚而不混濫，事理明白而不攪和，這就是「正名」的工作。共產黨就是利用名不正來攪亂天下，形成「意底牢結」（ideology）的災害。這種大混亂是要不得的。通過正名的工作，每一個概念有一定的意義，道理的分際一點不亂。這樣子，我們的生命得到一個大貞定。假如中國文化還能有貢獻於人類，我們即須如此來正視它的自性。

再進一步，和西方相摩盪，這是個最高的判教的問題。在此，每一個文化系統皆有其雙重性，一個是普遍性，一個是特殊性，每一個民族都該如此反省其自身的文化。只要它是個真理，它就有普遍性。

但是真理並不是空掛著的，而必須通過生命來表現，通過一個生命來表現，就有特殊性。通過這雙重性來進行最高的判教，也可以漸漸地得到一個諧和。

序

本書集文共十篇。編為十章。其中九篇皆曾刊載於各雜誌。惟第九章，乃新補入。蓋欲藉黃梨洲、王船山以及葉水心、陳同甫等人當時之言論，以證吾此書之中心觀念何以較往賢為推進一步也。

本書中心問題有二：一為政道與治道之問題，而主要論點則在政道如何轉出。二為事功之問題，用古語言之，即為如何開出外王之問題。此兩問題成為中國文化生命中之癥結。相連而生，故亦相隨而解。

此兩問題之具體誘發乃在吾之《歷史哲學》。該書縱貫言之，以見吾華族文化生命之來龍去脈。而在發展中，實步步顯出此兩問題之重要。惟縱貫言之，雖足提供具體之線索，而理論之說明，則因受限制而不得暢所欲言，故單提直指而有本書之補充。讀此書者，希亦取《歷史哲學》而觀之。

此兩問題之解答繫於理性之「架構表現」與「外延表現」之轉出。而科學之問題亦於此中得解答。蓋政道之轉出，事功之開濟，科學知識之成立，皆源於理性之架構表現與外延表現也。於以知中國文化生命中，政道之不立、事功之萎縮、科學知識之停滯（停滯於原始階段而不前），必有其故矣。中國文化生命實偏重在理性之內容表現與運用表現也。此吾層層反省，提鍊總持，而說出者。幸讀者三致意焉。

解答之線索既得，則問題即在：如何能從運用表現轉出架構表現，而得其竟委？如何能將架構表現統攝于運用表現，而得其本源？（內容表現與外延表現亦類此。）此貫通開合之道，既足以貞定各層面之獨立性，又足以得其關聯性。非支解割截激越反動之論也。讀此書者，亦請會通《道德的理想主義》而觀之。

夫既曰外王，則其不能背乎內聖亦明矣。並列言之，曰政道，曰事功，曰科學。總持言之，皆賅於外王。內聖之學即儒家之「心性之學」。其直接之本分乃在道德宗教之成立。然儒教之為教與普通宗教本不同。其以道德實踐為中心，雖上達天德，成聖成賢，而亦必賅攝家國天下而為一，始能得其究極之圓滿。故政道、事功與科學，亦必為其所肯定而要求其實現。反之，政道、事功與科學，亦必統攝於心性之實學，而不能背離此本源。（「實學」一詞，取自熊先生。熊先生曰：「實學一詞，約言以二。一、指經世有用之學言；二、心性之學，為人極之所由立，尤為實學之大者。」見《讀經示要》頁一四二。）

然則，凡宣傳科學而必詬詆儒家內聖外王之教者，其人為無知。凡要求事功而反心性之學者，其人為鄙陋。是以墨子的狹隘的實用主義，無用也。顏李之直接的行動主義，許行之道也。法家以法為教，以吏為師之極權，乃傷生害性之物道，何有於事功？滿清之音讀訓詁，《說文》、《爾雅》之學，託漢學之名以張門戶，自鳴為實學、樸學，以排宋學，殊不知其為幫閒清客之污習，乃不實不樸之尤者。今之託科學方法，以從事無聊之小考據者，亦此類耳。（考據本身無所謂，而必用以張門戶，排宋儒，堵塞孔孟之德慧與志業，乃見其為污賤。）善乎熊先生之言曰：「清代漢學之污習不除，而欲實學興，真才出，斷無是事。」（同上，頁一四三。）又曰：「凡為學術思想之領導者，其自造若達乎甚高甚深之境，則其影響之及於人羣者，必大且善。如自造者太低太淺，則其影響之及于人羣者，必浮亂惡劣。若羣眾習於浮亂日甚，將至不辨領導者之好壞，而唯宜于惡勢蔓延，如是者其羣危。吾國自清世漢學家，便打倒高深學術。至今猶不改此度，愚且殆哉！」（同上，頁一四二。）此王船山所謂「害莫大於浮淺」也。以如此幫閒清客之污習，而又自鳴為博雅，自名為實學、樸學、有用之學。其用果何在哉？既無當于科學，亦無當于事功。

能本孔孟內聖外王之教以要求開濟事功，從事實學者，宋明儒而後，惟晚明顧、黃、王諸大儒能接得上耳。（參看本書第九章。）此是何等器識！何等心志！滿清以來，澌滅以盡。此堂堂中華所以陷于今日之絕境也。

孔孟內聖外王之教是在歷史發展中逐步釐清其自己，建立其自己。宋明儒程、朱、陸、王之一系，是通過佛教之吸收，而豁醒其內聖之一面。葉水心、陳同甫以及明末顧、黃、王，則是因遭逢華夏之淪于夷狄，而豁醒其外王之一面。而吾人今日經過滿清之歪曲，面對共黨之澌滅，則又須對之作進一步之豁醒與建立。

本書力振孔孟之學脈，以見「內聖外王」之教之規模，且承之而進一步，以解答中國文化中政道、事功與科學之問題。公其心，平其情，乃見其為不可移。未有污習不除，喪失其本，而可以立國者。為國族立大信，為文化生命開途徑，是區區之所深願也。後之來者必有繼乎此而進者。是為序。

中華民國四十九年夏牟宗三序於大度山

《中國哲學的特質》

小序

本講演是香港大學校外課程部所規定的題目。約定十二次講完，每次一小時。在這十二次裡，想把中國哲學的特質介紹給社會上公餘之暇的好學之士，當然是不很容易的。如果是輕鬆地泛泛地講述，那當然比較具體一點，聽起來也比較有興趣。但這樣恐怕不會有真正的了解，也不是這個倒塌的時代講中國學問之所宜。因此，我採取了直接就中國學問本身來講述的辦法。這也許聽起來比較艱難一點。但若因此而稍能把握一點中國學問之內在本質，或即不能把握，而艱難之感中，引起對於中國學問之正視與敬意，這也並非無益處。

中國哲學包含很廣。大體說來，是以儒、釋、道三教為中心。但我這裡是以中國土生的主流——儒家思想，為講述的對象。其餘皆無暇涉及。

本講演並無底稿。在講述時，託王煜同學筆錄。口講與自己撰文不同，而筆錄與講述之間亦不能說無距離。如果我自己正式撰文，也許比較嚴整而詳盡。但有這個時間限制的機會，也可以逼迫我作一個疏略而扼要的陳述，這也自有其好處。而王君的記錄也自有其筆致。換一枝筆來表達，也自有其新鮮處。順其筆致而加以修改，也覺得與我原意並不太差。緊嚴有緊嚴的好處，疏朗有疏朗的好處。是在讀者藉此深造而自得之。

再版自序

此小冊便於初學，但因是簡述，又因順記錄文略加修改而成，故不能期其嚴格與精密。倘有不盡不諦或疏闊處，尤其關於《論》、《孟》與《中庸》、《易傳》之關係處倘有此病，則請以《心體與性體》之綜論部為準，以求諦當，勿以生誤解也。

此講辭以儒家為主，蓋以其為主流故也。若通過《才性與玄理》、《心體與性體》、《佛性與般若》，再加以綜括之簡述，則當更能盡《中國哲學的特質》一題名之實，而凡所述者亦當更能較精當而切要。惟如此之簡述，內容雖可較豐富，然與西方哲學相對較以顯特質，即使不加上道家與佛教，亦無本質的影響也。故此小冊題名曰《中國哲學的特質》，縱使內容只限於儒家，亦無過。

中華民國六十三年八月牟宗三序於香港

《才性與玄理》

《才性與玄理》三版自序

此書除疏通人性問題中「氣性」一路之原委外，以魏晉「玄理」為主。魏晉所弘揚的玄理就是先秦道家的玄理。玄理函著玄智。玄智者道心之所發也。關於此方面，王弼之注《老》、向秀郭象之注《莊》，發明獨多。此方面的問題，集中起來，主要是依「為道日損」之路，提練「無」底智慧。主觀的工夫上的「無」底妙用決定客觀的存有論的（形上學的）「無」之意義。就此客觀的存有論的「無」之意義而言，道家的形上學是「境界形態」的形上學，吾亦名之曰「無執的存有論」。此種玄理玄智為道家所專注，而且以此為勝場。實則此種工夫上的無乃是任何大教、聖者的生命，所不可免者。依此而言，此亦可說是共法。依此，魏晉玄理玄智可為中國吸收佛教而先契其般若一義之橋樑，此不獨是歷史的機緣，暫作比附，而且就其為共法而言，儘管教義下的無與證空的般若各有其教義下的專屬意義之不同，然而其運用表現底形態本質上是相同的。是共僧肇得用《老》、《莊》詞語詮表「不真空」與「般若無知」而亦不喪失其佛家之立場而為「解空第一」也。直至禪宗，仍然還是「即心是佛，無心為道」。夫「無心為道」，就佛家言，即般若也；就道家言，即主觀工夫上的無以呈現玄智也。吾人不能說佛家的般若智來自魏晉玄學，當然亦不能說道家的玄智是藉賴佛家的般若而顯發。這只是重主體的東方大教、聖者的生命，所共同有的主觀工夫上的無之智慧各本其根而自發。

不獨就道家與佛教言是如此，即就道家與儒家言亦是如此。儒聖亦不能違背此主觀工夫上的無之智慧，儘管他不只此，因為他正面還講仁。然而仁之體現豈能以有心為之乎？儘管他不欲多言，然而並非無此意。此則周海門已知之矣。是故自陸象山倡言心學起，直至王陽明之言「無善無惡心之體」，乃至王龍溪之言「四無」，皆不免接觸「無心為道」之理境，即自主觀工夫上言無之理境。此非來自佛老，乃是自本自根之自發。此其所以為聖者生命之所共者。若不透徹此義，必謂陸王是禪學，禪之禁忌不可解，而「無善無惡」之爭論亦永不得決，此非儒學之福也。

讀此書者若真切於道家之玄理玄智，則最後必通曉其為共法而無疑。如是，則禁忌可解，而又不失各教之自性。若不真切，而視為浮智之玩弄字眼，則是自己之輕浮，必不能真切於聖者生命之體用也。夫立言詮教有是分解以立綱維，有是圓融以歸具體。「無」之智慧即是圓融以歸具體也。焉有聖者之生命而不圓融以歸具體者乎？分解以立綱維有異，而圓融以歸具體則無異也。此其所以為共法。吾初寫《才性與玄理》，繼寫《心體與性體》，最後寫《佛性與般若》，經過如此長期之磨練，乃知義理之脈絡與分際自爾如此，故敢作如此之斷言，非如蟲蝕木，偶然成字也。今乘此書三版之便，略陳此義於此以利讀者。

中華民國六十三年八月牟宗三序於九龍

序

吾寫《歷史哲學》，至東漢末止。此後不再就政治說，故轉而言學術。階段有三：一曰魏晉玄學，二曰南北朝隋唐之佛教，三曰宋明儒學。此書顏曰《才性與玄理》，即寫魏晉一階段也。

中國晚周諸子是中國學術文化發展之原始模型，而以儒家為正宗。此後或引申或吸收，皆不能不受此原始模型之籠罩。引申者固為原始模型所規範，即吸收其他文化系統者，亦不能脫離此原始模型之籠罩，復亦不能取儒家正宗之地位而代之。

秦以法家之術統一六國。西漢是繼承儒家而發展之第一階段。至乎魏晉，則是道家之復興。道家玄理至此而得其充分之發揚。王弼、嵇康、向秀、郭象，其選也。適於此時而有印度佛教之傳入。道家玄理之弘揚正是契接佛教之最佳橋樑。亦因此而拉長中國文化生命歧出之時間。所謂歧出是以正宗之儒家為準。文化生命之歧出是文化生命之暫時離其自己。離其自己正所以充實其自己也。魏晉南北朝隋唐七八百年間之長期歧出，不可謂中國文化生命之容量不弘大。容量弘大，則其所弘揚所吸收者必全盡。全盡必深遠。全盡而深遠之弘揚與吸收，其在自己之文化生命中所引起之刺激與浸潤亦必深刻而洽浹。文化之發展不過是生命之清澈與理性之表現。故在歧出中其所弘揚與吸收者皆有助於其生命之清澈與理性之表現。故此長時期之歧出，吾亦可曰生命之大開。至乎宋明，則為中國文化生命之歸其自己，而為大合。故宋明儒學是繼承儒家而發展之第二階段。至乎今日而與西方文化相接觸，則亦將復有另一大開大合之階段之來臨。此中國文化生命發展之大脈也。

雖然，文化非可以游談。必將深入其裏而一一通透之，方能於生命起作用。吾茲以近三十萬言之鉅幅詮表魏晉之玄理，其中必有美者焉。此為澈底之玄學。吾所作者，即在展現此玄學系統構成之關節，並確定其形態之何所是。試取西方哲學中諸大形上學系統，如柏拉圖、亞里士多德之系統，聖多瑪之系統，斯頻諾薩、來布尼茲之系統，康德、黑格爾之系統，以及近時布拉得賴之系統，懷特海之系統，虎塞爾、海得格之系統，而比觀之，則中國道家之玄理系統，甚至佛教之般若佛性系統，以及儒家之性理系統，其構成之進路與關節，以及其形態之何所是，皆可得而確定矣。此為生命之學問，未有如此之親切者也。

魏晉之玄理，其前一階段為才性。故此書即曰《才性與玄理》。「才性」者自然生命之事也。此一系之來源是由先秦人性論問題而開出。但不屬於正宗儒家如孟子與中庸之系統，而是順「生之謂性」之「氣性」一路而開出。故本書以「王充之性命論」為中心，上接告子、荀子、董仲舒，下開「人物志」之「才性」，而觀此一系之源委。此為生命學問之消極一面者。吾年內對於「生命」一領域實有一種「存在之感受」。生命雖可欣賞，亦可憂慮。若對此不能正視，則無由理解佛教之「無明」，耶教之「原罪」，乃至宋儒之「氣質之性」，而對於「理性」、「神性」、以及「佛性」之義蘊亦不能深切著明也。文化之發展即是生命之清澈與理性之表現。然則生命學問之消極面與積極面之深入展示固是人類之大事，焉可以淺躁輕浮之心動輒視之為無謂之玄談而忽之乎？「玄」非惡詞也。深遠之謂也。生命之學問，總賴真生命與真性情以契接。無真生命與性情，不獨生命之學問無意義，即任何學問亦開發不出也。而生命之乖戾與失度，以自陷陷人於劫難者，亦唯賴生命之學問，調暢而順適之，庶可使其步入健康之坦途焉。

中華民國五十一年　牟宗三序於九龍

後跋

東漢末黨錮之禍後，士人政治理想徹底失敗。善類摧殘殆盡。建安以後，曹操當權。東漢末所遺二下之知識分子依附曹操而興者一為陳太邱系，二為荀淑系。此皆世家門第，守儒素者。陳實有子留：陳紀（元方）與陳諶（季方）。陳紀子為陳羣，陳羣子為陳泰。此皆漢臣，而終移就曹魏。

《世說新語》〈方正〉第五：「魏文帝受禪，陳羣有戚容。帝問曰：朕應天受命，卿何以不樂？羣曰：臣與華歆服膺先朝。今雖欣聖化，猶義形於色」。雖附曹而必宗漢。亦尚有良心者。守儒素之小智識分子亦只能保持一點忠心。不能有挺拔超脫之政治意識也。

又：「高貴鄉公薨，內外諠譁。司馬文王問侍中陳泰曰：何以靜之？泰云：唯殺賈充以謝天下。文王曰：可復下此不？對曰：但見其上，未見其下」。及曹移漢祚，復順而宗魏，而不契司馬氏之弒君。殊不知司馬氏之於曹魏，亦猶曹魏之於漢耳。此不旋踵間之事也。

荀氏系亦復如此。荀彧雖附曹而宗漢，亦不甚贊同曹操之行事。然及移漢祚，其子弟亦只能順之而混耳。此皆較正派之人物。

至於建安七子，則是新興之文人。

操時外戰居多。居中原、佔天時，亦多延攬人才。中原之士，大多歸之，而心中仍以漢為宗也。其殺戮知識分子尚不甚多。惟魏諷反，當有相當之牽連。但《三國志》無諷傳。史事多埋沒。今所知者，宋衷及王粲之二子皆被牽連在內。此與荊州劉表有關。當時劉表團聚一部知識分子，而大都是反曹者。《魏志》卷二十一〈劉廙傳〉：「魏諷反，廙弟偉為諷所引，當相坐誅。太祖令曰：叔向不坐弟虎，古之制也。特原不問」。注引廙別傳曰：「初廙弟偉、與諷善。廙戒之曰：夫交友之美，在乎得賢。不可不詳。而世之交者，不審擇人。務合黨眾。違先聖人交友之義。此非厚己輔仁之謂也。吾觀魏諷，不修德行，而專以鳩合為務。華而不實。此直攪世沾名者也。卿其慎之。勿復與通。偉不從，故及於難」。《三國志》〈鍾會傳〉附何劭〈王弼傳〉，注引《博物記》曰：「相國掾魏諷謀反，粲子與焉」。又引《魏氏春秋》曰：「文帝既誅粲二子，以業嗣粲」。王業者粲兄凱之子也。乃劉表之外孫。王弼即王業之子。故王弼即王粲之孫也。（繼孫）。

曹氏父子所團聚之知識分子大體如此，持續至正始而止。曹爽敗後，中心乃轉移於司馬氏，而知識分子復又依附司馬氏而興，則所謂八裴八王者是也。

《世說新語》〈品藻〉第九：「正始中人士比論，以五荀方五陳。荀淑方陳實。荀靖方陳諶。荀爽方陳紀。荀彧方陳羣。荀顗方陳泰。（此是魏初所留下者）。又以八裴方八王：裴徽方王祥。裴楷方王衍。裴康方王綏。裴綽方王澄。裴瓚方王敦。裴遐方王導。裴頠方王戎。裴邈方王玄」。西晉為裴、王，入東晉，則為王、謝。

但正始以後，司馬氏之誅戮知識分子比曹操尤兇甚。其誅戮階段如下：

一、司馬懿誅曹爽、何晏、鄧颺等。王弼幸年幼早卒，未顯。否則亦不能免。

二、王淩欲立楚王彪，被誅。連及其子王廣。（王廣是魏初談才性者）。並欲牽及淩之妹（郭淮妻），未果。此亦司馬懿時。【《世說新語》〈方正〉第五：「郭淮作關中都督，甚得民情，亦屢有戰庸。淮妻、太尉王淩之妹。坐淩事當並誅。使者徵攝甚急。淮使戒裝，克日當發。州府文武及百姓，勸淮舉兵。淮不許。至期遣妻，百姓號泣追呼者數萬人。行數十里，淮乃命左右追夫人還。於是文武奔馳，如徇身首之急。既至，淮與宣帝書曰：五子哀戀，思念其母。其母既亡，則無五子。五子若殞，亦復無淮。宣帝乃表特原淮妻。」】

三、不久諸葛誕反淮南。司馬師討之。誕與王淩為兒女親家。蓋王廣妻即誕之女也。【《世說新語》〈賢媛〉第十九「王公淵娶諸葛誕女」條，注引《魏氏春秋》曰：「王廣字公淵，王淩子也。有風量才學，名重當世。與傅嘏等論才性同異，行於世」。又引《魏志》曰：「廣有志尚學行。淩誅，並死」。】

四、李豐（談才性者）、夏侯玄、許允為一起，亦為師、昭兄弟所誅。【見《世說新語》〈賢媛〉第十九：「許允為晉景王所誅」條。】

五、高貴鄉公曹髦之難，王經死之。此時司馬昭為大將軍。

六、此下即為嵇康、呂安。亦昭所誅。【《世說新語》〈雅量〉第六：「嵇中散臨刑東事」條，注引《晉陽秋》曰：「初康與東平呂安親善。安嫡兄遜，淫安妻徐氏。安欲告遜遺妻。以諮於康。康喻而抑之。遜內不自安，陰告安撾母，表求徙邊。安當徙，訴自理，辭引康」。】

七、此下為鍾會鄧艾。此是附司馬氏而有野心者。六以上皆宗魏而反司馬。李豐、王廣、鍾會皆談才性。四本論中惟傅嘏存焉。

以上為魏晉之際。故《晉書》〈阮籍傳〉曰：「魏晉之際，天下多故，名士少有全者」。誠不誤也。

八、此下入西晉，裴頠（作〈崇有論〉）、張華為趙王倫所害。

九、此下石崇、歐陽建（作〈言盡意論〉），潘岳（安仁）、為趙王倫孫秀所害。【見《世說新語》〈仇隟〉第三十六。】

十、此下陸機、陸雲，因盧志、孟玖之讒，為成都王潁所誅。【《世說新語》〈尤悔〉第三十三：「陸平原沙橋敗，為盧志所讒，被誅」。注引干寶《晉紀》曰：「初陸抗誅步闡，百口皆盡。有識尤之。及機、雲見害，三族無遺」。陸抗是陸遜之子，機雲之父也。而盧志者，則是盧珽之子，盧植之曾孫也。《世說新語》〈方正〉第五云：「盧志於眾坐問陸士衡：陸遜陸抗是君何物？答曰：如卿於盧毓盧珽。士龍失色。既出戶，謂兄曰：何至如此！彼容不相知也。士衡正色曰：我父祖名播海內，寧有不知？鬼子敢爾」！鬼子者，注引孔氏《志怪》述盧充幽婚於崔少府墓生一兒，「兒遂成為令器，歷數郡二千石，皆著績。其後生植，為漢尚書。植子毓為魏司空。冠蓋相承至今也」。毓生珽，珽生盧志。盧志輕薄陸機，故機罵之曰「鬼子」。一時之譴憤，遂成仇恨。盧志為成都王長史。〈尤悔〉第三十三，「陸平原……被誅」條下注引王隱《晉書》曰：「成都王穎討長沙王乂，使陸為都督前鋒諸軍事」。又引〈機別傳〉曰：「成都王長史盧志，與機弟雲趣舍不同。又黃門孟玖求為邯鄲令於穎。穎教付雲。雲時為司馬。曰：刑餘之人，不可以君民。玖聞此，怨雲，與志讒構日至。及機於七里澗大敗。玖誣機謀反所致。穎乃使牽秀斬機。先是，夕夢黑幰繞車，手決不開。惡之。明旦，秀兵奄至。機索戎服，著衣帢，見秀。容貌自若。遂見害。時年四十三。軍士莫不流涕。是日天地霧合，大風折木，平地尺雪」。】

由上以觀，自王允殺蔡邕，曹操殺孔融後，知識分子稍有智思者，幾無一得善終。亦云慘矣。而中國之政治傳統為曹氏父子與司馬氏父子所敗壞已達極點。深可太息痛恨，而亦不可不深長思之也。

無論曹魏集團或司馬氏集團皆是一羣浮在上層之知識分子。曹魏憑藉漢之宗主而取得政權，司馬氏復又憑藉曹魏而取得政權。此時期之知識分子，無論當權者，依附者，抑或反對者，於政道及治道，皆無清楚之政治意識與鮮明之政治理想，只是爭權奪利，展轉相殺。而且樂此不疲，成為習慣。殺風一開，而動輒誅戮。殺機一動，而不可遏止。處於其中者，無論殺與被殺，視為當然，曾不以為慘而思有以解決之。殺與被殺皆無客觀之理由。人命之賤，賤於草木。人之存在成為毫無理由者。（偶然之存在，非理性之存在）。知識分子之混噩無心。無客觀意識，無客觀理想，無過於此。以陸抗之風流儒雅，（見其與羊祜對陣時之瀟洒情調），而「誅步闡，百口皆盡」。及「機、雲見害，三族無遺」。此尚得謂為有人性者乎？史書記載，一言而已。而不知身受者之哀號宛轉，其當時之天地為何如之天地也。此等慘事，人不以為怪。此尚得謂為有人心者乎？

《世說新語》〈尤悔〉第三十三：「王導溫嶠俱見明帝。帝問前世所以得天下之由。溫未答。頃，王曰：溫嶠年少，未諳。臣為陛下陳之。王乃具敘宣王創業之始，誅夷名族，寵樹同己。及文王之末，高貴鄉公事。明帝聞之，覆面著牀曰：若如公言，祚安得長」？不必言視作客觀問題而思有以解決之，即為一家之世祚計，亦當積德也。積德之意識中即函有一積極之政治理想。中國傳統政治之風範大抵皆繫於此積德之一念。不期為曹氏父子與司馬氏父子全部破壞矣。久浮在上層、都市、政治勢利圈內之知識分子，其德性本極薄弱。浮沉日久，根本無所謂積德之觀念。惟來自民間者，樸誠之風不失，尚可有此觀念也。

《世說新語》〈賢媛〉第十九：「魏武帝崩，文帝悉取武帝宮人自侍。及帝病困，卞后出看疾。太后入戶，見直侍並是昔所愛幸者。太后問何時來耶？云：伏魄時過。因不復前，而歎曰：狗鼠不食汝餘！死故應爾！至山陵，亦竟不臨」。此即傅玄所謂「魏文慕通達，而天下賤守節」。通達云乎哉？直流氓無賴文人之無行耳。至於司馬炎之奢侈淫樂，惠帝之白痴無似，天之所以報應者固不爽也。

元帝過江，賴王導之「憒憒」，而得少安江左。《世說新語》〈政事〉第三：「承相末年，略不復省事。正封、籙諾之。自歎曰：人言我憒憒。後人當思此憒憒」！注引徐廣《歷紀》曰：「導阿衡三世，經綸夷險。政務寬恕，事從簡易。故垂遺愛之譽也」。此猶得黃老之遺旨。王船山《宋論》卷十四論酷刑一段中有云：「異端之言治，與王者之道相背戾者，黃老也，申韓也。黃老之弊，掊禮樂，擊刑政，解紐決防，以與天下相委隨，使其民宕佚，而不得遊於仁義之圃。然而師之為政者，惟漢文景，而天下亦以小康。其尤弊者，晉人反曹魏之苛核，蕩盡廉隅，以召永嘉之禍。乃王導謝安不懲其弊，而仍之以寬，卒以定江左二百餘年五姓之祚。雖有符堅，拓拔宏之強，莫之能毀。蓋亦庶幾有勝殘去殺之風焉」。此順中國政治傳統之風範而有之最低要求也。至於目睹展轉相殺，而視為一客觀問題，思以積極之政治意識與客觀之政治理想求有以解決之，則不必言矣。此無可望於混噩無心之知識分子也。無健康之道德意識，無客觀而積極之政治理想，則寄託其浮萍之餘生於玄理以稍放異彩於陰教，似亦勢之必然也。悲哉魏晉人之聰明，而亦美哉乎魏晉人之聰明！知識分子欲保障其生命與存在，捨以健康之道德意識與積極而客觀之政治理想，為其「理性存在」而奮鬬，蓋別無他途焉！

《宋明儒學綜述》

小序

余去年為港大校外課程部講《中國哲學之特質》，此已印成一單行冊。今年復應其約，為之講宋明之儒學，顏曰《宋明儒學綜述》，即此講辭是也。凡看本講辭之讀者，如能取該單行冊參閱合觀，則於了解上當不無助益。

本講辭仍由王煜同學記錄。第三講中所牽涉之原料大抵皆由王君檢原文錄出，增加該講完整性不小。蓋講時只能約略提及，未能詳引原文也。

本講辭仍為十二講。但講時只能說大義，而見諸文字，則必期其完整。故每講皆必徵引幾段原文以作根據。凡所徵引皆具有代表性，讀者由此或可得一肯要之線索。蓋宋明儒之義理系統並非容易把握者，其語錄中諸話頭，東一句西一句，時而說此，時而說彼，極不易見其條貫；而各家之觀念辭語復有許多極其相似，語意含混。可上下其解，亦極不易簡別其同異與輕重。是以解者惑焉，而不明其本質義理究何在也；誤引迷謬、似是而非，亦不知其真實問題究為何也。時至今日，學術多方，觀念紛披，若不得當，益增迷亂。故民國以來講宋明學者，所在多有，而大都東抄西掠，不成義理，即或稍有理路，亦誤解歧出，極不相應。如不真懂先秦儒家孔孟立教之精神，固不易鑒察宋明儒者所發之當否，如或進而不能會通魏晉玄學及南北朝隋唐佛教而觀之，則亦不知其中心義理，重點所在，何以必若此也。宋明儒之弘揚儒教是發之於真實生命，並以宗教精神出之，非今之所謂「研究」態度者。今之人無此真實生命，亦無講此學之性情，而於思想義理又無精湛之訓練，則其浮泛不切，固亦宜矣。

余茲十二講只是一綜括之簡述。至若深入其內部而作詳細之疏導與展現，則俟將來《心體與性體》之一書。此講辭即作為該書之引論可也。

《心體與性體》

序

王龍溪有言：悟道有解悟，有證悟，有澈悟。今且未及言悟道，姑就宋、明六百年中彼體道諸大儒所留之語言文字視作一期學術先客觀了解之，亦是欲窺此學者之一助。

了解有感性之了解，有知性之了解，有理性之了解。彷彿一二，望文生義，曰感性之了解。意義釐清而確定之，曰知性之了解。會而通之，得其系統之原委，曰理性之了解。

荀子曰：「倫類不通，仁義不一，不足謂善學。學也者固學一之也。」又曰：「全之盡之，然後學者也。君子知夫不全不粹之不足以為美也，故誦數以貫之，思索以通之，為其人以處之。」「全之盡之」即通過知性之了解而至理性之了解也。

予以頑鈍之資，恍惚搖蕩困惑于此學之中者有年矣。五十以前，未專力于此，猶可說也；五十而後，漸為諸生講說此學，而困惑滋甚，寢食難安。自念若未能了然于心，誠無以對諸生，無以對先賢，亦無以對此期之學術也。乃發憤誦數，撰成此書，亦八年來之心血也。或于語意之釐清與系統之確定稍盡力焉，然究能至「全之盡之」否，亦未敢必也。

前賢對于人物之品題輒有高致，而對于義理系統之確解與評鑑，則稍感不足。此固非前賢之所重視，然處于今日，則將為初學之要務，未可忽也。

理性之了解亦非只客觀了解而已，要能融納于生命中方為真實，且亦須有相應之生命為其基點，否則未有能通解古人之語意而得其原委者也。

莊生有云：「聖人懷之，眾人辯之以相示也。」吾所作者亦只辯示而已。過此以往，則期乎各人之默成。吾未敢云有若何自得處，願與天下之善士共勉之，此非筆舌所可宣也。

凡吾所欲言者俱見于〈綜論部〉，茲略贅數語以為序。

《智的直覺與中國哲學》

序

我此書一方是接著我的前作《認識心之批判》而進一步疏解康德的原義，一方是補充我的近作《心體與性體》〈綜論部〉關於討論康德的道德哲學處之不足。

我的前作《認識心之批判》一方面是重在數學的討論，想依近代邏輯與數學底成就予以先驗主義的解釋，把它提出於康德所謂「超越的感性論」（〈超越的攝物學〉）之外，一方面就知性底自發性說，單以其所自具的純邏輯概念為知性底涉指格，並看這些涉指格所有的一切函攝為如何，以代替康德的範疇論。

我現在對於康德的範疇論這方面稍為謙虛一點。我承認知性底涉指格可分兩層論。一是邏輯的涉指格，此即吾前書之所論；另一是存有論的涉指格，此即康德之所論。吾人若單就邏輯中的判斷表說，實不能從此表中直接地發見出存有論的涉指格以為知性之所自具，吾人只能發見出一些純粹的邏輯概念以為知性之所自具。順這一層說，自然是實在論的意味重。但雖不能發見出存有論的涉指格，然而吾人的知性之認知活動卻可以順這判斷表以為線索，再依據一原則，先驗地但卻是跳躍地對於存在方面有所要求，提供，或設擬。即在此要求，提供，或設擬上，吾人可以承認存有論的涉指格之建立為合法。康德是把這要求，提供，或設擬說成知性所自具，所自給，至少這兩者是混而為一，說的太緊煞，並未分別得開。因此，遂有「知性為自然立法」，「知性所知於自然者即是其自身所置定於自然者」等過強的說法，這便成了一般人所厭惡的主觀主義。我現在把它鬆動一下，分開說。知性底主動性自發性所自具的只是邏輯概念，並非存有論的概念；存有論的概念只是知性底自發性之對於存在方面之先驗的要求，提供，或設擬。即使說「自給」，亦有自具的自給與要求，提供，或設擬的自給之不同。康德的那一套實只是這要求，提供，或設擬的自給。我現在此書即就這個意思承認吾人的知性可有「存有論的涉指格」之一層。吾順這個承認正式疏解康德之原義，把他所說的「先驗綜和判斷」更換辭語予以明確的規定，使之順適妥貼，較為可浹洽於人心。如是，則他的「超越的推述」以及「原則底分析」之全部皆可無問題。在認知心上，實並無真正的主觀主義與觀念主義，因為認知心並非「創造的」故，這是康德所隨時指明的，然則他那些太強、太死煞的說法，而足以使人生厭者，實只是措辭不善巧所形成的煙幕，並非其說統之實義。在此，我贊同海德格的解釋。

但我此書所重者尚不在此。吾須進一步特重超越的統覺，超越的對象x，物自身，作為「超越理念」的自我，智的直覺與感觸直覺之對比之疏導。這一部工作純粹是哲學的，也可以說是向形上學方面伸展之哲學的。我前書所注重的是向邏輯數學方面伸展的。我那時對於康德哲學之向形上學方面伸展之一套實並不真切，亦如一般人只浮泛地涉獵過去；這亦因康德本人不承認吾人可有智的直覺，把「物自身」（物之在其自己）只視為消極意義的限制概念，所以人遂得輕易而忽之。但我現在則覺得這並不可輕忽。他雖不承認吾人可有智的直覺，然而他的全書中處處以智的直覺與感觸直覺相對比而言，則其意義與作用之重大可知。故我現在就這方面真切言之，以顯出康德積極面與消極面之原義，並進一步把其視為消極方面的亦轉成為積極面的。這如何可能呢？

如果吾人不承認人類這有限存在可有智的直覺，則依康德所說的這種直覺之意義與作用，不但全部中國哲學不可能，即康德本人所講的全部道德哲學亦全成空話。這非吾人之所能安。智的直覺之所以可能，須依中國哲學的傳統來建立。西方無此傳統，所以雖以康德之智思猶無法覺其為可能。吾以為這影響太大，所以本書極力就中國哲學抉發其所含的智的直覺之意義，而即在其含有中以明此種直覺之可能。故此書題名曰《智的直覺與中國哲學》。《心體與性體》〈綜論部〉討論康德的道德哲學處，並未提到「智的直覺」，這是該處之不足（這亦因該處的討論是就康德的《道德底形上學之基本原則》一書說，而康德此書並無此詞故），故此書即可視作該處的討論之補充。

我此書，就涉及康德說，大體是就所譯的原文加以疏解，不是簡單的徵引。我所譯的是根據士密斯的英譯本而譯。假定把我此書譯成英文，你可以說：這大部份是士密斯的英譯文，屬於你自己的思想有多少呢？我承認我並無新義，我亦無意鑄造一新系統（我前書有點新的意義）。但我能真切地疏解原義，因這種疏解，可使我們與中國哲學相接頭，使中國哲學能哲學地建立起來，並客觀地使康德所不能真實建立者而真實地建立起來，這也許就是我此書的一點貢獻。

真切地譯就是真切地講習。能真切地譯與講習始能把康德的義理吸收到中國來，予以消化而充實自己。當年對於佛教也只是真切地譯與講習，所以中國人能消化而自己開宗。自民國以來，講康德的尚無人能作到我現在所作的這點區區工夫，亦無人能了解到我這點區區的了解。如果中國文字尚有其獨立的意義，如果中國文化尚有其獨立發展的必要，則以中文來譯述與講習乃為不可少。不同的語言文字有不同的啟發作用。即使把我此書譯成英文，你可以說：我們所看到的大部份仍是士密斯的英譯文，你的此書並無多大價值，但我仍可說：縱然如此，你若藉此機會能真切地讀士密斯的英譯文，並關聯著我的疏解，且貫通著我對於儒家與道家的綜詮表以及對於佛教方面之多就天台、華嚴之原典所作的疏解，而真切地體會之，則我想即於西方人士亦不為無助益。我由康德的批判工作接上中國哲學，並開出建立「基本存有論」之門，並藉此衡定海德格建立存有論之路之不通透以及其對於形上學層面之誤置，則我此書所代表之方向即於當代哲學界亦非無足以借鏡處。

我寫此書底動機是因去年偶讀海德格的《康德與形上學問題》以及《形上學引論》兩書而始有的。康德曾作《形上學序論》，表示他的批判哲學所確定的講形上學之途徑。現在海德格又作《形上學引論》，表明他的《實有與時間》所代表的方向。他的野心很大，他要拆毀西方自柏拉圖以來所形成的存有論史，而恢復柏拉圖以前的古義，由之以開他所叫做的「基本存有論」。他的入路是契克伽德所供給的「存在的入路」，他的方法是胡塞爾所供給的「現象學的方法」。我不以為他的路是正確的。所以我覺得有重作《形上學引論》之必要。我此書即可視作此部工作之再作。我讀他的《康德與形上學問題》一書，我見出他是把他所謂「基本存有論」放在康德所謂「內在形上學」（immanent metaphysics）範圍內來講的，因此，我始知他何以名其大著曰《實有與時間》而特別重視時間之故。但依康德的意向，真正的形上學仍在他所謂「超絕形上學」（transcendent metaphysics）之範圍。今海德格捨棄他的自由意志與物自身等而不講，割截了這個領域，而把存有論置於時間所籠罩的範圍內，這就叫做形上學之誤置。我此書仍歸於康德，順他的「超絕形上學」之領域以開「道德的形上學」，完成其所嚮往而未真能充分建立起者。能否充分建立起底關鍵是在「智的直覺」之有無。故吾此書特重智的直覺與物自身等之疏導。這是調適上遂的疏導，不是割截而下委，輾轉糾纏於時間範圍內，以講那虛名無實的存有論，如海德格之所為。存在的入路是可取的，但現象學的方法則不相應。

人或可說：你這樣作，是把康德拉入中國的哲學傳統裡，這未必是康德之所願，而你們中國那一套亦未必是康德之所喜。我說：理之所在自有其必然的歸結，不管你願不願；而以康德之特重道德而且善講道德，則中國這一套亦未必非其所樂聞。你以為中國這一套未必是康德之所喜，是因為你不解中國這一套之本義、實義，與深遠義故。假若中國這一套之本義、實義，與深遠義能呈現出來，則我以為真能懂中國儒學者還是康德。

中華民國五十八年十月十日序於九龍

《生命的學問》

自序

本書所集文字乃是卅八年到臺後七八年內在各報刊所已發表過的文章。我自己亦未搜集保存。孫守立君保存無遺，編成此書，以為有便於青年好學之士，乃商之三民書局印行。孫君熱忱淑世，處處為青年著想，至為感佩。

此書不是一有系統的著作，但當時寫這些文字實在是環繞我的《歷史哲學》、《政道與治道》、《道德的理想主義》這三部書而寫成的，也可以說是以這三部書所表示的觀念為背景而隨機撰為短章以應各報刊之需要。

這些短篇文字，不管橫說豎說，總有一中心觀念，即在提高人的歷史文化意識，點醒人的真實生命，開啟人的真實理想。此與時下一般專注意於科技之平面的，橫剖的意識有所不同。此所以書名曰《生命的學問》。生命總是縱貫的，立體的。專注意於科技之平面橫剖的意識總是走向腐蝕生命而成為「人」之自我否定。中國文化的核心是生命的學問。由真實生命之覺醒，向外開出建立事業與追求知識之理想，向內滲透此等理想之真實本源，以使理想真成其為理想，此是生命的學問之全體大用。

現代人都去追求理想，而卻終無理想。遑急迫躁，不可終日。人究竟往那裡走呢？縱使能登陸月球，又有什麼用呢？青年人在此不可不端正其最初的心願，正大其基本方向。恣肆乖戾，虛無邪僻，皆足顛倒其生命，決無關於理想。

青年的朋友若從這些較淺近的文字循序悟入，能於自己的生命方向有所助益，則你將始而憧憬，終而透徹，必有如孟子所謂「若決江河，沛然莫之能禦也」。

中華民國五十九年六月牟宗三自序於九龍

《現象與物自身》序

本書是吾所學知者之綜消化，消化至此始得一比較妥貼之綜述。綜述之起因由於一時忽而想到，初無預定之計畫。一九七二年秋為諸生講知識論一課，頗覺為難，將如何講授呢？乃想將吾平素所思者作一系統的陳述，此或許可給諸生一大體之端緒。如是，乃一面口述，一面筆寫，時閱八月而書成。實則四十餘年來未曾一日廢學輟思，固非短暫之時間即可得此也。

本書內容以康德的現象與物之在其自己之分為中心，而以中國的傳統哲學為說明此問題之標準。康德哲學之難不在其系統內部各種各別的主張之不易被人信服，而在其通識與洞見之難於被把握。這一方面由於這通識與洞見是虛的，一方面亦由於康德本人對之不甚通透，或至少亦缺乏一能使之通透之傳統。如果我們真能真切地把握住他心中所閃爍的通識與洞見，則他的系統內部的各種主張亦甚為顯然，小出入雖或不可免，然大端是不可爭辯地妥當的。但說到真切地把握住他心中所閃爍的通識與洞見，這真是談何容易！因為他心中所閃爍的通識與洞見不只是他個人主觀的、一時的靈感，而乃是代表著一個客觀的、最高的而且是最根源的問題。如果那只是他個人主觀的、一時的靈感，有誰能猜測它呢？如果它是一個客觀的問題，縱使是最高的而又是最根源的，亦須有義理以通之；縱使是發自於他個人的見地，我們亦須把它當作一個客觀問題，依學問底途徑以深切著明之。但是康德表示他的洞見卻只是輕描淡寫地輕輕一點，說我們所知的只是現象，而不是物之在其自己；說物之在其自己可為智的直覺之對象，但智的直覺只屬於上帝所有；又說上帝只創造物之在其自己，不創造現象。這樣的點示，當然有一種洞見在內，但人們不能由之而知物之在其自己底確義究如何，智的直覺底確義究如何。光只是這幾個字眼有什麼用呢？有幾人能真切於這幾個字眼底真實意義？這最高而又最根源的洞見，如果不能有義理以通之，依學問底途徑以深切著明之，則現象與物之在其自己底分別永遠不能穩定，而康德的系統內部的各種主張亦永遠在爭辯中而不易使人信服。

這除根據中國的傳統，是很不容易看出這洞見底重大，亦很不容易看出康德的輕描淡寫之不足夠。但是，說到中國的傳統，這亦同樣不是容易把握的；見到中國的傳統與康德的洞見可以相會合，這亦同樣非易事。

我寫《認識心之批判》時，亦如一般人一樣，並未能參透康德的洞見之重大意義；只習聞幾個字眼，把它們擺在那裡，並未能正視而真切於它們的真實意義。我當時只從感性知性說起，順這既成的事實說出去；我只見到知性底邏輯性格，由此邏輯性格，我一方保住了康德學底大體精神，一方融攝了時下邏輯分析派的邏輯理論與數學理論，但我並未見到亦不能證成康德所說的知性之存有論的性格，因此，我以為只此邏輯性格即足夠，並以為此一系統足以代替康德的那一套。在此邏輯性格之系統下，我們只能講超越的運用，而不能講超越的決定，因此，實在論的意味當然很重。但我此後，近十年來，重讀康德，我把他的《純粹理性批判》與《實踐理性批判》俱已譯成中文。在此譯述過程中，我正視了康德的洞見之重大意義，並亦見到知性之存有論的性格之不可廢，並相信我能予以充分的證成，此則康德本人所不能作到者，至少其表達法不能使人信服。此中重要的關鍵即在智的直覺之有無。依康德智的直覺只屬於上帝，吾人不能有之。我以為這影響太大。我反觀中國的哲學，若以康德的詞語衡之，我乃見出無論儒、釋或道，似乎都已肯定了吾人可有智的直覺，否則成聖成佛，乃至成真人，俱不可能。因此，智的直覺不能單劃給上帝；人雖有限而可無限。有限是有限，無限是無限，這是西方人的傳統。在此傳統下，人不可能有智的直覺。但中國的傳統不如此。因此，我寫成《智的直覺與中國哲學》一書。在此書中，我重述康德，引出康德書中所說的智的直覺之意義與作用，並述儒、釋、道三家，以明其義理非通過智的直覺之肯定不能說明。如若真地人類不能有智的直覺，則全部中國哲學必完全倒塌，以往幾千年的心血必完全白費，只是妄想。這所關甚大，我們必須正視這個問題。在西方傳統下，尤其這傳統演變至今日，是無人肯理會這個問題的。即就康德而言，你既把智的直覺只歸給上帝，則人可以完全不理，或只輕描淡寫地帶過去就算了。但當康德說到感觸的直覺時，他便處處與智的直覺相對照。其所以重視此對照，一在明本體界者如自由、不朽、以及上帝不可知，一在明現象與物之在其自己之分為「超越的區分」，而物之在其自己亦不可知。但是，如果智的直覺只屬於上帝，則現象與物之在其自己之「超越的區分」亦不能被穩定，即不能充分被證成。說吾人的感觸直覺以及辨解的知性不能及於自由、不朽與上帝，這是顯明的；但若說它們不能及於物之在其自己（例如說桌子之在其自己），這便不如此之顯明。物之在其自己之確義是很難規定的。徒說它是「限制概念」，這並不足以使人明徹地了解其真實的意義。意義不確，或太貧乏，則「超越的區分」即難穩定。縱使其義已確（因設想智的直覺而予以確定的意義），然而由於智的直覺只屬上帝，則此超越的區分仍不能充分被證成，擋不住人們之只以陸克的區分與來布尼茲的區分為滿足，而以你所說的超越區分中的物之在其自己為無用，因此，你的知性之存有論的性格所決定的對象為現象，這現象義亦不能充分被證成，即充分被穩定得住。但是現象與物之在其自己之超越的區分是康德哲學底全部系統底重大關鍵，幾乎其書中每一頁俱見到。這就是其最高而又最根源的洞見。以如此重大之洞見，而若不能充分證成之，這是很可憾的事。其關鍵唯在「人類不能有智的直覺」一主斷。這是西方傳統限之使然。由此限制，遂使其洞見成為閃爍不定的，若隱若顯的。要想超越的區分能充分被證成，充分被穩定得住，吾人必須依中國的傳統肯定「人雖有限而可無限」以及「人可有智的直覺」這兩義。我們由中國哲學傳統與康德哲學之相會合激出一個浪花來，見到中國哲學傳統之意義與價值以及其時代之使命與新生，並見到康德哲學之不足。系統而完整通透的陳述就是現在這部書：《現象與物之在其自己》。至於《智的直覺與中國哲學》一書則是它的前奏。步步學思，步步糾正，步步比對，步步參透，必透至此，而後始覺得灑然。

我現在這部書不是從下面說上去，乃是從上面說下來。因為如果對於我們的感性知性之認知機能，我們不能在主體方面引出一個對照，由此對照，來把這些認知機能予以價值上的決定，即把它們一封封住，單憑與上帝相對照，則我們不能顯明豁然地知這些認知機能只能知現象，而不能知物之在其自己，而現象與物之在其自己底殊特義亦不能穩定得住，因此，它們兩者之間的超越區分亦不能充分被證成。說我們的感性知性不能及於上帝、不朽與自由，這是顯明的，但說它們不能及於物之在其自己則並不如此之顯明。從我們的感性知性說上去或說出去，我們的感性知性是敞開的，是一個既成的事實，並未予以價值上的決定與封限；而到需要說它們所知的只是現象，而不是物之在其自己時，便憑空引出了這超越的區分而予以重大的封限；但這超越的區分是一個重大的預設，事前並未有交代，亦未予以充分的釐清；單憑與上帝相對照，這區分本身就脆弱不穩，物之在其自己這一概念本身就很糊塗（隱晦），因此，現象這一概念底殊特義亦不能被穩定。如是，因著這樣不穩的超越區分而來的對於我們的感性知性之封限亦封不住，人們可以不理，或只隨著康德那麼說，很少能真切正視其確義，而且不正視還好，愈正視愈糊塗，亦無法正視其確義，因為這超越區分本身就糊塗故。如是人們只在這敞開的、事實的感性知性之範圍內膠著糾纏。在這裡愈糾纏愈支離。如是，觸途成滯，漫無定準。這樣漫蕩下去，則超越的區分這個洞見就愈隱晦，而康德所開的本體界就因而愈冥闇。最近有一個英國人講《純理批判》底分解部，其序文中有云康德書中幾乎每一頁都有錯誤。我不知他如何發見這麼多的錯誤。依我現在的論點觀之，若順敞開的、事實的感性知性之範圍內膠著支離下去，本可有見仁見智的種種不同的說法，因為超越的區分這一大括弧未能充分括得住故。如果這一括弧括得住，使人心思豁然開朗，則並無那麼多的錯誤，不但無多錯誤，而且可說無一錯誤，都是必然的，當然技術上的，辭語上的小疵病、小出入，自不能免。錯誤者是由於人們根本未得其宗本故。人們之不能得其宗本，講康德者負一部分責任，因為未能正視其洞見故；康德本人亦負一部分責任，因為他未能把他的洞見予以充分說明與證成故。而他之所以不能充分說明與證成其洞見是由於他為他的傳統所限故。他有此洞見已是很卓越的了。可是他一閃爍出此洞見。便理應能充分說明之與證成之。洞見之發是他個人的靈光之閃爍；但一旦發出，此洞見是一個客觀問題，亦可以說是聖哲生命之所共契。

我今從上面說起，意即先由吾人的道德意識顯露一自由的無限心，由此說智的直覺。自由的無限心既是道德的實體，由此開道德界，又是形而上的實體，由此開存在界。存在界的存在即是「物之在其自己」之存在，因為自由的無限心無執無著故。「物之在其自己」之概念是一個有價值意味的概念，不是一個事實之概念；它亦就是物之本來面目，物之實相。我們由自由的無限心之開存在界成立一本體界的存有論。亦曰無執的存有論。我們對於自由無限心底意義與作用有一清楚而明確的表象，則對於「物之在其自己」之真實意義亦可有清楚而明確的表象，物之在其自己是一朗現，不是一隱晦的彼岸。

我們這一部工作是依儒家孟子學底傳統之了義來融攝康德的道德哲學，因為康德對於道德一概念之分析不盡不穩故，我們須「依了義，不依不了義」故。

自由無限心既朗現，我們進而即由自由無限心開「知性」。這一步開顯名曰知性之辯證的開顯。知性，認知主體，是由自由無限心之自我坎陷而成，它本身本質上就是一種「執」。它執持它自己而靜處一邊，成為認知主體，它同時亦把「物之在其自己」之物推出去而視為它的對象，因而亦成為現象。現象根本是由知性之執而執成的，就物之在其自己而縐起或挑起的。知性之執，我們隨佛家名之曰識心之執。識心是通名，知性是識心之一形態。知性、想像以及感性所發的感觸直覺，此三者俱是識心之形態。識心之執是一執執到底的：從其知性形態之執執起，直執至感性而後止。我們由此成立一「現象界的存有論」，亦曰「執的存有論」。現象之所以為現象在此得一確定的規定。現象與物之在其自己之殊特義俱已確定而不搖動，則它們兩者間的超越區分亦充分被證成而不搖動。物之在其自己永不能為識心之執之對象，識心之執永不能及之，此其所以為「超絕的」。

我們這一部工作是以佛家「執」之觀念來融攝康德所說的現象界，並以康德的《純理批判》之分解部來充實這個「執」，因為佛家言識心之執是泛心理主義的，重在說煩惱，認知主體不凸顯故。

說到康德的分解部，我們對於知性之執作超越的分解，此有兩重：一是邏輯概念之超越的分解，此見知性之邏輯性格；一是存有論的概念之超越的分解，此見知性之存有論的性格（存有論是現象界的存有論）。前者是吾前作《認識心之批判》所具備者，今則綜述於此。後者是康德的《純理批判》之分解部所具備者，今則簡介於此。依知性底邏輯概念之超越的分解，我們只能說超越的運用，而不能說超越的決定，因此，實在論的意味重，但此實在論，吾名之曰「暫時的實在論」。吾以此暫時的實在論來融攝時下不滿於康德的主體主義的各種實在論。「暫時」云者以只從邏輯概念方面說始如此。如果知性之執同時起現邏輯概念，同時亦起現存有論的概念，則此「暫時的實在論」最後終歸於康德所主張的「經驗的實在論」。那就是說，時下那些不滿康德的主體主義的各種實在論實皆不能逃脫康德的「經驗的實在論」之範圍。而如果我們真了解識心之執是一執執到底的，則先驗主義與經驗主義亦無嚴格的對立：各種實在論固可說，因為康德本亦主「經驗的實在論」。彼等以為可以反康德者實皆由於不自覺仍是在識心之執之範圍內。故最後，康德義乃為必然的也。然必須有兩種超越的分解始能有此開闔。有此開闔，現象與物之在其自己之超越的區分始必然而不可搖動，而知性為自然立法亦必然而不可搖動。

對自由無限心而言，我們有「無執的存有論」。對識心之執而言，我們有「執的存有論」。此後者以康德為主。前者以中國的哲學傳統為主。我們於「無執的存有論」，於佛家方面說的獨多，因為可資以為談助者多故，執與無執底對照特顯故，而存有論之意義亦殊特故；然而仍歸宗於儒者，這是因為由道德意識顯露自由無限心乃必經之路故，獨真切而顯豁故。儒、釋、道三家同顯無限心，無限心不能有衝突。因此，如來藏心、良知明覺以及道家的道心不能有相礙處；而教之入路不同所顯的種種差別亦可相融和而無窒礙。此是此時代所應有之判教與融通。

關於這一部工作，我只是「依法不依人，依義不依語」，來作「稱理而談」的融攝。這須要對於中國的哲學傳統有確定的了解。此需要長期無偏執的學思工夫。關此，我的辛勞已見之於《才性與玄理》、《心體與性體》，以及《佛性與般若》。我這裡的綜述是以這三部書為根據的。

說到對於中國哲學傳統底了解，儒家是主流，一因它是一個土生的骨幹，即從民族底本根而生的智慧方向，二因它自道德意識入，獨為正大故；道家是由這本根的骨幹而引發出的旁枝；佛家是來自印度。這三個傳統都有其長期的講習與浸潤，因而亦產生了豐富的文獻。說到文獻，佛家最多，儒家次之，道家又次之。然而它們的中心觀念總是在人們的講習中永永活著，不在文獻之多不多也。既有如此多之文獻，我們雖不必能盡讀之，然亦必須通過基本文獻之了解而了解其義理之骨幹與智慧之方向。在了解文獻時，一忌浮泛，二忌斷章取義，三忌孤詞比附。須剋就文句往復體會，可通者通之，不可通者存疑。如是，其大端義理自現。一旦義理浮現出來，須了解此義理是何層面之義理，是何範圍之義理，即是說，須了解義理之「分齊」。分者分際，義各有當。齊者會通，理歸至極。此而明確，則歸於自己之理性自在得之，儼若出自於自己之口。其初也，依語以明義。其終也，「依義不依語」。「不依語」者為防滯於名言而不通也。凡滯於名言者，其所得者皆是康德所謂「歷史的知識」，非「理性的知識」。初學者以及從未超出其學派的人皆是如此。然必須工夫到，始可語於「依義不依語」。淺嘗輒止，隨意妄說者，則不得以此語自解也。因為凡是一大教皆是一客觀的理性之系統，皆是聖哲智慧之結晶。我們通過其文獻而了解之，即是通過其名言而期望把我們的生命亦提升至理性之境。如果自己的生命根本未動轉，於那客觀的義理根本未觸及，焉得動輒說「依義不依語」耶？汝所依者豈真是義乎？此時還是多下點初學工夫為佳。初學工夫亦須要切、要實、要明確，逐步通其旨歸，向理性方面消融。凡是滯於名言而妄立同異者，或是在名言上玩點小聰明以朝三暮四者，或是混漫義理分際而顢頇會通者，亦是文字工夫不切實故也。文字工夫到家，歷史的亦即是理性的。（此所謂文字工夫是指理會義理語言底語法、語意而言，不就文字學如《說文》底立場而言）。

《才性與玄理》是以疏通魏晉時代的玄理與玄智為主，以王弼注《老》、向秀、郭象注《莊》為代表，而老莊之本義亦見於此。「玄理」是客觀地言之之名，以有無「兩者同出而異名，同謂之玄，玄又之玄，眾妙之門」為根據。「玄智」是主觀地言之之名，以「致虛極，守靜篤」，歸根復命之玄覽觀復為本。玄理是在玄智中呈現。玄智者虛一而靜，無為無執，灑脫自在之自由無限心所發之明照也（知常曰明）。此所謂「自由無限心」之自由不是由道德意識所顯露者，乃是由道家的超脫意識，致虛守靜之工夫所顯露者，然其為「自由」則一也。凡是無為無執，灑脫自在，無知而無不知者，都是自由無限心之妙用，因而亦就是玄智之明。王弼之注《老》、向、郭之注《莊》，對於此玄智玄理之奧義妙義多所發明，而亦畢竟是相應者。魏晉名士固多可譏議處，然其言玄理，表玄智，並不謬也。輕浮者視之為輕浮，真切者視之為真切。勿得動輒以陋心、慢心、掉舉心而輕忽之。吾人於此須以「依法不依人」之態度平視之。亦勿得動輒以魏晉自魏晉，老莊自老莊，而視若有何懸隔者。相應者畢竟是相應者；不相應者，縱同異萬端，亦不相應。自其異者而觀之，則肝膽楚越也。豈但魏晉玄理不同於老莊？即老莊之間亦不同也。粘牙嚼舌，虛妄分別，徒增無謂之糾纏。若知玄智、玄理之端緒，則知王郭等之所闡發者畢竟是相應者。須知凡是「內容的真理」（intensional truth，此與邏輯、數學、科學範圍內之外延的真理 extensional truth 不同，此言內容與邏輯概念之內容外延之內容亦不同，此只是類比的借用，如言內容的邏輯與外延的邏輯是），都是極富有彈性的。只要知其端緒，則輾轉引申，花爛映發，皆是「未始出吾宗」（《莊子・應帝王》篇）也。若在此分同異，皆無意趣。（如佛家「緣起性空」一義，輾轉引申，可有種種說。若在此分宗派，立同異，徒增繳繞）。要者在能知此種玄智、玄理是何形態耳。

《心體與性體》則是疏通宋明六百年儒家內聖之學之傳統。此一傳統以九人為骨幹，周濂溪、張橫渠、程明道、程伊川、胡五峰、朱晦菴、陸象山、王陽明、劉蕺山，其選也。此九人者輾轉觸發，就其畸輕畸重，雖分三系，然實是一道德意識下以心體與性體為主題所成之內聖之學（或成德之教）之一個大系統也。此一大系統之經典規範不外先秦儒家《論語》、《孟子》、《中庸》、《易傳》、《大學》，五部書。是故彼九人所遺留之文獻，若能對之有一精確之學知工夫，則其所依據之五部經典之本義亦可通過對刊而得明也。其主題為心體與性體。心體以《論語》之仁、《孟子》之本心為依據。性體或依《孟子》之本心即性而言，或依《中庸》、《易傳》之由道體說性體而最後亦與心體為一而言。性體與心體不一者（此函心與理不一），如伊川、朱子之思路，則是滯於名言之分解，未能往復消融提升，因而心思未能豁朗故。畸輕畸重，影響特大者在此，其他輕重無甚影響也。我們在此只能將伊川、朱子所說之理，使之即於本心而與本心為一（此一不是合一，乃是自一），不能停滯於其所理會之心，或混漫其所理會之心之分際，而求會通也。我們如真遵守先秦儒家之道德意識而不逾越，則本心即性即理這一道德心之創發性（即自由自律性）必不可忽。同時，我們亦不能特貶《中庸》與《易傳》而視之與《論》、《孟》為對立。蓋因本心即性即理之本心即是一自由無限心，它既是主觀的，亦是客觀的，復是絕對的。主觀的，自其知是知非言；客觀的，自其為理言；絕對的，自其「體物而不可遺」，因而為之體言。由其主觀性與客觀性開道德界，由其絕對性開存在界。既有其絕對性，則絕對地客觀地自道體說性體亦無過，蓋此即已預設本心之絕對性而與本心為一也。然既是絕對地客觀地由道體說性體，其所預設者不顯，故如此所說之性體與道體初只是有形式的意義，此只能大之、尊之、奧之、密之，而不能知其具體而真實的意義究如何。此所以橫渠、五峰、蕺山，必言以心成性或著性，而仍歸於《論》、《孟》也，亦即是將其所預設者再回頭以彰顯之也，故道體、性體、心體，並不對立也。惟先說道體、性體者，是重在先說存在界，而道體性體非空懸者，故須有一步迴環，由心體之道德意義與絕對意義（存有論的意義）以著成之也。陸王一系由本心即性即理這一心體之道德意義與絕對意義兩界一時同彰，故無須這一步迴環也。無論有此迴環或無此迴環，內聖之學、成德之教中之心體、性體、道體，必皆涵蓋天地萬物而為言，三者是一（雖言之之分際有異）歷來無異辭，而道德界與存在界之必通而為一亦歷來無異辭。滯於道德界而不准通存在界，未得陸王之實；視先說道體、性體以成存在界者為歧出，以為是空懸獨斷之道體、性體，亦未得儒者成德之教之實。圓教無外，焉有割截而不通者耶？深厭形上學者不但於西學之名言未能通曉，即於中國古賢之名言亦未能通曉也。此不過為時代陋風所威脅而不敢正視深遠之義理而已。

《佛性與般若》則是疏通南北朝隋唐一期之佛學。佛教來自印度，經過長期的吸收與消化，完全傳到中國來，成為中國文化發展中一重要因素。正式吸收自鳩摩羅什來華傳空宗底經論開始，繼之以唯識宗底經論，再繼之以後期的真常經（有經無論）而開為中國的真常心宗。這一期底佛學傳統是以空理、空智為主題。空理是根據「緣起性空」而說，空智則是根據般若智之不捨不著而說。空宗對於一切法無根源的說明，故自這一義而言，空宗實非一系統。至唯識宗始有一根源的說明。此有兩系：一是玄奘所傳的唯識學，此曰阿賴耶緣起，就中國的吸收而言，此曰後期的唯識學；另一系是真諦所傳的唯識學（所謂攝論宗），此曰如來藏緣起，就中國的吸收而言，則是前期的唯識學。前期唯識學經過《地論》師（分相州南道與相州北道之兩系）、《攝論》師（真諦的攝論宗），而集結於《大乘起信論》：以如來藏自性清淨心與阿賴耶和合而起現一切法。華嚴宗即是根據前期唯識學而開出者，此是典型的真常心宗。禪宗自《楞伽》傳心而言，亦是屬於真常心宗。至六祖惠能特重《般若經》，而言自性般若，則是般若智與真常心合一也。不重教相之分疏，特重禪定之修行，故特成禪宗。但還有一天臺宗，此則較特別。此並不屬於真常心系，以彼並不以如來藏緣起說明一切法也，亦並不唯真心也。真心不是分解地被預設以為本，而是詭譎地在圓頓止觀中被顯示。此宗乃承空宗而來，比空宗進一步，對於一切法之根源以及其存在之必然亦有一說明，故亦為一系統。他是以「一念三千」說明一切法。一念心是剎那心、煩惱心，亦曰「無明法性心」。無明無住，悟則無明即法性，則是轉念為智，即是智具三千。法性無住，迷則法性即無明，則是智隱識現，即是念具三千。故亦曰「從無住本立一切法」。天臺宗之此種特殊風格而與諸宗異者，唯在講圓教上之圓不圓問題。依天臺宗，必如此方是真圓，華嚴宗之圓教是別教一乘圓教，尚不是真圓也。禪宗可以講頓，而教相不明。頓可以函作用上的圓，並不函法之存有論上的圓。此若依天臺宗之術語說，此是化儀上的圓，並非化法上的圓（頓是化儀，非化法）。禪宗雖自說是上上宗乘，然此只顯強度上泯絕無寄之窮極，不顯廣度上的法之圓具。天臺宗講圓教已。於圓頓止觀上，即可函攝化儀上之圓頓也。

吾在《佛性與般若》中，將此長期吸收消化之發展予以脈絡分明之說明，並將各宗義理系統之特殊性格予以昭顯；而於天臺宗解說獨多者，以其於佛家式的「無執的存有論」獨能彰顯故也。本書之簡述亦以天臺宗為準。

道家以玄理、玄智為主。儒家講心體、性體、道體，吾人可方便轉名，說其以性理、性智為主。佛家以空理、空智為主。無論玄智、性智或空智，都是自由無限心之作用。玄理是虛說，是指有、無之玄同而言。王弼注云：「玄者冥也，默然無有也」。在有、無之玄同中，亦無「無」亦無「有」，有無一體而化。分解地言之，無是心之虛靜，擴大而為萬物之本；有是和光同塵，讓萬物自來而不為不執。故玄智就是有、無玄同之道心之明照。在此明照中，物是自在物也。空理是就法無自性說；空智是實相般若。無論套於何系統皆然。在實相般若之朗照中，法之實相顯。實相一相，所謂無相，即是如相。此即是無自性的法之在其自己。性理是就能起道德創造（即德行之純亦不已）之超越的根據言，此即是性體，擴大而為「於穆不已」之道體，成為存有論的實有性，即是萬物之體性，萬物底存在之超越的所以然。凡此，皆是客觀地言之也。而性理不離道德的本心，乃即於道德的本心而見。此本心之自由自律、自定方向、自立法則，就是理，亦可以說就是性之所以為性，性理之所以為理。此本心，依陽明，即曰「知體明覺」。知體明覺知是知非（自定方向自立法則）即是「性智」，性體所發之智也，即作為性體的知體明覺所發之智也（雖言所發，此智即知體明覺自己也）。在此性智面前，物，無論行為物（事），或存在物，皆是在其自己之物，《中庸》所謂成己成物也。

我們只有在長期的浸潤與滲透中，把這玄智、性智與空智弄明確，始能見出康德的不足；而亦只有通過康德的詞語，我們始豁然知玄智、性智與空智所照明而創生地實現之者（儒）、或非創生地實現之者（道）、或只具現之者（佛），乃物之在其自己。如果於此處說體用，則用不即是現象也（三家系統性格不同，故體用義亦不同）。對無限心（智心）而言，為物自身；對認知心（識心、有限心）而言，為現象。由前者，成無執的（本體界的）存有論，由後者，成執的（現象界的）存有論。此兩層存有論是在成聖、成佛、成真人底實踐中帶出來的。就宗極言，是成聖、成佛、成真人：人雖有限而可無限。就哲學言，是兩層存有論，亦曰實踐的形上學。此是哲學之基型（或原型）。於無執的存有論處，說經用（體用之用是經用）。於執的存有論處，說權用，此是有而能無、無而能有的。

康德哲學與中國的哲學傳統相會合，理應有此消融。中間的相激揚（激濁揚清）、相契入，乃是兩流相會自然激出的浪花。浪花平息，則消融而暢通。如果我們滯於名言，則爾為爾，我為我，兩者可不相干，如是，便不能會合，自然亦不能激出浪花。康德自言其所言之感性與知性，我們很難說它們是識心之執；順西方傳統，亦無人想到可於它們加一「執」字。我們不能說康德的分解部是唯識論。若直以唯識論那套名言去比附康德的分解部，那必無意義。但若知從泛心理主義的唯識論中理應可有一認知主體，則認知主體，無論如何理性，如何邏輯，它究竟不是由無限心所發的智的直覺，如是，說它是識心之執乃是必然的，因認知心仍是識心也，只不過不取心理學的意義而已。我們習於範疇、法則、邏輯、數學、理性，這些莊嚴名詞日久，以為凡此皆與識心之執根本無關。實則一與智的直覺相對照，顯然可見出它們皆是認知主體之所發，仍是屬於識心之執之範圍。如果智的直覺只屬於上帝，則說它們屬於識心之執，這尚不足以引起人之注意，或根本不能為人所想到。若在我們人身上能開出自由無限心，由此無限心即可開出智的直覺，則一經對照，頓時即可充分而顯豁地顯出那些莊嚴的東西實只屬於識心之執。如是，則憑那些莊嚴的東西所知者只是現象而不是物之在其自己，這亦成不刊之論。若以為只憑那些東西便可達到最高的真理，以為我們的知識或理性之境只盡於此，則是依識不依智，而非所謂「依智而不依識」。康德已知單憑這些東西不能知本體界的自由、不朽、上帝、以及物之在其自己，此是其功也。但他把智的直覺推給上帝，則此本體界便成冥闇，人可掉頭不肯顧。此是其不足處。如是，則「依智不依識」，便成不可能，其由實踐理性所開顯者亦成掛空而無實，或至少不能充分挺得住，而演變至今日，全成為依識不依智，亦不足怪矣。

又，如果我們從表面的詞語看，我們亦不能說康德所說的自由意志就是良知，就是虛一而靜的道心，就是如來藏自性清淨心。但如果我們知道這些都是屬於本體界的，它們便理應同被表示為是一自由的無限心。此心雖有種種義、種種說，然而其實乃是相滲透而為一，無限心不能有二故，不能有礙故。康德於「自由」未說為無限心，又不承認吾人可有智的直覺，但這只是他的分析之不盡，非自由意志本身理應如此也。我們如果能確知其層面與範圍屬於本體界，則以儒家的自由無限心消融之，不為不合法。

又，如果我們只看表面的字眼，誰能想到於佛家的「緣起性空」處可以說「物之在其自己」？誰能想到誠體成己成物所成之事事物物是事事物物之在其自己？誰能想到知體明覺之感應中之物與事是物與事之在其自己？不特此也，縱使莊子之逍遙無待之自在亦不容易被想到即是康德所說之「物之在其自己」。然而如果知康德所說的「物之在其自己」是對上帝而言，對其所獨有的智的直覺之創造性而言，則在自由無限心前為「物之在其自己」乃必然而不可移者。如是。在實相般若前可以開出一個無自性的「物之在其自己」，亦是必然的；在明覺感應中之物為「物之在其自己」，這亦是必然的；至於逍遙無待中之自在，乃至玄同中之有，歸根復命中之物，其為「物之在其自己」，更不必言矣。中國傳統中的三家以前雖無此詞，然而通過康德的洞見與詞語，可依理而檢出此義。此既檢出，則對見聞之知（儒家）、成心（道家）、識心之執（佛家）而言，萬物為現象，此亦可順理而立也。此之謂「依義不依語」，「依法不依人」（亦函依理不依宗派）。時下風氣，多斤斤於字面之異，此乃是執文而不通義也。顢頇混同，妄肆比附，固增混亂；滯於文而不通義，不能如康德所云依理性之原則而思考，到家亦不過只是歷史的知識，永不能得到理性的知識，此已難與之語學矣，而何況即於詞義尚不通者乎？

吾茲所言並非往時三教合一之說，乃是異而知其通，睽而知其類，立一共同之模型，而見其不相為礙耳。此是此時代所應有之消融與判教。一得之愚願與賢者相參證，亦望賢者勿率爾騁口辯也。

《佛性與般若》

序

《才性與玄理》主要地是詮表魏晉一階段的道家玄理，《心體與性體》是詮表宋明的儒學，而本書則是詮表南北朝隋唐一階段的佛學。

從中國哲學史底立場上說，這三階段主流的思想內容都是極不容易把握的，而佛教一階段尤難。魏晉一階段難在零碎，無集中的文獻。宋明一階段已有集中的文獻矣，而內容繁富，各家義理系統底性格不易領會。佛教一階段難在文獻太多，又是外來的獨立一套，名言熏習為難。即使已習慣于名言矣，而宗派繁多，義理系統之性格以及其既系統不同而又互相關聯之關節亦極難把握。

一部《大藏經》浩若煙海，真是令人望洋興歎。假使令一人獨立地直接地看《大藏經》，他幾時能看出一個眉目，整理出一個頭緒？即使略有眉目，略得頭緒，他又幾時能達到往賢所見所達之程度？是以吾人必須間接有所憑藉，憑藉往賢層層累積的稱述以悟入。廣言之，自佛而後，除經為佛所說外，大小乘底義理都是往賢層層累積的稱述。（一切大小乘經是否皆為佛所說，吾人不討論這個問題。）在印度已有累積，如部派佛教，大乘宗空，大乘有宗，皆是。經過翻譯，傳到中國來，又繼續有累積稱述與新的發展。即，除印度原有者外，復有天臺宗，華嚴宗，以及禪宗。（其他教派不論，講佛教史者可以論之。講佛教史與講佛家哲學史不同。往賢的義理闡發，順佛所說的教義而發展者，正合乎哲學史之論題。）

佛所說之經與諸菩薩所造之論傳到中國來，中國和尚有其消化。這種消化工作當然不容易，必須對于重要的相干的經論有廣博的學識與真切的了解方能說消化。第一個作綜和的消化者便是天臺智者大師。後來的消化如華嚴宗的消化以及所謂「教外別傳」的禪宗的消化皆不能超出其範圍。諦觀《天臺四教儀》開頭即云：「天臺智者大師以五時八教判釋東流一代聖教，罄無不盡。」這種判教即是吾所謂綜和的消化。這種判教，態度很客觀，對于大小乘經論皆予以承認，予以客觀而公平的安排與判別。我們不能只停于印度原有的空宗與有宗為已足。因為顯然空宗只是般若學，有宗只是唯識學。般若學宗《般若經》，唯識學宗《解深密經》。其他的經教怎麼辦呢？如果其他的經教亦是佛教，不是虛妄，即當有一個安排與判釋。般若當然有其根本處，唯識亦當然有其根本處。但我們不能說般若與唯識即盡了一切。如是，吾人須了解般若與唯識（空宗與有宗）底限度。吾人藉著天臺的判教，再回來看看那些有關的經論，確乎見出其中實有不同的分際與關節。因為佛本有各方面與各程度的教說。佛不能一時說盡，而所對之機亦各有不同，理應有各方面與各程度，甚至各方式的不同教說。當然有其相出入處，但亦有其所著重處。此即既有不同而又互相關聯。然則其不同而又互相關聯底關節何在呢？吾人將如何了解呢？了解了此等關節便是了解了中國吸收佛教底發展，此便是此一期的哲學史。判教是靜態地說，發展底關節是動態地說，其義一也。

智者大師已說教相難判。若非精察與通識，決難語此。當然有可商量處，然大體亦不甚差。若讓吾人自己去讀，決難達到此種程度。就吾個人言，吾只順其判釋而期能了解之，亦覺不易。我看後來許多專家亦很少能達到此程度。開宗者如華嚴宗之賢首尚不能超過之，而何況近時之專家？吾順其判釋之眉目而了解此一期佛教義理之發展，將其既不同而又互相關聯底關節展示出來，此即是本書之旨趣。

本書以天臺圓教為最後的消化。華嚴宗雖在時間上後于天臺，然從義理上言，它不是最後的。它是順唯識學而發展底最高峰，但它不是最後的消化，真正的圓教。本書于天臺圓教篇幅最多，以難了悟故，講之者少故，故須詳展。又以為此是真正圓教之所在，故以之為殿後。

本書以般若與佛性兩觀念為綱領。後來各種義理系統之發展皆從此綱領出。吾人通過此綱領說明大小乘各系統之性格——既不同而又互相關聯之關節。般若是共法；系統之不同關鍵只在佛性一問題。系統而至無諍是在天臺圓教。故天臺圓教是般若之無諍與系統之無諍之融一。徒般若之無諍不能決定系統之不同也。

本書重在集中論點，詳明各系統差異之關節，不重在細大不捐，漫盡一切駢枝。是故三論宗，成實宗，甚至僧肇，皆不曾述及。僧肇是鳩摩羅什門下解空第一，然亦只是般若學，屬空宗，故不專述。《肇論》文字美麗，初學者可由之悟入空宗，然亦不能盡般若學之詳也。三論宗既宗龍樹三論（《中論》、《百論》、《十二門論》），則亦空宗而已矣。如不止于空宗而有進于空宗者，則不得曰三論宗。如不止于空宗而曰三論宗，則是氾濫；氾濫而不能達至天臺圓教之程度，則只是一過渡。為此之故，故不述及。如有詳之者，當然有價值。本書則略。南北朝時，有一個時期，《成實論》流行。此亦只是有過渡的歷史價值，無所取詳焉。累積太多，須簡化也。

中國吸收佛教，順印度已有之空有兩宗繼續發展，發展至天臺、華嚴、禪，已至其極，故中國已往之吸收亦盡于此。吾人以此頂點為標準，返溯東流一代聖教，展示其教義發展之關節，即為南北朝隋唐一階段佛教哲學史之主要課題。史跡與版本文獻之考據無甚關重要也。重要者是在義理之了解。

近時佛學專家多喜習梵文，從頭來。我很希望他們能對于以往的傳譯有所糾正，並希望他們能有新發現，無論是文獻，或是教義。如若讀了梵文，只是將已往的翻譯重新綴上梵文字，則無多大的意義。以往的翻譯是經過了幾百年的傳統，都已成了定本，而且他們的翻譯都是純粹的翻譯，不雜以任何梵文字，即使不是意譯，亦是音譯過來。這樣的翻譯才可以獨立發展。故講述者，無論在當時，或在後時，翻譯家或非翻譯家，都是以譯文為憑。小出入，小疵病，或不能免，然大體或不至于太差。翻譯工作直到賢首成立華嚴宗時還在進行。賢首即曾參與八十《華嚴》之譯事，而其引述經文卻大體仍據晉譯六十《華嚴》。他們都是行家，其梵文程度決不亞于今人。吾不是佛學專家，亦無力學梵文，故只憑東流的經論講述中國吸收佛教過程中義理發展之綱脈與關節。如若今人之學梵文，重頭來，能有新發見，能超過中國前賢所已吸收者，或能成立一面目不同之新佛教，則當然是大佳事。然這已超出了中國南北朝隋唐一階段之所吸收者，而這一階段，如非全虛妄，仍當有講述之價值。

近人常說中國佛教如何如何，印度佛教如何如何，好像有兩個佛教似的。其實只是一個佛教之繼續發展。這一發展是中國和尚解除了印度社會歷史習氣之制約，全憑經論義理而立言。彼等雖處在中國社會中，因而有所謂中國化，然而從義理上說，他們仍然是純粹的佛教，中國的傳統文化生命與智慧之方向對于他們並無多大的影響，他們亦並不契解，他們亦不想會通，亦不取而判釋其同異，他們只是站在宗教底立場上，爾為爾，我為我。因而我可說，嚴格講，佛教並未中國化而有所變質，只是中國人講純粹的佛教，直稱經論義理而發展，發展至圓滿之境界。若謂有不同于印度原有者，那是因為印度原有者如空有兩宗並不是佛教經論義理之最後階段。這不同是繼續發展的不同，不是對立的不同；而且雖有發展，亦不背于印度原有者之本質；而且其發展皆有經論作根據，並非憑空杜撰。如是，焉有所謂中國化？即使如禪宗之教外別傳，不立文字，好像是中國人所獨創，然這亦是經論所已含之境界，不過中國人心思靈活，獨能盛發之而已。其盛發之也，是依發展之軌道，步步逼至者，亦非偶然而來也。何嘗中國化？須知最高智慧都有普遍性。順其理路，印度人能發之，中國人亦能發之，任何人亦能發之。何嘗有如普通所說之中國化？一般人說禪中國化而迎之，而朱子又說象山是禪而拒之。這種無謂的迎拒都是心思不廣，情識用事，未得其實。禪仍是佛教，象山仍是儒家。若謂有相同相似者，那是因為最高智慧本有相同相似者。有相同相似處，何礙其本質之異耶？人莫不飲食也。不能因佛教徒亦飲食，我須不飲食以異之。

我非佛教徒。然如講中國哲學史，依學術的立場，則不能不客觀。我平視各大教，通觀其同異，覺得它們是人類最高的智慧，皆足以決定生命之方向。過分貶視儒家、道家，我們覺得不對，過分貶斥佛教亦同樣是不對的。若從歷史文化底立場上說，都有其高度的價值，亦都有其流弊。我依此立場，曾經批評過佛教在中國之作用，人們以為我闢佛。然而我亦曾嚴厲地批評過儒家與道家，這將如何說？「知我者謂我心憂，不知我者謂我何求？」今純從義理上說，則亦可以心平氣和矣。

西方哲學主要地是在訓練我們如何把握實有（存有、存在之存在性）；而佛教則在訓練我們如何觀空，去掉這個實有。儒家訓練我們如何省察道德意識，通過道德意識來把握實有，把握心體、性體、道體之創造性。道家則處於實有與非實有之間，道德與非道德之間。亦如莊子處于材不材之間；它只有「如何」之問題，而無「是什麼」（存在）之問題。它不原則上否定實有，亦不原則上肯定實有；它不原則上肯定道德，亦不原則上否定道德。就前一問題言，它開藝術境界；就後一問題言，它是作用地保存道德。它的「如何」之作用亦可通佛家之般若。此所以以魏晉玄學為橋樑而可接近佛家之般若學也。此在初步吸收佛教上是一大極大之方便，皆有其故也。故吾亦常說道家是哲學的意味重，教底意味輕。它所說的「無」亦可以是個共法。

我之熏習佛教由來已久，然初只是道聽途說，並未著力。初講中國哲學史，對于佛教一階段，亦只是甚淺、甚簡、甚枝末的一般知識。如緣起性空，僧肇、竺道生，以及唯識宗，亦都知道一些；對于華嚴宗只知道事理無礙，事事無礙；對于天臺宗根本一無所知，只朦朧地知道個「一心三觀」。這都是一般人口頭上所常說的。然簡單地講一點「諸行無常，諸法無我，涅槃寂靜」，亦不大差。近二十年來，漸漸著力，然亦未能專注，只是隨時留意，隨時熏習，慢慢蘊蓄。先寫成《才性與玄理》，弄清魏晉一階段。後寫成《心體與性體》，弄清宋明一階段。中間復寫成兩書一是《智的直覺與中國哲學》，一是《現象與物自身》，以明中西哲學會通之道。最後始正式寫此《佛性與般若》。吾人以為若南北朝隋唐一階段弄不清楚，即無健全像樣的中國哲學史。我既非佛教徒，故亦無佛教內部宗派上的偏見。內學院的態度，我自始即不喜。歐陽竟無先生說藏密、禪、淨、天臺、華嚴，絕口不談；又說自臺、賢宗興，佛法之光益晦。藏密、淨土，不談可以。天臺、華嚴、禪，如何可不談？若謂人力有限，不能全談，則可。若有貶視，則不可。臺、賢宗興，如何便使佛法之光益晦？而呂秋逸寫信給熊先生竟謂天臺、華嚴、禪是俗學。此皆是宗派作祟，不能見中國吸收佛教發展之全程矣。他們說這是力復印度原有之舊。然而佛之教義豈只停于印度原有之唯識宗耶？此亦是淺心狹志之過也。

我既依講中國哲學史之立場，我不能有此宗派之偏見。我既非佛弟子，我根本亦無任何宗派之偏見。然當我著力浸潤時，我即覺得天臺不錯，遂漸漸特別欣賞天臺宗。這雖非偏見，然亦可說是一種主觀的感受。主觀的感受不能不與個人的生命氣質有關。然其機是主觀的感受，而浸潤久之，亦見其有客觀義理之必然。吾人以為若不通過天臺之判教，我們很難把握中國吸收佛教之發展中各義理系統（所謂教相）之差異而又相關聯之關節。當然一個人可以獨自地去摸索，然不必真能達到天臺智者大師之程度。即使真能達到，亦不必定能證明天臺之非。義理現成，乃有目者所共睹也。有真學力與識見者自能決之。此非可純以主觀主義論之也。吾在浸潤過程中稍作比較，覺得智者大師真有學力、功力與識見。

此非聰明人如蟲食木，偶然成字也。經論熟，義理通，心思活，出語警策。慧思預記其為「說法第一」，誠不虛也。其相應《法華》開權顯實，發跡顯本，以立性具圓教，荊溪、知禮而後，吾未見有真能了徹之者也。而吾人今日略用一點新詞語表達之，當更能使其眉目清楚。其與空宗之別，與唯識宗之別，與真常心宗之別，與華嚴宗之別，甚至由之判攝禪宗，皆可由對此圓教之了徹而了解之。此非隨意高下說也。吾自問經論不熟，自愧若獨自摸索決難達至此程度。即使可以達到，不知何年何月始可有如彼之恰當。故只好通過彼之判釋以及其所自立之圓教以為橋樑。然即對其判釋以及其所立之性具圓教本身，了解亦非易也。

人之生命有限，積思至今，已不覺垂垂老矣。吾之學思時下亦只能達至此而止。將來恐亦不會有多大進步。望教內外方家隨時予以匡正，以增益其所不能。

時在中華民國六十四年十二月作者自序于九龍

《名家與荀子》序

此書中各篇皆舊作。《荀學大略》曾于民國四十二年出版，為一獨立的小冊。關于《公孫龍子》諸篇則曾于民國五十二年發表于《民主評論》雜誌，關于惠施者則曾于民國五十六年發表于香港大學《東方文化》。今輯于一起名曰《名家與荀子》。

關于《公孫龍子》，吾只疏解其〈白馬論〉、〈通變論〉、〈堅白論〉、〈名實論〉四篇，〈指物論〉則缺。此篇難得的解，未能著筆。歷來解〈指物論〉者多矣，皆以為能得其解。實則如將作者所參加之思想抽掉，原文仍看不出確定的表意。惟陳癸淼君作的疏釋比較自然而順適。但對于該文最後兩句「且夫指固自為非指，奚待於物而乃與為指」之疏釋仍有刺謬。甚矣其難解也！陳君之疏釋如將此最後兩句能解得妥當，則將為一可取之解法。陳君隨從金受申及伍非百以為此兩句中後一句之「而乃與為指」，「指」上脫一「非」字，當為「而乃與為非指」，是則固可與前句「且夫指固自為非指」相順承。但如此，便與全篇前文之疏釋相刺謬，陳君亦知之，然其解釋卻不妥當。吾人是否可換一個想法，即並非「而乃與為指」指上脫「非」字，而乃是「且夫指固自為非指」句中衍「非」字。或不衍，而是「非」上更脫一「非」字。如是，則此最後兩句是進而說「且夫指固自為非非指（指固自為指），奚待於物而乃與為指！」此是承前文「指非非指也」句而來。如此，若再以「離也者天下，故（固）獨而正」之義釋之，似乎當較順適。若曰：若如此，則與前文「天下無物，誰徑謂指」句相衝突。蓋依此前文，則吾人之可說指仍有待于物也。曰：固是。但天下有物而可說指矣，及指一成，則物是物，指是指，指固可自為指，不必有待于物而乃與為指也。有待于物始可說指，但指之成為指並不有待于物也，即物並不是指本身構成之成分。此合于「離」之精神。當然不免迂曲，但並非不通。或許公孫龍心目中即在說此義。通篇皆順首句「物莫非指，而指非指（＝而指與物非指＝而物指非指）」之綱領，反覆申說物與指之肯定關係，（物莫非指）以及「物指」（指與物）與指之否定關係（物指非指，指與物非指）。反覆申說已，正式指出「指非非指也，指與物非指也。」繼之，再順「指與物非指」一行申說，並最後順「指非非指（指是指）」一行作正面申說，終歸于指與物離，各自獨成。如此，則通篇似亦可有差強人意之順適，只須知「而指非指」句中首指字，當該依據「指與物非指」而改為「物指」即可，原句脫一「物」字也。這固然亦動了一點改動的手術，但此改動是依據原有者而改動，而且亦比其他解釋所動的手術為小，故比較為可取也。動此小術後，此下皆可通，如陳君之疏釋。直至此文末段云：

指非非指也，指與物非指也。

使天下無物指，誰徑謂非指？天下無物，誰徑謂指？天下有指，無物指，誰徑謂非指？徑謂無物非指？（案：此順「指與物非指」一行申說。）

且夫指固自為（非）非指（固自為指），奚待於物而乃與為指！（案：此順「指非非指也」一行說。）

此是說指並非不是指，或並非「指非指」，而乃是指與物合而為「物指」，才可說「非指」。簡單言之，此兩句是說：指是指，物指不是指。此亦如說：馬是馬，白馬不是馬。繼之，再申說「指與物非指」句。假使天下無「物指」（指與物合），誰能逕直說「非指」呢？有了「物指」，我們始可說「物指非指」。即，乃正是這物指非指，並非是「指非指」。又，假使天下無物，誰能逕直說指呢？即，若根本無物，則意指之論謂亦無所施，而指亦不可說矣。有了物而可說指，而有了指矣。然若無「物指」（指與物合），誰能逕說「非指」呢？此重申前義。又誰能逕說「無物非指」（物莫非指）呢？此進而重歸于全文之首句。

繼之，最後再順「指非非指也」一行申說。「且夫指固自為指，奚待於物而乃與為指！」即，指本自為指，不必待于物參與進來始成為指也。指謂述物（物莫非指），然而指之成為指卻不必有待于物參進來而始成為指，即物不是指本身構成之成分。即指是指，物是物，各自離而獨成一存有也。

如此疏釋，全篇亦甚通順。全文不過說三句：

一、物莫非指；

二、指與物（物指）非指；

三、指是指，物是物。

鄺錦倫君亦有一疏釋文刊在《幼獅月刊》第四十卷第五期。此文甚美。他的講法大體同于陳癸淼君，而表達義理較為嚴整。他亦說「而指非指」句中首「指」字當該是所指之物，即當改為「物」字。其根據是文中「非指著，天下而〔之〕物，可謂指乎？」以及「天下無指，而物不可為指也。不可為指者，非指也。」等句。此與陳君根據「指與物非指」，而改為「指與物」或「物指」，大致相同。「物非指」，「指與物（物指）非指」，乃相隨而推進說者，故皆可也。此外，他有一個眉目很清的分別，即他點出通篇只反覆申說兩種關係：認識論的關係與存有論的關係。此兩種關係可並存。「物莫非指」

是認識論的關係；「物非指」或「指與物（物指）非指」是存有論的關係。推之，指是指，物是物，則當是存有論的離獨之反身關係。這個分別甚好，可把篇中的糾纏及反覆申說弄得眉目分明、釐然可辨。但他疏釋末段「指非非指也，指與物非指也」以下，則又弄得頭緒太多而迷失，而且又把「且夫指固自為（非）非指（固自為指），奚待於物而乃與為指！」這最後兩句改成另一種語法，此則不合理。

我今順陳君之講法，對此末段提出另一講法，可使全文無頂撞處。鄺君之文，若再將此末段之文予以如此之修改，將成為〈指物論〉疏釋中最順適之文，亦是最逼近原義之文。讀者取陳、鄺兩君之文合看，再加上吾以上所提議者，當可理解此一難解之古典矣。吾亦不須再為之疏釋矣。

吾將名家與荀子連在一起，旨在明中國文化發展中重智之一面，並明先秦名家通過《墨辯》而至荀子，乃為一系相承之邏輯心靈之發展，此後斷絕而無繼起之相續為可惜。凡此，吾皆鄭重言之于正文，茲再略提于此，以期讀者之注意。

中華民國六十七年序于九龍

公孫龍之名理

小序

近來整理先秦名家，先寫〈惠施與辯者之徒之怪說〉一文，交港大《東方文化》。該文就《莊子・天下》篇所記，先講明惠施之思理，次明「辯者之徒」怪說二十一事。夫既為怪說，則其隱僻難解可知，又為單辭孤義，不詳其立說之原委，若單憑臆測，無異畫鬼。近人馮友蘭以為此怪說二十一事可以分為兩組：一組是合同異，屬惠施之思理；一組是離堅白，屬公孫龍之思理。此大體可從，如是，增加此怪說之表意性不小。

人皆籠統以「合同異，離堅白」說當時之名家，實則「離堅白」乃是公孫龍之主張，而「合同異」則是惠施之傾向，此兩者各代表一種思理，而「合同異」之思理尤接近莊子之玄理。

惠施與莊子善，莊子受其影響不小，然兩人之心靈根本有異，就〈天下〉篇所記「惠施歷物之意」之八事觀之（歷來作十事解，非是），惠施之思理確更接近于莊子，以故馮友蘭全以莊子之言解惠施。然雖云接近，而實有距離，即就「合同異」言，名理地談與玄理地談根本有異，馮氏不解玄理，故其所言，難恰當也。故于明惠施之思理時，一、處處辨明名理與玄理之不同；二、取司馬彪、李頤、成玄英，以及近人馮友蘭之解說，一一疏評之，以明其可通不可通之分際。

于明辯者之徒怪說二十一事時，則順「合同異，離堅白」兩原則一一予以考察，並亦取以上四人解說而一一疏評之，看此各家解析究可通否？其屬于「合同異」組之怪說，究能表示合同異之思理否？其屬于「離堅白」組之怪說，究能表示離堅白之思理否？大體屬于離堅白者較可解，而屬于合同異者則難通，于以見「合同異」並非易事也。凡此俱見該文，茲不再詳。略予提示，以明本文之續承。

本文〈公孫龍之名理〉，乃承該文正式疏解公孫龍之思理者，今《公孫龍子》，只有〈跡府〉、〈白馬〉、〈指物〉、〈通變〉、〈堅白〉、〈名實〉六篇。〈跡府〉篇記載公孫龍之故事，餘五篇純為名理之談，本文想于此五篇一一予以詳細疏解，關于〈指物〉篇詳見本書序文。

荀學大略

前序

荀子之學，歷來無善解，宋明儒者，因其不識性，不予尊重，故其基本靈魂遂隱伏而不彰。民國以來，講荀子者，惟對其〈正名篇〉尚感興趣，至于其學術之大略與精神之大端，則根本不能及。近人根本不喜言禮義，故亦不識其所言之「禮義之統」之意義，亦不能知其言「禮義之統」所依據之基本精神與心思之形態，故于荀子正面所說之一切，近人皆不能感興趣，而無法接得上，蓋以其無沖旨、太典實。而又分量過重也，然于其基本精神及心思形態不能識，則于其言正名亦必不能徹底了解也。荀子實具有邏輯之心靈，然彼畢竟非正面面對邏輯，而以邏輯為主題也，此乃從其正面學術拖帶而出者，故欲了解荀子邏輯之心靈，亦必須先通其學術之大體。吾今先言荀學之大略，而以〈正名篇〉之疏解附之，庶可為治荀子者提供一門徑，且欲表明荀子之思路，實與西方重智系統相接近，而非中國正宗之重仁系統也，故宋、明儒者視之為別支，而不甚予以尊重也。然在今日而言中國文化之開展，則荀子之思路正不可不予以疏導而融攝之，此亦即疏通中西文化之命脈，而期有一大融攝中之一例也。

中華民國四十二年十月十日國慶日牟宗三序于台北

《從陸象山到劉蕺山》

序

《心體與性體》共三冊已於民國五十七年出版於正中書局。在該三冊中，只詳講濂溪、橫渠、明道、伊川、五峰與朱子六人。但在詳講此六人中，宋、明儒長期發展之可分為三系已確然明白而無可疑。是故在該書出版後，心中如釋重負；雖即尚餘陸、王一系以及殿軍之劉蕺山尚未寫出，吾亦暫時無興趣再為續寫。遲延至今，忽忽不覺已十年矣。在此十年間，吾亦未輟工作。《智的直覺與中國哲學》、《現象與物自身》、《佛性與般若》，皆在此期間寫成者也。此雖無關於宋、明儒，然亦非不增長吾之學思與理解，因而對於宋明儒學之定性與定位亦非無深廣之助益也。吾所涉及之工作至今大體俱已寫成，因此宋明儒之餘三人亦必須寫成，不能再拖。此書定名曰《從陸象山到劉蕺山》，實即《心體與性體》之第四冊也。

此書中關於王學之兩章，即第三章與第四章，實早已於民國六十一年及六十二年分別發表於《新亞學術年刊》之第十四期與第十五期。而第三章之附錄：〈致知疑難〉，則更早見於《王陽明致良知教》一小冊中（此小冊寫於民國四十一年）。今該小冊可作廢，而〈致知疑難〉一段至今不變，故附錄於此書之第三章第一節。

此書之第二章〈象山與朱子之爭辯〉亦是早於民國五十四年發表於《民主評論》者。那時吾正在寫《心體與性體》，對於朱子已有頭緒，故寫成該文，亦至今不變者，故收於此書作第二章。此章涉及朱子者，與《心體與性體》第三冊〈朱子部〉所說當然不免有重複處。再重複了解一下朱子學之綱要亦無傷也。此章相當長。然如此深入詳述。則必能使人於朱學與陸學更有深切而明確之理解，不至終於浮泛而迷離也。

是則此書最近新寫成者唯第一章、第五章與第六章而已。第一章為象山學，乃吾醞釀好久乃決定如此著筆而寫成者。須知象山學並不容易著筆也。第五章為〈兩峰、獅泉與王塘南〉。此章為從王學之江右派過渡到劉蕺山之過渡。江右派之聶雙江與羅念菴已不解王學矣；而王塘南則正從此不解而復漸遠離於王學。此一不解與遠離正顯王學之特色，亦顯其所可有之流弊。人之不解與遠離亦正顯一新要求或新角度。而此新要求與新角度則結集於劉蕺山而有成果者。是以此過渡如不明，則王學與蕺山學間之罅隙即無由得彌縫。此一過渡亦甚幽深曲折而難明，人多忽之而亦不能解。吾故特為詳表之。

最後一章為〈劉蕺山之慎獨之學〉。蕺山之慎獨學，吾早已覺其為「歸顯於密」者。至寫《心體與性體》五峰章時，吾已確然見其與胡五峰為同一思路。此一大體之了解乃決定不謬者。然其中有若干隱晦曲折而艱深之辭語，吾一直不能有確解。今著手寫此章，重新對於《劉子全書》中有關之文獻一一仔細歷過，乃得通徹其中之曲折以及其確義。去其駁雜、滑轉、窒礙，與隱晦，其精義實義自不可掩。

夫宋明儒學要是先秦儒家之嫡系、中國文化生命之綱脈。隨時表而出之，是學問，亦是生命。自劉蕺山絕食而死後，此學隨明亡而亦亡。自此以後，進入滿清，中國之民族生命與文化生命遭受重大之曲折，因而遂陷於劫運，直劫至今日而猶未已。噫！亦可傷矣！是故自此以下，吾不欲觀之矣。吾雖費如許之篇幅，耗如許之精力，表彰以往各階段之學術，然目的唯在護持生命之源、價值之本，以期端正文化生命之方向，而納民族生命於正軌。至於邪僻卑陋不解義理為何物者之胡思亂想，吾亦不欲博純學術研究之名而浪費筆墨於其中也。

《純粹理性之批判》

第一版序言

人類理性在其知識之一目裡有此特殊之命運，即：它為一些問題所苦惱，這些問題，由於為理性自身之本性所規定。所以它不能不去理會它們，但是又由於它們超越人類理性底一切能力之外，所以它又不能去解答它們。

人類理性所這樣陷入的困惑並不是由於它自己底任何錯誤。它開始於一些原則，這些原則，除在經驗底行程中去使用之外，它沒有選擇之餘地，而此經驗同時又大量地（充分地）證明它在使用這些原則中為正當。以這些原則之助，它上升到高而又高，遼遠而又遼遠的條件上去（因為它是為其自己之本性所決定，決定其要如此上升的），如是，它即刻覺察到：在此路數中——問題從未停止——它的工作必總仍舊是不完整的；因而它見出它自己被迫著要去依靠這樣一些原則，即：這些原則乃是越過一切可能的經驗使用之外的原則，然而它們卻似乎又是如此之不可反對的原則以至於即使是通常的意識也很容易承認它們。但是，依此程序，人類理性遂使其自己僵滯於黑暗與矛盾中；而雖然它實可猜想這些矛盾必是在某種路數中，由於隱藏的錯誤而然，可是它卻又不能夠去檢查出這些錯誤。蓋因為它所使用的那些原則超越了經驗底範圍，是故它們不再服從任何經驗的考驗。這些無止境的爭辯之戰場即被名曰形而上學。

形而上學曾經一時被稱為一切科學之女王；而如果「意願」被認為是「事實」，則其所接受的工作之特別重要實可使她有一切權利享此榮譽之稱號。但是，現在，已經變了的時風只帶給她以譏諷；一個被逐出並被遺棄的婦人，她像海古巴（*Hecuba*）那樣哀悼著說：「直至現今以前，我是一切中最偉大者，在吾族萬民之上，我是如此之有權力者，但是現在我被拖曳著像一個流犯、可憐的人」。〔拉丁文："*Modo maxima rerum, tot generis natisque potens – nunc trahor exul, inops*"。英譯 "Until recently, I was the greatest of all things, so powerful over the great number of our race, but now I am dragged as an exiled, miser." 義大利友人梅文健先生代譯。〕

她的政府，在獨斷主義者底管理之下，其初原是專制的。但是因為立法仍帶有古代野蠻之痕跡，是故她的帝國經由內戰漸漸崩解而為無政府之狀態；而懷疑論者，一種遊牧民〔流浪人〕，憎惡一切定居的生活方式者，則時時打散了一切城市的〔文明的〕社會。幸而他們為數甚少，而且他們亦不能阻止城市社會之被重建。雖然其被重建並不是依據劃一的與自身一致的計畫而被重建。近時，通過一種對於人類知性底生理檢查——大名鼎鼎的陸克底檢查工作，這看起來好像是對於這一切爭辯作了一個結束，而形而上學底要求似亦接受了最後的判斷。但是這已被證明完全不如此。因為不管怎樣試想藉著把這設想的女王底族系追溯到起源於通常的經驗這種庸俗的起源，來對於這設想的女王之虛偽的要求加以懷疑，這種族譜事實上是虛構地被捏造成的，而她亦仍然要繼續去高舉她的要求。依此，形而上學又退回而跌入了那古代陳舊的獨斷主義，因而又遭受了「它所要脫離」的那種貶視。現在，在「大家相信一切方法皆被試過而又見其為不適用」之後，流行的心情便是厭倦與完全的淡漠，這厭倦與淡漠，在一切學問中，是混沌與黑暗之母，但是幸而即在此混沌與黑暗之情形中，厭倦與淡漠又是「一切學問底接近改革與恢復」底根源，即不說是根源，至少也是「一切學問底接近改革與恢復」底序幕或前奏。因為這厭倦與淡漠至少可以使那種「曾把一切學問弄成這樣黑暗、混亂，而不堪用的『惡劣應用的勤勉』（ill-applied industry）」歸於結束。

但是，對於這樣的研究，即「其對象對於我們人類的本性從不能是不相干的」。這樣的研究，去假裝不相干（淡漠），這是無謂的。實在說來，這些偽裝的淡漠者，不管他們如何想藉著「以通俗的音調代替學院底語言」來偽裝他們自己，只要當他們真要作思考，他們便不可避免地又墮回到那些「他們裝作十分去輕視之」的形而上的肯斷。可是縱然如此，這種淡漠，由於它於學問繁興之際表示它自己，而且它確然也影響了那些學問，這些學問底知識，如果是可得到的，我們必不能輕易廢除之，由於是如此云云，所以這種淡漠亦是一種「需要注意與反省」的現象。此種淡漠顯然不是輕率底結果，而是時代底成熟判斷(a)之結果，此中所謂時代乃是拒絕再以虛幻的知識來敷衍或推宕的時代。此種淡漠對於理性是一種喚醒，喚醒理性重新去作一切它的工作中之最困難者，即去作「自知」之工作，並且要去設立一個法庭，此法庭將對於理性保證其合法的要求，並遺除一切無根據的虛偽要求，其遺除之不是以專制的命令來遺除之，而是依照法庭自己所有的永恆而不可改變的法律來遺除之。這個法庭不是別的，不過就是「純粹理性之批判」。

(a)關於「時代底成熟判斷」，康德有底注云：

我時常聽到關於「我們的時代中的思想浮淺」之怨言以及關於「健全學問底必然隨衰」之怨言。但是我沒有看到那些「基於安全基礎上」的學問，例如數學、物理學，等學問，絲毫應受此責難。正相反，它們應得其舊有的「堅實性之聲譽」（*Ruhm der Gründlichkeit, reputation for solidity*），而就物理學而言，它甚至勝過其舊有的堅實性之聲譽。同樣的精神〔即如在數學與物理學中被證明為有效果者這同樣的精神〕必會在其他種知識中被證明為有效果❶，只要當此其他種知識底原則之如何被正確化已首先被慮及時❷。直至此點被作成以前，淡漠、懷疑，以及在最後的結局中，嚴厲的批判，其自身就是一種徹底的「思想方式」❸〔或「心態」〕之證明（Beweise einer gründlichen Denkungsart）。我們的時代特別是一批判底時代，而每一東西皆必須交付於批判。宗教經由其神聖性，以及立法經由其莊嚴性，可以想去使其自己豁免於批判。但是若這樣，它們正好豁醒了懷疑，而且它們亦不能要求有真誠的尊敬，理性只能把真誠的尊敬給與於那「能夠去護持自由而公開的考察之檢驗」者。

---

❶ 案：此句依康德原文譯。肯・斯密士譯為「同樣的精神必會在其他種知識中成為主動的」，「成為主動的」不達。康德原文是“wirksam beweisen”（被證明為有效果）。Max Müller 譯為「同樣的精神必會在其他種知識中顯示其自己」。此稍好。Meiklejohn 譯為：「其他種知識亦必會同樣是如此」（即情形亦必會與數學、物理學同）。此是意譯，甚達。但康德原文實有「同樣的精神」字樣（derselbe Geist）。

❷ 案：此句亦依康德原文譯。肯・斯密士譯為：「只要當**注意**已首先被引至此其他種知識底原則之決定時。」此譯迂曲而不顯，但顧到原文之「被慮及」。Max Müller 譯為：「只要當此其他種知識底原則已首先恰當地被決定時」，Meiklejohn 譯為：「只要當此其他種知識底原則已首先**堅固**地被確立時」。三譯重點皆落在原則之決定。實則康德原文意自顯明，重點是在「原則之如何被正確化」。此一整句所示之義，康德在此注文中略提一下，說的較含混。其心中所想者，詳細展示見第二版序文。讀者讀過第二版序文後，即可豁然明白此一整句所示之說之義。

❸ 依康德原文當該是「徹底的思想方式」（或徹底的心態），而肯・斯密士則譯為「深刻的思想習慣」（Meiklejohn 譯同），「習慣」（habit）字不達。Max Müller 譯為「誠實的思想」較好。

所謂「純粹理性之批判」，我並不是意謂書籍與系統之批判，乃是意謂「理性機能一般」（一般的理性能力）之批判，就理性機能獨立不依於經驗所可追求的一切知識而言的「理性機能一般」之批判。因此，「純粹理性之批判」將對於「形上學一般」之可能或不可能有所裁決，它將決定形上學底來源，形上學底範圍，以及形上學底限制——它之作如此裁決與決定皆依照原則而作。

我已走上這個途徑——這個唯一不曾被展露過的途徑——並自詡依此途徑我已發現了一種辦法足以預防一切錯誤，所謂一切錯誤就是「迄今以往它們已把理性（在其非經驗的使用中的理性）置於自相矛盾之境」的那些錯誤。我並不曾因著辯訴人類理性之不足用（無能）而逃避人類理性之問題。反之，我正依照原則已把這些問題窮盡地詳列出來；並且在把這點位，即「理性經由誤解在其上陷於自相衝突」的那個點位，定好以後，我已把這些問題解決至使理性完全滿意之境。對於這些問題的解答實在說來並不曾像「獨斷而狂想的渴望於知識」（dogmatisch schwärmende Wissbegierde）這種渴望所可引導我們去期望的那樣的解答——那樣的解答只有通過一種魔術的手法始能被烹調成，但我卻並不擅長於這種手法。這樣的「解答問題」之路實在說來並不存在於我們的理性之自然構造底意向之內；而既然這些解答問題之路在誤解中有其根源。則去抵制它們的欺騙性的影響便是哲學底義務，不管那令人稱賞與愉悅的夢想可因此而被喪失。在這個研究中，我已使完整性成為我的主要目的，並且我敢冒險說：沒有一個形而上學的問題不曾被解決，或不然，至少亦可說：沒有解決之鑰匙不曾被供給。純粹理性實在說來是如此完整的一個統一體以至於如果它的原則真不足以解決它自己所生出的一切問題，甚至不足以解決此一切問題中一個問題，則我們除去否決這原則外，並沒有別法，蓋因為既不足以解決此一問題，則在處理其他問題中的任何一個時，我們必不再能把盲目的信賴置於這原則上（必不再能盲目地信賴這個原則）。

當我正說這些話時，我同時亦能想到：我在讀者底面孔上察看出一種「混合有輕蔑」的憤怒之表情，憤怒於我這些看起來似乎太過自大自誇的宣說。可是我這些宣說比起一切那些作家們底宣布，即「他們依通常的規路公然自認要去證明靈魂底單純性或世界底一個第一開始底必然性」，這樣的一些作家們底宣布，是無比地更為溫和的（謙虛的）。因為當這些作家們發誓要去擴張人類的知識以越過可能經驗底一切限制時，我卻謙遜地承認這是完全超乎我的力量之外的。我只要去處理理性自身以及理性底純粹思考，除此以外，我並不要去處理任何別的事；而要去得到理性自身以及理性底純粹思考之完整的知識，茲並不需要迷茫地走得很遠的，因為我在我自己的「自我」之內就可碰見理性自身以及理性底純粹思考。普通邏輯可提供一個範例，即關於「理性底一切單純動作如何能完整地而且系統地被列舉出來」這問題的一個範例。「本研究底主題是（與這問題為相類似的）問題，即：當一切材料以及經驗底幫助皆被移除時，我們因著理性所能希望去達成的有多少」。〔依康德原文，此句似當如此：「**只是**在本研究中，這要解答的問題乃是：當一切材料以及經驗底幫助皆被移除時，我們因著理性所能希望去達成的有多少」。Max Müller 譯為：「**只是**在普通邏輯與我的工作之間存有這差異，即：我的問題乃是：當一切材料以及經驗底幫助皆被移除時，我們因著理性所能希望去達成的是什麼」。〕

關於每一問題底決定中的「完整性」以及我們所要處理的一切問題底決定中的「窮盡性」已說得不少了，不必再說了。這些問題不是隨意地選出來的；它們是因著知識自身之本性而被規劃給我們，規劃給我們以為我們的批判研究底「題材」。

關於我們的研究之「形式」，確定性與清晰性是兩個基要的必備條件，這是任何一個「膽敢想冒險去從事於如此精微的一種工作」的人所必要正當地被要求去具備之的。

關於「確定性」，我曾規定給我自己以如此之格言，即：在此種研究中，去容納「意見」，這決不是可允許的。因此，每一東西，它若有點相似於一假設，它即須被視為違法的；這樣的違禁品不是可以擺出來出售的，甚至不可以最低價出售。它一旦被檢查出來，即刻被沒收。任何知識，它若表示是先驗地有效者，它即宣告它自己須被視為絕對地必然的。此義且更可應用於一切純粹先驗知識底任何決定，因為這樣的決定必須充作一切必然的（哲學的）確定性之尺度，因而也就是說，充作一切必然的（哲學的）確定性之（最高的）範例。〔案：此所謂純粹先驗知識是意指數學知識說。〕在我所承擔去作的事情中，我是否已經成功，這必須一概留給讀者來判斷；著者底工作只是要去引出根據，不是要去說及「這些根據在那些要作判斷的人身上所必有之」的那結果或影響。但是著者為的要想表示他本人，無罪地，可不是「使他的論證有任何弱點」之原因，他可被允許去指出某幾段文字令人注意，這幾段文字，雖然只是偶然的（附帶的），但亦可以引起某種疑惑。這種隨時的介入（介入注意之介入）可以用來去抵抗那種影響，即「關於這些枝節處（次要處）之懷疑，甚至是完全不明確的（模糊的）懷疑，所可表現於讀者的關於主要論題的態度上」的那種影響〔這些枝節處如不隨時注意即可引起疑惑，其所引起之疑惑即可影響讀者關於主要論題之態度〕。

在展露我名之曰知性的這個機能上，以及在決定這個機能底使用之規律與範圍上，我知道沒有研究再比我所組織於超越分解底第二章標題曰「知性底純粹概念之推證」中的那些研究為更重要者。那些研究也就是那些「費了我最大勞力」的研究，這種勞力，如我所希望，不是無酬報的。此「推證」之研究是植基很深的，它有兩面。一面是涉及純粹知性之對象，而且是想去展示「純粹知性底先驗概念之客觀妥效性」並使此為可理解。另一面則想去研究純粹知性之自身，研究純粹知性底可能性以及純粹知性所基依的諸認知機能；這樣，這是依純粹知性底主觀面討論純粹知性。雖然此後一種解釋〔主觀面的解釋〕對我的主要目的而言，是十分重要的，可是它並不形成我的主要目的之一本質的部分。因為主要的問題簡單地說總只是這個問題；知性與理性離開一切經驗能夠知道什麼呢？並能知道多少呢？而並不是這個問題：思想機能自身如何是可能的呢？此後一問題好像是去尋求一所與的結果之原因，因此，它是有點假設性的（雖然如我將在別處所要展示的，它實際上不是如此）；而我亦必似乎只取得表示一「意見」之自由，在此種情形下，讀者也必有自由去表示另一不同的「意見」。為此之故，我必須因著指出以下一點而預先止住讀者之批評，即：縱使我所作的「主觀的推證」不能產生我所希望的完整說服力，可是我在此所主要關心的「客觀的推證」定能保持其充分的力量。關於此事，九二—九三頁（第一版的頁次）上所說的必無論如何即以其自身而足夠。

關於「清晰性」，讀者有權利首先去要求一種通過概念而成的「辯解的（邏輯的）清晰性」，其次，要求一種通過直覺，即通過例證以及其他具體的說明，而成的「直覺的（感觸性的）清晰性」。就第一要求而言，我曾充分地作了準備。第一要求所要求的「辯解的清晰性」對於我的目的是本質的；但它同時亦成了「我之所以未能公平對待第二要求」之偶然的原因，這第二要求縱使不是十分迫切的，但卻也是完全合理的。在我的工作之進程中，我幾乎總是繼續不斷地在遲疑我應如何進行此事。例證與說明似乎總是必要的，因此，在我的初稿裡，由於需要，是曾經有這些例證與說明的。但我不久即知道了我的工作之龐大以及我所必要去處理的題材之繁多；而由於我已覺察出即使以乾燥無味的純經院的方式去處理之，這所得之成果其自身在體積上早已是十分夠大的，所以我見出若再進而通過例證與說明來擴大它，這乃是不適宜的。例證與說明是只從一通俗的觀點看才是必要的；而此書卻決不能使之成為可適合於通俗的胃口的。這樣的幫助並不是真正研究學問的人所需要的，而且這樣的幫助，雖然它總是令人愉悅，然而它很可以在此令人愉悅之情形中已成了其結果上的「自我挫敗」（意即：意在幫助人明白結果反使人不明白，蓋具體的例足以干擾並誤引人故）。阿保特・泰洛生（Abbot Terrason）曾說過：如果一本書之大小不是因著它的頁數而被衡量，而是因著在掌握它時所需要的時間而被衡量，則對於好多書我們可以這樣說，即：「此書必會更短一點，如果它不曾這樣短」。另一方面，如果我們籌劃或思量思辨知識底一個全部系統之可理解性（此一全部系統雖然列次甚繁，然而卻有從原則底統一性而來的一貫性），則我們可同樣公平地說：「好多書必已是更為清楚，如果它不曾作這樣的努力使之成為清楚。」因為對於清晰性所作的那些幫助，雖然它們在關於細節上可以有助，然而它們卻亦時常干擾了我們的對於全體之把握。讀者並非被允許很快地就去達到對於全體有一概觀；說明的材料之鮮明的顏色渲染參加進來足以覆蓋隱蔽這系統底關節與組織，而這關節與組織卻正是我們所主要關心的，如果我們要想能夠去判斷這系統底統一性與堅實性時。

我必可斷定，當著者，依照此處所提議的計畫，依一完整而持久的樣式，是這樣致力於進行一大而重要的工作時，讀者將感覺到這決不是一種很小的引誘〔吸引〕，引誘著去產生其意願的合作。形而上學，依據我們現在所採用的看法而言，它是一切學問中唯一的一個如下所說的那樣一種學問，即：此學問膽敢許諾通過一種很小而集中的努力，它將在一很短的時間中即可達到這樣的完整，即如它將無工作可以留給我們的後繼者那樣的完整，所謂它將無工作可以留給我們的後繼者，意即它除「我們的後繼者依照他們自己的喜愛，依一種教導〔說教〕的樣式，無須他們之能夠去把任何東西增加到它的內容上，而即可去適用之」，這種適用之的工作外，它將再無任何其他工作可以留給我們的後繼者。因為此門學問不過就是一切我們的通過純粹理性而有的，系統地被排列起來的所有物之「清列」。在此門學問之領域內，沒有什麼東西能夠逃避我們。理性完全由它自己所產生的任何東西決不能被隱蔽，一旦公共原則已被發見，它即被理性自己所暴露。此種知識底完整的統一性，以及這一事實，即：「此種知識只從概念而被引生出，完全不為經驗所影響，或完全不為這樣的特種直覺，即如那『可以引至任何決定性的經驗以擴大或增加這種知識』，這樣的特種直覺所影響」，這一事實，便可使這個不被制約的〔絕對的〕完整性不只是為可實行的，而且亦為必然的。「（請留在家中，）注意你自己，你將可知道你的糧秣〔儲備物〕是如何地限制了的」。〔拉丁文：“*Tecum habita, et noris quam sit tibi curta supellex.*” 英譯：“(Be at home,) take heed to yourself, and you will realize how limited are your provisions.” 梅文健先生代譯。案：關於此義，請參看〈引論〉VII, A13, B26。〕

這個一樣「純粹的（思辨的）理性之系統」，我希望我自己在「自然之形上學」這個題稱下去把它產生出來。它將不及此部「批判」書之一半，但是在內容方面它卻是比本「批判」書為無比地更豐富的，本「批判」書其首要的工作就是必須去發見它❹的可能性之根源與條件，而且好像是去清理並去剷平那迄今以往已成荒地者。在本「批判」書這部工作上，我對於我的讀者期望忍耐並期望一公正無私之裁判；而在代表一純粹思辨理性之系統的「自然之形上學」這部書之工作方面，我將期望一位合作者之善意與幫助❺。因為不管那「系統」底一切原則是如何完整地已被呈現於本「批判」中，而那「系統」底完整性自身也同樣需要無一引申的概念有缺漏。這些引申的概念不能因著任何先驗的計算而被列舉出

---

❹ 這個「它」即指「純粹的思辨理性之系統」為「自然之形上學」所代表者而言，而肯・斯密士之譯則實指地譯為「這樣的批評」，如是便成為「去發見這樣的批評底可能性之根源與條件」。「這樣的批評」是指本「批判」書之批判說。這樣便成不通。這是一種莫名其妙的錯指。原文只是個所有格的代詞（ihrer），其所指甚顯。Max Müller 即如原文譯為「它的」。Meiklejohn 則實指為「這種知識」，即「純粹思辨理性之系統」這種知識，此亦不誤。

❺ 案：依康德原文是「善意與幫助」（die Willfährigkeit und den Beistand），其他兩英譯皆如此譯，肯・斯密士則譯為「仁慈的幫助」（benevolent assistance）。

來，而是必須逐步地被發見的。因此，當在本「批判」中，全部的「概念之綜和」已被窮盡時，茲將仍然存留有進一步的工作以使「概念底分析」為同樣地完整的，而這一部工作勿寧是一種娛樂，而不是一種辛勞。

〔餘關於校印以及關於「背反」之所以那樣排列有所說明，此無甚意義，略。〕

第二版序言

像處於理性範圍內的這樣的知識之處理是否是遵循著抑或不是遵循著一門學問底確當途徑而進行，這是很容易從成就上而被決定的。因為如果這樣的知識之處理，在常常重新來過的苦心經營的預備之後，正當它接近它的目標時，它突告停止；又如果它時常被迫著去回顧它的步驟而要重新開始某種新的路線；或又如果許多參與研究者不能同意於任何共同的進行計畫；如果有如此之種種情形，則我們可以確定說：這樣的知識之處理實根本未走上一門學問底確當途徑，而且實是一純然地胡亂摸索。在這些情況下，如果我們在發見這途徑，即「理性能安全地旅行於其上」的這途徑中，真能成功。則我們將有益於理性，縱使結果有好多「被包含於我們的未經反省而被採用的元初計畫中」的東西可當作無收成者而須被放棄——縱使是如此，我們亦將有益於理性。

邏輯，從最早的時候。即已在此確當的途徑上進行，這是由以下之事實即可被證明，即：自從亞里士多德以來，它不曾需要去重新回顧一步，除非我們有意想去把某些不必要的細微末節之移除，或那已被承認了的義旨之更清楚的解釋，算作改進，否則它連一步都不需要重新回顧，而適所說之不必要的細微末節之移除或已被承認了的義旨之更清楚的解釋這種潤飾實只有關於這門學問底雅緻而並無關於這門學問底確定性。又，直至今日，這個邏輯學不曾能前進一步，因此，就所能見者而言，它顯然地是一封閉而完整了的系統，這一點亦是可注意的。如果某些現代的人想去擴大它，因著引進一些心理學的章數以討論知識底不同機能（如想像、機智等）而擴大它，或因著引進一些形而上學的章數以討論知識底起源，或依對象中的差異而討論各種不同的確定性（觀念論、懷疑論等），而擴大它，或因著引進一些人類學的章數以討論偏見以及偏見之原因與偏見之修正而擴大之，這種想法只能從他們的對於邏輯學底特性之無知而發生。如果我們允許各種學問去互相侵入別的學問之領域，我們並沒有擴大學問，但只模糊了學問。邏輯底範圍是完全準確地被限定了的；它唯一所關心的事便是要去對於一切思想底形式規律給一窮盡的解釋以及給一嚴格的證明，不管這思想是先驗的抑或是經驗的，不管這思想底根源或這思想底對象是什麼，亦不管這思想在我們心中所可遭遇的是什麼障礙，是偶然的障礙抑或是自然的障礙。

「邏輯已如此成功」，這是一種利益〔好處〕，邏輯把這利益完全歸於它的限制〔它的範圍之準確的限定〕，因著這限制，邏輯很有理由把知識底一切對象以及對象底差異皆抽掉——實在說來，它是在分定責成下要把這些皆抽掉——抽掉後，它可讓知性除處理知性自己以及知性之形式外，不處理任何別的事。但是就理性而言，「要去走上學問之確當途徑」，這自然比較甚為困難，因為理性不單只處理它自己，而且也要處理對象。因此，邏輯，當作一種預備學問看，它好像是只形成各種學問之走廊；而當我們論及各種特殊的知識時，雖然邏輯實是被預設了的，即在對此各種特殊的知識作任何批評的估量中實是被預設了的，然而就這各種特殊的知識之實際獲得而言，我們卻須去正視那些學問，即恰當地而且客觀地所謂之「學問」。

現在，如果理性須成為這些學問中的一個因素，則這些學問中的某種東西必須是先驗地被知的，而此種知識可依以下兩路中之此一路或另一路關聯到它的對象，即，它或者如「它只是決定那必須從別處被供給的對象以及這對象之概念」那樣而關聯到其對象，或者如「它不只決定對象，且亦要使對象成為現實的」那樣而關聯到其對象。前者是理性之理論的（知解的）知識，後者是理性之實踐的知識。在這兩種知識中，那一部分，即「理性於其中完全先驗地決定其對象」的那一部分，即是說，那純粹的一部分（不管這一部分所可含有的是多或少），必須首先而且各別地被處理，免致它與來自其他根源的東西相混雜。因為如果我們把收入的款項盲目地支付出去，而當收入延滯時，我們又不能分辨出那一部分收入能證明開銷為正當（能擔負開銷），以及在那一方面我們必須節約，則那必是一種很壞的管理。

數學與物理學這兩門科學（在此兩科學中，理性產生出知解的知識）必須先驗地去決定它們的對象，前者是完全純粹地先驗地決定其對象，後者則須計算到，至少要部分地計算到，理性外的知識來源。

在人類理性底歷史所延展到的那最早時期，數學在那奇特的民族希臘人之間，早已走上學問底確當途徑。但是我們決不要設想：「去發見那尊貴的道路，或勿寧說去為其自己建設那尊貴的道路」，這在數學方面之容易就像在邏輯方面那麼容易（在邏輯中，理性須只處理其自己）。正相反，我們相信：數學是長期地停留在摸索的階段中，特別是在埃及人之間是如此，而且我亦相信：轉變必是由於一種革命而然，這一種革命是因著一獨個人底幸運思想而被引起，此一獨個人所設計的試驗標識出數學所必走的途徑，而由於遵循此途徑，那通貫一切時代的安全進步，而且是在無止境的擴張中的安全進步，是確實地被保證了的。此種知識革命之歷史（此知識革命較繞過好望角的航道之發見更為重要）以及此革命底幸運的肇造者之歷史不曾被保存下來。但是，「第昂琴尼斯．來秀斯」（Diogenes Laertius）在其傳下這些事之記述中，他說出了那些「號稱為作者」之名，即甚至在幾何的證明中間甚不重要的證明，這種證明之作者之名，甚至那些在普通意識上不需要有這樣的證明（而竟有這樣的證明）的東西之作者（號稱為作者）之名，這一事實至少表示出為這新途徑底首次瞥見所引起的革命之記念，在數學家看來，必有這樣特出的重要，如是遂致此革命之記念逃脫遺忘之浪潮而尚留存下來。一種新的靈光閃到第一位「證明等腰三角形底性質」的人之心靈上（不管這人是塔利斯抑或是別人）。如是，他見到真正的方法不是去檢查他在圖形中或在圖形之赤裸的概念中所辨識的東西，復從此所辨識的東西中好像是要去閱悉此圖形之諸特性；而是要把那「必然地函蘊於這些概念中」的東西去抽引出來，這些東西是他自己所已先驗地形成的，而且是他在這構造中所已置於這圖形中的，所謂這構造乃即是「他所因以把這圖形呈現給他自己」的那構造。如果他要想以先驗的確定性去知道任何東西，則除了那些東西，即「必然地從他自己依照他的概念所已置於這圖形中的東西而推出」的那些東西外，他必不可把任何別的東西歸給這圖形。

自然科學在其走上學問底大路上是甚為更長期的（案：意即較數學更為長期）實在說來，這只是自倍根起約略一世紀半的事，倍根，因著他的天才性的（精巧的）建議，他一部分肇始了這種發現，一部分鼓舞了那些早已向這發見走的人之新鮮的生氣。在這種情形裏，這發見也能被解說為是一種知識的革命之驟然的成就。在我現在的解說中，我涉及自然科學是只就其基於經驗的原則上而涉及之。

當伽里略（Galileo）使球從一斜面上下滾（球之重量是他自己事前早已決定好的）；當陶利塞利（Torricelli）使空氣（風力）運送一重量（此重量是他事前早已計算好使之等於一特定水量之重量）；或在更近時，當斯塔勒（Stahl）因著抽出某種東西把金屬變為氧化物。然後又因著把某種東西置回原處把氧化物變為金屬[a]：當這些人作這些試驗時，一道曙光突然現於一切研究自然者之面前。他們知道：理性只能洞悟「它依照它自己的計劃所產生」的那東西，並且知道：理性必不可讓它自己好像是被拘禁於自然之領導線索中（為自然所領導），而是它必須它自己以「基於固定法則上」的判斷之原則來展示出道路，迫使自然對於其自己的決定所決定成之問題給出答覆。偶然的觀察，不遵循事前想好的計劃而被作成者，決不能被致使去產生一必然的法則，單只是此必然的法則才是理性所想要去發見的。理性，即「一方面它持有它的原則，只有依照這些原則，一致的現象才能被承認為等值於法則，而另一方面，它復持有它依照這些原則所設計的試驗」，這樣的理性，它要想為自然所教導，它自必須接近自然。但是，它必不可依這樣一個小學生，即「專聽教師所喜歡去說的每一東西」這樣一個小學生之性格而去接近自然，而須依這樣一個被任命的法官，即「他迫使證人去答覆他自己所已形成的問題」這樣的一個被任命的法官之性格而去接近自然。因此，即使是物理學，它也把它的觀點。上之有利的革命完全歸功於這幸運的思想，即：當理性必須在自然中尋求這樣的什麼東西，即「這東西由於其不是通過理性自己之辦法而即為可知，是故如若它畢竟須被學習，它即須只從自然而被學習」這樣的什麼東西，而不是把這樣的什麼東西虛構地歸給自然，當理性是如此云云時，它必須在如此尋求中，採用它自己所已置於自然中者作為它的指導。只有這樣，自然底研究，在「好多世紀不過是一純然地胡亂摸索之過程」之後，才走上一門學問底確當途徑。

(a)處，康德作底注云：

在我的事例之選擇中，我不是追尋試驗法底歷史之準確的經過；實在說來，對於試驗法底第一開始，我們並沒有十分準確的知識。

形而上學是理性底一門完全孤離的思辨學問，此思辨的學問高聳於經驗底教訓之上，而在此思辨的學問中，理性實在說來是被意謂為它自己的學生〔為專研究其自己者〕。形而上學單只基於概念，不像數學那樣，基於概念之應用於直覺。但是，雖然它比一切其他學問為古老，而且縱使一切其他學問都被吞沒於那「毀壞一切」的野蠻之深淵中，它亦會留存下來，然而它卻不曾有好運以走上學問之確當途徑。因為在這門學問內，理性永遠要被帶至僵滯之境，縱使那些法則，即「理性想對之（如其所自承）有一先驗的洞見」的那些法則，即是那些為我們的最通常的經驗所穩固的法則，它也要永遠被帶至僵滯之境。我們一次復一次地須去回溯我們的步驟，此蓋由於這些步驟在我們所欲去的方向上不足以引導我們。又，形而上學底研究者在他們的爭辯中是如此之難於展示一種無異議的一致（距離展示一致是如此之遠），以至於形而上學遂勿寧被視為是一個戰場，一個「特別適宜於這樣的一些人，即想在演習戰爭中練習其自己，這樣的一些人」的戰場，而在此演習戰爭中，沒有一個參與者能在得到甚至像一寸領土這麼多的領土中曾經成功，即或得之，至少亦不是依這樣的樣式而得之，即如「確保他永遠佔有之」這樣的樣式而得之。此毫無疑問地表示說：形而上學底進行程序迄今仍猶是一純然地胡亂的摸索，而且是一切摸索中最壞的一種摸索，在純然的概念間的一種摸索。

然則，在這領域內，達到學問之境的確當道路迄今不曾被發見，其所以然之故是什麼呢？或許那是不可能去發現之的嗎？如真不可能，大自然為什麼一定要以「不停止的努力」降給我們的理性，我們的理性因著此不停止的努力總是去尋求這樣一種途徑，好像這途徑是理性之最重要的關心事之一似的？不，復次，如果在一個「我們對之衷心想有知識」的諸最重要的領域中之一領域內，理性不只使我們失敗，且繼續以欺騙性的許諾誘惑我們，而最終又背棄了（或辜負了）我們，如是，則我們所有的足使我們信託理性的原因（根據）又是如何地少！或不然，那也只是如此，即：我們迄今以往已不能找出這真正的途徑，那麼，有否任何指示足以去證成這希望，即，「因著重新的努力，我們可有更好的運氣，即比那曾降到我們的前輩身上者為更好的運氣」這樣的希望呢？

數學與自然科學俱因著一種簡單而驟然的革命始變成它們現在之所是者，此例在我看來似乎很足以啟示我們去考慮那在改變了的觀點中可以是本質的特徵者，須知因著那改變了的觀點，此兩門科學俱已大得利益。此兩門科學之成功必可引使我們，至少依試驗之辦法，引使我們去倣效它們的進行程序，我們之可如此去倣效是當一種類比（作為理性知識之一種的那類比）可允許我們去倣效時，此所謂類比即是那兩門科學所堪示與於形而上學者。

「一切我們的知識皆必須符合於對象」，這是迄今以往已被假定了的。但是，依據這假定，一切試想去擴大我們的「對象之知識」，即因著「就對象，憑藉概念，而先驗地建立某種東西」這種辦法而去擴大我們的對象之知識，這一切試想皆終歸於失敗。因此，我們必須試一試，是否我們在形而上學底工作中不可有更多的成功，如果我們假定：對象必須符合於我們的知識。這個假定必更契合於那所欲者，即是說，「先驗地有對象之知識，就著對象先於對象之被給與而決定某種東西」，這必應是可能的。這樣，我們一定要準確地依哥白尼的基本假設〔第一思想〕之路線而前進。哥白尼由於在依據「一切天體皆環繞觀察者而旋轉」這個假設以說明天體底運動中無滿意的進步，所以他試一試：如果他使觀察者旋轉而讓星球不動，他是否不可有更好的成功。就對象之直覺而言，一個與這類似的試驗亦可在形而上學中被試一試。

如果直覺必須符合於對象之組構〔本性〕，則我看不出我們如何能先驗地知道對象之任何事；但是，如果對象（由於是感取之對象）必須符合於我們的直覺機能之組構〔本性〕，則我在思議這樣一種可能性〔即：先驗地知道對象之可能性〕中便無什麼困難可言。現在，因為如若這些直覺要成為被知的〔要成為知識〕，我便不能靜止於這些直覺中而不進，我且必須把這些直覺當作表象關聯到那作為這些表象底對象的某種東西上去，並且我必須通過這些表象來決定這對象，因為是如此云云，所以我必須或者假定：概念（藉賴著概念，我得到這種決定，即決定對象之決定）符合於對象，或者假定：對象，或與對象為同一事者，即經驗（只有在此經驗中，對象，當作所與的對象看，始能被知），符合於概念。如果我假定「概念符合於對象」，則我復陷於這同樣的困惑，即如「我如何能就對象先驗地知道任何事」這同樣的困惑。可是如果我假定「對象符合於概念」則前景是較有希望的。因為經驗本身即是知識之一目，此一目知識即包含有知性於其中；而知性又有一些規律，我必須預設這些規律為先於「對象之被給與於我」而存在於我之內者〔存在於我心中者〕，因而也就是說，我必須預設這些規律為先驗的者。這些規律在先驗的概念中找到表示〔意即：被表示於先驗的概念中〕，經驗底一切對象皆必然地符合於這些先驗的概念，而亦必須與這些先驗的概念相契合。就那樣的一些對象即「它們只通過理性而被思，而且實在說來，亦當作必然的而被思，但它們卻從不能被給與於經驗中（至少亦不是依「理性所依以思考它們」的那樣式而被給與於經驗中）」，這樣的一些對象而言，這試想去思考它們之試想（因為它們必允許被思想）將供給一優異的試金石，即關於那「我們所採用之以為我們的新的思想方法」者之試金石，此新的思想方法即是：我們關於事物只能先驗地知道那我們自己所置放於事物中者。(a)

(a)處，康德作底注云：

這個方法，即模倣自然底研究者之方法而成的方法，即存於尋求純粹理性之成素中，即在那因著試驗而允許「確立或駁斥」者中尋求純粹理性之成素。現在，純粹理性底命題，特別當它們冒險超出可能經驗底一切限制之外時，是不能夠連同它們的對象通過任何試驗而被置於考驗之下的，就像在自然科學中那樣。在處理那些「我們所先驗地採用之」的概念與原則中，一切我們所能作的便是去籌劃這一點，即：這些概念與原則可被用來依兩不同的觀點看對象——一方面，在與經驗相連繫中，視對象為感取之對象與知性之對象，而另一方面，對那「努力想去超越一切經驗之限制」的那孤立的理性而言，視對象為只是被思的對象，如果，當事物是從此雙重立場而被觀時，我們便見有一種契合，即與純粹理性底原則相契合之契合，可是當我們只從一個觀點看事物時，我們便見理性是被纏繞於不可免的自我衝突中，如果有如此云云之兩種情形時，則這試驗〔即：關於新的思想方法之試驗〕便於維護此兩觀點之區分之正確有所裁決〔意即：便裁決了此兩觀點之區分之正確〕。

這個試驗其成功一如其可被願望那樣而成功，它並且以一學問之確當途徑許諾給形而上學，在形而上學之第一部分中許諾之，此第一部分即是從事於那些先驗的概念的那一部分，此所謂先驗的概念即是「相應的對象，與之同量相稱的對象，能夠在經驗中被給與於它們」的那些先驗的概念。因為這新的觀點能使我們去說明如何能有先驗知識；此外，它又能使我們對於那「形成自然（視作經驗底對象之綜集的自然）之先驗基礎」的法則去供給滿意的證明——此兩種成就，依據迄今以往所遵循的程序而言，沒有一種是可能的。但是，此一推證，即對於我們的「先驗地認知」之能力之推證〔即：書中關於範疇之超越的推證之推證〕，在形上學底第一部分中，有一種後果出現，此一後果是足令人驚異的，而且它對於形上學底全部目的有一種高度不利的現象，此如在第二部分中〔即：超越的辯證那一部分中〕所討論者。因為我們是被帶到這結論，即：我們從不能超越可能經驗底界限，雖然這越界確是這門學問所特別想去達到之者。但是，「不能越過可能經驗底界限」這情況正好產生了這試驗〔即：我們所說的新的思想方法之試驗〕，因著這試驗，間接地，我們能夠去證明這首次估計即對於我們的「先驗的理性知識」之首次估計之真理性，即是說，這樣的知識只有關於現象，而且它必須讓物自身之為真實，實在說來，是「以其自身存在著」而為真實的，但卻必須讓它為不為我們所知者。因為那「必然地迫使我們去超越經驗底界域以及一切現象底界域」者便是這無條件者（不被制約者），這無條件者乃是理性依必然性並依權利在物自身中所要求之者，因為要想去把條件之系列完整起來，這無條件者是必要的。如是，如果，依據「我們的經驗知識符合於當作物自身看的對象」這假設，我們見出：這無條件者不能被思想而無矛盾，並且亦見出：另一方面，當我們假設：我們的「事物之表象」，（由於這些事物是被給與於我們者，）實並不如「這些事物存在於其自身」那樣而符合於這些事物，但卻正相反：這些對象，由於是現象，它們必須符合於我們的「表象之模式」，當我們如此假設時，矛盾即消失；因而，又，這樣說來，如果我們見出：當我們知道事物時，即是說，當事物是被給與於我們時，這無條件者不是可以在這樣的事物中被發見的，但只當我們不知道這些事物時，即是說，只當這些事物是物自身時，這無條件者始可在此物自身之事物中被發見：通過以上兩層的「如果」云云，如是，則我們很有理由歸結說：我們初時為試驗之目的所假定者現在是很確定地被穩固了的。(a)

(a)處，康德作底注云：

這種純粹理性之試驗與那在化學中有時被名曰「還原之試驗」或更經常被名曰「綜和的歷程」者有極大的類似性。形上學家底分析把純粹先驗知識分成兩個十分異質的成素，即「當作現象看的事物」之知識以及「事物之在其自己」之知識；他的辯證法復又把這兩個成素結合起來，以與理性所要求的「無條件者」之必然的理念相諧和，並見到：這種諧和除通過以上的區分外決不能被得到，因此，以上的區分必須被承認。

但是，當「超感觸者」底領域中的一切前進在思辨理性上皆已這樣被否決時，我們仍然可以去研究：在理性之實踐的知識中，是否「論據」（data）不可以被發見出來足以去決定理性之「無條件者之超絕概念」，因而足以使我們，依照形上學底願望，並藉賴著那先驗地可能的知識（雖然這先驗地可能是只從一實踐的觀點而為先驗地可能），去越過一切可能經驗底界域。這樣，思辨理性至少已為這樣一種擴張留有餘地；而雖然它同時必須讓這種擴張為空虛，可是縱然如此，我們仍然有自由，實在說來，我們是被召請來，經由理性之實踐的論據去佔有〔去填滿〕這種擴張，如果我們能時。(a)

(a)處，康德作底注云：

同樣，天體運動底基本法則已把「建立起的確定性」給與於哥白尼初時所只預定之為一假設者，並且同時亦對於不可見的力（牛頓所說的吸引力）給出證明，此不可見的力乃維持宇宙於一起者。如果哥白尼不曾敢於依一「違反於感取但卻是真的」之樣式，不在天體方面，但卻在觀察者方面，去尋求這被觀察的運動，則那不可見的力必永遠存留在那裏而為不被發見的。類比於這個假設的那觀點中的改變，在本「批判」中所展示者，我先只把它當作一假設陳述於此「序文」中，我之所以如此作，目的是想要引起注意，注意於這樣一種改變之首次嘗試之性格，這首次嘗試開始時總是假然的。但是，在這「批判」本身中，這「觀點中之改變」將依我們的空間與時間之表象之本性以及依知性之基本概念而為必然地被證明了的，而不是假然地被證明了的。

試想去更變那「迄今以往已流行於形而上學中」的進行程序，即依照幾何學家與物理學家所置下的例子，因著完全改革那進行程序，而去更變之，這種試想之嘗試，實在說來，實形成這部「純粹思辨理性之批判」之主要目的。這部批判實是一論方法的論著，而不是這門學問（形上學）本身底一個系統。但是同時它亦標出這門學問底全部計劃，就它的範圍以及它的全部的內在結構這兩方面而標出其全部計劃。因為純粹思辨理性有這種特殊性，即：它能依照「它所依以選擇其思考之對象」的不同路數而衡量它的能力（此為第一點），並且它亦能對於「它所依以提出它的問題」的種種不同的路數給一窮盡的列舉，因而它是能夠，不，它是必須去追溯出一形上學系統之完整的綱要（此為第二點）。就第一點說，在先驗知識中，除那些「能思的主體從其自身所引生出」的東西外，再沒有什麼東西能夠被歸給對象；就第二點說，純粹理性（就其知識之原則而論）是一完全各別的自存的統一體，每一分子在此統一體中就像在一有機體中那樣皆為每一其他分子而存在，而一切分子亦皆為每一分子而存在，這樣，便沒有一個原則能安全地在任何一個關係中被取用，除非一個原則在其關聯於純粹理性底全部使用這種全部關聯中曾被研究過。結果，形而上學亦有這種獨特的利益，就像那不能落在處理對象的其他科學之命數上這樣的獨特的利益（〔說處理對象的其他科學，表示不說邏輯〕，因為邏輯只有關於「思想一般」之形式），這獨特的利益即是這一點，即：通過這部批判，如果形而上學可被置放於一門學問之確當途徑上，則它是能夠獲得它的全部領域之窮盡的知識的。形而上學只須處理原則以及這些原則底使用之範圍（為這些原則自身所決定的範圍），因此它能完成它的工作，而且它把這工作當作一種不能再有增益的資產遺留給後人。因為它是一基本的學問，它是分定要去達到這種完整性的。關於形而上學，我們必須能夠去說：「直至你將有某事去作時，否則你不要認為你曾作了任何事」。〔"*nil actum reputans, si quid superesset agendum.*" "Don't deem you did any thing yet, until you shall have something to do." 康德原文為拉丁語，由意大利友人梅文健先生代譯為英文。〕

但是，人們可問：我們提議去遺留給後人者是一種什麼寶藏呢？那被斷定為因著批評而這樣純淨化了的，而且是一建永建地而被建立起來的形而上學其價值是什麼呢？依據對於本批判書之一粗略的觀察而言，本批判書似乎可以是這樣的，即：它的成果只是消極的，它警告我們說：我們必不可以思辨理性冒險越過經驗底範圍。事實上，此義實是它的根本用處。但是此義亦可即刻獲得一積極的價值，當我們知道以下之義時，即：思辨理性所用以冒險越出其恰當範圍的那些原則在結果上實並沒有擴大理性底使用，而卻是，如我們依仔細的檢查所見者，不可免地縮小了它的使用。那些原則恰當地說來實（並不屬於理性，但只）屬於感性，而當它們這樣被使用時（即：用之以越過經驗底範圍時），它們勢必要去使感性之範圍與「真實者」同其廣延，因而勢必要去排擠掉理性之純粹的（實踐的）使用。因此，當我們的這部「批判」書限制了思辨理性時，此「批判」書實是消極的；但是，因為它因此限制作用而移除了一種障礙（此障礙阻礙了實踐理性之使用，不，乃是勢必要去毀壞實踐理性之使用），是故它實際上實有一積極的而且是十分重要的用處。至少一旦我們確信：茲實有純粹理性底一種絕對必然的實踐使用即道德的使用時（在此實踐的使用中，純粹理性不可避免地要越出感性之範圍），本「批判」實有一積極的而且是十分重要的用處。雖然（實踐的）理性，在其越出感性之範圍中，並不需要有來自思辨理性方面之幫助，但它亦必須被確保足以對抗其反對面，即，理性決不可被致使陷於自身衝突之境。這樣，若去否決本「批判」所供給的服務的性格上是積極的，這必恰如說：警察沒有積極的利益，因為警察底主要職務只是去阻止公民相互間所恐懼的侵犯，阻止之，以便使每一個人可以在和平與安全中追求他的職業。

空間與時間只是感觸直覺之形式，因而亦只是當作現象看的事物之存在之條件；又，除當直覺能被給與，給與來以相應於知性之概念，我們便沒有知性之概念可言，結果亦就是說，沒有「事物之知識」上的成素可言；因此，我們不能有任何當作物自身看的對象之知識，但只當這對象是感觸直覺底一個對象時，即，只當它是一現象時，我們始能有對象之知識——凡此一切皆已在此「批判」底分解部分中被證明。這樣，理性之一切可能的思辨知識皆只限於經驗之對象，這實是隨以上所說諸義而來者。但是，我們的進一步的爭論點亦必須正當地〔適時地〕被記於心中，即：雖然我們不能知道這些作為物自身的對象，可是至少我們必須猶能去思考這些作為物自身的對象[a]；非然者，我們必陷於這悖謬的結論中，即：能有現象而卻無任何「在顯現著」的東西。

(a)處，康德作底注云：

要想去知道一個對象，我們必須能夠去證明它的可能性，或是從它的現實性如為經驗所證實者而證明之，或是因著理性而先驗地證明之。但是我能思我所欲的任何東西，只要我不自相矛盾，即是說，只要我的概念是一可能的思想。這一點對概念之可能性而言是足夠的，縱然我不能擔保在一切可能者底綜集中實有一個對象與此概念相應。但是，在我能把客觀妥實性，即，真實的可能性，歸給這樣一個概念之前，某種更多的東西是需要的；前一種可能性只是邏輯的。但是，這某種更多的東西不須要在理論的〔知解的〕知識資源中被尋求；它可以處在那些實踐的知識資源中。〔此注屬Bxxvi〕

現在，讓我們假設事物之作為經驗底對象與此同一事物之作為物自身，這兩者間的區別（我們的「批判」已表示此區別為必然的）不曾被作成。在此情形下，一切事物一般，當它們是有效的原因時，它們必為因果性原則所決定，因而亦就是說，必為自然之機械性所決定。因此，我們不能對於同一存有，例如人的靈魂，說「它的意志是自由的，而卻又服從自然之必然性，即不是自由的」，而無顯明的矛盾。因為在「人的靈魂底意志是自由的」與「人的靈魂底意志服從自然之必然性」這兩個命題中，我已依同一意義而理解靈魂，即是說，理解之為「一物一般」，即理解之為「一物之在其自己」；而且除藉賴著一種先行的批判外，我亦不能不這樣理解之。但是。**如果**我們的批判在其教告這一義，即：「對象是依兩層意義而被理解，即被理解為現象以及被理解為物自身（物之在其自己）」，這一義中，並無錯誤；又，**如果**知性底概念之推證是妥實的，因而因果性原則只能應用於依前一意義而被理解的事物；即是說，只當事物是經驗底對象時，因果性原則始可應用於事物（此同一事物❻，若依另一意義而被理解，則不是服從此原則者）：**如是**，則在以下之設想中，即設想「同一意志，在現象中，即在它的可見的活動中，是必然地服從自然法則者，而至此為止，它亦不是自由的，然而由於它屬於一物之在其自己，它卻又不是服從那自然法則者，因而它又是自由的」，這樣的設想中，卻並無矛盾可言。我的靈魂，若自後一立場而觀之，它實不能因著思辨理性而被知（更不能通過經驗的觀察而被知）；而因此，作為一存有之一特性的自由（所謂一存有是這樣的一個存有，即「我可把感觸世界中的結果歸屬於它」這樣的一個存有，作為這樣一個存有之一特性的自由）亦不是依任何這樣的樣式（思辨理性之樣式）而為可知的。因為，設若它是可依任何這樣的樣式而為可知的，則我一定須去知道這樣一個存有，即如：「在其存在方面為被決定者，而卻又不在時間中為被決定者」這樣一個存有——這樣一個存有是不可能的，因為我不能以任何直覺來支持我的概念。但是，雖然我不能自由，我猶可思維自由；那就是說，自由之表象至少不是自相矛盾的，設若對於我們的兩種表象模式間的批判的分別，即感觸的表象模式與理

❻「此同一事物」，康德原文是個“dieselbe”，當該指「事物」說，肯・斯密士譯為「此同一對象」，指對象（當事物是經驗底對象時）語中之「對象」）說，此便不順。

智的表象模式這兩種表象模式間的批判的區別，有一適當的論述，並且對於知性底純粹概念之終局性的限制以及從這些概念而來的原則之終局性的限制亦有一適當的論述時。

如果我們假定：道德必然地預設自由（嚴格意義的自由）以為我們的意志之一特性，那就是說，如果我們假定：道德給出實踐的原則（根源的原則，適當於我們的理性者）以為理性底先驗與料〔先驗故實 a priori data〕。並假定：除依據自由之假設，道德之給出實踐的原則必應是絕對不可能的；而**如果**同時我們又假定：思辨理性已證明這樣的自由不允許被思想〔意即：根本不可能，實則並不如此〕；如是，則前一假設（即：在道德方面所作的假設）必要讓位於或屈服於這另一爭論〔即：「自由不允許被思想，根本不可能」，這一爭論〕，這另一爭論之反面〔即：自由可被思想這一面〕含有一顯明的矛盾〔不允許被思想而思之，則思之必矛盾〕。【**如是**，**則**自由，以及與此自由相連的道德，必要投降於「自然之機械性」，〔而成為「道德之否定」〕❼，**蓋因為**只有依據自由之假設，道德底否定始含有矛盾〔始不可能，如若自由根本不可能，不能被假設，而投降於自然之機械性，則道德底否定即不含有任何矛盾，即是說，是很可能的。〕】❽

實在說來，道德並不需要：「自由」一定可被理解〔可被知解〕，它只需要：「自由」一定不要自相矛盾，因而「自由」一定至少可允許被思想，而且它亦需要：當「自由」這樣被思想時，「自由」對於這樣一種自由的活動，即「若以另一種關係〔即：自然因果之關係〕視之，同樣亦符合於自然之機械

❼為譯者隨文所補。原文無。

❽此一全語參照其他兩譯而譯，肯・斯密士譯表達的不清楚，故不從。〔 〕中語則是譯者隨文所加之注語或補充語或明說語，於原文意無增損。

性」這樣的一種自由的活動，亦決不置有任何障礙。因此，道德論與自然論可各得其所而不相悖。但是，此一義其為可能是只當一種「批判」已把我們的對於物自身之不可免的無知早已事先建立好，並且已把一切我們所能理論地〔知解地〕知之者皆限於純然的現象時，才是可能的。

關於「純粹理性底批判性的原則之積極的利益」的討論亦可同樣地就上帝之概念以及我們的靈魂底單純本性之概念而被發展出來；但是為簡單之故，這樣的進一步的討論可以略去。〔從上面所已說過的，那是顯然的，即：〕甚至上帝、自由以及靈魂不滅之假定（如在我的理性之必然的實踐使用方面所作者）亦不是可允許的，除非同時思辨理性亦被使脫掉其虛偽要求——要求於「超絕的洞見」之要求。〔案：意即把思辨理性之虛偽要求，要求於超絕的洞見之要求剝奪掉，那些假定始可以說，否則連那些假定亦不可以說。〕〔何以故要把那虛偽的要求剝奪掉？〕因為要想去達到這樣一種洞見，思辨理性必須使用一些如下所說那樣的原則，即，這些原則事實上原只擴展於可能經驗底對象，而如果它們亦被應用於那不能是經驗底一個對象者，它們實在總是也把這一個對象變成一個現象，這樣，它們便使純粹理性底一切實踐的擴張成為不可能。〔因為是如此云云，所以那要求於超絕的洞見之要求必須被剝掉，剝掉已，然後上帝之假定、自由之假定、靈魂不滅之假定，始是可允許的。〕因此，我已見到：要想為信仰（faith, Glaube）留餘地，「去否決知識」這乃是必要的。〔依康德原文直譯：「因此，要想為信仰留餘地，我必須揚棄知識」。〕形上學底獨斷主義，即「沒有一種先行的純粹理性之批判而即在形上學中去前進」這一種專擅〔擅斷〕，是一切那些敵視道德的無信仰的思想（總是十分獨斷的無信仰的思想）之源泉。

依是，雖然「去把一個系統的形上學，依照一純粹理性之批判而被構造起者，這種遺產留給後人」，這或可不是十分困難的，然而這樣一種禮物亦決不可被輕估。因為不只是理性將能遵循一門學問底確當途徑而前進，而不是如迄今以往那樣胡亂地在摸索，而無細心的檢查或自我批評；亦不只是我們的從事研究的青年人將可更有利地去耗費其時間，即比在通常的獨斷主義中耗費其時間為更有利地耗費其時間，我們的這些從事研究的青年人因著獨斷主義是甚早而且是大大地被鼓勵著去耽溺於輕易的玄想，即關於那些「他們對之一無所知」的事物之輕易的玄想，關於那些「既非他們亦非任何別人可有任何洞見以悟入之」的事物之輕易的玄想——實在說來，是被鼓勵著去發明（去揑造）一些新的觀念與新的意見，而卻忽略了對於較好建立起的諸學問之研究。不只是如上所說云云，而且除以上所說云云，最要者，茲還有一種不可估計的利益，即：一切對於道德與宗教的反對將永遠沈寂下去，而這沈寂下去是依蘇格拉底的方式而沈寂下去，即是說，因著對於反對者之無知之最清楚的證明而沈寂下去。在世界中，總已存在著，而且將總是繼續存在著某種形而上學以及與此形而上學相連的那種「辯證」，即對於純粹理性而言是「自然」的那種辯證。因此，一下子斷然去使形而上學脫掉其有害的影響，即因著在形而上學底錯誤底根源上打擊其錯誤而使之脫掉其有害的影響，這乃是哲學之第一而且是最重要的工作。

不管學問領域中的這種重大的改變，亦不管思辨理性所必須忍受的其財產（所有物）之喪失，一般的人類關心之事仍處於迄今以往相同的特許地位而不變，而人世間迄今以往從純粹理性底教告中所引生出的那些好處亦總不會被減少。「喪失」只影響學院研究者底獨占，決不影響人類底關心之事。我請問最頑固的獨斷主義者，死後我們的靈魂底繼續存在之證明，從本體底單純性而引生出者，或「相反於一普遍的機械性」的意志自由之證明，通過主觀的與客觀的「實踐的必然性」之間的那種精微而無效果的區別所達至者，或上帝底存在之證明（可變者底偶然性以及一元動者底必然性之證明），如由一「最高真實的存有」（*ens realissimum*）之概念而推演出者，凡此諸證明，於其從學院研究者傳出來之後（於其被學院研究者發出之後），在達到公眾的心靈上或在表現些微影響力於公眾的信服上，是否曾經成功？那是從來未見發生過的，而依普通人類理解之不適宜於這樣精微的思辨而觀，那亦是決不應當被期望的。這樣廣泛地被執持（被懷有）的信念，當其基於合理的根據時，是完全由於其他的考慮。一「未來生命」底希望是在我們的本性底那種可注意的品質中，即從來不能被那短暫的者所滿足，這種可注意的品質中，有其根源（因為那短暫的者對於我們的本性底全部使命之容量為不足夠故）；「自由」之意識是專基於那些「相反於性好之一切要求」的義務之清楚的展示；相信一明智而偉大的「世界之創造者」這種信仰是只因著在自然中到處被展示的燦爛秩序、美以及神意而被產生。當諸學院研究者已被致使去承認：他們對於一種普遍的人類關心之事並不能要求有更高的與更充實的洞見，即比那同樣亦在大眾所及之範圍之內的洞見為更高並更充實的洞見（大眾所及之範圍之內的洞見向來為我們所極度尊重），並承認：作為哲學底學院研究者，他們一定要把他們自己限於那些普遍地可理解的東西之研究，以及為道德的目的，證明底充分根據之研究，當他們被致使去承認此所云云時，則「未來生命」之希望，「意志自由」之意識，「世界創造者」之信仰，這些所有物不但不曾被騷擾，而且通過此事實（即上說之承認這一事實）它們尚可獲得更大的可靠性（有可資以被承認的根據，可憑以取信的仰仗）。改變（意即：學問方法上的改變）只影響諸學院研究者底狂妄自大的虛偽要求，這些學院研究者必衷心願意被視作是這樣的真理之唯一的發明者與得有者（實在說來，他們之衷心願意如此就像在好多其他知識部門中他們能正當地聲稱是如此者），他們把鑰匙（真理之鑰匙）保存於他們自己，而只把鑰匙之使用（由使用而獲得之真理）[9]傳達給公眾。（古語有云：「因為他不知跟我在一起，他只想求著去知

---

[9] Max Müller 只譯為「只把鑰匙之使用」，此不甚通；而肯．斯密士則譯為「只把它們的使用」，鑰匙是單數，不能用「它們」以代之，如果這個多數的所有格代詞是「他們的」（指諸學院研究者說）則更不通，因此，此恐

道」。）〔拉丁語：*"quod mecum nescit, solus vult scire videri."* 梅文健先生代譯為英文："Because he does not know with me, he only wishes to appeal to know."〕同時，對於思辨哲學家底較溫和的要求則予以適當的注意。在關於一門「有利於公眾而不須知之」的學問，即「理性底批判」這門學問中，思辨的哲學家仍然保有唯一的權威〔可靠性、可仰仗性，是這門學問底唯一設置者〕。那種「批判」從來不能成為通俗的，而實在說來，茲亦不需要：它一定要成為通俗的。因為恰如在維護有用的真理中的那些精緻的旋轉交織的論證不需訴諸一般的心意，所以那些「能夠被發出來以對抗這些論證」的精微異議亦不需訴諸一般的心意。可是，另一方面，它們雙方皆不可避免地要把它們自己呈現給任何一個達至高度思辨的人；而因此，因著一種對於思辨理性底權限之通貫的研究，一下子斷然地去阻止那可恥之事，這便是學院研究者底職責〔義務〕，那可恥之事遲早一定要爆發，甚至爆發於大眾之間，當作爭辯之結果而爆發於大眾之間，所謂爭辯即是「形上學家們（而即如此，因而最後亦是牧師們、神學家們）所不可避免地要捲入其中」的那種爭辯，爭辯之結果遂至於他們的教旨〔主張〕之濫用。只有批判始能截斷唯物論、命定論、無神論、自由思考〔free-thinking：放縱不羈的思考〕、盲信，以及迷信之根，這一切能是普遍地有害的；並亦能截斷觀念論與懷疑論之根，此兩者主要地是對於學院研究者為有危險，它們是很難被傳給大眾的。如果政府認為去干涉學問之事為適當，則「去維護這樣的批判之自由（只有因著這樣一種批判，理性底辛勞始能被建立在一穩固的基礎上）」，這必應是與對於學問以及對於人類的明智的關注更為相一致，即比「去支持那些學院研究者底可笑的專制獨斷」更為與對於學問以及對於人類的

是不小心的錯誤。但康德原文有「使用」字樣。因此，參照 Meiklejohn 之譯，而補之以「由使用而獲得之真理」。Meiklejohn 只譯為「把真理傳給大眾」，此雖通順，然無「使用」字。故如此補之始圓足。

明智的關注相一致。那些學院研究者發出一種大聲的呼叫，呼叫公眾的危險，危險至於蜘蛛網之破壞。實則對於這種蜘蛛網，大眾從未予以任何注意，因此，那蜘蛛網之喪失，大眾亦從不能感覺到。

本「批判」並不相反於「理性在其純粹知識方面之斷然程序」（作為學問看的斷然程序），因為那種程序總是斷然的，即是說，它必須從可靠的先驗原則產出嚴格的證明。本「批判」只相反於獨斷主義，即是說，只相反於這種擅斷，即：「依照原則，單從概念（哲學的概念）去進行純粹的知識，就像理性曾經長期所慣作的那樣去進行純粹知識」，這是可能的，這種擅斷；並亦相反於這種擅斷，即：「沒有先研究依什麼路數，以什麼權利，理性可得有這些概念，便以為只從概念去進行純粹知識是可能的」，這種擅斷。這樣說來，獨斷主義乃是純粹理性底斷然程序而卻沒有對於純粹理性自己的能力作事前的批判者。在對抗獨斷主義中，我們必須不要讓我們自己去縱容那種喧鬧譁眾的淺陋，此種淺陋自許以通俗之名，亦不要縱容懷疑論，此懷疑論足以破壞一切形上學。反之，這樣的批判（事前批判的批判）是一徹頭徹尾有根據的形上學之必要的預備，此一形上學，當作一門學問看，必須必然地依照系統之最嚴格的要求，依這樣的樣式，即如「並不是要去滿足一般的大眾，但只是要去滿足學院研究者之需要」這樣的樣式，而斷然地被發展出來。因為那學院研究者之需要乃是如此之一種要求，即「形上學須對之作保證」的一種要求，而且亦是形上學所不可忽略的一種要求，此一種要求即是：形上學須完全先驗地進行其工作，進行至思辨理性底完全滿意之境而止。因此，在施行這批判所規劃的計劃中，即是說，在未來的形上學之系統中，我們必須去遵循那鼎鼎大名的吳爾夫（一切獨斷哲學家中之最偉大者）之嚴格的方法。吳爾夫是首先用範例（而因著他所用的範例，他豁醒了那在德國尚未絕跡的通貫精神）去展示：一門學問底安全前進如何只通過「原則之有秩序的建立，概念之清楚的決定，堅持於證明之嚴格，以及冒進之避免，我們的推理中的不鄰次的步驟之避免」而即可被達到。這樣，如果他曾想到：事前因著一種機能之批判，即純粹理性自身之批判，而去預備好這根據，則他是特別適宜於去把形上學升舉到一門學問之尊嚴者。對其未能這樣作而責難，這責難不應過分歸於其自己，而實應歸於那流行於他的時代中的獨斷的思考路數，而以這獨斷的思考路數而言，他那個時代底哲學家，以及一切前時代底哲學家，是沒有權利互相責備的。那些「既反對吳爾夫底方法又反對一種純粹理性底批判之程序」的人其所能有的目的沒有別的，不過是去搖落學問底拘束〔意即：學問底法度〕，因而也就是想去把工作變成遊戲，把確定變成意見，把哲學變成武斷〔philodoxy，愛意見，愛獨斷，把愛智慧變成愛意見、愛獨斷〕。

現在，就此第二版而言，我已儘量利用這機會（由於這是適宜的機會）以便去移除（只要是可能的）那些困難與隱晦，這些困難與隱晦（或許並非沒有我的錯誤）足以引起許多誤解，甚至敏銳的思想家在對於我的書作判斷時亦不免陷入於這些誤解中。在諸命題本身以及此諸命題之證明方面，又亦在〔建築〕計劃之形式與完整方面，我不見有什麼可更變處。所以如此，這一方面是由於「在把它們供獻給公眾之前，我已使它們受長期的考驗而然」，一方面亦是由於我們所要處理的題材之本性而然。因為純粹思辨理性有這麼一種結構，即，在此種結構中，每一東西是一「機件」，全體是為每一部分而存在，而每一部分亦是為一切其他部分而存在，是故即使是最小的不圓滿，不管它是錯誤，抑或是缺陷，亦必不可避免地在使用中洩露其自己。這個系統，如我所希望，將盡未來世保持此不可更變性。此不是自滿自大使我有理由如此確信，而是通過「結果之同等」而實驗地得到明據使我有理由如此確信，所謂「結果之同等」即是不管我們從最小的成素進到純粹理性底全體，抑或是逆反之，從全體（因為這全體亦是通過理性之實踐的東西之範圍中的最後目的而被呈現給理性）進到每一部分，結果皆相同之謂。任何試想去更動一部分，甚至是最小的部分，必即刻發生矛盾，不只是在系統中發生矛盾，且亦在人類理性一般中發生矛盾。

另一方面，關於「解釋之模式」，仍然留有好多事須要去作；而在此第二版中，我已試求去作改進，此等改進於移除以下四處之毛病必有幫助。即：第一，於移除關於感性論〔攝物學〕，特別是關於「時間之概念」之誤解有幫助；第二，於移除「知性底概念之推證」之隱晦有幫助；第三，於移除純粹知性底原則之證明中的充分證據之一設想的缺無有幫助；最後，第四，於移除所置於「誤推」（歸咎於理性心理學的那些誤推）上的錯誤的解釋有幫助。改進只改進至「誤推」這一點，即改進至超越的辯證底第一章之結束，而止。在此以外，在解釋之模式上，我未曾作任何改變。(a)

(a)處，康德在此有一很長的底注云：

嚴格地所謂唯一新加者（雖然是一個「只影響證明底方法」的新加者），便是對於心理學的觀念論之新的反駁（B274-275，肯・斯密士譯二四四頁），一個對於外部直覺底客觀實在性之嚴格的證明（如我所信，亦是唯一可能的證明）〔見B275-276〕。就形上學底本質目的而言。觀念論不管怎樣可被視為無害（雖然事實上它並不是這樣的無害），可是它對於哲學以及對於人類理性一般仍然是一醜聞〔可恥之事、不光彩之事〕，這一醜聞是這樣的，即：在我們以外的事物之存在（從這些事物裏，我們引生出知識底全部材料，甚至我們的內部感取上的知識之全部材料）其被承認必須只基於「信仰」而被承認，而如果任何人想去懷疑在我們以外的事物之存在，我們也不能以任何滿意的證明去對抗他的懷疑。因為用在那個證明（B275-276）中的辭語，從第三行到第六行（B275），其中有點隱晦，所以我想把那幾行文更改如下：「但是，此持久常住者不能是在我之內的一個直覺。因為『我的存在』底決定底一切根據，在我之內被發見者，皆是表象；

而由於這一切根據皆是表象，是故它們自身即要求一『不同於它們』的持久常住者，在關聯於這持久常住者中，它們的變化，因而亦就是說，我的時間中的存在（時間就是『它們於其中變化』的那時間），可被決定。」說到「外部直覺底客觀實在性之證明」這個證明〔見 B275-276〕，它或可被反對說：我是直接地只意識到那「只是在我之內」的東西，即是說，只意識到我的「外部事物底表象」；因而結果亦就是可被反對說：在我以外是否有任何東西以與這「表象」相對應，這必須仍然是不確定的。它雖可如此被反對，但是通過內部經驗，我意識到我的時間中的存在（因而亦意識到「我的存在」之在時間中的可決定性），而此即比「只意識到我的表象」為更多一點。「我意識到我的時間中的存在」是與「我的存在之經驗的意識」為同一的，「我的存在之經驗的意識」是只有通過「關聯於某物」始為可決定的，此所關聯到的「某物」，雖是與「我的存在」緊繫於一起的，卻是在我以外的。「我的時間中的存在」之意識，依「同一性」之方式，是與「關聯於在我以外的某物」之意識緊繫於一起的，因此，那不可分離地把此在我以外的某物連繫於我的內部感取者乃是經驗，而不是發明〔捏造〕，是感取，而不是想像。因為外部感取其自身早已是這麼一種關聯，即「直覺之關聯於在我以外的某種現實的東西」這麼一種關聯，而外部感取底實在性（依此外部感取之有別於想像而言）是只基於那「在這裡被見為要發生」的東西上，即是說，只基於「此外部感取之不可分離地與內部經驗緊繫於一起」上，內部經驗是此外部感取底可能性之條件。如果在「我在」這個表象中（「我在」這個表象伴同著我的一切判斷以及我的知性之一切活動），我能同時通過**智的直覺**把「我的存在」之一決定連繫於我的存在之**智的意識**則「關聯於在我以外的某物」這一種關聯之意識必不是被需要的。但是，雖然那種智的意識實是首先來到者〔由「我在」這個表象而首先來到 vorangeht〕，可是內部直覺（只有在此內部直覺中我的存在始能被決定）卻是感觸的，而且是與時間之條件緊繫於一起的。但是，此種決定〔即：在內部直覺中我的存在被決定之決定〕，因而也就是說，內部經驗自身，卻是依靠於某種持久常住的東西上的，此某種持久常住的東西並不是在我之內者，因而也就是說，它只能存在於某種在我以外的東西中，我必須視我自己為與此某種持久常住的東西有關係者。這樣。外部感取底實在性是必然地與內部感取之實在性❿緊繫於一起的，如果「經驗一般」畢竟要成為可能的時；此即是說，我確然意識到有些東西在我以外，這些在我以外的東西是和我的感取有關聯的，我之確然如此意識，其為確然恰如「我意識到我自己的我其存在著是如其在時間中被決定那樣而存在著」之為確然。要想去確定⓫外於我的對象實際上相應於一些什麼樣的所與的直覺，因而也就是說，想去確定這些什麼樣的所與直覺是屬於外部感取的（這些什麼樣的所與的直覺是要被歸屬於外部感取，而不是要被歸屬於想像之機能），我們必須在每一獨個情形中訴諸規律，依照這些規律，經驗一般，甚至內部的經驗，即可與想像區別開——蓋由於這命題，即「茲實有像外部經驗這樣的一種東西存在著」這命題，總是被預設故。又或可再加上這一點解說，即：存在中的「某種持久常住的東西」之表象並不同於「持久常住的表象」。因為雖然某種持久常住的東

❿「內部感取之實在性」，肯・斯密士只譯為「內部感取」，略「之實在性」字樣，原文有，其他兩英譯亦有，當補。

⓫「去確定」，肯・斯密士譯為「去決定」，當依原文及其他兩英譯改。

案：此一長注是關於第二版所增加的「對於觀念論之反駁」以及其中之一「證明」〔即：外部直覺底客觀實在性之證明〕之注說。依康德意，此所增加者乃是嚴格地所謂增加者。至於此序文中所提到的那些關於四處之毛病的改進亦只是大體地略說，詳情如書中正文可見。

西之表象這一「表象」可是十分流轉的而且是可變的，就像我們的一切其他表象一樣，即物質底諸表象亦不例外，可是它卻涉及某種持久常住的東西。因此，此某種持久常住的東西必須是一外在的東西而不同於我的一切表象，而它的存在亦必須被包含在我自己的存在之決定中，而且它的存在連同著我自己的存在之決定除只構成一個整一的經驗外亦無所構成，此一整一的經驗，設若它不同時一部分亦是外部的，它甚至亦必不能內部地發生起。這如何必是可能的，我們很少能有再進一步的解明，一如我們說明我們之能夠去思考時間中的常住者，我們如何必能思考時間中之常住者，這亦很少能有再進一步的解明。時間中之常住者與遷轉者之共在產生更變〔變化〕之概念。

時間太短，不允許再有進一步的改變；此外，在有資格而公平的評論者中，我亦不曾發見有對於其餘諸節的任何誤解。雖然我將不冒昧用這些評論者所應得的稱讚去說出他們的名字，可是我對於他們的評解所付的注意將很容易在〔上面所提到的新的〕文段中被看出來〔被察覺出來〕。但是，這些改進〔新文中的改進〕包含有小小的節損（此節損是不得已的，否則將使此書卷帙太大），即是說，我已略去或刪節某幾段文字，此所略去者，雖然對於全體底完整性實不是重要的〔本質的〕，可是猶可被許多讀者記罣為在其他方面為有幫助的〔為有用的〕，而不願其不被見到。只有如此節略，我始能為那「現在，如我所希望，是一較為更可理解的解釋」者得到空間〔餘地〕，這較為更可理解的解釋，雖然它在所提出的「命題之基要」方面，或甚至在「這些命題底證明」方面，絕對沒有改變什麼事，然而它到處與先前的處理方法違離得如此之遠，以至於就第一版文只作字裡行間的插入修改這並不能被致使為足夠於它。此種「小小的而且可因著參閱第一版而被補救」的節損，我希望，將因著此第二版之新文⓬之較大的清楚而得補償。

我以愉快而感謝的心境，在已出版的各種作品（批評性的評論以及獨立的論文），已觀察到：通貫底精神在德國並不是絕跡的，但只是已因著一種虛偽地自由的「思考之樣式」之流行而暫時地成為被遮蔽了的；並已觀察到：「批判」底荊棘路並未曾使有勇氣而且清晰的思想家在使他們自己去掌握我的這部「批判」書上已喪失勇氣——我的這部「批判」書乃是這樣一部作品，即它足以引至一有組織的純粹理性之學問，而此有組織的純粹理性之學問即只如其為有組織的，也是一種能持久的學問，因而也是最必要的學問：我的這部「批判」書就是一部「能引至這樣云云的純粹理性之學問」的作品。（案：這有組織的、能持久的，因而也是最必要的純粹理性之學問就是所謂代表「一純粹理性之系統」的學問，因而也就是「自然之形上學」與「道德之形上學」這兩門學問。這兩門學問就是純粹理性之系統，而此「批判」書則是其「預備」，是純粹理性之批判，而不是純粹理性之系統。）我把這圓滿之的工作，即把那「在我的這部作品中所有的解釋方面到處仍多或少是有缺陷的」者圓滿起來使之無缺陷，這種圓滿之的工作，留給這樣一些卓越而值得尊重的人，即那些「能很愉快地把洞見之通貫性和一種流暢的解釋上的才能（我不能認為我自己為具有這種才能者）結合於一起」這樣的一些值得尊重的人；因為就我書

⓬ 案：此所謂「新文」以及前句中所謂「那是一較為更可理解的解釋者」即指此第二版所重述的「範疇之超越的推證」（〈分解部中者〉）以及所重述的「純粹理性之誤推」（〈辯證部中者〉）而言。此等所重述之新文，其基本義理雖與第一版者並無差別（即絕無任何改變），然而其處理問題之方法卻與第一版者相差甚遠，因此，若只就第一版文只作字裡行間的插入修改，這自不能達成此重述之新文，即此重述為不足夠。因此之故，關於此等處，康德遂覺有重返之必要。

中的解釋而言，危險不是「被反駁」之危險，而乃是「不被理解」之危險。從現在起，雖然我不能允許我自己去參與爭辯，可是我亦將對於一切提示，不管這些提示是來自朋友或來自敵人，皆予以小心的注意，我之這樣注意這些提示乃是為將來的使用，即依照此部「預備」工作，在未來進一步的「系統之努力」中的使用，而注意這些提示。由於在這些操勞之經過中，我已先花了相當多的年月（本月我即屆我的六十四歲之年），所以如果我想要去進行我所擬議的計畫，即「供給一自然之形上學與一道德之形上學」這種供給之計畫，我必須節省我的時間（我所要供給的那兩種形上學將穩固我的兩領域中的「批判」之真理性，即思辨理性之領域與實踐理性之領域這兩領域中的「批判」之真理性。）因此，把本書中的諸隱晦使之明朗（在一種新的專業中，隱晦是很難被避免的），並把本書作為一全體而維護之，這種「使明朗」與「維護」之工作，我必須把它留給那些「已以我的主張作為其自己的主張」的人（值得尊重的人）來擔負。一部哲學的著作並不能全部皆武裝起來，就像一數學的論文那樣，因此，它在此方面或彼方面或可被反對（或可被刺）；但是系統底結構，自其統一性而觀之，卻並不是絲毫可被危及的。很少人有心靈底通變性去使他們自己熟習於一新的系統；而由於一般人皆厭惡革新之故，所以更少有人願意或喜歡去熟習一新的系統。如果我們摘取某幾段文字，從它們的全文係絡中支解出來，並把它們互相對較，則表面的矛盾多分不會缺少，特別是在「以辭語自由寫成」的作品中為然。在那些「信賴旁人底判斷」的人們之眼中，這樣的矛盾可有「把作品置於一不利的場所」之結果；但是這些矛盾是很容易為那些「已掌握住整全之觀念」的人們所化解。如果一個學說其自身有穩固性，則這些壓力與扭曲⑬，

---

⑬ 案：康德原文為“Wirkung und Gegenwirkung”，直譯為「作用與反作用」，肯．斯密士意譯為「壓力與扭曲」（stresses and strains）。

初看似乎對此學說極有威脅的作用者，實則在時間之經過中，久之只足以去磨平此學說之不平坦處；而如果公正無偏，有洞見，而且有真正的通俗力之人致力於此學說之解釋，則此學說亦可在一短暫時間中為其自己獲得陳述上之必要的高雅。空尼斯堡，四月，一七八七〔案：康德是年四月滿六十四歲〕。

下冊二版改正誌言

此下冊初版後，我從頭仔細檢閱一遍，覺得錯誤甚少，只有兩處是注錯，另一處無錯只缺少一注明，又另處於主從句安排得不對故理解有錯。茲乘此二版之機，將三處弄錯者一一予以改正，將那缺少一注明者作一聲明於此。今將此改正者與注明者提出來正式告讀者：

(1)九四頁（A377）：

下段論辯證的推理將移除此困難②。（下段論辯證的推理表象理性……。）

此是改正文。初版「下段」譯為「下章」非是，因此所加之注亦錯。蓋因原文涉指不明，故有此錯。下段之段原文用 Abschnitt，肯・斯密士用 section，但本誤推章並無節數之分，如後背反章之所為者；又我把辯證的推理誤解成背反中之推理，因此遂把下段改為下章。但全部背反章並無如何移除此困難之討論，因此遂注明此後並無相呼應的交代。但經仔細檢閱一遍，此注是錯。須知此處所謂「辯證的推理」即指「誤推」說，而所謂「下段」即指下文「鑑於以上四種誤推對於純粹心理學全部作一考量」

一大段文說，實則只應籠統地說為「下文」或顯明地直說為下「考量」文，如此人們便知你所指者在何處，而不至有誤解。

⑵一八五頁（A436, B464）：

由於此前一情形違反我們的假定（即可移除之假定），……

案：（）號中之注明語是改正文。原文只說「違反我們的假定」，這是隱略語，扣的不緊，於上文中找不出字面的對應，人不知所違反的假定，我們原初的假定，在那裡。初版我注明為「即正題中之所說」，此則非是，實則只是證明開始時所含的「組合可以在思想中被移除」之假定。康德的表達不明，肯．斯密士之譯尤其糊塗，此則已有兩注注明。

⑶二七八頁（A526, B554）：

……可是它並不能被致使去應用於這樣一個所與的整全，即「在此**所與的**整合中……」

此處我聲明這是我依原文「所與的」是形容「整全」者而譯，但依肯．斯密士之譯，「所與的」轉為形容「部分」的。依其譯是如此：【可是它並不能被致使去應用於這樣一個整全，即「在此整全中，諸部分，作為被給與了的，早已是如此確定地互相分離以至於此諸部分構成一不連續的量」這樣一個整全：……。】但是 Max Müller 依原文譯是如此：「可是它並不應用於這樣一大堆部分，即此一大堆部分早已依一定的方式在一所與的整全中（in dem gegebenen Ganzen）為各自分離的，並因而遂構成一不連續量」。案：此兩譯皆可。又案：此句以及此下這一整段文甚為重要，此可與羅素的現實的無限論（《數學原理》中所表現的）相比觀。康德是並不承認這樣的無限論的。

⑷四四八頁（A675, B703）：

只要當我們敢去思此某種東西為一特殊的對象，而並不寧願以理性底軌約原則底純然理念為滿足，**亦不置**思想底一切條件之完整於一邊而不顧（……），……。（上說亦不置思想底一切條件之完整於一邊而不顧，須知置之不顧這種辦法……。）

此是改正文，初版之安排不對，行文不達。這裡的改正是順肯・斯密士之譯而如此改正。「上說」句是注明語，當用（）括起來，這都是說明「置之不顧」的。依原文實當如此：【只要當我們敢去思此某種東西為一特殊的對象，而並不寧願以理性底軌約原則底純然理念為滿足，亦不置思想底一切條件之完整於一邊而不顧（由於其對人類知性為太大故而置之於不顧，但是須知這置之不顧乃是與我們的知識中的那種完整的系統統一即「理性對之至少並沒有置下一限制或界限」的那種完整的系統統一之追求不相一致的，是故不能置之不顧），只要當我們是如此云云時，我們即必須思此某種東西，而那依一真實本體之類比之方法而思之實在說來即是「我們之如何必須去思之」之方法。】由於肯・斯密士之譯把（）號中「但是」句提出來另起句，亦未加括號，遂離散人之心思，因此遂令下段之起句中表示上下文之關聯者使人糊塗不明，迷失主從。

因此，四四九頁（A675, B703）：

既然在那樣情形下，我們必須依一真實本體之類比之方法而去思某種東西，如是，則此一義即是那如何必有以下這種事者，即：……。

案：此是改正文，初版所表示之上下文之連接非是。

此第二版只以上四處須提出告讀者。其餘錯字之改正處，只是校對的事，不關譯事，不須一一聲明。總之望讀者以此第二版為準。

《康德「純粹理性之批判」（上）》

上冊二版改正誌言

此書上冊初版後，我從頭仔細檢閱一遍，曾發見有若干是錯者，復有是小差謬者，復有不算錯而只是不好者（其實亦未必不好），復有缺少注明者，共列為十七條，一一皆予以改正或重修或補明，而附於下冊之首以告讀者（因下冊於一年後始出版）。今乘此二版之機，將那十七處一一皆就原譯予以改正或重修或補明，而將列於下冊之首之十七條改正文取消，只將其中第二條之改正並討論錄於此以告讀者，其餘則只隨文改之，不須錄出指明。總之，希讀者以此第二版為準。

案：一一〇頁（A12, B26頁）：

因此，這樣一種批判，如若可能時，乃實是一種工具學之預備；而假若作為工具學之預備終於不是可能的，則這樣一種批判至少亦可是「純粹理性」底綱紀之預備（案：此句有問題，見改正誌言），依照此綱紀，在適當的行程中，純粹理性底哲學之完整的系統（不管這完整的系統是依純粹理性底知識之擴張而言者抑或是依其限制而言者）可以分析地以及綜和地被展示出來。

案：此是此二版之改正文。初版之譯文則如下：

> 因此，這樣一種批判，如若可能時，乃實是一工具學之預備，而假若作為工具學之預備終於不是可能的，則這樣一種批判至少亦可是這種預備底綱紀之預備（此依原文譯，三英譯皆誤），依照此綱紀，……。

案：此譯文中「這種預備底綱紀之預備」，此語經細案後仍誤。括弧中注明三英譯皆誤亦非。英譯不誤。該語之所以誤乃由於肯・斯密士只譯為「至少亦可是一綱紀之預備」（Max Müller 譯亦如此），而未表明是什麼東西底綱紀之預備，然而原文是 "Wenigstens zu einem Kanon derselben"，Kanon 後有 derselben 一字，這表示是什麼東西底綱紀之預備。"derselben" 這個陰性所有格的指示代詞是指什麼說呢？肯・斯密士略而未譯，光說「綱紀之預備」，人不知是什麼東西底綱紀之預備。工具學前文已有說明，而「綱紀」一詞則在此為首次出現，又無說明。Meiklejohn 則譯為「純粹理性底綱紀之預備」。以 "derselben" 指純粹理性，在語法上隔的太遠（在此第Ⅶ節文首段之首句），人不易找得那麼遠，因此，我以其如此譯而又馬上想到他是根據超越的方法論中第二章「純粹理性底綱紀」而譯的。但查該處言綱紀（法規，準繩）云：「所謂綱紀（準繩），我理解之為某種一定的知識機能之正確的使用底諸先驗原則之綜集」。該處又表示說：普通邏輯依其分解部而言是「知性與理性一般」之綱紀；超越的邏輯之分解部是純粹知性之綱紀；純粹理性之思辨的使用完全是辯證的，無綜和知識可成，因而亦無綱紀可言，只其實踐使用始有綱紀可言。若如此，則這裡說「這樣的批判至少亦可是純粹理性底綱紀之預備」便有頂撞，因為這裡說「批判」是指「純粹理性之批判」而言，並未涉及理性之實踐的使用。然則這裡究竟有沒有純粹理性底綱紀可言呢？這裡所說的「純粹理性之批判」純是就其思辨使用而言。這裡若說有綱紀，則是就超越邏輯之分解部而言；但就此而言，則綱紀是純粹知性之綱紀，而不是純粹理性之綱紀。這便麻煩了。而此整句後之下句說「這樣的完整系統之可能」也是就知性之先驗知識而說，並未就純粹理性之先驗知識而說。如是，我便覺得譯為「純粹理性底綱紀之預備」也未見得對。如是，我便以為"derselben"那個字是指「工具學之預備」中之預備說。照顧到「至少」之語氣，如此譯亦覺得很合理。但經細案，又覺得如此譯嫌重沓而無多大意義；貫穿下文「依照此綱紀」云云而觀，此恐非康德原文之本意。蓋下文只說依照此綱紀純粹理性底哲學之完整系統可以被展示，並未說工具學之預備可以被完成。但康德原文亦實表達的有毛病，因為此中有許多分際與限制，若只籠統地譯為「純粹理性底綱紀之預備」，則不免時有相頂撞處。我再仔細看此處之文段，從上文說「工具學」是那「可以使吾人獲得一切純粹先驗知識」的諸原則之綜集起，一直看下來，並與方法論中「純粹理性之綱紀（法規，矩矱或準繩）」章合看，覺得康德此句之表達固有毛病，但若照其有毛病的表達之語意而譯，仍以譯為「純粹理性底綱紀之預備」為是，惟須在譯文外加以限制與說明。因此，那個整句若詳細而明白地並諦當無誤地譯出來當該是如此：

> 因此，「純粹理性底批判」這樣一個批判實是「純粹理性底」一個工具學之預備，如若這是可能的時；而假若這終於不是可能的，則這樣的批判至少亦可是純粹理性底綱紀〔法規，矩矱，準繩〕之預備，依照此綱紀〔準繩〕，在適當的行程中（順次及時而進），純粹理性底哲學之完整系統（不管這完整系統是存於純粹理性底知識之擴張抑或只存於純粹理性底知識之限制）可以分析地以及綜和地被展示出來。〔再接下文「這樣一個完整的系統是可能的」云云。〕

說明，限制，與討論：

案：康德在此含混而籠統的表達中，說「依照此綱紀（準繩），在適當的行程中（順次及時而進），純粹理性底哲學之完整系統可以分析地以及綜和地被展示出來」，而此所謂完整系統乃是那不管其是「存於純粹理性底知識之擴張」者，抑或是「只存於純粹理性底知識之限制」者。問題就出在這「不管」句。因為若如是，則依照此綱紀（準繩）而成的「純粹理性底哲學之完整系統」是包括純粹理性底知識之擴張與純粹理性底知識之限制這兩方面俱在內而言的，至少不限於理性知識之限制，亦可擴及其擴張。但「純粹理性之批判」是單就純粹理性之思辨使用而言，因此，它單只說明純粹理性底知識之「限制」一面，並不說明其「擴張」一面，因為理性之思辨使用不能有純粹理性底知識之擴張（其擴張純粹是辯證的，不能算是擴張），有之者只是理性之實踐的使用。因此，說純粹理性底批判至少可以是純粹理性底綱紀（準繩）之預備，這所預備的綱紀（準繩）之所規範的是只能就「純粹理性底知識之限制」而說的可能經驗範圍內的並內在於純粹知性的「純粹理性底知識之完整系統」，那就是說，只能是純粹理性底思辨使用之限制方面的系統，因而這所預備的綱紀只是分解部中純粹知性之綱紀，而不是含有擴張與限制這兩面俱在內的純粹理性底哲學之完整系統之綱紀。因此，這含混而籠統的表達中的純粹理性（其知識之擴張與限制這兩面俱在內的純粹理性）是與「純粹理性之批判」中的純粹理性相頂撞的。這所說的太多太廣，與前文說工具學時說的太多太廣同，前文說：「純粹理性底一個工具學必應是『一切種純粹先驗知識所依照以被獲得以及實際地被產生』的那些原則之綜集。這樣的一個工具學之窮盡的應用必引生一純粹理性之系統。但是，由於此必應是要求的太多，又由於我們的知識之擴張在這裡是否可能以及在什麼情形下可能，這猶仍是可疑的，是故我們可把純粹理性底純然考察之學問、純粹理性底發端（發源）與範圍（限度）底純然考察之學問，視為純粹理性底之預備。即如其為一預備而觀之，此門學問須被名曰『純粹理性之批判』，而不應被名曰『純粹理性之正論』（doctrine of pure reason）。此門學問底功用，在**思辨**中（在關於思辨方面），恰當地說，只應是**消極**的，它不是要去**擴張**我們的理性，但只是要去**釐清**我們的理性，並去使我們的理性免於錯誤——這免於錯誤早已是一很大的收穫了」。這是「純粹理性底批判」這門學問之正義、本義。既然如此，則前文工具學擴及一切種先驗知識，此一切種先驗知識自應包括理性知識之擴張在內，此既太多太廣，則這裡綜結這樣的批判只是純粹理性底一個工具學之預備，假若這不可能，至少亦是純粹理性底一個綱紀（準繩）之預備，這綱紀何以又規範及理性知識之擴張？此獨無可疑乎？這又是頂撞。若說純粹理性之批判是包括擴張在內的純粹理性底工具之預備或至少是包括擴張在內的純粹理性底綱紀之預備，則這批判應是純粹理性之思辨使用以及其實踐使用兩面俱在內的全面純粹理性之批判，但這不是上面說「純粹理性之批判」這門學問之本義、正義。上面說純粹理性之批判正是只限於純粹思辨理性（純粹理性之思辨使用）之批判，不包括實踐理性（純粹理性之實踐使用）在內，因而亦不能有純粹理性底知識之擴張方面之綱紀。（又上面說工具學既擴及一切種先驗知識，因此又須擴及分析的先驗知識，此亦太廣博，就批判之目的而言，此不必要。但此一點不重要，重要者只在擴張一面。）

說綱紀時說的那麼廣，包括理性知識之擴張亦在內，可是當下文說明依照此綱紀所成的這樣的完整系統是可能的時，則又只就知性之先驗知識說，這正好又是只縮到純粹理性底知識之限制面而不及其擴張面。這又是不一致。

因此，我可斷定說：康德這個含混而籠統的表達是說的太多太廣，因此有許多頂撞處。這個句子如想明白而無頂撞地說出來，似當如下那樣來重寫：

因此，純粹理性底批判這樣一個批判乃實是「純粹理性底思辨使用之限制」這一方面底一個工具學之預備，或亦可說是這一方面底一個綱紀（準繩）之預備，依照此工具或綱紀（準繩），關於純粹理性底思辨使用之限制這一方面的哲學之完整系統可以分析地以及綜和地被展示出來。（下接「這樣一個完整系統是可能的」云云。）

如此重寫出來，則上下文便完全一致而無頂撞，而且亦與超越的方法論第二章「純粹理性底」綱紀（法規，準繩）中之所說無頂撞。

在此重寫文中，純粹理性是就其思辨使用之限制而說者，而工具或綱紀亦是就其限制中之知識而說者，而其擴張方面之綱紀則就其實踐的使用說，此則應見之於「實踐理性之批判」。在此重寫文中，「如若可能」，「假若不可能，至少」等字俱刪。工具與綱紀雖有時有異，如在論普通邏輯中之「辯證」時，工具即與綱紀（準繩）不同，見下 A61, B85，但在此就「純粹理性之批判」而說工具或綱紀（準繩）便無甚異，而在此方面，依康德之解說，兩者亦無什麼差別，是故在此說那種抑揚的話頭實無必要，徒增讀者無謂的疑慮，蓋因為在此已有了限制而並無辯證故。（辯證是純粹理性之虛幻。純粹理性之思辨使用想有所擴張，但擴張不成，只成辯證。辯證不能算是擴張，不能達成綜和知識，因而在此不能有綱紀，更不能說工具。但經過批判，辯證解消，則純粹理性之知識已被限制而並無辯證可言，故純粹理性在其限制中有效，因而遂可於此說工具或綱紀，而此兩者亦無大異，即使說工具較為積極一點，亦仍可說之而無妨礙，故在此那種抑揚不必要。）康德此處上文說工具（或工具學）云：「純粹理性底一個工具必應是一些原則之綜集，依照這些原則，一切種純粹先驗知識能被獲得，而且能現實地被產生出來」。而在超越的方法論第二章「純粹理性之綱紀（準繩）」中說綱紀（準繩）云：「所謂綱紀

（準繩），我理解之為某種一定的知識機能之正確的使用底諸先驗原則之綜集」。此豈非兩者無甚異乎？故在此那種抑揚的表示實無必要。

A12, B26頁中那個句子，肯．斯密士所譯無誤。我之原譯雖誤，然所以誤是因原文 "derselben" 字來得太突兀，其所指者在語句上隔的太遠故（雖一氣讀下按理當可追索到之。說工具之預備可省純粹理性，說綱紀之預備，當然亦可省之，此兩英譯之所以略而不譯也。）由我之誤以及原文 "derselben" 字之突兀，遂使我仔細檢查那個句子，覺得康德的表達除含混而籠統不詳明外，還有一根本的毛病，即對於綱紀（準繩）說的太多太廣（孤立地說自可如此說，但在此不是孤立地說，乃是只就「純粹理性（思辨理性）之批判」說，是故那樣說便太多太廣），因而有許多頂撞，故提議當重寫如上。

茲再附錄超越的方法論中第二章純粹理性之綱紀（準繩）開首三段文於下以供讀者之合看：

> 說「人類理性在其純粹使用中實達成不了什麼〔實無所達成〕，而且實在說來它實有需要於一種訓練以便去制止它的誇奢，並去使其免於從那誇奢而發生的欺騙」，這樣說之實是對於人類理性的貶抑或降低。但是另一方面，若依據見到「人類理性其自身實能適用此種訓練，且亦必須適用此種訓練」而言，並依據見到「人類理性並不是被請求去服從任何理性外的檢閱者之檢閱」而言，則人類理性卻又是重新被保證了的，而且它又得到了自信；而且又有進者，即：那種限制，即「理性被迫著去把它安置於其思辨使用〔之誇張過實的要求〕❶上」的那種限制，同樣亦限制

❶ 乃譯者所補，原文無，英譯亦無。

了〔其誇張過實的要求之〕❷一切敵對方之假合理的虛偽要求〔不合理的驕橫僭越〕，因而那限制當然亦能確保那「可以由人類理性先前誇張過實的要求而剩留下來〔經過限制而剩留下來〕」的任何東西以對抗〔阻止〕一切攻擊。因此，一切純粹理性底哲學之最大的用處而且或許亦是其唯一的用處便只是消極的；因為一切純粹理性底哲學並不足充當為純粹理性底擴張之工具，但只足充當為「純粹理性底限制之訓練」❸，而且復由於它不足以發見真理，是故它只有「防禦錯誤」這種防禦之謙遜的〔平穩的〕功績（modest merit, das stille Verdienst）。

但是，茲必須存有某種根源，此某種根源乃即是那「屬於純粹理性之領域」的諸積極知識之根源，而此屬於純粹理性之領域的諸積極知識或可只由於誤解而引起錯誤，雖可這樣引起錯誤，然而事實上它們又形成「理性導引其努力」所朝向的目標。若無此所說之某種根源，我們如何能有別法說明我們的不可消滅或不可過抑的渴欲以去在經驗範圍外的某地方尋找穩固的立足地呢？理性對於某些對象有一預感（pre-sentiment），其所對之有預感的諸對象對於它具有一種很大的利益〔興趣〕。但是，當它遵循純粹思辨之途徑以便去接近那些對象時，那些對象在它面前卻又飛走了〔飄飏了，消失了〕。大約它可以依那唯一其他途徑尋求其較好的運氣，所謂那唯一的其他途徑乃是那仍然可以留給它的那途徑，此途徑即是實踐使用之途徑。

所謂綱紀〔準繩〕，我理解之為某種一定的知識機能之正確的使用底諸先驗原則之綜集。這樣，

---

❷ 亦譯者所補，原文無，而肯·斯密士之譯只於此補一「其」字（未標補號），如是只成「其一切敵對方之假合理的虛偽要求」。「其」字指理性言，理性底敵對方是什麼呢？這便更糊塗。Max Müller 之譯亦如之。Meiklejohn 譯如原文，反好。如補便須詳補。

❸ 原文是「但只足充當為『純粹理性底範圍決定』之訓練」。

普通邏輯，依其分解部而言，便是「知性與理性一般」底一個綱紀（準繩）；但是只就知性與理性之形式而說普通邏輯是「知性與理性一般」之綱紀（準繩）；普通邏輯抽掉一切內容，超越的分解亦同樣曾被展示為是純粹知性之綱紀（準繩）；因為單只是知性始能有真正的諸先驗的綜和知識。但是，當沒有一知識機能之正確使用是可能的時，茲便沒有綱紀（準繩）可言。現在，通過**純粹理性**（即依其**思辨使用**而言的**純粹理性**）而來的一切綜和知識，如曾因著所已給與的證明而被展示者，是完全不可能的。因此，茲並沒有**理性之思辨使用之綱紀**（準繩）可言；這樣的使用完全是**辯證**的。一切超越的邏輯，在此方面，簡單地說來，只是一種訓練。結果，如果茲存有純粹理性底任何正確的使用（在此情形中茲必存有其使用之綱紀），則此使用中之綱紀將不是處理「理性之思辨的使用」，而是處理「理性之實踐的使用」。此「理性之實踐的使用」，我們現在將進而去研究之。

讀者讀此三段文便知 A12, B26 頁那個句子中「綱紀之預備」以及「不管」云云之有問題了。以上表明翻譯那個句子之經過，並因而發見那個句子之不妥，藉此可以了解「純粹理性之批判」之性格。人們讀康德書是很少注意到這種地方的。翻譯不易，理解亦難。吾之此譯亦只期望逐漸修改免於寡過而已。

譯者之言

康德《純粹理性之批判》一書，英譯有三：

1. J. M. D. Meiklejohn 譯，出版於一八五五年，此只為第二版之譯文，第一版者未譯。

2. F. Max Müller 譯，出版於一八八一年，此以第一版為基準，將第二版者譯出作附錄。

3. Norman Kemp Smith 譯，出版於一九二九年，此以第二版為基準，隨時附之以第一版之文。

時下公認 Kemp Smith（肯・斯密士）譯為最佳，英語世界講康德者大體皆據之。前幾年有一位德國學哲學者（忘其名）來新亞作了幾次講演，講費息特之學，他也認為肯・斯密士之譯為最好，但也有錯誤。像這樣一部複雜而大量的鉅著，譯成他文，要想完全無錯誤，幾乎是不可能的；但主要處不要有錯誤，或至少也要盡量使其減少錯誤。此書雖複雜而量大，然畢竟純是概念義理思辨之文，很少寫意抒情輕妙飄忽之筆，故若精熟義理，期譯解無誤，此並非完全不可能。吾茲譯是根據肯・斯密士之譯而譯成，但同時亦比對其他兩譯。其他兩譯於理解文句上並非無助。肯・斯密士之譯有好多句子讀起來很順，但譯成中文又覺於義理不通或不甚順適，比對結果乃發見有誤，其誤大體是在代詞之所指，當然也有其他，關此吾皆於譯文中隨時注明。有時吾亦查質康德原文，此則鄺錦倫與胡以嫻兩同學幫忙甚大。吾於譯文幾乎每句每字皆予以考量，務使其皆通過吾之意識而能達至表意而且能站得住而後可。若稍有模糊或我自己亦未能明者，吾必比對其他兩譯並最後查質原文而使之明。若有錯誤，必亦是清楚的錯誤。吾之比對當然只對校肯・斯密士譯文，並非說其他兩譯即無誤。既公認肯・斯密士之譯文為最好，則其他兩譯雖儘有佳處，相對而言，亦必毛病更多，但我不能再對校其他兩譯之誤。

肯・斯密士之翻譯下工夫甚深，參考專家校刊亦多，彼於譯時皆有注明，吾譯亦皆照錄（但有時甚瑣碎者亦略），且附加吾譯文之注語。除譯文注語外，吾亦隨時附加關於文段之疏解語，以期讀者能了解此文段之義理。關此，感性論中尤多，否則，即使譯出亦無用。

如此整治太費工夫，亦費精力。吾現在只先整治成上冊，至分解部而止，下冊為辯論部，亦期繼續整出。但超越的方法論則不想再譯，期來者續成。

康德此書號稱難讀。嚴格講，須每句講解，始能明白。但講者亦須自己先懂得始能講解無謬，而說到懂得亦非容易，一需要有學力，二需要有識見。康德書行世至今已二百餘年，西方講康德者多矣，凡讀哲學者幾無人不讀康德，或無人不稍涉獵康德，然而真相應者有幾？康德說形而上學是爭辯不休之戰場，迄無定論，彼欲另覓途徑期形而上學歸於定論，然而彼之新途徑復又成為爭辯不休議論不息之新戰場，於以見解人之難也。康德後直接繼承康德而發展者，如費息特，如黑格爾，如謝林，皆可各有弘揚，而不必真能相應康德之問題而前進。二十世紀之新康德派亦非內在於康德學本身而予以重新之消化與重鑄者。英美學者大抵不能相應固無論矣。故吾嘗謂康德後無善紹者。吾很少看康德學專家之文，吾亦不欲亦無能作康德學之專家。專家大抵皆流於瑣碎而無通識，趨於考據而遠離哲學。康德學是哲學，而哲學仍須哲學地處理之。康德學原始要終之全部系統雖在基督教傳統制約下完成，然而其最後之總歸向卻近於儒家，擴大言之，近於中國儒釋道三教傳統所昭顯之格範。故吾可謂內在於康德學本身予以重新消化與重鑄而得成為善紹者將在中國出現。此將為相應之消化。有人譏吾所講者決非康德學，然是否是康德學，是否相應或不相應，決非欺詐無實之輩所可妄言。實理總是如此，智慧總是如此。若康德學是真理，是智慧，是理性決定，而非氣質決定，是造道之言，而非興會之文，是有格範法度之學，而非遊談無根之爛漫之論，則其總歸於儒學，總歸於與中國傳統所昭顯之格範相融洽，亦宜矣。是康德，非康德，相應或不相應，非無實者所能知也。

先有一完整而可理解之譯文置於此，讀者從康德此書之序文起，一一逐句讀下去，讀此書之引論，讀此書之超越的感性論（〈超越的攝物學〉），讀此書之超越的邏輯（〈超越的辨物學〉），往復讀之，始可真知西方哲學之寶藏，而於讀時亦必須有基本之訓練與相當之學力始能入，復亦必須有超曠之識見始能悟其歸向，蓋因為此書決非一通俗之書。讀此書已，再進而讀《道德底形上學之基本原則》與《實踐理性之批判》，此則必須先精熟於儒學，然後始能照察出雙方立言之分際與異同。如此往復讀之，必可得康德學之要領而知其歸向矣。

吾今只將《純粹理性之批判》以及關於道德哲學的兩書譯出以饗國人，至於第三《批判》，則吾以為美學雖可獨立地講，然如康德那樣想藉該批判以溝通兩界，則吾以儒學衡之，認為此無必要，故吾亦無興趣於此矣，且吾亦無精力再進至於此矣，期能者繼續譯出，以使國人得窺康德學之全貌。

中華民國七十年八月牟宗三誌於九龍

《康德「純粹理性之批判」（下）》

下冊二版改正誌言

此下冊初版後，我從頭仔細檢閱一遍，覺得錯誤甚少，只有兩處是注錯，另一處無錯只缺少一注明，又另處於主從句安排得不對故理解有錯。茲乘此二版之機，將三處弄錯者一一予以改正，將那缺少一注明者作一聲明於此。今將此改正者與注明者提出來正式告讀者：

(1)九四頁（A377）：

下段論辯證的推理將移除此困難②。（下段論辯證的推理表象理性，……。）

此是改正文。初版「下段」譯為「下章」非是，因此所加之注亦錯。蓋因原文涉指不明，故有此錯。下段之段原文用 Abschnitt，肯・斯密士用 section，但本誤推章並無節數之分，如後背反章之所為者；又我把辯證的推理誤解成背反中之推理，因此遂把下段改為下章。但全部背反章並無如何移除此困難之討論，因此遂注明此後並無相呼應的交代。但經仔細檢閱一遍，此注是錯。須知此處所謂「辯證的推理」即指「誤推」說，而所謂「下段」即指下文「鑑於以上四種誤推對於純粹心理學全部作一考量」一大段文說，實則只應籠統地說為「下文」或顯明地直說為下「考量」文，如此人們便知你所指者在何處，而不至有誤解。

(2)一八五頁（A436, B464）：

由於此前一情形違反我們的假定（即可移除之假定），……

案：（ ）號中之注明語是改正文。原文只說「違反我們的假定」，這是隱略語，扣的不緊，於上文中找不出字面的對應，人不知所違反的假定，我們原初的假定，在那裡。初版我注明為「即正題中之所說」，此則非是，實則只是證明開始時所含的「組合可以在思想中被移除」之假定。康德的表達不明，肯·斯密士之譯尤其糊塗，此則已有兩注注明。

(3)二七八頁（A526, B554）：

……可是它並不能被致使去應用於這樣一個所與的整全，即「在此**所與的**整合中，……」

此處我聲明這是我依原文「所與的」是形容「整全」者而譯，但依肯·斯密士之譯，「所與的」轉為形容「部分」的。依其譯是如此：【可是它並不能被致使去應用於這樣一個整全，即「在此整全中，諸部分，作為被給與了的，早已是如此確定地互相分離以至於此諸部分構成一不連續的量」這樣一個整全：……。】但是 Max Müller 依原文譯是如此：「可是它並不應用於這樣一大堆部分，即此一大堆部分早已依一定的方式在一所與的整全中（in dem gegebenen Ganzen）為各自分離的，並因而遂構成一不連續量」。案：此兩譯皆可。又案：此句以及此下這一整段文甚為重要，此可與羅素的現實的無限論（《數學原理》中所表現的）相比觀。康德是並不承認這樣的無限論的。

⑷四四八頁（A675, B703）：

只要當我們敢去思此某種東西為一特殊的對象，而並不寧願以理性底軌約原則底純然理念為滿足，亦不置思想底一切條件之完整於一邊而不顧（……），……。（上說亦不置思想底一切條件之完整於一邊而不顧，須知置之不顧這種辦法……。）

此是改正文，初版之安排不對，行文不達。這裡的改正是順肯・斯密士之譯而如此改正。「上說」句是注明語，當用（）括起來，這都是說明「置之不顧」的。依原文實當如此：【只要當我們敢去思此某種東西為一特殊的對象，而並不寧願以理性底軌約原則底純然理念為滿足，亦不置思想底一切條件之完整於一邊而不顧（由於其對人類知性為太大故而置之於不顧，但是須知這置之不顧乃是與我們的知識中的那種完整的系統統一即「理性對之至少並沒有置下一限制或界限」的那種完整的系統統一之追求不相一致的，是故不能置之不顧），只要當我們是如此云云時，我們即必須思此某種東西，而那依一真實本體之類比之方法而思之實在說來即是「我們之如何必須去思之」之方法。】由於肯・斯密士之譯把

（ ）號中「但是」句提出來另起句，亦未加括號，遂離散人之心思，因此遂令下段之起句中表示上下文之關聯者使人糊塗不明，迷失主從。

因此，四四九頁（A675, B703）：

既然在那樣情形下，我們必須依一真實本體之類比之方法而去思某種東西，如是，則此一義即是那如何必有以下這種事者，即：，……。

案：此是改正文，初版所表示之上下文之連接非是。

此第二版只以上四處須提出告讀者。其餘錯字之改正處，只是校對的事，不關譯事，不須一一聲明。總之望讀者以此第二版為準。

譯者之言

〈超越邏輯分解分〉是真理底邏輯，〈辯證分〉是虛幻底批判之邏輯。此後者中分三章。第一章是純粹理性之誤推，乃批判理性心理學中證明靈魂不滅中之虛幻者；第二章是純粹理性之背反，乃批判理性宇宙論中正反衝突之命題之證明中之虛幻者；第三章是純粹理性底理想，乃批判神學中證明上帝存在之證明中之虛幻者。此〈辯證分〉所處理之問題大體是佛所不答者。《箭喻經》中說佛於十四難不答。

所謂十四難大體都可賅括在此三章中。佛之不答以「此事無實，故不答」；以「非義相應，非法相應，非梵行本，不趣智，不趣覺，不趣涅槃」，故不答。但說實了，答起來亦確不易；而批判的解答亦並非不必要。康德說此等問題皆出生自純粹理性之自身，不屬於對象，故不得藉口人類理性之無能而推諉，而且其應有一解答乃是必然者，此正是理性自身所能處理者：解鈴還得繫鈴人。此種批判的解答是超越的哲學之本分，亦正見哲學家之殊勝。佛是聖人，是教主，但不必是純粹的哲學家。康德說無人敢以哲學家自居。此所謂哲學家是指歸宗言，亦可以指聖人言。但是如果哲學家是指學著作哲學的活動說，是指學著作理性的思考說，則此義的哲學家是可以黽勉為之的。此義的哲學家是應當擔當起此等問題之批判的解答的。此亦足見哲學名理與教下名理之不同。關此吾曾詳論之於《才性與玄理》第七章〈魏晉名理正名〉中。哲學名理中之批判的解答指明思辨理性底辯證推理中之虛妄，明其不足以證明靈魂之不滅、上帝之存在，以及意志之自由，最後歸於由實踐理性以明之，如是，則亦不違佛意，而且正足以證成佛意，但卻並不以「此事無實」而不答。教下名理可以不答，哲學名理則不能不答。

思辨理性有虛，實踐理性歸實。虛實之辨正是康德學之精髓。虛有其所以為虛，蓋以其對象超出經驗之外，無直覺與之相應故。既無直覺與之相應，而仍以思辨理性處之，單只通過辯證推理以證得之，故終歸於虛而無實，而且有種種刺謬存於其中也。實有異層異說。知識層之實，康德已言之備矣，如前分解分之所說。實踐層之實則見於《實踐理性之批判》。

通過此〈辯證分〉之翻譯，吾見出中國智慧方向之所以多趣實而少蹈虛，正以其自始即著重在實踐理性故也。象山云：「千虛不搏一實」。旨深哉此言也！中國智慧方向雖於哲學名理不甚足夠，然其實踐理性下之教下名理之趣實無虛卻甚充其極，此則足以使康德之《實踐理性之批判》百尺竿頭進一步也。

《康德的道德哲學》

序

古代希臘哲學曾被分成三種學問：物理、倫理，與邏輯。這種區分完全適合於「有關事物」之本性（主題之本性——依拜克譯）；而於這區分所能作成的唯一改進便是去加上其所基依的原則，這樣，我們便可確保其**完整性**，並亦能正確地去決定那必要的**隸屬區分**。〔這種區分完全符合於主題之本性，而一個人或許只能因著「提供區分之原則以便去保證此區分之**窮盡性**並正確地去規定那必要的隸屬區分」而改進之。——依拜克譯。〕

一切理性的知識或是材質的，或是形式的：前者考論某種對象，而後者則只涉及知性底形式以及理性底形式本身，並涉及思想一般之普遍法則，而沒有區別它的對象〔而沒有論及對象間的區別——依拜克譯〕。形式的哲學名曰邏輯。但是，材質的哲學，即那有事於決定對象以及對象所服從的法則者，又得分為兩部；因為這些法則或是自然底法則，或是自由底法則。前者底學問是物理學，後者底學問是倫理學；它們亦得分別名曰自然哲學與道德哲學。

邏輯不能有任何經驗的部分——所謂經驗的部分就是「思想底普遍而必然的法則必基於從經驗得來的根據上」的那一部分，邏輯若有經驗的部分，則它必不能是邏輯，即必不能是知性或理性底法規，對一切思想皆有效，並且是能夠證明的者。反之，自然哲學及道德哲學它們分別皆能有它們的經驗的部分，因為前者要去決定「作為經驗對象」的自然底法則，後者則決定人類意志底法則，當它〔意志〕為自然所影響時：但是，前者是「每一東西依之以實然發生」的法則；而後者則是「每一東西依之以應當發生」的法則。但倫理學也必須論及那「在其下那應當發生者而常不發生」的條件。

一切哲學，當它是基於經驗底根據上，我們可以叫它是經驗的哲學：另一方面，那單從先驗原則而呈現它的理論的，我們可以叫它是純粹的哲學。當這後者只是形式的，它即是邏輯；如果它被限制於知性底特定對象上，則它便是形上學。

在此遂發生了一個雙重形上學底觀念——自然底形上學及道德底形上學。如是，物理學將有一經驗的部分，也有一理性的部分。倫理學也是如此；但在倫理學，那經驗的部分可有一特別的名稱，此即「實踐的〔實用的〕人類學」，而「道德學」一名則專屬於理性的部分。

一切商業、技藝、手工業皆因分工而有進步，即是說，不要一人作每一事，而是要把他自己限於一種不同於其他工作的工作上（就此工作所需要的治之之方不同而不同於其他工作），這樣，便能以較大的輕便與最大的完美來作成它。如若不同種類的工作並未這樣分開，而每一人皆是「事事通而實無一精通」（jack of all trades），則一切製造必尚停滯於最原始的狀態中。同理，純粹的哲學，在一切它的部門中，**是否不需要一人專致力於它**〔這是一問〕，而如果那些人，為悅大眾趣味，他們習慣於去混合理性的成素與經驗的成素於一起，依他們自己所不知的各種比例把這兩種成素混雜起來，並且他們稱他們自己是獨立的思想家，把「瑣碎的哲學家之名」〔好作無謂思慮者之名〕給與於那些只委身於理性的部分者——我說，如果我警告這些人不要把兩種十分不同的事業〔就它們所要求的處理之方之不同而不同〕混在一起進行，因為其中每一種或許需要一特殊的才能，而兩者之結合於一人則只能產生笨拙而低劣的工作者〔笨伯 bunglers〕：我這樣警告，對於全部的學問事業，這**是否不是較好一點**〔這又是一問〕，〔以上兩問〕，那是值得去考慮的。但在此，我只問是否學問底本性不需要這樣作，即：我們須時時謹慎地把經驗部分與理性部分分開，而對於物理學當身（或經驗物理學）先之以自然底形上學，對於實用的人類學先之以道德底形上學，而這兩種先在的學問必須謹慎地滌清一切經驗的東西，這樣，我們可以知道在這兩種學問中為純粹理性所能完成的有多少，純粹理性從什麼根源裡抽引出它的先驗的義旨（a priori teaching）來，而且亦可以知道對於這兩種學問的後一種學問〔即「道德底形上學」〕底研究是由一切道德學家（其名繁多）來從事，抑或只由那「對之有實感」（feel a calling thereto）者來從事：學問底本性是否不需要這樣作。

因為在這裡我所關心的是道德哲學，所以我把所要提示的問題限於此，即：去構造一純粹的道德哲學，把那「只是經驗的，並且是屬於人類學」的每一東西完全滌清，這是否不是極度的必要呢？我之所以把問題限於此，是因為「這樣一種哲學必須可能」，這是顯明的，即從普通的義務觀念以及道德法則底觀念即可見出其是顯明的。人人皆必承認：如果一個法則是真要有道德的力量，即：真可成為一義務底基礎，則它必須具有絕對的必然性；人人亦必承認：例如，「你不可說謊」這箴言，並不是單對人類有效，好像其他理性的存有不須去遵守它似的，此例如此，一切其他真正所謂道德法則亦皆如此；因此，人人亦必須承認：義務底基礎必不可在**人之自然〔人性〕**中或在人所處的世界內的環境中去尋求，但只當**先驗地在純粹理性底概念**中去尋求；而且最後人人亦必須承認：縱然任何其他基於純然經驗底原則上的箴言，在某些方面，或可是普遍的，但只要它基於一經驗的基礎上（其基於一經驗的基礎即使程度極微，或許只關於其中所含的動機），則這樣的箴言雖可為一實踐的規律，但卻決不能叫做是一道德法則。

這樣，不只是道德法則連同著它們的原則本質上不同於每一其他含有經驗成分的實踐知識，而且一切道德哲學皆必須完全基於它的純粹部分上。當應用於人，那並不是從對於人自己底知識（人類學）中借得些許什麼事，但只是把先驗法則給與於作為一理性存有的人。無疑，這些先驗法則需要一種能因經驗而銳利的判斷力，以便一方面好去分辨出在什麼情形下它們是可應用的，另一方面好為它們去獲得接近人底意志之道路（機會），以及在行為上得到有效用的影響力；因為，人為如許多的**性好**所影響，所以他雖能有一實踐的純粹理性之理念，但他卻不是很容易地能使此理念在他的生活中能具體地有作用（有效用）。

因此，一個**道德底形上學**是不可少地必要的，其必要不只是為思辨的理由，以便去研究那些「在我們的理性中先驗地被發見」的實踐原則之根源，且亦因為道德自身易陷於種種的腐敗，當我們沒有（或缺乏）那種指導線索與最高規範，即「因之以正確地去評估道德」的那種指導線索與最高規範時。因為要想作到「一個行為須是道德地善的」，光是說「它**符合**於道德法則」這尚不足夠，而且須是這樣的，即「它亦必須單**為法則之故**而被作成」，如若不然，那種符合只是很偶然而不確定的；蓋因一個「不是道德的」原則，雖然它可有時（偶爾）產生「可符合於法則」的行為，但亦時常產生「相違於法則」的行為。現在，那只有在一純粹哲學中，我們始能找到純粹而真正的道德法則（就實踐之事言，這是最關重要者）：因此，我們必須以**純粹哲學（形上學）**開始（為先導），設若無此，便決不能有任何道德哲學可言。那把這些純粹原則與經驗原則混雜在一起者，它自不足以當哲學之名（因為那彰顯哲學而使之不同於普通理性知識者乃在這一點，即哲學乃是在各別學問中討論那普通理性知識所只混雜地了解之者）；它更不足以當道德哲學之名，因為由於這種混雜，它甚至破壞了道德本身底純粹性，且違背了它自己之目的。

但是切不要以為：這裡所要求的實早已存在於有高名的窩爾夫所置於他的道德哲學，即他的所謂《一般的實踐哲學》之前的導論中，因此，我們並非忽然開始（to strike into=begin suddenly）一完全新的領域〔這裡並無一全新的領域讓我們打進去。——依康德原文。〕正因為它〔窩爾夫書〕要成為一個一般的實踐哲學，所以它不曾考慮任何特種的意志——例如說，一個「必須沒有任何經驗動機而只完全依先驗原則而被決定，而且我們可以名之曰純粹意志」的意志，它所考論的但只是決意一般，連同著屬於這種一般意義的決意的一切行動與條件。由於這一點，它不同於一道德底形上學，這恰如「討論一般思想底活動與規範」的一般邏輯之不同於「討論純粹思想（即其認識完全是先驗的那種思想）之特種活動與規範」的超越哲學一樣。〔何以是如此？這是〕因為道德底形上學是要去考察「一可能的純粹意志」之理念與原則，而並不是要去考察一般說的人類決意底諸活動與諸條件，此諸活動與諸條件大部分實是從心理學抽引出者。

「在一般的實踐哲學中，道德法則與義務實亦被談及（實則所談皆不恰當）」，這自是真的。但這〔對於我的論斷〕並不成為一種反對，或異議，因為那門學問〔案：即「一般的實踐哲學」這門學問〕底作者們在此方面仍然堅守〔忠於〕他們對於這門學問底觀念〔想法〕；他們實並未把這種動力，即「完全先驗地單為理性所規定，而且恰當地說來是道德的」這種動力，與那經驗的動力，即「知性只依經驗底比較而把它升高到一般概念」的那種經驗的動力，區別開來；但卻是由於沒有注意動力底根源之差異，並由於視它們一切皆為同質的，所以他們只考量它們的較大量或較小量。〔他們考量動力，沒有注意它們的根源方面的差異，但只涉及它們的較大數或較小數（因為它們是被認為一切皆是同類者）。——依拜克譯。〕即在此路數中，他們形成他們的義務底觀念，這種義務底觀念，（它雖可有所是，但卻就不是道德的），就是在一個「對於一切可能的實踐概念（不**管它們是先驗的**抑或**只是經驗的**）之根源畢竟沒有作判斷」的哲學中所能被要求的一切了。〔這種義務底概念實有所是，但卻不是道德的，但它卻也就在是在這樣一個哲學中，即「實未裁決一切可能的實踐概念之**根源**究是**先驗的**抑或只是**經驗的**」這樣一個哲學中所能被欲求的一切了。——依拜克譯。〕

在想此後要出版一《道德底形上學》之前，我先提出這些「基本原則」來。〔意即：我先印發《道德底形上學之基本原則（基礎）》這書。〕實在恰當地說來，除《純粹實踐理性之批判的考察》以外，亦並無其他的基礎可言；此恰如形上學底基礎就是那早已出版的《純粹思辨理性之批判的考察》。但是，第一點，前者並不像後者那樣為絕對地必要，因為在道德之事中，人類理性很易達至高度的正確性與完整性，甚至最普通的理解亦能如此，但反之，在其理論的〔知解的〕但卻是純粹的使用中，它卻完全是辯證的；第二點，如果「純粹的實踐理性之批判」要成為完整的，則「依一公共原則去表示實踐理性與思辨理性之同一〔統一〕」這亦必須同時是可能的，因為說到最後，實踐理性只能是這同一理性，即「只在其應用上始須被分開」的那同一理性。但是，設若沒有先引進一些全然不同的考論（此全然不同的考論對讀者而言自必是令人困惑而厭煩的），則我在這裡便不能把這「純粹實踐理性之批判」達至這樣的完整。因以上兩點緣故，我採用「道德底形上學之基本原則〔基礎〕」這一題稱，而不採用「純粹的實踐理性之批判的考察」這一題稱。

但是，第三點，因為**道德底形上學**，不管此**題稱之不動人**，總尚可能以通俗方式出之，且亦可適宜於普通的理解，所以我覺得把這部討論它的**基本原則**的「先導論文」與它〔**道德底形上學**〕分別開，乃是有用的，因為這樣，我以後可不須引進這些必要地精微的討論於一部較單純性的書中。

但是，本論著不過就是道德底最高原則之研究與建立，而單是這一點即足構成一種「其自身即完整」的研究，並且是一個應當與每一其他道德研究區別開的研究。無疑，我的關於這重要問題的結論

（這問題一直無令人滿意的考察），必可從這同一原則之**應用**於（道德之）**全部系統**而得到甚大的光明（明朗），並且亦必因著它所到處顯示的足用性（適當性）而強固地被穩定；但我必須放棄（不在乎）這種利便（這種利便實在說來最後必只是較為（個人地）滿足或快慰，而不是較為（公共地）有用的），因為一個原則之易於應用以及其表面的足用性（適當性）並不給出它的健全性（正確性、極成性）之十分確定的證明，但卻毋寧只引發某種偏陂，此偏陂足以阻礙我們嚴格地單就其自身而考察之與評估之而不必注意其後果。

在本書中，我採用了我所認為最適當的方法，這方法乃是從通常的知識**分析地**進到此通常知識底最後原則之決定，復又從「這原則以及此原則之根源」之考察**綜和地**下降到（回到）通常的知識，在此通常的知識中，我們見到此原則之被應用。因此，節段之區分將如下：

1. 第一節，從道德之**通常的理性知識**轉至**哲學的知識**。
2. 第二節，從**通俗的道德哲學**轉至**道德之形上學**。
3. 第三節，最後從**道德之形上學**轉至**純粹的實踐理性之批判**。

二版改正誌言

此譯書於初版後，我從頭至尾逐句檢閱一遍，發見猶有若干錯誤。今乘再版之機，一一予以改正，希讀者以此第二版文為準。改正之須告讀者者如下：

(一)六一頁：

至此，我們見到（道德）哲學已被致至一危急的生死關頭之境，因為它必須堅固地被穩定，儘管它在天上或地下沒有任何一物來支持它。在此，它必須如其作為其自己所有的法則之絕對指導者那樣而表明其純淨性，它是其自己所有的法則之絕對指導者，它不是那樣的一些法則之傳聲筒，所謂那樣的一些法則即是那由一「注入的感覺」〔an implanted sense，案：如一般人所假定的道德感覺 moral sense，此為康德所不許〕所私語給它的那些法則，或由「誰知其是什麼保護人一類者」所私語給它的那些法則。

案：此是改正文。惟須聲明者，此中首句，其他兩英譯（拜克譯與巴通譯）不如此。我是依阿保特之譯而譯。其他兩英譯於「危急的生死關頭之境」〔危險之境〕後，用關係代詞 which 重說此境為必須被穩定者，不用「它」字指說哲學，亦無「因為」字。至於下句之主詞，拜克譯明標為哲學，而巴通譯則用女性代詞「她」字以指說哲學。（案：哲學即道德哲學，道德兩字是我所加，原文及英譯皆無。）是則其他兩英譯顯然是分別指說。查康德原文，文法上或許是如此，究竟如何，我不能定。但於義理上，若說那危急的生死關頭之境〔危險之境，precarious position, mißlichen Standpunkt〕必須堅固地被穩定，似乎不甚通。阿譯或亦有見於此乎？若如阿譯，則下句正說「哲學必須表明其純淨性」云云，此即是承上句中之「因為」句而明說哲學之如何堅定其自己而不使其自己歧出，即如何穩定住其自己。此則上下一律，亦甚通順。若依其他兩英譯譯出，則不順適。若上句用關係代詞單指處境〔立足地〕說，不把「危急」或「危險」算在內，則應說哲學之處境〔立足地〕，不應只說處境，而若如此，則又不能用關係代詞。只說處境即是指前文「危急之境」說。此是其他兩英譯之難處。究竟如何須待明者裁決。茲暫時仍依阿保特之譯而譯。

㈡一〇四頁：「〔……〕但只能把它〔呈現〕為一種乞求論點〔丐題〕者，此乞求論點所乞求之原則」云云，是改正文。

㈢一一二頁：「理性之思議其自己為實踐的」是改正文。

㈣一五七頁：「正如人們所能猜想的」是改正文。

以上四處，如存有初版者，當依此二版文改過來。茲還有一句應須聲明。二三頁：

一個痛風的病人，他能自行選擇去享受其現在所實喜歡者，而忍耐其未來所或可喜歡者。

案：此句，我是依下文之說明而意譯，於語法上不合英譯及康德原文，但於義無違，因此，我未修改。依英譯是如此：「〔……〕去享受其所喜歡者，而忍耐其所可忍耐者」。依康德原文是如此：「〔……〕去享用那適悅於他者，而去忍耐那他所能忍耐者」。所謂「忍耐」或「忍受」即是忍耐或忍受眼前因有病而享不到之苦，而並不為未來病愈時或可享到者而犧牲其眼前可得之享受。我承認當時於阿保特所譯之「而忍耐其所可忍耐者」中之「所可」未能明其是助「忍耐」者。我是向「喜歡」想，這當然在句法上是錯了（這錯誤是岑溢成君告予者）。但這誤打誤撞卻於義無違，因此，我原諒了我自己而仍保留了那文意通順之原譯。但我必須把原語法載於此。若讀者認為我所譯者是錯，則請用英譯語。若認為英譯亦不好，則請用康德原文。若覺康德原文稍籠統，則回頭來看看我之意譯亦未始無助。

須明告讀者的改正只上列四處，而須聲明的雖於語法上是錯而因於義無違而未改正者只這一處，其餘只修改幾個字，或校刊幾個錯字，或稍有調整詞語之位置者，則亦隨處有之，因無甚重要，故不列舉。此則只足使讀者讀之更為順適條暢而已。

中華民國七十二年九月牟宗三誌

譯者之言

康德的道德哲學以《道德底形上學之基本原則》與《實踐理性之批判》兩書為代表作。今譯此兩書是根據英人阿保特（Thomas Kingsmill Abbott）之譯而譯成。

阿保特之譯至今已百餘年，中經六版，可謂精譯。由英文了解康德的道德哲學者大體皆從之。近復有美人拜克（Lewis White Beck）之重譯，於一九四九年首版。拜克譯等於阿保特譯之再潤飾，優點如下：行文流暢，關聯顯豁，斷句較簡，詞語通常，文法明順。稍早於拜克（幾乎是同時），復有英人巴通（H. J. Paton）單譯《道德底形上學之基礎》（阿保特譯為《道德底形上學之基本原則》），於一九四七年出版。此譯將原文三章分成小段落，並加標題，且附有注釋。我之此譯亦分成小段落，見目錄，但不若巴通之細。

然茲仍據阿保特之譯而譯者，則一因其為久已流行之初譯，二因三譯相較，後兩譯只措辭有異，而意旨相同，小出入則有之，而相違逆者則甚少。吾曾逐句比對，只有一句違逆甚大，此可算是阿保特之誤，且是嚴重之錯誤，蓋於義理不通故也。此見第二節第三論假然律令與定然律令處。那個句子是界定假然律令與定然律令者。界定假然律令者，語甚簡單。界定定然律令者，則弄的甚複雜。阿譯既不合，即拜克譯，因複雜故，初看亦未全明，及看巴通譯則顯豁，故拜克譯亦得明。故此句應以巴通譯與拜克譯為準。如此重要句子，若弄不清楚，豈不可惜？至於其餘，則間附拜克譯或巴通譯以備參考，並助理解。若遇三譯相違而俱不顯明者，則查質德文原文，逕依德文而譯，此必予以注明。於此等處，岑溢成、鄺錦倫、李明輝、胡以嫺諸同學幫忙甚大。直從德文譯固佳，然從英文譯而改正其錯誤，亦非無價值。蓋英文如此普遍流行，讀英文者多，而不必皆能讀德文也。

吾之此譯係嚴格地對應英文語法而直譯，務期由語法定語意，句句皆落實於英文語法之構造，決不可恍惚而臆測。語法不諦，語意不準，則差之毫釐，謬以千里。此種義理精嚴之作，概念思辨之文，只有直譯，無所謂意譯。直譯者，看準語法之結構而相對應地出之以中文語法之結構（自然是近代學術性的語體文），而亦自有其可讀之文氣者之謂。凡合文法者無不可讀者。其不可讀者，必其無文法結構者，或錯謬而違逆不通者。是故直譯，雖較嚕嗦，而非無文氣。每見西人譯中文行文中之「天下」為「在天之下」，譯「萬物」為「十千（一萬）個物」，此非直譯，乃實不通。每一詞語或成語皆有其某一語文中習慣之定意，知其一定之意義，而即就此一定之意義而譯之，名曰直譯。若不知此一定之意義，而以「在天之下」譯「天下」，以「十千個物」譯「萬物」，則為不通中文者，此非可曰直譯也。先有確定之譯文置於此，然後再換語疏解而通之，如此，方可有定準。若原意不準，而即以意為之，美其名曰意譯，則望文生義，恣意遐想，其愈引愈遠，愈遠愈誤者多矣。其確定之原意究何在耶？而況此種義理精嚴之作，概念思辨之文，雖就文字言，名曰語法之結構，而就義理言，則實為概念之結構，若一有不準，則義理即乖，而可隨便意譯乎？

康德造句本極複雜，因插句太多，繫屬語太煩故也。此種複雜之句法，各方照顧之概念結構，看準其文法結構以後，而復對應地重組為中文，實煞費經營。其插句繫屬句太多，實難直接硬揑於一起者，則只有拆開，先略譯綱脈，後詳補述，多加重複以連繫之，如此，則亦自成文氣而不失其主從。然於如此多之繫屬語，必須諦看其關聯，稍一不慎，便成錯誤。又，康德原文代詞太多，英譯仍多，此最令人頭痛，故於中文必須實指，否則必一團糊塗。然於明其實指時亦易鬧成錯誤。

關於的、底、地，副詞用「地」字，前置詞表所有格者用「底」字或「之」字，形容詞用「的」字。但人稱代名詞之領格亦仍順俗用「的」字，如「他的」、「它的」等。

關於括弧，如係譯者所加之補字或補句，或附拜克譯或巴通譯者，則用〔 〕號；如係譯者所加之同意語或注解語，或兩可語，則用（ ）號。*原文形容語句有時亦加（ ）號以免隔斷或迷誤主句之語氣。

就《道德底形上學之基本原則》言，原文只大分三節，僅第二節末文及第三節文有小標題，但亦無表次第之數目字。今就大分之三節，第一節補分為四段，予以四小標題；第二節補分為十八段，除末後三標題為原有外，茲復補以十五標題；第三節原有六標題，不復增補，僅補數目字。凡所補之標題及數目字，皆用〔 〕號，見目錄。

*【編按：本《全集》本在同意語、注解語及兩可語出現之處，亦使用〔 〕以資區別】

此譯既以阿保特譯為準，而阿保特之譯所根據的原文是羅森克勞茲（Rosenkranz）與舒伯特（Schubert）合編的《康德全集》中的第八冊，此可簡名曰羅森克勞茲版。他的譯文中標有此版原文的頁數，我之此譯亦隨之將原文頁數標於書眉。讀者若對德文，可就此頁數對；對此德文頁數，即見到英文頁數，即就之對讀英文可也。拜克譯所根據的是普魯士學院版，他亦列有此版的頁數。巴通譯則是根據此書的第二版，此是康德生時最好的一版，他列有此版的頁數（同於阿譯所列），並列有普魯士學院版的頁數。讀者讀吾此譯可對讀阿譯，並同時可參對巴通譯及拜克譯。

英譯三譯對看，顯然可以看出阿譯儼若初稿，其他兩譯儼若就初稿而作修改或潤飾；而拜克譯則更似乎是如此，蓋其辭句相同者較多故也，而巴通譯則較少，蓋巴通自謂雖主要保存原句之結構，然亦無意字字對譯，並謂極力想使其譯文英文化，減少條頓氣（Teutonisms）。三譯對看，除阿譯顯明為錯誤者外，各有長處，而後兩譯不必更佳。三譯對看，有時阿譯不清楚或不明顯者，參看其他兩譯可使之清楚而明顯，如是，若三譯相順無違，則可知於原文無誤，除非三譯皆錯。（三譯大體皆相順，《純粹理性底批判》之三英譯未能及此。）

吾茲所能盡力者，乃在盡量把握英文之句法。句法無誤，句意自順。無誤則「信」，意順則「達」，信而達則「雅」。蓋此種概念語言不能出巧花樣，亦不能如作文章之誇飾。若變成鼓兒詞之語言，則雖通俗流暢，亦為不雅。若如嚴復之翻譯，以中國古文語調出之，雖即文雅，亦不可取，蓋必不能信，而達亦不可說，蓋達其所達，非譯事之達也。若以通俗文言出之，此於翻譯其他作品，或有時可能，而於譯康德書則決不可能。故只有依概念語言以嚴格語體文出之為宜。中文行文大體為流線型，而西方語言則為結構型。只有嚴格語體文方能曲盡概念語言之結構，乃至此十分複雜之結構。信達雅是在這範圍內說，非泛言也。當初譯佛經而成為佛經體，此非可以普通文事論。今譯康德書，則為概念語言之學術文，亦非可以普通之文事論，猶若譯科學書必為科學語言，非可以普通之文事論。若於此而謂是中文之染汙，則為不知類。

吾於英文並不精熟，亦少看文學書。然英文程度高雅精熟者亦不必能譯此書。吾見有好多英文程度比我好者，於譯此類文字時，無法措手。勉強譯出，亦不能達。翻譯本身即是一種工夫，習至熟練太費時間，故吾常覺年輕人不宜作此工作。蓋憤發進取，所須涉獵者多矣，無從容餘暇以為此咬文嚼字之事也。吾黽勉勤力以赴，從容以為之。此種譯事，除哲學訓練外，完全是咬文嚼字的工夫。巴通說他於翻譯之小地方曾煩擾許多朋友與學生，吾亦如此。文字工夫之難全在行文之句法，上下文氣之關聯，整句中各部分之關聯。此中有不明者，或一時看不清者，吾必就英文熟者而問之，決不放過。是以譯事之難有虛有實。實者是學力，虛者是文字。概念語言中之專詞實詞，吾自問尚能掌握得住。虛者則黽勉以期無誤。中國於康德書亦有若干譯，屬於實者且不說，屬於虛者則錯誤百出，故不可卒讀。吾初譯時，不能過此。後漸磨漸久，即能照察謬誤，逐步改正。誤則不通，改之則通。有時行文雖通，而實有誤。有時雖似看懂句法，而太複雜，表達為難，結果仍不通而誤。世之譯者未仔細看懂句法，亦未認真對過，其不信不達亦宜矣。故吾斷言，若看準句法，無有不達者。譯既如此，讀時亦然。吾要求讀者按下心去逐句順文法結構仔細讀，不可當閒文一目十行也。當然亦假定讀者有能讀此書之能力與學力。若有了預備知識，則讀吾此譯當無難也，而於書中之內容亦不難理解。若精熟儒學，則理解更易。若完全無此類預備，則即使每段詳加疏解，亦不必能懂。此並非說疏解無必要。然此是另一種獨立之工作。先使此譯文為可讀，先獨立讀此譯文可也。讀之既久，自作疏解亦可也。

就《實踐理性底批判》而言，英譯只有阿保特譯與拜克譯，無巴通譯。吾亦隨時附拜克譯以作參考。讀此書亦須先有《純粹理性之批判》之知識。吾於譯此書時，多隨時加案語，而於〈分析部〉第三章加案語尤多，以期與儒學相比照，使吾人對於雙方立言之分際可有真切之理解。康德對於道德情感與良心等之看法是其不同於儒家正宗孟學系之重要關鍵，故吾將其《道德學底形上成素》之〈序論〉中關於道德情感、良心、愛人，以及尊敬之文譯出附於《實踐理性之批判》之後，以作比觀。

〔案：康德於《道德形上學之基本原則》外尚有《道德底形上學》一書，此書包括以下兩部：

Ⅰ、法律學之形上的始基（亦譯形上的成素）。

前言。

法律學之分類表。

道德底形上學之導言。（阿保特將此文譯出）

法律學之導言。

……

Ⅱ、道德學之形上的始基（或形上的成素）。

序論。（阿保特將此文譯出）。

……

吾只將此〈序論〉中XII段關於道德情感、良心、愛人，以及尊敬者譯出以作附錄。與儒家相比，只此為有關鍵性的重要，其餘無甚重要，故不譯。〕

康德書行世至今已二百餘年，而中國迄今尚無一嚴整而較為可讀之譯文，是即等於康德學始終尚未吸收到中國來。吾人如不能依獨立之中文讀康德，吾人即不能言吸收康德，而中國人亦將始終無福分參與於康德學。進一步，吾人如不能由中文理解康德，將其與儒學相比觀，相會通，觀其不足者何在，觀其足以補充吾人者何在，最後依「判教」之方式處理之，吾人即不能言消化了康德。吾之所作者只是初步，期來者繼續發展，繼續直接由德文譯出，繼續依中文來理解，來消化。此後一工作必須先精熟於儒學，乃至真切於道家佛家之學，總之，必須先通徹於中國之傳統，而後始可能。

中華民國七十年八月牟宗三誌於九龍

《中國哲學十九講》序

予既寫《才性與玄理》、《佛性與般若》、《心體與性體》以及《從陸象山到劉蕺山》，諸書已，如是乃對於中國各期哲學作一綜述，此十九講即綜述也。此十九講乃民國六十七年對臺大哲學研究所諸生所講者。當時口講本無意成書。諸同學認為將各講由錄音整理成文可供學者悟入中國哲學之津梁，否則茫茫大海，渺無頭緒，何由而知中國哲學之面貌耶？如是由陳博政、胡以嫻、何淑靜、尤惠貞、吳登臺、李明輝六位同學分任其責，而以胡以嫻同學盡力獨多。諸同學之辛勞甚可感也。吾順其記述稍加潤飾，期於辭達意明，雖非吾之行文，然較具體而輕鬆，讀者易順之而悟入也。於所述者盡舉大體之綱格，不廣徵博引，縷述其詳；欲知其詳，當回看上列諸書，知吾之所述皆有本也。無本而綜述，鮮能的當，此不得曰綜述，乃浮光掠影也，故多膚談而錯謬，不足為憑。綜述已，則各期思想之內在義理可明，而其所啟發之問題亦昭然若揭。故此十九講之副題曰「中國哲學之簡述及其所函蘊之問題」。簡述明固有義理之性格，問題則示未來發展之軌轍。繼往開來，有所持循，於以知慧命之相續繩繩不已也。是為序。

民國七十二年七月

《時代與感受》

序言

一個人在非理性的時代，除各人之專業外，就知識分子言，除其專門學術研究外，不能不理會此非理性時代之何由來。我在大學讀書的時候（民十七至二十二年）正是國家之正當發展處境不穩定的時候，同時亦是馬列主義——一套邪惡的意底牢結（來自西方者）正在興起向社會上散發並向知識分子之心靈注射的時候。讀哲學的，如果他能獨立地運思，他必首當其衝（讀其他學問的人不甚直接相干），因為這正是一個思想底問題——不是泛泛的思想問題，乃是人類價值標準底問題、人類文化方向底問題。因此之故，讀哲學的，處在這個非理性的時代，有其天造地設的命運（受苦），說得積極一點，有其天造地設的使命（天職）。若不能自覺地承當這命運或自覺地擔當這使命，他便不能盡其學哲學之本分。一般知識分子，無論讀哲學的或非讀哲學的，若不能意識到這問題之嚴重，而一味地隨波逐流、搖惑不定，則必亦有其天造地設的命運，那就是說，其結局必是集體自殺，要不然，就是被殺或被辱。

我在學校讀書的時候就面對了那一套邪惡的意底牢結，覺得其中的理論都是強辭奪理，沒有一個是站得住的。然而它們卻又風靡了一時的知識分子，這裡面必有一種假象在愚弄人、在搖惑人。人就是這樣常易為一種假象所愚迷而陷於如醉如癡的自殺之境，此即所以為非理性的時代。

我在密切的注意與感受中，中間經過抗戰八年，勝利後整個大陸的陷落，以及近三十年來大陸人民受那一套邪惡的意底牢結之災害，至今我已七十有五。我的一生可以說是「為人類價值之標準與文化之方向而奮鬥以申展理性」之經過。我徹底疏通了中國智慧之傳統，並疏通了中國文化發展中之癥結，寫了許多學術性的專書，並隨時亦作了些通俗性的講演。近來鵝湖出版社把這些講辭輯成部帙，我名之曰《時代與感受》。凡有所說，皆有所本。近見《鵝湖》第一〇〇期載有王邦雄君一文，題曰：〈從中國現代化過程中看當代新儒家的精神開展〉，其中對於曾、胡洋務，康、梁維新，下屆保皇、保教、國粹諸想法之陋劣與義和團之愚迷，以及五四新文化運動之激情，直至馬列邪執之征服大陸，這一步一步的扭曲與顛倒，作了綜括性的評述。王君有通識與慧解。這一步一步的扭曲與顛倒正是中國步入非理性的時代之寫照。王君道說其故甚諦當而確切，我見之甚喜。如是，乃商得王君之同意，將該文列為本集之導言，以通讀者之心志。閱此集者先看此導言，必較有眉目，且可瞭然於近代中國之所以受苦難並非無故。此為序。

中華民國七十二年十一月

《圓善論》

序　言

我之想寫這部書是開始於講天臺圓教時。天臺判教而顯圓教是真能把圓教之所依以為圓教的獨特模式表達出來者。圓教之所以為圓教必有其必然性，那就是說，必有其所依以為圓教的獨特模式，這個模式是不可以移易的，意即若非如此，便非圓教。天臺宗開宗於智者，精微辨釋於荊溪，盛闡於知禮，皆在大力表示此獨特模式。觀其所說實有至理存焉。這是西方哲學所不能觸及的，而且西方哲學亦根本無此問題——圓教之問題。

由圓教而想到康德哲學系統中最高善——圓滿的善（圓善）之問題。圓教一觀念啟發了圓善問題之解決。這一解決是依佛家圓教、道家圓教、儒家圓教之義理模式而解決的，這與康德之依基督教傳統而成的解決不同。若依天臺判教底觀點說，康德的解決並非圓教中的解決，而乃別教中的解決。因為教既非圓教，故其中圓善之可能亦非真可能，而乃虛可能。詳如文中第六章所說。

籠統方便言之，凡聖人所說為教。即不說聖人，則如此說亦可：凡足以啟發人之理性並指導人通過實踐以純潔化人之生命而至其極者為教。哲學若非只純技術而且亦有別於科學，則哲學亦是教。依康德，哲學系統之完成是靠兩層立法而完成。在兩層立法中，實踐理性（理性之實踐的使用）優越於思辨理性（理性之思辨的使用）。實踐理性必指向於圓滿的善。因此，圓滿的善是哲學系統之究極完成之標識。哲學系統之究極完成必函圓善問題之解決；反過來，圓善問題之解決亦函哲學系統之究極完成。

嚮往一最高善是西方「哲學」一詞之古義（這古義的哲學在中國則寧名曰「教」）。康德說：

> 為我們的合理行為底諸格言而去實踐地即充分地（適當地）規定一最高善之理念，這乃是「**實踐的智慧論**」之事，而此實踐的智慧論，作為一門**學問**看，復又即是所謂**哲學**。哲學一詞是取古人所了解之意義。古人以為哲學意謂一種「**概念中之教訓**」❶，概念乃即是「最高善已被置於其中」的那概念，並且亦意謂一種「行為中之教訓」，行為乃即是「最高善所因以被得到」的那行為。去把哲學一詞留在其作為一**最高善論**之古義中（就理性努力去使這最高善論成為一門**學問**而言），這必應是妥善的。因為**一方面**，「作為一最高善論」這所附加的限制必應適合於那個希臘字（希臘字「哲學」一詞指表「**愛智慧**」），而同時它又必足以在哲學之名下去擁攝「**愛學問**」，即是說，「**愛一切思辨的理性知識**」，所謂「愛一切思辨的理性知識」是就這思辨的理性知識在以下兩方面均可「適用於理性」❷而言，即，一是在那個概念（即最高善之概念）方面可適用於理性，一是在「決定我們的行為」的那實踐原則方面可適用於理性，而在這兩方面適用於理性卻亦並未喪失這主要的目的（愛智慧），而單為此主要目的之故，此思辨的理性知識始可叫

❶ 改為「依概念而說的教訓」亦可。下「行為中之教訓」亦可改為「依行為而說的教訓」。若把這兩面揉於一起而如此譯亦可，即「古人以為哲學意謂一種依概念與行為而說的教訓，概念即是最高善已被置於其中的那概念，而行為亦即是最高善所由以被得到的那行為」。

❷ 意即「可服務於理性」或「有益於理性」。

做實踐的智慧論。**另一方面**，因著在此定義中〔意即在**哲學作為最高善論之定義**❸**中**〕執持一個「必十分降低一個人之虛偽要求」的自我估價之標準於一個人之面前而去抑制那「冒險去要求哲學家之稱號〔自居為哲學家〕」這樣一個人底自大，這必是無害的。〔案：意即另一方面，我們可用**哲學之為最高善論之定義**以為一自我估價之標準，把此標準置於一個自居為哲學家的人面前而抑制其自大，這必是無什麼損害的，蓋有誰能及此標準呢？是故此標準必十分降低其虛偽的要求。〕因為一個**智慧底教師**必不只是意謂一個學者（一個學者並未進至如此之遠，即如以「達到如此高之目的」之確定期望來指導他自己那樣遠，當然亦未以此來指導他人）；智慧底教師是意謂智慧底知識中之師〔案：即中國所謂人師〕，智慧底知識之師所函蘊的比一個平庸人所要求於其自己者為更多一點。這樣，哲學如同智慧必總仍然是一個**理想**，此理想，**客觀地說**，其被呈現為完整的單只在**理性**中被呈現為完整的〔單只是完整地呈現於理性〕，而**主觀地說**，對一個人而言，它只是此人之**不停止的努力之目標**，而無人能有理由宣稱為實得有之，得有之以冒稱哲學家之名，倘無人能展示此理想之不可錯誤的結果於他自己的人格中以為一範例（即在其**自我作主**中以及在那「他於一般的善中異常地感有之」的那**無疑問的興趣**中展示此理想之不可錯誤的結果於他自己的人格中以為一範例），而這一點卻亦正是古人所要求之以為一條件，以為值得有那個可尊敬的〔光榮的〕「哲學家」之頭銜之條件。（《實踐理性之批判．辯證部》第一章，《康德的道德哲學》，頁三四六—三四八）

---

❸ 此是改正文，原注為「意即在最高善之定義中」，誤。俟再版時當照改。

如康德此段話所言，哲學之思考依其發展而至實踐理性之批判，充分地去為我們的理性行為之格言規定最高善之理念而言，就是「實踐的智慧論」（Weisheitslehre 智慧學，「實踐的」一形容詞是阿保特所加）。哲學之思考而至此是符合「哲學」一詞之古義的。古希臘哲學一詞意謂「愛智慧」。何謂「智慧」？洞見到「最高善」即謂智慧。何謂「愛智慧」？嚮往最高善、衷心對之感興趣、有熱愛、有渴望，即謂「愛智慧」。所以哲學或智慧學（實踐的智慧論），作為一門**學問**看，是不能離開「最高善」的。因此，哲學，依古義而言，亦可逕直名曰「**最高善論**」。（依近世而言，當然不如此。近代哲學甚至已不討論最高善了。又古代所謂最高善，如柏拉圖之所意謂，以及斯多噶與伊壁鳩魯之所意謂，亦皆未達至康德所意謂者之境。至康德，我們可明確地知道最高善即是圓滿的善，而即此圓滿的善亦未達至圓教下的圓善之境。吾雖就此圓滿的善而譯為圓善，圓善就是圓滿的善之簡稱，然而當吾就圓教說圓善，則此圓善之內容的，具體而真實的意義亦有進於康德所說者，雖然德福一致之義仍照舊。）

依哲學之古義之為「最高善論」這一限制而言（限制是照顧到近世而言，若依古義，哲學就是如此，無所謂限制，恰如依中國傳統而言，這樣的哲學就是所謂「教」），哲學一方固是「愛智慧」（哲學一詞之原義），一方亦是「愛學問」，「愛一切思辨的理性知識」。「愛學問」就是使「愛智慧」成為一門學問，有規範有法度的義理系統，這就是所謂「**智慧學**」。既是一有規範有法度的義理系統，就需要有思辨性的理性知識，如孟子所謂「終始條理」（稱孔子者），荀子所謂「知統類」。若是雜亂無章，荀子所謂「雜而無統」，或只是「儻來一悟」，只是一些零碎的感覺，則不成學問，亦不能說「愛智慧」矣。愛智慧就函著愛學問，愛學問就函著愛一切思辨性的理性知識。這一切思辨性的理性知識當然是就最高善論而說的。這些理性知識在界定最高善之理念（概念）中以及在表明實踐原則以決定我們的行為中都是對於理性有用的，即皆可服務於理性而有用於理性，即理性可藉這些思辨性的理性知識以展現其自己之目的與義用。故雖是思辨性的理性知識，卻亦未歧離漫蕩，往而不返，而喪失其主要目的，即「愛智慧」之目的；單為此目的之故，這些思辨性的理性知識始可叫做是**實踐的智慧論**（**智慧學**），這就是哲學（智慧學）——最高善論之為一學問之恰當意義。

這樣意義的哲學，康德說，古人認為是一種**教訓**，即依**概念**與**行為**而說的教訓，概念即是「把最高善置於其中」的那概念（意即最高善之概念），行為即是「最高善因之而被得到」的那行為。這亦正是中國儒、釋、道傳統中所謂「教」。哲學既是這樣意義的一種教訓，則依此意義的哲學而言，無人敢自居為一「哲學家」。因此，「哲學如同智慧，必總仍然是一個理想，此理想，客觀地說，其被呈現為完整的是單只在**理性中**被呈現為完整的，而主觀地說，對一個人而言，它只是此人之**不停止的努力之目標**，而無人能有理由宣稱為**實得有之**，得有之以冒稱哲學家之名，倘無人能展示此理想之**不可錯誤的結果**於他自己的人格中以為一範例。」

案：這個意思的哲學家必即儒家所謂聖人，道家所謂至人、真人，佛家所謂菩薩、佛，而康德在他處則名曰「理想的哲學家」。康德在《純粹理性批判．超越的方法論》第三章〈純粹理性底建構〉中有云：

> 迄今以往，哲學之概念只是一**經院式的概念**——一個知識系統之概念，此意義的哲學概念只在其為一**學問**的性格中被尋求，因此，它只籌劃這系統性的統一，即適當於學問的那系統性的統一，因而結果，它不過是知識底**邏輯圓滿**。但是，茲同樣也有另一個哲學底概念，即一「**宇宙性的概念**」，此宇宙性的概念總是已形成「哲學」一詞之真實基礎，特別當其似乎已被人格化（**已為人所體之**），而且其基型已被表象於**理想的哲學家**中時，為然。依此觀點而言，哲學是把一切知識

關聯於**人類理性底本質目的**之學，而哲學家不是理性領域中的一個**技匠**，而是其自身就是**人類理性底立法者**。依哲學一詞底這個意思而言，去稱一個人為哲學家，並妄以為他已等同於那只存於理念中的「模型」，這必是過情的虛譽。

〔譯者案〕：所謂哲學之「宇宙性的概念」（cosmical concept, conceptus cosmicus, Weltbegriff），宇宙性是照字面譯，很難找一個恰當字眼譯之，也許孔子「與人為徒」義較近之。見下康德註。

數學家、自然哲學家，以及邏輯學家，不管前兩者在其理性知識之領域中的進步是若何的成功，而後兩者尤其在哲學知識方面的進步是若何的成功，他們在理性領域中猶仍只是一些技匠。今設想有一**教師**（理想中思議之者）於此，他把那三家的工作分派給三家，並且用他們的工作為工具，去推進人類理性底本質目的。我們必須單名此一**教師**為一**哲學家**；但是由於這樣的教師並不存在，而「他的立法」之觀念則是被見於那每一人類所稟賦的理性中，是故我們將緊守這理性，較更準確地去決定哲學所規定者，即從理性底本質目的之觀點，依照哲學之**宇宙性的概念**①，就著系統性的統一，更準確地去決定哲學所規定者。

〔原註①〕：關於哲學之宇宙性的概念，康德有註云：

所謂「宇宙性的概念」，在此，是意謂這樣一個概念，即，它關聯到那「**每一個人必然地**對之**有一興趣**」者；依此，如果一門學問只被視為這樣一種學科，即依某種自由選擇的目的而被設計成者這樣一種學科，則我必須依照〔學問〕之**經院式**的**概念**去決定它。

〔案：哲學之經院式的概念其目的有特限，而且只注意知識之**邏輯圓滿**。哲學之宇宙性的概念其目的無特限，只就那**與全人類有關每一人對之感興趣**者而言，是一切理性知識之實踐**存有論的圓滿**，故似與孔子「**與人為徒**」義較合。〕

本質的目的，自其當身而言之並不就是最高的目的；依理性在完整的系統統一方面之要求而言，在這些本質的目的中，只有一個始可說為是最高的目的。因此，本質的目的或是終極目的，或是諸隸屬目的，此等隸屬性的目的是必然地當作工具而與那終極目的相連繫。終極目的不過就是人底**全部天職**，而討論此全部天職的哲學即被名曰道德哲學。由於道德哲學所有的這種優越性，即優越於理性底一切其他業績的這種優越性，所以古人在其使用「哲學家」一詞時，常特別意指「道德家」而言；而甚至在今日，我們亦因著某種類比而被引導去稱一個在理性底指導下**顯示自制**的人曰哲學家，不管其知識為如何地有限。

「人類理性底立法」（哲學）有兩種對象，即自然與自由，因此，它不只含有自然底法則，亦含有道德法則，它把這兩種法則首先呈現於兩個不同的系統中，而最後則呈現之於一個整一的哲學系統中。自然底哲學討論那一切「是什麼」者，而道德哲學則討論那「應當是什麼」者。

案：此四段話與上所引《實踐理性批判》中者相呼應。關於此四段話，還有前乎此者，我曾詳釋之於《現象與物自身》一書第七章最後一節中。讀者可取而一閱。那部書從《純粹理性批判》講起，依中國哲學底智慧方向，就著康德的現象與物自身之超越的區分，最後建立**執的存有論**與**無執的存有論**。本書則講圓教與圓善，故先以古人所理解的哲學——實踐的智慧學、最高善論，標之於此序，以實踐理性作開端，把圓滿的善（圓善）套於無執的存有論中來處理，即從圓教看圓善，此將使無執的存有論更為真切，使一完整的系統之圓成更為真切。

哲學之為智慧學（實踐的智慧論）——最高善論，這雖是哲學一詞之古義，然康德講最高善（圓滿的善）之可能卻不同於古人。他是從意志之自律（意志之立法性）講起，先明何謂善，然後再加上幸福講圓滿的善。此圓滿的善底可能性之解答是依據基督教傳統來解答的，即由肯定一人格神的上帝使德福一致為可能。我今講圓教與圓善則根據儒學傳統，直接從《孟子》講起。孟子的基本義理正好是自律道德，而且很透闢，首發於二千年以前，不同凡響，此則是孟子的智慧，雖辭語與思考方式不同於康德。圓滿的善，以前儒者不甚措意，孟子亦未積極考慮此問題而予以解答，此蓋由於先重「德」一面故。然而天爵、人爵亦是孟子所提出者，此示本有德福之兩面，此即可引至圓滿的善之考慮。圓教底意識是後來慢慢發展成的。儒家由孔子之仁開端，本有上下內外本末通而為一的粗略規模。道家老、莊亦有。然而圓教之所以為圓教之**獨特模式**卻必須首先見之於佛家天臺宗之判別、圓。若以此為準而予以鄭重注意，則儒聖之**圓境**卻首先見之於王弼之聖人體無以及向、郭之注《莊》。此等玄言雖是假託道家理境以顯，然而**圓境**卻必須**歸之於儒聖**。由此即可啟發出依儒家義理而說儒家之圓教。依儒家義理而說儒家圓教必須順王學之致良知教而發展至王龍谿之「四無」，再由此而回歸於明道之「一本」與胡五峰之「天理人欲同體異用」，始正式顯出。由此圓教之顯出始可正式解答圓善之可能，此則不同於康德之解答。是則圓善問題之解決固非斯多噶與伊壁鳩魯所能及，甚至亦非康德之依基督教傳統而答者所真能答。

　　我之講圓教與圓善是直接從《孟子》講起，我之這樣講起是取疏解經典之方式講，不取「依概念之分解純邏輯地憑空架起一義理系統」之方式講。所以如此，一因有所憑藉，此則省力故；二因講明原典使人易悟入《孟子》故；三因教之基本義理定在孟子，孟子是智慧學之奠基者，智慧非可強探力索得，乃由有真實生命者之洞見發，為不可移故。

　　我之疏解《孟子》是取《孟子．告子篇上》逐句疏解之。這一篇文字由孟子與告子辯「生之謂性」起直至最後篇尾止，乃一氣呵成者，甚有條貫性。然而兩千多年來，真能通解、切解、確解此篇文字者卻不易得。只一「生之謂性」即不易辨明。象山即謂「不必深考，恐力量未到，反惑亂精神」。（詳見

《全集》卷七〈與邵中孚〉）此雖勸人，然其本人終亦未深考也。程明道亦言「生之謂性」，但成另一義，非告子之原義。至若就「無分於善惡」而涉遐想者皆不相干，如陽明及劉蕺山皆對於告子語有無謂之遐想。朱注順通文句雖大體不誤，然於論辯之經過則不能使人有確切之理解。凡此俱見《心體與性體》第二冊〈明道章·生之謂性篇〉。仁義內在只象山、陽明能切明之，朱子不能明也。可見兩千多年來，有誰能通解、切解、確解此篇文字乎？近人更不易理解。吾每念及此，輒覺華族學人對不起古人。以前學子有誰不讀《四書》，而猶若是，況今日乎？故吾取而逐句疏解之。又不只文句事，且是義理事。兩者俱到，方能有通解、切解與確解。語句暢順，則義理豁然，因其語句本是智慧語句，亦是表達義理之語句也。若無生命之感應，又無義理之訓練，而謂訓詁明則義理通，是則難矣。吾既疏解已，又取康德〈論人性中之基本惡〉一文譯成中文以附於後。此則有助於「生之謂性」之論辯之理解，是此時代理解〈告子〉篇之不可少之補充也。詳讀康德文，益覺孟子後華族學子思力之脆弱。象山嘗謂「竊不自揆，區區之學自謂孟子之後至是而始一明也。」（《全集》卷十〈與路彥彬〉）〈象山語錄〉云：「夫子以仁發明斯道，其言渾無罅縫。孟子十字打開，更無隱遁。」孔子是聖人，孟子是教（智慧學）之奠基者。孟子後至象山而始一明。象山所明者即是孔、孟之智慧方向也。象山〈與邵叔誼〉書云：「端緒得失則當早辨」（《全集》卷一）。「端緒」即所謂智慧方向也。就〈告子〉篇言，象山所明者亦只是孟子義理、智慧之大端，即「牛山之木嘗美矣」以下直發正面之義理者，象山實能得之，彼亦勸人當「常讀之」，必能得益。然於篇之開首論「生之謂性」處，則勸人「不必深考，恐力量未到，反惑亂精神。」此雖勸人，而其本人終亦未示人以通解。故吾必須詳予疏解，且又附之以康德之文。此問題之暢通實需要有相當之「力量」，未可隨意滑轉，亦不可涉想漫蕩。否則孟子之爭辯乃徒然矣。此中曲折甚多，觀康德之文可知也。

順孟子基本義理前進，直至天爵、人爵之提出，此則可以接觸圓善問題矣。孟子未視圓善為一問題而期解決之。視之為一問題則來自西方，正式解答之則始自康德。康德之解答是依據基督教傳統而作成者，此並非是一圓滿而真實之解決。吾今依圓教義理解決之，則期予以圓滿而真實之解決。但圓教之觀念即非易明者。此則西方哲學所無有也，儒、道兩家亦不全備也。唯佛家天臺宗彰顯之，此是其最大的貢獻。此由判教而逼至者。中國吸收佛教，其中義理紛然，判教即是一大學問，能判之而彰顯圓教之何所是即是一大智慧。此則啟發於人類理性者既深且遠，而教內外人士鮮能真切明之。智顗、荊溪、知禮實乃不可多得之大哲學家。吾以此智慧為準，先疏通向、郭之注《莊》而確立道家之圓教，次疏通儒學之發展至王學之四有四無，由之再回歸於明道之一本與胡五峰之同體異用，而確立儒家之圓教。圓教確立，用於圓善，則圓善之圓滿而真實的解決即可得矣，此則不同於康德之解答而有進於康德者。

人或以為王弼、向秀、郭象只是魏晉之名士，何以道家圓教至彼始顯，然則老、莊尚不及魏晉名士乎？至於王龍谿，劉蕺山斥其為虛玄而蕩，黃梨洲謂其陷陽明於禪，一般視之尚非王學之正傳，何以儒家圓教至彼始顯，然則孔、孟、程、朱、陸、王尚不及王龍谿乎？案：此問為不知類。天臺判別圓，亦非釋迦、龍樹、無著之所說，然則釋迦、龍樹、無著尚不及天臺乎？天臺智者大師不過「位居五品」，尚未斷無明，極稱之不過曰「東土小釋迦」，何以佛家圓教至彼始立？須知謂其能明圓教非謂其**修行**高於釋迦、龍樹、無著也。王弼、向秀、郭象以迹本論會通孔、老以明道家義理之圓教。此非謂其**智慧風範**即高於老、莊也。王龍谿提出四有四無，胡五峰提出同體異用，以明儒家義理之圓教，此亦非謂其**智慧德行**已高於孔、孟、程、朱、陸、王也。智慧之造始與思想之開發固是兩事，即思想之開發與踐履造詣之高下更是兩事，非可一概而論。於此後兩者間，欲想得一**配稱之關係**，恐將比在德福間得一**配稱**為更難，此當別論。

吾人若不能洞曉道家「無」之性格與佛家般若之性格之**共通性**，則不能解除後世儒者對於佛、老之忌諱，此一忌諱是儒家義理開發之大障礙。吾人若不能了解儒家系統是**縱貫縱講**之創生系統，佛、老是**縱貫橫講**之非創生系統，則不能了解三教之所以異。吾人若不能證立三教皆有無限智心之肯認，則不能證立三教皆有**智的直覺**之肯認，此而不能被肯認，則必致使三教之宗趣，自相刺謬。吾人若不能證立三教無限智心既是**成德**之根據亦是**存在**之根據，則必不能預規**圓教之規模**，因而圓善之可能亦不可得而期矣。吾人若不能了然於**分別說**與**非分別說**之足以窮盡人類理性之一切理境，而非分別說又有屬於「無限智心之**融通淘汰之作用**（無）」者，又有屬於「**存有論的法之存在**」者（縱貫縱講者與縱貫橫講者），則不能知何以必在兩義兼備之非分別說中成立圓教，因而亦不能知何以必在此究極圓教中始得到圓善問題之圓滿而真實的解決。

凡此皆經由長途跋涉，斬荊截棘，而必然地達到者。中經《才性與玄理》、《佛性與般若》（兩冊）、《心體與性體》（三冊），《從陸象山到劉蕺山》等書之寫作，以及與康德之對比，始達到此必然的消融。吾愧不能如康德，四無傍依，獨立運思，直就理性之建構性以抒發其批判的哲學；吾只能誦數古人已有之慧解，思索以通之，然而亦不期然而竟達至消融康德之境使之百尺竿頭再進一步。於以見概念之分解、邏輯之建構，與歷史地「誦數以貫之，思索以通之」（荀子語），兩者間之絕異者可趨一自然之諧和。（中間須隨時有評判與抉擇，以得每一概念之正位）。柏拉圖、亞里士多德、宗教耶穌、聖多瑪、近世笛卡爾、來布尼茲、陸克、休謨、康德、羅素，代表西方之慧解；孔、孟、老、莊、王弼、向秀、郭象、智顗、荊溪、知禮、杜順、智儼、賢首、濂溪、橫渠、二程、朱子、五峰、象山、陽明、龍谿、劉蕺山，代表中國之慧解。中西融通之橋樑乃在康德。西方多激蕩，有精采，亦有虛幻；中國多圓融平實，但忌昏沈，故須建構以充之。圓融不可以徒講，平實不可以苟得。非然者，必下趨於昏沈而暴戾隨之，此可悲也。

言至此，尚有不能已於言者，熊先生每常勸人為學進德勿輕忽知識，勿低視思辨。知識不足，則無資以運轉；思辨不足，則浮泛而籠統。空談修養，空說立志，虛餒迂陋，終立不起，亦無所修，亦無所養。縱有穎悟，亦是浮明；縱有性情，亦浸灌不深，枯萎以死。知識與思辨而外，又謂必有感觸而後可以為人。感觸大者為大人，感觸小者為小人。曠觀千古，稱感觸最大者為孔子與釋迦。知識、思辨、感觸三者備而實智開，此正合希臘人視哲學為愛智慧愛學問之古義，亦合一切聖教之實義。熊先生非無空靈造極之大智者，而猶諄諄於下學！惟能空靈而造極者始能切感於知識、思辨之重要；惟能切感於知識、思辨之重要者始能運轉知識、思辨而不滯於知識、思辨而通化之以至於空靈。人多不能解其意之切而當下心領神會，以為何以如熊先生之高明而猶賓賓於瑣碎之糟粕！不自知其空疏而無似，遂轉而枵腹自大，襲取古人話頭以自文，動輒言吾雖不識一字亦堂堂正正做一個人。此誠然也，然象山說之有衷氣，汝說之只成一遁辭。不識一字固可堂堂正正做一個人，非謂堂堂正正做一個人，便可不須識字也，亦非謂盡不識字者皆可堂堂正正做一個人也。又或以為思辨只是空理論，不必有實證，遂妄託證會以自高。殊不知思理混亂，基本訓練且不足，而可妄言證會乎？汝焉知思辨明徹者必無證會乎？又或以為知識只是粗迹，未可語於性德之冥契，如是，遂日夜閉目合睛，妄託冥契以蹈空。殊不知學知不夠，雖即於性德亦不知其為何物，而可妄言冥契乎？汝焉知學知周至者定無性德之冥契乎？

熊先生語是**警戒語**、**策勉語**，非**主張語**。彼深感一般學子淺陋浮泛之可厭，既不足以成事，又不足以成學，此是民族之衰象。生命強力不足，不能堪忍煩瑣與深入，如是，遂落於非昏沈即掉舉。船山亦云害莫大於浮淺。凡不能辨解問題以求解答者，輒起反動以毀之或漫之，於學美其名曰空靈，實只是掉舉；於事美其名曰革命，實只是暴亂。昏沈即愚迷，掉舉即暴亂，皆強力不足，不足以勝任問題之辨解與解答者也。熊先生實深感之，此亦孔子、釋迦之感也。此是真明之策勉，非徒語下以輕估人也。人不能悚然敬謹聽受，反以為我已過於此境矣，何尚以童蒙視我耶？人之是否有真，是否浮泛，識者自能辨之。不知敬領心受，而徒以圓融話頭混漫之，此亦「不知類」之謂也。教不可以已，學不可以已。雖即上聖，若聞其語，亦只有肅然心領，而況晚輩後生不知學為何物者乎？古今哲人，辨力之強，建構力之大，莫過於康德。此則有真感、真明與真智者也。彼若無周至之學知，焉能取**一切有關之概念**而辨明之乎？彼若無透徹之思辨，焉能取**一切辯證**（佛所不答者）而批判之乎？彼若無真感、真明與真智，又焉能切言實踐理性之優越性乎？天臺判教雖屬佛教內者，若無學知與思辨，焉能判之以八教而罄無不盡者乎？若無真感、真明與真智，又焉能「位居五品」（圓教五品不是小事易事），得「東土小釋迦」之稱號乎？處於今日，義理之繁、時世之艱，為曠古以來所未有，若無學知與明辨，焉能開愛智慧、愛學問之真學（即真教）而為時代作砥柱以消解魔難乎？吾不敢自謂能有真感、真明與真智，惟賴古德近師之教語以自黽勉耳。判教非易事，熊先生之辨解，由於其所處之時之限制，不必能盡諦當，然要而言之，彼自有其真也。吾茲所述者，亦只承之而前進云爾。是為序。

《名理論》

中譯者之言

維特根什坦此書于一九二一在德國出版後，于一九二二即由奧格登譯成英文，後一九六一又有皮亞斯（Pears）之譯本。兩譯相距已近四十年矣。兩譯都很準，前譯逐句直譯，而且甚至有過直處；後譯于造句稍有潤飾與修改，故較順適，但以英文語法故，有時反不如直譯者顯豁而更合德文原文。最顯著的差異，于 Sachverhaltes 一詞，前譯譯為「原子事實」（atomic fact），後譯譯為「事情」（states of affairs）。在中國，張申府先生之初譯是依據奧格登之英譯而譯的。我今此譯是依據皮亞斯之英譯而譯成。但遇有不明處，或不顯豁不順適處，則查質奧格登之譯及德文原文以改之。我幾乎每句皆對照過，凡有改動處，皆隨文注明。

我當初在學校讀書時，于此書，讀的是張先生之譯文（刊于《哲學評論》某卷期，未印成專書），其中有不明與不達處。張先生那時在北大哲學系授羅素哲學與數理邏輯，他是中國第一個開始講授數理邏輯課的人，我是他的首班學生。維氏此書顯然以羅素與懷悌海合著的《數學原理》（*Principia Mathematica*）為基礎而進行其對于邏輯本性之研究的。張先生于維氏書中符號技術方面，尤其是真假值圖表（簡稱真值圖表 truth-table）方面，是很熟練的，他作了許多的開展。我今于此譯文中，對于那十六個圖式（5.101）予以詳盡的陳列，都是由他的傳授而來。讀者若對于羅素的《數學原理》不熟習，于真值圖表不熟練，是無法讀維氏此書的。我今重譯此書，除了這些技術方面的事須靠學者自己有訓練以了解之外，其他文字方面期望每句能信能達。維氏的直覺力是很強的，無論在關於哲學方面或關于邏輯方面，他都時有妙論與雋永語。當然，其吸引人的是在關于哲學方面的那些妙論與論斷，邏輯實證論全由這裡開出也。可是此書的精華與最大的貢獻是在關于邏輯本性之洞識。

我今重譯此書是因為我要重印我的《認識心之批判》一書。《認識心之批判》之寫成正是處於羅素學與維氏學頂盛之時，其目的是想以康德之思路來消融彼二人之成就，雖然我當時並未透徹了解康德。我當時只了解知性之邏輯性格，並未了解知性之存有論的性格，而此後者卻正是康德學之拱心石，而吾之《認識心之批判》亦正是知性之邏輯性格之充分展現。知性之邏輯性格有如許可說者正以維氏書之故也，或至少由維氏書而激起，激起已，兼以融攝羅素而扭轉之，故有如許可說也。

維氏此書原德文書名 *Logisch-Philosophische Abhandlung*（邏輯的哲學論），英譯版則題之以拉丁文 *Tractatus Logico-philosophicus*（邏輯的哲學論）。據說此書名為 G. E. Moore 所提議，蓋因想到斯頻諾薩的《神學的政治論》（*Tractatus Theologico-politicus*）而然也。

「邏輯的哲學」，Max Black 解云：「邏輯的」（Logico-）是形容詞，乃形容哲學者。「邏輯的哲學」猶言以邏輯為基礎的哲學。「邏輯的哲學論」猶言關于「邏輯的哲學」之論文。若如此理解，則邏輯的哲學猶言「科學的哲學」（scientific philosophy）。但科學的哲學容易想其意義，邏輯的哲學似乎不容易理解其意義。什麼叫做以邏輯為基礎的哲學呢？邏輯是空無內容的，如一般之了解，它只是語言之形式，或思想之形式。光只是邏輯能決定什麼呢？但書名如此名，如此名之而又如此理解，這似乎是維特根什坦本人的原意。他在〈序文〉中說：

此書處理一些哲學問題，而且我相信它表明了這些哲學問題所以被提出之理由乃是因為我們的語言底邏輯已被誤解故。本書之全部意義可以綜括之于以下之兩語：凡全然能被說者即能清楚地被說，而凡我們所不能說者我們必須在沈默中略過。

可見這書是一本以處理哲學問題為主的哲學書，而這哲學是以邏輯為基礎的哲學。但重點若在哲學，則此書之主要目的是消極的，目的在阻止無意義，由語言底邏輯之被誤解而結成的無意義。此書底注解者Max Black云：「若只如此，則對于維特根什坦的積極成就是不公平的，尤其對于其關于邏輯本性之研究是不公平的。邏輯本性之研究是其興趣之最前部（當其醞釀此書時）。」

此書明是以羅素與懷悌海合著的《數學原理》為基礎來解說命題之意義與邏輯之本性，由此而涉及到可說者與不可說者，有知識意義的命題（有涉指經驗對象的名字變項的命題）是可說者，無知識意義的命題即形而上學的命題是不可說者，因而遂只界定哲學為一釐清的活動，並不是一套主張，言至此，正如康德說純粹理性底批判只是一種工具之預備，而不是一個系統。因此，維氏也說「一切哲學是語言之批判」（4.0031），故他這部書若當作哲學書看，也正是一「語言之批判」，因此它涉及哲學乃正是消極的涉及，由于研究邏輯之本性、命題之意義而消極地觸及哲學問題，也可以說是捎帶著來處置了哲學問題，而這處置初看雖不等于取消，然而由于把那些哲學問題置諸無意義不可說之域而即囑人不要說，這即等于置而不理，等于取消了，這算得上是一種什麼哲學呢？故此書若理解為是一種以邏輯為基礎的哲學書，則它實未處理什麼哲學問題，而這作為基礎的邏輯對于哲學問題（形上學問題）實不能決定什麼，即使可說與不可說也不是邏輯所能決定的。因此，這部具體而微的純粹理性之批判（語言之批判）也只是一時令人醒目（驚世駭俗）的廿世紀的纖巧哲學而已。

可是若照此書正面之內容而理解之為邏輯本性之研究，則此書題亦可理解成是一種邏輯底哲學（philosophy of logic）論。德文原題以及英文版的拉丁題，中文俱可譯為「邏輯哲學論」。但是中文題這五個字其詞意是很模稜的，它可以以哲學為主而被理解成處理哲學問題的「邏輯的哲學論」，也可以以邏輯為主而被理解成解釋邏輯本性的「邏輯底哲學論」。而依中文的語法習慣以及一般人的語意了解的傾向而言，我們卻是易取後者而不易取前者的，即一般人很不容易向一種以邏輯為基礎的哲學想，但卻很容易向作為邏輯本性之研究的邏輯底哲學想。因此，張申府先生初譯此書，比照英文版之拉丁古文題，而亦以頗為古典味詞語把它譯為《名理論》。名理論即是論名理之書也。論名理之書即是研究邏輯本性的「邏輯之哲學」也。但這不必是維氏之原意，但卻較切合此書之內容。此書之內容既如此，而書題及維氏之〈序文〉又如彼，此何故也？蓋亦由于足以令人醒目故也。（如此名之，令人醒目的刺激性很大。若說成邏輯底哲學，則人所雅言，平淡無奇矣。）後來邏輯實證論全本此書而成，成為廿世紀最聳動人的時髦哲學，則可見人們之興趣如何為此書題及序文所吸引矣。（Max Black 從頭至尾逐句疏解此書，直視此書為經典矣。）

吾今平看此書，不為這些刺激性的小波浪小纖巧所聳動，而正視之為一種「邏輯之哲學」（名理論），其最大的貢獻在講套套邏輯與矛盾，此正是邏輯本性之正文，一切對于邏輯形式之洞悟與妙語皆源于此。至于其講世界，講事實，講命題，講圖像，涉及知識，消極地觸及哲學問題，因而劃定可說與不可說之範圍，把超絕形上學一概歸于不可說而置于默然不說之域，凡此等等皆非邏輯本性之研究之主文，乃是因著論知識命題而消極地觸及者。套套邏輯非知識命題；純邏輯中無知識命題，其中只有邏輯句法而無知識命題。

吾今順其講套套邏輯而進一步了解邏輯之本性，重解邏輯之系統，如吾《認識心之批判》中之所說。至于其所說之可說與不可說，則重新釐定之如下文。

可說與不可說

1. 「凡可被說者即能清楚地被說，凡我們所不能談及者必須在沈默中略過。」
什麼是可說者？什麼是我們所不能談及者？

2. 只有時空中的經驗事件始可說。
可說者可陳述之為一命題。
可陳述之為一命題者為科學知識。因此，只科學知識中之命題所陳述者為可說，而命題則為能陳述之者，即能表象之或摹狀之者，因此命題即在言說範圍內，亦當是可說者，即可以符號語言把它組構起來以為經驗事件關係之圖像。

3. 這樣說來，邏輯亦不能被說，因為邏輯中無命題。
邏輯中一切符式皆是套套邏輯，一無所說，故亦無所表象。
套套邏輯不能為世界之一圖像。
套套邏輯只是依據四基本原則而來的純理形式之展示。凡「純理形式」只能被展示，不能被表述。
因此理性邏輯是超越的，你說之亦要用之，它即存于你「說之」中，因此它總是在上的，是故它總須「被反顯以示」。（參看 4.12，4.121）

4. 然則它是否可說呢？它既可以符式來展示，似乎是可說。但既只可被展示而不能被表述（被陳述），似乎又不可說。
不可說者理性形式非事件故。可說者以其可為符式所展示故。然則可說者只限于自然科學之命題為過狹矣。

理性形式之所以可以符式展示，蓋以其雖非一事件，然卻必須在辨解歷程（discursive process）中呈現。無辨解歷程亦無四根本原則，亦無理則，即不能有推斷，便無邏輯。因此邏輯之為可說非以其為事件，亦非以其為表象事件之命題。乃是以其在辨解歷程中。凡可以拉開而成一歷程者皆可說。

5. 經驗事件在時間歷程中，理性形式——套套邏輯所示者在辨解歷程中。辨解歷程自身相應于辨解思想之純粹者（無經驗內容者），表象經驗事件之命題相應于辨解思想之有經驗內容者。

數學之可說亦同邏輯之可說。

6. 屬于實踐理性之道德學亦當為可說者。

道德屬于「應當」。應當者決定一行為之方向之謂。此所謂「應當」是道德的應當。是故道德的應當者依一定然命令而行之謂。依一定然命令而行為道德的行為。因此，道德行為亦須拉開而在一意志因果關係中呈現。

定然命令是因，行為是果。行為為可見，可在時間中；定然命令之因非事件，不可見，不在時間中。定然命令發自意志之自由。因此，此一種因果曰「意志因果」，非事件關係之因果。既是因果，自然亦可拉開而成一歷程，此曰實踐理性之辨解歷程，非思辨理性之辨解歷程。既有辨解歷程，故亦可說，此如《實踐理性批判》之分解部。若不可說，那來的分解？

7. 道德之為可說惟在分解地展示一自由意志所發之定然命令。

定然命令為形式，此亦須被展示，由道德應當而被展示。（非如邏輯形式由套套邏輯而被展示。）

但是此形式發之于自由意志。自由意志即在與定然命令之關聯中而被說及，因而亦為「被說及」之可說。

8. 凡可以被置于關聯中者皆為可說者。
上帝、道、自由意志、無限心，皆為可說者。此四者是一。
它們一在關聯于定然命令（道德）而為可說，一在關聯于「存在」而為可說。但是這兩種關聯皆是超越的關聯。
因此，它們之為可說皆是在超越的關聯中為消極的可說者。「消極的」云者其本身不在時間中，非為事件故。若依康德詞語言之，非感觸直覺所及故。即使為「智的直覺」所及，亦仍是為消極的可說者，蓋不能定置于此而為一定概念所限定故。它是無限的智心仁體，亦是如體，只能逆覺體證之，而不能限定地（積極地）陳述之。它只能在超越的關聯中被肯定；由此超越的關聯，我們得悟入之。我們即由此「悟入」而說其為消極的可說者。因為凡積極地可說者皆是定知，非可說悟入。

9. 凡積極地可說者即能清楚地（限定地）被說；凡消極地可說者不能限定地清楚地被說，但不能因此即為不清楚地被說者。它是不限定清楚地被說者，它是智的直覺地清楚地被說者，是證悟地被說者。
既是證悟地清楚地被說者便是實踐理性的事；既是實踐理性的事，且屬分解地可說者，便不是一概不可說。

10. 然則實踐理性中有無非分解地說的呢？曰有！
凡此中非分解地說者皆是啟發語言或指點語言。
什麼是非分解地說的呢？

本體之圓教中的關于圓滿的體現之語言為非分解地說者。

「一念三千」是非分解地說者。「三千在理同名無明，三千果成咸稱常樂」，是圓教中圓滿的體現，是非分解地說者。「亦得唯聲唯色唯香唯味唯觸」是圓教中圓滿的體現，是非分解地說者。般若以異法門說，是非分解地說者。凡非分解地說者是不可諍法。「實相一相，所謂無相，即是如相」即非分解說所指點的不可說，到此必須沈默，此之謂徹悟。

「俄而有無矣，而未知有無之果孰有孰無也」，是圓教中之非分解地說者。

聖人即迹以冥，這聖人是圓教中之圓滿地體現道者，是非分解地說的聖人，是圓聖。天之戮民是圓聖。

「體用顯微只是一機，心意知物渾是一事」，而未知心意知物之果孰心孰意孰知孰物也，是非分解地說者，是圓教中之圓滿地體現者。

「無心之心其藏密，無意之意其應圓，無知之知其體寂，無物之物其用神」，此是非分解地說，是圓說；聖人如此是圓聖。

11.

因此，非分解地說者雖指點不可說，然並非不清楚，亦並非不理性，乃只是玄同地說，詭譎地說。

凡詭譎地說者是詭譎地清楚的。

詭譎地說者概念無所當，用之即須撥之，撥之以顯示如相之謂也。如「其上不皦，其下不昧，迎之不見其首，隨之不見其後」，即是詭譎地說。

凡詭譎地說者是一遮顯之歷程。此一歷程不能成為構造的平鋪者，因此，它總須詭譎地被棄掉。及其一旦被棄掉，則圓教的圓滿中之如體便圓滿地朗然呈現，此則是一體平鋪，全體是迹，亦全體是冥，即全體是「如」也。一切聖人皆「如」也。

12.

維氏以為凡不能用符式分解地（即概念限定地）說之者即是不能被說者，因而亦是不能清楚地說之者。因此，道德、審美、人生底意義、世界底意義、價值，皆在世界之外，皆不可說，如：

6.4　一切命題皆是同等價值的。

6.41　世界底意義必須處于世界之外。在世界中每一事如其所是者而是，每一事如其所發生者而發生：在世界中並無價值存在著——而如果它曾存在著，它必會無價值。

如果茲存有任何（實有價值）的價值，則它必須處于那發生者以及那是如此這般之實情者（如此存在者）之全部範圍之外。因為一切發生者及一切是如此這般之實情者（如此存在者）皆是偶然的。

那使它成為「非偶然的」者不能處于世界之內，因為如果它處于世界之內，則它自身亦必應是偶然的。因此，它必須處于世界之外。

6.42　因此，說到茲存有道德之命題，這亦是不可能的。命題不能表示有什麼是較高尚的東西。

6.421　顯然道德不能被表述（被言詮）。

道德是超越的。

（道德與審美是一會事）。

〔……〕

6.423　當意志是道德屬性之主體時，去說及此意志這是不可能的。

而當作一現象看的意志只心理學始對之感有興趣。

〔……〕

6.4312 不只是並無「人類靈魂之時間中的不滅」，即，「人類靈魂之于人死後之永存」之保證；且在任何情形下，此靈魂不滅之假設完全不能去完成那「它為之而被意欲」的目的。如或不然，試問某種謎樣的難解之事曾為我的永存所解決？嗎？此永恆的生命自身豈非如我們現在的生命一樣是謎？時間空間中的生命之謎之解決處于時間空間之外。（它確然不是那所需要的任何自然科學問題之解決）。

由這些命題看來，很顯明，康德所說的屬于智思物（nou-mena）者，維氏以為都是不能被表述的。維氏所說的「世界底意義處于世界之外」，這世界底意義是指其價值的意義而言。價值、道德的善、美學的美、意志自由、靈魂不滅等，都是不能說的。

維氏又有以下的命題：

6.44 並不是「事物如何存在于世界」是神秘的，但只「世界存在著」這才是神秘的。〔案德文原文是：並不是「世界如何存在著」是神秘的，但只「世界存在著」這才是神秘的。案前句英譯改之。〕

6.45 在永恆方式下去看世界是看世界為一整全，為一有限制的整全。

感覺著世界為一有限制的整全——只此便是神秘的。

6.5 當解答不能表述時，問題亦不能被表述。

謎並不存在。

如果一問題畢竟能被形成，則「解答之」亦是可能的。

6.51　懷疑論並不是不可反駁的，但當它于無有問題可被問處想提出疑問時，這顯然是無意義的。

因為疑問只能存在于一問題之所存在處，一問題只能存在于一解答之所存在處，而一解答只能存在于有某物可被言說處。

6.52　我們感覺到：縱使一切可能的科學問題皆已被解答，生命之問題仍然完全未被接觸到。既然如此，則自亦可說「實並無問題被遺留下來」，而此語自身即是一解答。

6.521　生命問題之解答被見于問題之消滅中。

（此豈不是何以「在一長期懷疑之後已覺生命之意義甚為清楚」的那些人同時又不能說出什麼東西構成那意義之故嗎？）

6.522　實在說來，茲實有一些不能被表述的事物。這些不能被表述的事物它們使其自己成為明顯的。它們就是那是神秘的者。

如是，「世界存在著」是神秘的，「世界為一有限制的整全」是神秘的。神秘的是不能被表述的。但並不是不能被表述的都是神秘的。依是，如上所說世界底意義、價值、道德的善、美學的美、意志自由、靈魂不滅，都是不能被表述的，但維氏並未說它們都是神秘的。「世界存在著」是神秘的，肯定上帝存在正是說明這神秘。但「上帝存在」不但是如康德所說不能被證明，依維氏，亦當是不能被表述被言說的。

但是依傳統哲學（超絕的形上學），肯定上帝存在、意志自由、靈魂不滅，正是為的說明「世界存在」，說明「世界底意義」，說明價值、善、美等，以及生命底意義。依儒家傳統，肯定天命不已，肯定道德的心性，肯定仁體，肯定良知，也都是為的說明這些；依道家，肯定玄智玄理也是為的說明這些；依佛家，肯定如來藏自性清淨心，肯定般若、解脫、法身三德秘密藏，也都是為的說明這些。凡此所肯定的都是可說而不可說，不可說而可說的，不是一往不可說的。維氏所說的言說世界、命題世界、知識世界、科學世界、問題世界，是一；越乎此，都是不能言說的，因此，也不能發問題，也不能有解答；因此，必須歸于沈默，不要說任何事。因此他最後說：

6.53　哲學中正確的方法實在說來必應如下，即：除那可被說者外，除自然科學之命題外（即除那「無關于哲學」的某事外），不要說任何事。夫既如此，只要有別人想去說形而上學的事，你就要證明給他以下之義，即：他並不能給他的命題中的某些符號一意義。

他的「可說」底規定太狹，他只有表達科學知識的語言，如是，形而上學便完全屬于不能言說的範圍，因為它裡面的那些命題不能有任何知識的意義，因而也是一些似是而非的命題，不能認作是命題。邏輯實證論者進而便認為這是一些無意義的命題，因此，他們說這只能滿足人的情感；因此，他們只有科學語言與情感語言的二分，形而上學便被除消了。這雖然不是維氏的直接意思，然而也未始不是其「科學外不要說任何事」一語之所函。因此，他的十進數所標之命題最後一個是：

7.　凡我們所不能說者，我們必須在沉默中略過。

因此，7下便沒有命題了，便付諸不說了。人們可由此聯想到《維摩詰經》的不二法門：真不二是不可說的，因此到問維摩詰如何是不二時，他便默然不說了。維氏意好像是如此，其實不然。他的于所不能說者便沉默是只承認科學語言為可說，為有意義，而《維摩詰經》是二分語言外承認有啟發語言或指點語言，雖無科學知識的意義，但不能說無意義。維氏說：

4.003 見于哲學作品中的許多命題與問題並不是假的，而是無意義的。結果，對于這類的問題，我們不能給以任何答覆，但只能指出它們是無意義的。哲學家底好多命題與問題是從我們不能理解我們的語言之邏輯而發生。

（它們就像「善是否比美為更同一抑或比美為較少同一」這問題一樣，它們與這問題為屬于同類者。）

而此亦無足怪，即：最深奧的問題事實上實不是問題。

案：這話說的太粗率。如維氏所說形而上學中的命題其為無意義只是無科學知識的意義那樣無意義，這並不與「善是否比美為更同一抑或比美為較少同一」之無意義為同類。焉可故意如此亂攪而拖陷之？又如說：「蘇格拉底是同一的」，這也是瞎扯的無意義。我們能說形而上學的命題是這類的嗎？

13. 我們承認于科學語言外，有啟發語言或指點語言。超絕形上學中的語言都是啟發語言或指點語言。凡屬康德所說屬智思界者皆屬啟發語言中事。

在承認啟發語言或指點語言之下，我們重新規定可說與不可說如下：

「可說」有分解地可說與非分解地可說。

凡在關聯中者皆為分解地可說者。此是邏輯語言。

關聯有是內處（宇內）的關聯，有是超越的關聯。

內處的關聯有是純粹形式者，此如邏輯與數學中者；有是經驗的材質者，此如自然科學中者。

超越的關聯是屬于實踐理性者，如道德，乃至道德的神學（宗教）。

非分解地可說者是實踐理性中圓教的事。圓教中之圓滿的體現是非分解地說者。

非分解地說是詭譎地說、遮顯地說，此是啟發語言或指點語言。「佛說法四十九年而無一法可說」是詭譎歷程之捨棄而一切皆如，是一種點化。說法四十九年有是分解地說者，有是非分解地說者；而非分解地說所指點的最後之「如」即是不可說。不可說而先導之以分解地可說，由此分解地可說進而至于非分解地可說（詭譎地說），由非分解地可說最後歸于不可說。

14. 如此而至之不可說是不可說而可說，可說而不可說，故雖即不說而亦全體圓明，非如維氏所說之一往不可說而便不要說任何事，遂陷于黑暗中，我們對之不能有一隙之明也。

15. 材質的關聯中之分解地說者為可諍。形式的關聯中之分解地說者為不可諍——套套邏輯為不可諍。此是分析地不可諍。

超越的關聯中之分解地說者雖有多端，然皆為批判地不可諍。故皆可經由判教以明之。

超越的關聯中之非分解地說者為詭譎地不可諍。

凡不可諍者皆是理性中之必然。

《周易的自然哲學與道德函義》

自序一

1. 吾非專解析《周易》本文者。因為(1)《周易》一書帶有歷史性，而非一人或一時之產物；(2)即解《易》注《易》者亦隨時隨人而異，宗漢者斥宋，宗宋者排漢，廬山真面礙難定其歸屬。以此二故，吾如解析本文就不能不引後之注《易》或解《易》者之言辭，即或不引，亦不能不受其影響。如其引人之言而解《易》，反不如就人之意而論中國思想。

2. 本書定名曰：《從周易方面研究中國之元學及道德哲學》。名雖冗長，亦頗允合。其主要含義有二：一非注解，二非史述。中國思想，自非一支，然最佔勢者，厥為《周易》。故如其說「從周易方面研究」，倒不如直謂「中國之元學及道德哲學」。

3. 研究中國思想者常發生系統問題，即中國思想有系統乎？無系統乎？一般之感想，大都以為中國思想之系統不如西洋遠甚。然試思所謂不如者，只是作法無嚴密之邏輯組織而已；而普通心目中所意想之系統亦不過指作法之組織而言。然無此組織之系統，未必即無思想之條理，故馮友蘭氏遂謂中國思想雖無形式系統，然猶有實際系統也。所謂實際系統又不可只認為言之成理持之有故已也，要必指出此系統之何屬。其系統不屬哲學，雖或言之成理，亦不得謂之為哲學系統。先秦諸子能屬哲學系統者甚少，然則中國思想中究有哲學系統乎？究無哲學系統乎？曰有。不過因中國思想缺乏形式系統，故第一先必抽繹而出，為之組一嚴密之邏輯次序，以補形式系統之不足。第二此系統究何所屬乎？曰一屬玄學，一屬道德哲學。換言之，中國思想中，其所論者亦常涉及哲學中之兩支焉。不過哲學總屬知的問題，而非行的問題。然而中國先哲卻每欲以知附行。是以有人常謂中國思想為人與人之關係，而非人與自然之關係；常注意人與人之倫理的行的問題，而不注意人與自然之物理的知的問題。此或亦為顯然之事實，但深刻求之，亦非全無對於自然與人生之理解或說明，此蓋非求之於《周易》一支不為功。故本書極力從行的實踐抽繹其知的理論，此理論一屬自然之理解曰玄學，一屬人生之理解曰道德哲學。本書最大目的在確指中國思想中之哲學的系統，並為此哲學的系統給一形式系統焉。

4. 提倡科學只言實驗言證據，尚為不夠，故在中國提倡墨子，在美國求靈杜威，以期科學之有成，似皆不可能。其必經之路當追踪於《周易》一支。《周易》一支所蘊藏者除上言兩系統外尚有⑴數理的，⑵物理的，⑶純客觀（即道觀或物觀）三觀點。這三種成分結合起來，即能有科學。西方以此而成功，吾人亦當以此而為法，此非效顰，實乃事有必至，理有固然也。

5. 希臘時期，科學與哲學尚未分離，然其思想則是科學的，同時也即是哲學的。從泰利士（Thales）起，到希拉克利圖斯（Heraclitus）及巴門里第（Parmenides）止，其見地即是物理的；至畢塔哥拉斯（Pythagoras）則是數理的。從此以後，就算樹立了西方思想之骨幹，猶如董仲舒樹立中國思想之骨幹一樣。後人鮮能出其圈套。繼之第孟克利圖斯（Democretus），奠定物理自然說之基礎，柏拉圖（Plato）奠定數學自然說之基礎，亞里斯多德（Aristotle）又異軍突起，創發機能自然說，而奠定進化論之基礎。經中世紀，文藝復興，以至最近，在科學世界的第一原則上，仍未能脫離那三大骨幹之支配。這一段發展的線索，可參看以下兩書：

(1)諾滋洛圃（Northrop）：《科學與第一原則》（*Science and the First Principle*）

(2)白特（Burtt）：《現代物理之玄學基礎》（*The Metaphysical Foundation of Modern Physics*）

6. 科學家之玄學大半都是哲學家之問題。故科學與哲學在西方始終是糾纏於一起。然則其所以有科學與哲學者非無故矣。故欲使中國有科學，當亦不外乎此。作中國哲學史及提倡科學的人不可不注意及之。然數十年來，某某主義，某某思潮，都已談過，究何補於中國學術界？時至今日，尤屬浮誇，陳腐者抱殘守缺，重返故我；炫新者口頭亂嚷，唯我獨尊。長此以往，吾將見中國文化之必趨於淪亡也！

7. 本書之作，不在宣傳方法，不在宣傳主義，不拘守倫理人事，不喧嚷社會基礎，但在指出中國純粹哲學與純粹科學之問題，列而陳之以轉移國人浮誇之磽風。

自序二

象數義理辯

1. 談《易》者有象數義理之分，互相詆斥，儼若水火。學者習而不察，遂以此似是而非之見認為當然。須知象數與義理固無衝突，即象與數亦不可同日而語。此在本書中已詳細指示。今再簡論於此。

2. 象之含義有三：(1)現象之「象」。此在《周易》中並無明白規定，近人稍知一二新名詞，遂以為《周易》論象即現象論之象，殊屬皮相之至。(2)方法上的取象之「象」，此為《周易》中之本義。按此義即象徵類比之義。(3)法象之「象」。此即垂象取法之義，與佛家之「法相」又不相同。蓋此義即由方法上的取象之象而引伸出，故此義亦為《易》中所原有。

3. 〈繫辭〉上下傳論象者不下十餘處，無一非取象之義，而於現象之義無與焉。試列之於下：

(1)「聖人設卦觀象，繫辭焉而明吉凶。」言藉卦以觀其所象，復繫之以辭以說明之。

(2)「是故吉凶者失得之象也，悔吝者憂虞之象也。」言由失得憂虞可類知吉凶悔吝也，或曰吉凶悔吝乃失得憂虞之徵號。

(3)「象者言乎象者也。」言由象以說明所取之象也。

(4)「成象之謂乾，效法之謂坤。」言由乾垂象而可為坤所效法也。

(5)「聖人有以見天下之賾，而擬諸其形容，象其物宜，是故謂之象。」此即「設卦觀象」之意。「象」之為類比象徵，於此最明。

(6)「是故法象莫大乎天地，〔……〕縣象著明莫大乎日月。」此由類比而至效法。

(7)「天垂象，見吉凶，聖人象之。」「易有四象，所以示也。」垂象示象，以至象之、則之，皆象徵取法之義。

(8)「聖人立象以盡意，設卦以盡情偽。」言不盡意，由象而盡之。情偽難言，由卦以示之。

(9)「八卦成列，象在其中矣。」即「設卦觀象」之意。

(10)「夫乾確然示人易矣，夫坤隤然示人簡矣。爻也者效此者也，象也者像此者也。爻象動乎內，吉凶見乎外，功業見乎變，聖人之情見乎辭。」由示而象，由象而見。象徵類比，於此益明。

(11)「於是始作八卦，以通神明之德，以類萬物之情。」無象無示，通與類皆不可能。以下十二「蓋取」，皆是此意。故總結象之重要與意義曰：

(12)「是故易者象也，象也者像也。」言全部《周易》無非言「象」，而「象」無非「像似」之意。「見乃謂之象，形乃謂之器。」此「見」即(10)條中「見乎外」，「見乎變」，「見乎辭」之「見」，非現象之「現」也。由某之為象即因某而見。有所見即有所象，有所象斯有是「器」。不但器物之作由於象，即知識之成亦由於「象」。設無「像似」「類比」之用，則「通神明之德，類萬物之情」皆將為不可能之事，而「天下之賾」，其形容，其物宜，皆不可擬不可象，而吾人對外界之知識亦必至無所措手足矣。此豈聖人作《易》之意哉？

4.如是，象果可忘也？果煩瑣而討厭也？義理與象果可離也？是必不然矣！象既如此，數復有異。數者序也理也，關係也次第也。此乃物界之條理，更不可以術數觀之。象為思想所取，數為物界所具。一主觀，一客觀，本不可同日而語，且象之所以可能，唯由物界之有數也。無數無理，無同無異，無次第，無關係，雖欲用象，不可得也。是反象數者，固不知象數之功能，且也不知象數之意義，更復不知象數之不同及其關係也。二千年來，無人能道之矣！

5.象數既不可忘，既無可與義理分離之勢，然則象數與義理果無不同乎？是又不然。義理在晉宋人眼中又有特別意義：(1)先立乎大者，求客觀一貫之理；(2)免除計較比量，採用靜觀體會之法。照此而論，則義理之學似可與象數之學分離，如柏格森所謂以直覺識本體者是也。此種認識方法，固無取乎象徵類比。然此推而至於其極，勢不言語道斷不止。如有所說，便不離象，即無所說而有會於心，亦不離象。如是，象者乃運思言語之必具，不可忘不能忘也。柏格森不明此理，乃有反科學之舉，如義理反象數正同。認取本體，即或有需於直覺體會，然神而通之，類而明之，仍須取用乎象，象數義理之關係如此而已。

重印誌言

此書完稿於民國廿一年。那時，吾廿四歲，是北大哲學系三年級生，連帶預科二年，吾已在北大讀書五年矣。當時哲學系要出系刊，主事者向余索文，吾以本書中述胡煦之一部分交與之。先聲明說：文太長，恐不合用，如不合，望即退還。後隔年餘，無消息，問主事者，據云刊稿事前須先交師長審閱，老兄之稿交胡院長適之先生審閱，存胡先生處，汝可往取。吾即到院長辦公室見胡先生。胡先生很客氣，他說：你讀書很勤，但你的方法有危險，我看《易經》中沒有你講的那些道理。我可介紹一本書給你看看，你可先看歐陽修〈易童子問〉。我即答曰：我講《易經》是當作中國的一種形而上學看，尤其順胡煦的講法講，那不能不是一種自然哲學。他聽了我的話，很幽默地說：噢，你是講形而上學的！言外之意，那也就不用談了！繼之，他打哈哈說：你恭維我們那位貴本家（胡煦），很了不起，你可出一本專冊。我說謝謝！遂盡禮而退。回到宿舍，青年人壓不下這口氣，遂寫了一封信給他，關於方法有所辯說，辯說我的方法決無危險。大概說的話有許多不客氣處，其實也無所謂不客氣，只是不恭維他的考據法，照理直說而已，因為我的問題不是考據問題。但無論如何，從此以後，就算把胡先生得罪了！這是鄉下青年人初出茅廬，不通世故，在大邦學術文化界，第一步碰釘子。

當時此書全部完稿時，我曾很得意地把它呈給授我數理邏輯課的張申府先生看，我以為必可蒙他的讚許與鼓勵。那知他當時的情形很古怪，他一見這麼一大堆稿子，面色很不自然，只聽他喃喃地說你寫這麼多！他拿回家去，一擱年餘，無下文。我等得不耐煩，遂往取之，原來他原封未動，一眼未看！這使我很傷心，因為他是我平素最親切最相契的老師；我於閱讀及翻譯懷悌海的《自然知識之原則》與《自然之概念》兩書時（譯稿存山東家中，後被共黨燒毀），他對於我有很大的幫助。我不知他何故如此冷淡！後來我慢慢知道了。原來他已經左傾了，他大講唯物辯證法，他說函數就是辯證法，他主張羅素、馬克思、孔子三位聖人並重。他去活動政治去了，已不再從事學問矣。他使我啼笑皆非，我不能再親近他了。這不是我不尊敬老師，乃是他自己變了；不是弟子有負於老師，乃是老師愧對弟子了。可是到現在我仍然感念他，讀者看我譯的《名理論》可知。他屬第三黨，崇拜鄧演達。後來毛共首先整的就是他那第三黨。

這部書一出世首先遇見了上說的兩步厄運。可是同時也有些重視中國哲學的老先生卻反而喜歡我這部稿子。李證剛老先生講虞氏易，講不通，拿我的稿子去參考。林宰平老先生很稱讚我這部稿子，他說是部好書，最好能印出。李林兩位老先生都是熊先生的熟友。我在北大三年級時剛遇到熊先生。他說我把胡煦發掘出來確有大貢獻，胡煦確是一位哲學家的頭腦。你們可說這些老先生都是不通西方哲學的人。我寫這部稿子是在數理邏輯以及羅素、懷悌海、維特根什坦的思想背景下進行的，當然有可以刺激人處，使人耳目一新。尤其當看到有許多懷悌海的詞語時，你可說大多是附會。可是當時剛回國的沈有鼎先生卻也說了一句很新奇而又似乎很公正的妙語，他說這部書是化腐朽為神奇。縱使有附會，也附會得很妥貼，不乖錯、不離譜。觸類旁通是可允許的。

此書在當時要想找書局出版是很困難的，幾乎可以說根本不可能。醞釀了好幾年，始於民國廿五年，我的北大同學兼同鄉王培祚先生資助我當時的三百元託大公報社排版印出，分贈友好，說不上著作，藉資保存而已。事後想想，若不印出，這部稿子必不能保存；若存在山東家中，必被共黨燒毀。此稿之得付梓而流行於今日，皆同鄉兼同學王先生之功也。據我後來流浪的生活及學思的發展而言，我必不會再回頭看這些書。你現在若把李道平的《周易集解纂疏》，及清胡煦的《周易函書》與焦循的《易學三書》，拿來教我看，我未必能看得懂，也未必能耐心讀進去。試看看這五六十年來，無論哲學界或國學界，有這樣整理漢易的嗎？有講胡煦《周易函書》的嗎？有講焦循《易學三書》的嗎？吾未之見也！可見把這部稿子保存下來，不算無價值。付印時，請張東蓀先生寫一序。張先生非讀中國哲學者，但只以讀哲學者之興趣而俯充不辭以示對於後進之提攜，故吾對於張先生終身感念也。

由此一微末不足道而卻發之於原始生命的充沛想像之青年作品實足占當時學術思想界之分野，並可卜六十年來吾之艱困生活之經過以及學思努力之發展。此是一生命之開端起步，其他皆可肇始於此也。讀《易經》是我自己之私下工作，當時無人知者，亦無人指導，亦無授此課者。但是讀邏輯，讀羅素，卻有師承。這一方面的鑽研是我離校後仍繼續不斷的工作，經十餘年之苦思困學，結果便是《理則學》與《認識心之批判》兩書之寫成。此為吾之學思之第二階段。此後便是自三十八年來台後直至今日之第三階段，如吾數十年之所努力者，此為大家眼前所能習見者。

此書既只是吾之學思之開端起步，故只能算是青年不成熟之作品。它所展示之理境是青年人所可及者，亦是青年人所可喜歡者。它的價值在整理漢易並介述胡煦與焦循之易學。漢易是通過卦爻象數之路以觀陰陽氣化之變。至清初康熙年間胡煦崛起仍是走此路，不過講的更自然、更妥貼、更通貫。從此方面講，他們所展示的理境是卦爻象數下中國式的自然哲學，而兼示出人事方面之許多道德函義。至焦循則是直接由卦爻象數之關係（大中而上下應之）而建立其「旁通情也」的道德哲學（與戴東原為同一思路的達情遂欲的道德哲學）。就《易經》卦爻象數而言，漢易與胡煦所達成的自然哲學（通過卦爻以觀氣化）是正宗，而焦循所達成的道德哲學是工巧的穿鑿，但穿鑿得很一貫，故吾亦有興趣展示之。其所建立的道德哲學，若視作人們所希望的生活境界則可，若當作一種道德哲學，認為可以解決道德分解中的諸基本問題則非是。（戴東原誤解孟子詬詆朱子，焦里堂假託《易經》卦爻象數之關係，建立其道德哲學以依附並證成戴東原之浮說，皆陷於此種非是）。

於《易經》，吾當時所能理解而感興趣的就是通過卦爻象數以觀氣化這種中國式的自然哲學（生成哲學）。至於就經文而正視《易傳》，把《易傳》視作孔門義理，以形成儒家的道德形上學，這是吾後來的工作，此並非吾當時所能了解，且亦根本不解，故亦無興趣。就《易經》之卦爻象數而講成自然哲學是往下講，雖講至本書第Ⅴ部〈易理和之絜合〉，亦是往下講（此一套中國式的自然哲學或生成哲學頗類懷悌海那套宇宙論——亦是自然哲學，此兩套有可類比處。懷悌海自己亦說他的思想——《歷程與真實》中所表象者，某義上大體是東方型的，不是西方型的）。但就作為孔門義理的《易傳》而講儒家的道德形上學，則是往上講，此真所謂「絜靜精微易教也」。

吾在當時既不能往上講，故本書第Ⅱ部講王弼的易學與朱子的易學亦不明透。不但不明透，而且直可說最淺陋。王弼只對於象數之批評有價值，對於《易經》本身之了解無價值（無貢獻），而以道家之玄理解易尤不相應。但吾當時既不解道家之玄理，尤無知於王弼之以道家玄理解孔門之義理之非是。朱子對於《易經》已知歸於儒家矣，但其根據《易經》而講太極，以及講理氣之關係，其全部意義，吾當時亦不能有明透之了解，只略知一二，但我已知戴東原之批評朱子為非是。總之，吾當時對於儒釋道三教並無所知，對於宋明儒亦無所知，對於西哲康德更無所知，只憑道聽塗說，世俗陋見，而亂發謬論，妄下論斷。吾當時所習知者是羅素、懷悌海，以及維特根什坦之思路；於中國，則順《易經》而感興趣於漢人之象數，更發見胡煦與焦循易學之精妙，並發見這一套中國式的自然哲學（焦循除外）可與懷悌海那一套相比論，且亦根據實在論之心態來處理戴東原、焦里堂與朱子間之糾結，居然全始全終，終始條理，成一完整的一套，以為天下之理境可盡據此而斷之，遂視其他如無物。此是此書之總相也。

此書中所表現的一套自然哲學固可成一完整的一套，固亦可為青年心態之所喜，然據此而謬斷其他，則是青年人之狂言與妄論，故吾後來甚悔之，幾不欲再提此書，亦無意重印之。對於此書，六十年來吾從未一看。在台所僅存之一本亦是王谷老先生所帶來者。王老先生太原人，精研《易經》，晚而彌勤，將吾此書親帶來台，居台中，將吾此書放在手邊，隨時作參考。民四十五至四十九這四年間，吾在東海任教，得遇王老先生，他將此一孤本歸還於我。他對於《易》，亦有成一家言之著作。他那時已甚衰老，常自慨嘆，無力付梓。吾勸他可求助閻錫山，他說與他無關係，不願找他。後來吾轉香港大學任教，此後即無消息，亦不知其書究出版否。但由於王老先生這一因緣，此書得存於台。近來諸同學屢言此書有值得重印之價值，並謂亦不須作修改，只須作一序，聲明為青年舊作即可。自念《易經》不能不算中國哲學之一重要古典；而漢易與胡煦及焦循之易學，從研讀方面看，並非容易，亦不能不算是一種專學，而自民國以來，哲學界與國學界卻從來無人觸及，甚可慨歎；如是，遂覺吾之此書，縱有許多謬妄不諦之論，幼稚不雅之辭，卻亦有闡幽顯微，使古德之思想流傳於世之微功。如是，遂決定交文津出版社重印，並由楊祖漢、王財貴兩同學負責校對。吾最後閱一遍，隨文將錯誤者、荒謬者、妄論者、幼稚者、時風中不雅者盡皆刪之，使較潔淨，略減汗顏之愧恥，然亦不影響原文之組織與結構也。讀者若覺仍有不諦處，則請以其為青年期之作品而諒之，而吾所以不欲再改動者亦只欲存之以誌吾過並以勵來者也。

本書原名《從周易方面研究中國之玄學及道德哲學》，嫌冗長，今改為《周易的自然哲學與道德函義》。

民國七十七年（一九八八年）三月三日

牟宗三誌於台北青田街師大宿舍

《五十自述》

序

此書為吾五十時之自述。當時意趣消沉，感觸良多，並以此感印證許多真理，故願記之以識不忘。書中後四章曾發表於各雜誌，唯首二章則未曾發表。諸同學皆願將此文集於一起付印，以便讀者之通覽。此或可為一學思生命之發展之一實例也。

五十而後，吾之生命集中於往學之表述，如是，遂有詮表中國各期思想之專著之寫成。如《才性與玄理》乃寫魏晉期者也，《佛性與般若》乃寫隋唐佛教者也，《心體與性體》乃寫宋明期者也。同時譯注康德之第一、第二兩批判以資對照，並著《現象與物自身》以及《圓善論》以明對於康德前兩批判之消化。今後將擬寫〈真美善之分別說與合一說〉以明對於康德第三批判之消化。

學術生命之暢通象徵文化生命之順適，文化生命之順適象徵民族生命之健旺，民族生命之健旺象徵民族魔難之化解。無施不報，無往不復，世事寧有偶發者乎？

吾今忽忽不覺已八十矣。近三十年來之發展即是此自述中實感之發皇。聖人云：「學不厭，教不倦」，學思實感寧有已時耶？

民國七十七年十二月牟宗三序於台北青田街

《中西哲學之會通十四講》

序

此講辭是十年前在臺大繼《中國哲學十九講》後而續講者。《十九講》早已出版，而此講辭則因當時諸研究生俱已出國深造，無人由錄音帶筆錄為文，遂成蹉跎。後由林清臣同學獨自擔任筆錄，聯貫整理，共十四講，先發表於東海大學《中國文化月刊》，後復轉載於《鵝湖》雜誌。

清臣是臺大老同學。原讀化工系，後學醫，專精腦神經科，現在日本研究老人科。彼一生副習哲學，從未間斷。三十年前，吾之《認識心之批判》由友聯出版時，唯清臣讀之甚精。後凡吾在臺大、師大所講者，彼率皆由錄音聽習。彼之筆錄此十四講並非易事。平素若不熟練於西方哲學之思路與辭語，則甚難著筆從事。故其錄成文字，功莫大焉。蓋吾課堂之講說並無底稿。若不錄成篇章，則縱有錄音，亦終將如清風之過耳，一瞬即逝，無由得以留傳人間，廣佈社會，此豈非大為可惜之事乎？

又彼筆錄之時，每成一講，必由其夫人正楷謄寫寄吾改正，改正後，復由其夫人再謄清一過，然後始交東海大學《中國文化月刊》發表。如此慎重將事，當今之世，何可多得！值茲付印之時，略發數語以識其賢伉儷好學之真誠。時在民國七十九年三月也。

牟宗三序于九龍

《康德「判斷力之批判」》

譯者之言（上）

《判斷力之批判》分兩部，一部是〈美學的判斷力之批判〉，一部是〈目的論的判斷力之批判〉。前者講「美」與「崇高莊嚴偉大」（此六字一整詞，普通以莊美譯之，不諦），後者講「自然的目的論」。「美」與「崇高偉大」以及「自然的目的論」，依康德，皆被攝屬於判斷力中來處理——作批判性的處理。判斷力是知性與理性之間的一種能力。把美學判斷與目的論的判斷收攝於判斷力中來處理，當然有其全系統中（全部認知機能之完整系統中）的一種深刻入微的洞見或識見。這是一般人很難想到或見到的。但是從判斷力處來處理美學判斷與目的論的判斷是從判斷力之什麼分際上來作此處理呢？康德的著眼點是在自然之千變萬化的種種型態以及此中之種種特殊法則之可以會通而歸於一這個分際上（不在知性範疇所規定的普遍法則下的機械自然或普遍自然——自然之通相這個分際上）來作此種處理。因此，此中所謂「判斷力」乃是指「反省或反照性的判斷力」而言，不指「決定性的判斷力」而言，因為我們不能拿著「美」或「崇高」或「自然目的」來對於「自然」作認知上的「客觀決定」。何以故不能以之作認知上的客觀決定？蓋以美、崇高、自然目的等並非是知識對象上的客觀實性。當我們對於現象的自然作認知的探究而能成一客觀性的決定判斷時，我們早已把這些特性抽掉了。因此，這些特性總只是主觀性的，它們只是我們的反省判斷力所加上去的。

但是加上去也得有一原則，並不是隨便妄加的。康德見到自然種種繁多的形態以及種種特殊的經驗法則之可以會通而為一，如《易傳》所謂「見天下之至動而不可亂，見天下之至賾而不可惡」，這似乎默默之中必有一種「巧合目的」之合目的性或適宜性存焉。如是他提出「合目的性之原則」作為反省判斷力之超越的原則。但是這超越的合目的性原則在應用於「美學判斷力」處，合目的性是主觀的合目的性，而在應用於「目的論的判斷力」處，合目的性是客觀的合目的性，這客觀的合目的性乃是反省判斷力上虛說的客觀的合目的性，此即是「自然目的」一概念所示之合目的性。

「主觀合目的性」原則在說明反省判斷力之表現為審美判斷處是有問題的，關此，我有一長文論之，見卷首〈商榷〉文。客觀合目的性原則在目的論的判斷力之於有機物處是甚為順適而顯明的。「自然目的論」一般認為即是一種「自然神學」。但是康德在〈目的論的判斷力之方法學〉中表明此「自然的目的論」並不真能成立一種神學，但只是一神學之預備或前奏。要想成立一真正的神學，必須進至道德的目的論，此不能從「自然」層以立論，必須從「自由」處立論。道德的目的論完成道德的神學，即完成上帝存在之道德的證明。關於此部，很顯明，我們可以儒家「道德的形上學」衡量之或會通之。中國儒家傳統無神學，但有一「踐仁知天」或「盡心知性知天」之道德的形上學。康德的「道德的目的論」中之所說，儒家皆可贊同之。關於終極目的（最高目的即最高善或圓善）之所說，儒家尤其贊同。因此，康德依據西方傳統，他以道德的目的論完成道德的神學，而我們則依據中國傳統，以道德的目的論來完成道德的形上學。道家亦無神學，但有一「玄智玄理表示『無』之智慧」之境界形態的形上學，此是由致虛守靜以養生之實踐之路入的。佛家亦無神學，但它有一識智對翻三德秘密藏圓教系統下的佛教式的存有論，此是由解脫之實踐工夫入。不管是道德的實踐，抑或是「致虛守靜」以養生（即養性）

之實踐，抑或是佛家解脫之實踐，總皆是從主體入，故皆默契康德的「道德的神學」。康德明說只有「道德的神學」，並無「神學的道德學」，此即示從主體決定客體也。」（「觀乎聖人則見天地」，並非「觀乎天地則見聖人」）。依此類推，儒家只有「道德的形上學」，並無「形上學的道德學」。佛家、道家並不可說「道德的形上學」，然玄智、玄理默成萬物為逍遙自在之存在，識智對翻決定一切法之或為「無明」或為「常樂」（「三千在理同名無明，三千果成咸稱常樂」），皆示從主體決定客體也。我本想作一長文以類通康德的「道德的神學」，然以此部思理較顯豁而集中，故順譯文讀者可自為之。好在關節處吾在譯文中皆有案語以點示之。讀者若稍熟練於儒、釋、道三教之義理規範，並反覆熟讀譯文，必能自為之也。

說到譯文，吾是據 Meredith 之英譯而譯成。關此譯文，吾曾反覆修改過好多次：先改其錯誤，後改其模糊不清，凡稍有疙瘩處必予以順通撫平。英文有三個翻譯，一是 Bernard 譯，二是 Meredith 譯，三是 Pluhar 譯。三個譯本皆有好處，亦皆有誤處或不諦當處。凡遇難通處，吾必三譯對刊。遇有專詞或名詞不諦當處，吾必對質德文原文。德文文法吾不懂，但康德所使用之專詞吾大體皆知。有時非專詞，但於行文上亦以名詞出之，Meredith 譯不諦或不顯明處，其他兩英譯反較明而較諦。凡此等處吾皆有注語以注之。三英譯之誤處大抵不在句法之看錯，而在代詞之看錯。康德原文那些代詞是很令人頭痛的。英譯亦常順之而以代詞譯之。中文代詞是單一直代，一看即明，不會弄錯。但英、德文無此方便，雖有性別，單數、多數之不同，但以名詞多端，不明其究代何者，故常出錯。吾於譯文皆以實字明指，雖多重複，然卻清楚。即使用代詞，亦必順中文習慣，單一直代，決無錯雜多端者。我經過這樣多次的修改順通，故每句皆可明暢誦讀，雖絡索複雜，然意指總可表達。吾譯前兩《批判》時，未曾費多次修改工夫，故於譯文，以此譯為較佳。但前兩《批判》，講習者多，故世人知之亦較多，雖不必真懂。對此《第三批判》，講之者少，故知之亦少，尤其在中國，直同陌生。吾原無意譯此書，平生亦從未講過美學。處此苦難時代，家國多故之秋，何來閒情逸致講此美學？故多用力於建體立極之學。兩層立法皆建體立極之學也。立此骨幹導人類精神於正途，莫急於此世。然自《圓善論》寫成後，自覺尚有餘力。人不可無事，偶見大陸出版之宗白華先生所譯的《第三批判》於坊間，遂購得一本，歸而讀之，覺其譯文全無句法，無一句能達。宗白華先生一生講美學，又留德，通德文，何至如此？又想宗先生雖一生講美學，然其講法大都是辭章家的講法，不必能通康德批判哲學之義理。世之講美學者大抵皆然，以為懂得一點文學，即可講美學，故多浮辭濫調，焉能望其契入康德之義理？吾有感於宗先生之不能盡此責，如是，遂取 Meredith 之英譯本逐句細讀，據之以譯成中文。首先，那九段引論即不好譯。抗戰期間，李長之好講文學批評，以為可以講康德之美學，遂想譯那九段引論，結果譯不出。吾當時亦不懂。只聞人言，康德欲以《第三批判》之審美判斷溝通「自然」與「自由」之兩界，遂略有憧憬，然不知其詳也。吾先譯出此〈引論〉，繼之再譯〈審美判斷之分析〉，初只想譯關於「美」之分析，不譯關於「崇高（莊嚴偉大）」之分析，以為中國傳統智慧對此方面甚有品題，故欲略之。後來終於全部譯出。繼之復將〈目的論的判斷力之批判〉譯出，如是，遂成上、下兩冊之全文。屈指算來，迄今已七年矣。

吾於此譯文雖費如許工夫，然譯成後，又想若不予以疏通，雖即譯成中文，人亦不懂，縱使明暢可讀，亦不易解，蓋以此概念語言太專門故，全部批判哲學之義理之最後的諧和統一太深奧故。以此，遂就審美判斷之超越的原則，即「合目的性之原則」，作一詳細的疏導與商榷，蓋以康德之述此原則實有不諦處故。疏釋已，遂就審美判斷之四相重述審美判斷之本性，然後依中國儒家之傳統智慧再作真美善之分別說與合一說，以期達至最後之消融與諧一，此則已消化了康德，且已超越了康德，而為康德所不及。康德之以審美判斷溝通「自然」與「自由」之兩界，此實缺少了一層周折，他無我所說的合一說，審美判斷亦擔負不起此溝通之責任。吾名此長文曰〈商榷〉文，並將之列於卷首以作導引，可引導讀者去讀此譯文，並去接近康德之思理。讀者可不贊成吾之所說，然總可藉此以接近康德也。

讀者讀《現象與物自身》，可解吾如何依中國傳統智慧消化《第一批判》；讀《圓善論》，可解吾如何依中國傳統智慧消化《第二批判》；讀此〈商榷〉長文，可解吾如何依中國傳統智慧消化此《第三批判》。了解中西兩智慧傳統並非易事，此需要時間慢慢來。吾一生無他務，今已八十四矣。如吾對中華民族甚至對人類稍有貢獻，即在吾能依中國智慧傳統會通康德並消化康德。此非淺嘗者所能知也，亦非浮光掠影者所可輕議也。

時在民國八十一年初夏

譯者之言（下）

《判斷力之批判》下冊是「目的論的判斷力」之批判。此從 §61 節開始。此 §61 節可視作此目的論的批判之引論，以此引論為首節。Meredith 譯即作如此之安排。

此首節引論是從上冊審美判斷中之「主觀的合目的性」說起（關此我已詳論之於上冊），轉至此目的論的判斷中之「客觀的合目的性」。此目的論的判斷中之客觀的合目的性是指「材質的客觀合目的性」言，並不指「形式的客觀合目的性」（如幾何中者）言。此材質的客觀合目的性即指表一「自然目的」之概念。「自然目的」之提出乃是只對「反省判斷力」而言者，並非是對「決定性的判斷力」而言者，因而此自然目的之概念只可充作一軌約原則，而不可充作一構造原則。

討論此種「自然目的」者名曰「自然目的論」，此只適用於「有機物」。由此，遂展開「目的論的判斷力之分析」之全部。由此分析進而至「目的論的判斷力之辯證」，以明依機械法則而評估自然與依目的因之法則而評估自然之背反並非真是矛盾的對立，而只是一種辯證的假象，故可消解其背反而使之為並存。

目的論的判斷力之分析與辯證俱已講完，如是遂進至「目的論的判斷力之方法學」。此則主要地是明自然目的論的性格、作用與限制，即如何看那自然目的之概念。一般認為此自然目的論可成為一「自然神學」，即對於上帝之存在作一自然神學的證明。依康德，此實不能成一神學，乃只是進至神學之前奏或預備。要想進至一真正的神學，則必須進至「道德的目的論」，而此道德的目的論只能成立一「道德的神學」，即對於上帝之存在作一道德的證明。依康德，我們只能有一「道德的神學」，對於上帝之存在作一「道德的證明」。至於歷來所有的存有論的證明、宇宙論的證明、自然神學的證明，皆不能成立。

依中國的傳統，主要地是儒家的傳統，我們並無神學可言，因此，類比地言之，我們只有一道德的形上學，即「踐仁知天，盡心知性知天」之全蘊。康德道德目的論中所說，儒家大體皆可接受。康德明說我們只有一「道德的神學」，而並無「神學的道德學」。關此，儒家尤其贊同。因此，我們只有一「道德的形上學」，而並無「形上學的道德學」。讀者若精熟儒家心性之學成德之教之全蘊，自可對於康德有一恰當的和會。不但儒家與康德可和會，甚至道家之玄智玄理，乃至佛家識智對翻三德秘密藏，亦可與之相觀摩，如是，可見人類智慧之大通。

在自然目的論方面，中國以無嚴格的科學，故亦無嚴格的機械觀，因而於動植物處亦無嚴格的有機觀，而無論於機械作用處或於有機物處，以皆屬自然故，故皆以氣化觀之，至多於有機處以「氣化之巧妙」說之。無論怎樣巧妙，亦總有其機械性。不要說動植物，即使是人，若落於耳目之官的感性中，亦不免「物交物則引之而已矣」之機械性。因此，萬物相待而觀，你可提出「自然目的」以觀之，但同樣亦可說「天地不仁，以萬物為芻狗」。動物之本能固極巧妙，且豈不正以其是本能故，同時亦含有機械性？因此，依此態度而觀，倒反更見具體而活轉，而亦不違康德之批判。你說牛羊吃草，草為牛羊而存在；虎狼吃牛羊，牛羊為虎狼而存在，等等：像這種自然目的論只是隨便一說而已，豈能當真的？

我將此下冊譯出，本亦想如上冊然，寫一長文將中國的道德的形上學與康德的道德的神學相比論，但以撰長文需有組織力，太費力氣，又以此〈目的論的判斷力之批判〉之思想較單純而顯豁，又以已有《圓善論》，故亦覺得不需再寫了，實即無精神無興趣再寫了（發動不起寫作之興會）。人到老了，只可隨便談談，提筆則很難。好在我隨譯文，到關節處總有案語以點示之。讀者反覆細讀譯文，並順所作之案語，自己去作疏導長文吧！

《康德知識論要義》

初版序言

若論超悟神解，以中國學問的標準說，康德是不甚特顯的，亦不甚圓熟。但他有嚴格而精明的思辯，有宏大而深遠的識度，有嚴肅而崇高的道德感與神聖感。這三者形成康德哲學的規模，以及其規模之正大。因為他有嚴格而精明的思辯（即邏輯的辨解），所以他言有法度，理路不亂；因為他有宏大而深遠的識度，所以他能立知識的限界，「知止於其所不知」；因為他有嚴肅而崇高的道德感與神聖感，所以他能於知性主體以外，透顯價值主體，遮撥外在的理論思辯的神學，而建立道德的神學。

具有如此規模的康德哲學，了解起來，的確不易。講康德的人，若是沒有思辯的法度，則是學力能力不及；若是沒有識度與道德感，則是高明不及。此三者若不能莫逆於心，平素常常若有事焉，心領神會，則決難語於了解，即廣有言說，亦只是學語，決難相應。

友人勞思光先生近撰《康德知識論要義》，清晰確定，恰當相應，為歷來所未有。他在緒言中，很中肯地指出：形成康德哲學全部理論系統的「基源問題」便是對本體的知識是否可能。這是融會了康德的全部哲學以後綜起來如此說的，亦是根據康德所說的「一切對象劃分為本體與現象」一義而說出的。這是康德哲學的一個總綱領。以此為基源問題當然是很中肯的。所謂「對本體的知識是否可能」，不是直問直答，乃是對內在於知識與外在於知識兩方面都有積極的正視的全部工作：都要從頭有系統地真正建立起來。內在於知識，就是要把知識的形成，以及其本性與範圍，都要系統地確定地解剖出來。這部艱難冗長的工作就是《純粹理性之批判》中「超越分析」一部所作的。外在於知識，就是要把本體界中的觀念明其何以不是知識的對象，以及其如何才可能：這些都要系統地確定地解答出來。這部艱難冗長的工作就是《純粹理性之批判》中「超越的辯證」一部作所的，而且需要牽連到《實踐理性之批判》。「對本體的知識是否可能」一問題，只是這全部系統的一個總滙，總關節。如果我們的心思不能再展開對內在於知識以及外在於知識都有積極的正視與處理，而只把那問題看成是直問直答，則便不能相應康德的精神。可是如果我們握住了那個總關節，則在了解康德哲學上便有了眉目與頭腦。所以這個基源問題的提出便表示作者相契了康德的識度。

康德達到這批判哲學的確定形態並不是一時的聰明與靈感所能至的，乃是一個長期的蘊釀與磨練。於是本書作者對於康德批判前期的思想又作了一個概述。這一章非常重要。平常講康德哲學的人多忽略這一個發展，故對於康德的了解常嫌突兀，因而不能見其發展的痕跡，而自己亦無漸漬洽浹之感。讀者由此一章可見出康德的精明的思辯。義理系統雖未成熟，然其對於每一概念的思辯方式卻極有法度。這裏所表現的是訓練西方哲學的一些起碼的矩矱。對於一個概念的建立，不只要問其「形式的可能性」，而且要問其「真實的可能性」。此種辨解的方式便使康德跳出了吳爾夫的理性主義而兼融了經驗主義。進一步再經一番陶鑄，便是批判哲學的出現。如是，作者於概述批判前期的思想後，便進而對於《純粹理性之批判》的全部系統作一解析的呈現。讀者通過此書，可窺康德哲學的全貌。

平常講康德的人多不能企及康德的識度，常只順《純粹理性之批判》中的引言所說及的「先驗綜和判斷如何可能」，「數學如何可能」，「自然科學如何可能」，「形而上學如何可能」，諸問題去說，而常不得其解。主要的癥結大體是在：對於外在於知識的本體界，不能有積極的意識，或根本無所窺（此即所謂無識度）。對於這方面完全是空虛，其心思不能上遂，如是遂完全退縮於知識範圍內。內在於知識界，而又為《純粹理性之批判》中超越分析這一艱難冗長的旅程所吸住，逐步看去，支節作解，遂覺觸途成滯，到處是疑，心思不能豁順，不承認自己的學力識度根本不及，反以為康德根本謬誤，不可理解。其為人們所信不及處，主要地是集中在他的「先驗主義」與「主觀主義」。尤其近時學人，心思一往下順外取，對於這兩點根本不能相契。但是我們必須承認，若沒有相當的識度與學力，對於義理不能有幾番出入，翻騰幾個過，對於這兩點是很難企及的。據我個人的經驗以及所接觸到的對於康德的非難，直接的或間接的，我感覺到主要的癥結只是在：近人對於知識與超知識的領域劃分不能有鄭重的認識，對於本體界價值界不能有積極的意識或根本無所窺。這不是說，對於這方面有積極而鄭重的意識，便非接受康德的全部哲學不可。但我相信：假若對於這方面有積極而鄭重的意識，再返而對於知識的形成以及其本性與範圍有確定而透徹的了解，則康德的途徑是必然而不可移的，先驗主義與主觀主義是必然要極成的。「主觀主義」一詞，令人一見便不愉快。實則這裏所謂主觀並不是心理意義的主觀，乃只是從「主體」方面透顯先在而普遍的法則，仍是客觀的，並不是普通意義的主觀。故此詞最好譯為「主體主義」。

說到這裏，我不想對於康德哲學再有所講述，這有本書的作者解剖給讀者。我只想略說一點我個人的經驗，此或有助讀者對於康德的了解。我這點接近康德的經驗是很鬆散的、題外的，並不是扣緊康德哲學的主文而言。近人或初學哲學者大體對於康德的時空主觀說以及先驗範疇說很難領悟。我是困勉以學的人，當然不能例外。但我曾經有個機會讀到了佛學裏面所說的「不相應行法」，此亦曰「分位假法」。我忽然想到康德的時空說與範疇說，我明白了這些東西何以是主觀的。在此「主觀的」一義下，佛家說為分位假法，而康德因正視知識，則說為從主體方面而透顯的普遍法則、形式條件，或直覺的形式。雙方的意指當然很不同。但是由佛學裏面的說法，很可以使我們接近康德的主張。佛家為甚麼說時空、因果、一多、同異等為不相應行法，或分位假法？正因為他有超知識（比量或俗諦）的勝義理量（真諦或本體界）。本體界中的觀念很多，說法亦不一。在康德則集中在上帝、靈魂不滅與意志自由；在道家，則說為不可道之「道」；在儒家則說為仁體流行，說為誠、神、幾；在佛家則說為真知、涅槃。不管如何說法，總屬本體界，亦總非知識所行境界，即非知識的對象，因此凡作為成功知識的條件的在此俱不能用。反之凡知識之成必有其形式條件，而形式條件亦只能用於現象，不能用於本體。此在中國無論儒釋道，皆無異辭。不過在中國儒釋道方面，只注重本體的超悟，不能正視知識（因無科學故），故於知識之形成、本性及範圍，不能系統地確定地解剖出來，而只有一個一般的觀念。而康德則因文化遺產不同，卻能正視知識，積極地予以解剖。此不獨見康德的識度，亦見其下學上達之功力。孟子說：「甚至爾力也，其中非爾力也。」這正是力量與識度的問題。在知識方面，中國的儒釋道三家所表現的力量都不夠，然而康德卻夠。至於超知識方面，康德雖不及中國儒釋道三家之圓熟，然而亦能中，此即所謂識度。故對於本體界如無積極而鄭重的意識，則對於康德哲學總不能有相應的了解。而且在這裏，我還可以告訴讀者，了解康德，固須深入其理論內部，然不要謬着，為其所悶住。及不解時，便須放下，跳出來，輕鬆一下，凌空一想，便可時有悟處。

我由佛學的分位假法一觀念接近而契悟了康德的主張，因此我便深喜我亦了解了「超越感性論」中康德對於時空所說的「超越觀念性」與「經驗實在性」，以及他所說的時空惟是人類這種有限存在的直覺形式，至於其他有限存在或無限存在，則不必須這種形式或有這種形式。這些話好像是閒話，大家不甚注意；其實這正是大關節所在，大眼目所在。這些表示界線的話，如能看清了，則對於康德哲學的全部系統，內在於知識所說的，外在於知識所說的，都可了悟無間。是以要讀康德的哲學，必須有識度與學力。不夠，便須培養，以求上達。徒然的分析，表面的精察，全不濟事。疑可，妄肆譏議則不可。小疑則小悟，大疑則大悟，不疑則不悟，故疑可。然若停滯自封，動輒以立場自居，門戶自限，則不可語於上達。深喜勞先生此作精審恰當，嘉惠學人，故不揣固陋，勉為之序。

牟宗三序於台北

《荀子集釋》

李著《荀子集釋》序

先秦諸子，儒家者以《荀子》為難讀。《論語》、《孟子》皆簡易順適，須訓詁者不多。而《荀子》則每篇皆須訓詁校刊以順通其章句。王先謙作《荀子集解》，集清儒解《荀子》者之大成。諸重要而顯明難解者大體皆得其解，而尤以王念孫貢獻最大。其餘諸家雖或有可取，而不必盡能如王氏之明通。民國以來解《荀子》者繁多，人各一義，自標新解。然因時風磽薄，學失其統，所謂新解者實大抵皆憑胸臆，逞浮辭，于義理訓詁兩無取焉。是故荀子集解而後，仍須吾人繼續努力。彌縫其細節，以使《荀子》一書為較接近於更完整之可解可讀之境。

吾友李滌生先生雅好《荀子》。二十餘年來「鍥而不舍」。誠如荀子所說「真積力久則入」，「君子知夫不全不粹之不足以為美也，故誦數以貫之，思索以通之，為其人以處之。」每篇每段每句反覆誦讀如此其久，焉得不貫？其所訓詁注解，反覆思索屢易其稿，焉得不通？二十餘年來以此課諸生未嘗廢輟，學如其人，人如其學，非「為其人以處之」乎？嘗告予曰：一字未安，輒不能寐；一字得解，怡然心喜：如此學思趣味盎然。朱子謂如嚼橄欖，如飲醇酒。非積久者不能知其美也。故吾嘗謂為學法荀卿，悟道尊孟軻。此亦尊乾而法坤之古義也。焉有荒腔走調，不有真積力久之學，而可以至全粹之美者乎？

讀古典必先通章句，不可望文生義，隨意馳騁遐想。先通句意，然後再由句意浮現出恰當之觀念，以明義理之旨歸。通句意有法度，明義理亦有法度，皆不可亂。伊川云：「大賢以上不論才」。人品如此，為學亦然。真至有法度之學亦不論才。非不論才，乃才融於學，學以實其才。才發洞見，學以實之。非學，則恍惚之見耳。如蟲食木，偶爾成字，非真能字也，積學既久，則不但實其見，且亦擴其見而引發其新見。滌生先生此書於義理則多引而不發，蓋亦重在通句意，立基礎，不欲人隨意遐想也。

吾稍學義理，訓詁非其所長。然講原典，則必先通句意。遇有字句不明者，則必參閱訓詁之的當者以助之，非敢離句意而妄發義理也。吾講《荀子》，必先閱王先謙《荀子集解》。今而後，則必先閱滌生先生書。吾以此意供給於來者，亦以此書推薦給來者，期夫凡為學者必納於正軌，始足以立。孔子不云乎？「興於詩，立於禮，成於樂。」為學納於正軌亦「立於禮」之意也。學絕道衰，非私智穿鑿，即恍惚遊蕩，皆衰亂之象也。世之隆替亦繫乎學之正邪。剝復之機端在學人之自勵。是為序。

民國六十六年春序於九龍

《鵝湖》月刊四十五期一九七九年三月

《易傳道德的形上學》

牟序

悟解《易經》者最忌迂、巫、妖、妄。迂者愚痴無解固無論矣。《易》本有象數義，而漢人象數則多巫氣。《易》本卜筮之書，而後之醫卜星相依附《易經》而行則術也，此是別支，非可以之為主。近人則附會者更多，如以相對論、創世紀等等附會之，則皆妖也。《禮記．經解》云：「潔靜精微易教也」。又云：「易之失賊」。此相應《易》之本性而言者。《易傳》解經皆「潔靜精微」之言，此是孔門之義理。吾人悟解《易經》應以此為準。《易傳》云：「顯諸仁，藏諸用，鼓萬物而不與聖人同憂，盛德大業至矣哉。」言《易》而不本諸孔子之仁教，則漫蕩而無歸。見有宇宙論之辭語，則誣之以為宇宙論中心者則妄也。見有存有論之辭語，則誣之以為對于道德價值作存有論之解釋者則又妄中之妄也。此並非對于道德價值作存有論之解釋，乃正相反，此乃對于存在作價值學之解釋。此乃正是道德的形上學，而非形上學的道德學也。

良光此作順孔門之義理而前進，除巫除妖除妄而不落于蕩，其中精義絡繹，多所發明，讀者當自能比觀而得之。茲贅數語以為推介。此為序。

牟宗三序于九龍。中華民國七十一年三月

《唐君毅全集》序

時代之癥結是自由與奴役之爭，是文化意識之沉落。人類一方面陷於物質文明之痴迷中而放縱恣肆，一方面即有陷於嫉恨之邪妄之中而期毀之者。此一帶有普遍性之纏夾源於西方而倒映於中國，如是中國遂不幸而落於嫉恨心特重之徒之手中，而成為一大屠場。吾人護持中國文化之傳統，不在抱殘守缺護持其風俗習慣，或只懸念其往時之陳跡，而在護持其造成文化發展之文化生命之智慧方向。中國之文化生命之智慧方向在以往之發展中、即在其隨時代之表現中，固有所輕重，不能一時作盡一切有價值之事；此不獨中國為然，世界各國莫不皆然；一時不能作盡一切事，隨時代之需要可以隨時作成之。因此，本文化發展之需要而言，中國需要現代化、需要科學、需要民主政治，但這些需要既都是文化發展中之事，所以必須先護住其文化生命之命脈，這些需要始能由內部自身之要求而自本自根地被發展出。決無專以摧毀文化生命、奴役人民為事而可以發展其文化者。所以，疏通中國文化生命之命脈、護持人道之尊嚴、保住價值之標準，乃是這個時代之重要課題。這不但是解決中國問題之關鍵，同時亦是護持人類自由之關鍵。唐先生一生念茲在茲，其心願唯在此文化意識之喚醒。其著述甚多，涉及面亦廣，疏通致遠，調適上遂，可謂盛矣！謝世後，其門人纂成全集以利讀者之查閱。是集也，將是此劫難時代中智慧之光華、苦難之反映。人若隨時披覽，潛心悟入，則可知時代苦難之何所由，並知唐先生思理之切要。

但是人之心思是最易於下沉而不知反者。今之時代之癥結仍自若也，中國之悲劇亦仍自若也，但人們熟視無睹，仍不曉其所以。當年唐先生以悱惻之情痛切以陳者，雖在當時有震動，然而不轉瞬則淡忘之矣。發許多無謂之讕言者，甚或曾習於唐先生之門；而何況無聲聞之福、乏獨覺之明之淺妄之輩，更不能明其思理之切要。

吾與唐先生相知於抗戰之初期，中間幾經患難，幾度思維，共相磨礪啟發以自反者亦多矣！吾在此不能詳道其思想之內容，此則有待於來者之鑽研。吾曾名之曰「文化意識宇宙中之巨人」：若孔孟是文化意識宇宙中之立型範者；若宋明儒則是文化意識宇宙中之繼承而有所對治者；若顧、黃、王則亦是文化意識宇宙中之巨人，其所思所言皆是抱亡國之深痛而發者。吾人處茲苦難之時代，亦不可無支撐文化意識宇宙者，唐先生即此時代文化意識宇宙中之巨人也。值其全集出版之時，略道數語以醒讀者。是為序。

民國七十三年八月 牟宗三序於九龍

徐復觀序跋輯錄

《中國人之思維方法》

譯　序

這裡譯出的，是日本文學博士中村元氏所著的《東洋人之思維方法》中〈中國人之思維方法〉的這一部分。但為明瞭著者之基本論點及其歸結，所以把著者本是為了全書（包括中國之思維方法在內，但非僅指中國之思維方法）所作的序論與結論，也一併翻譯出來，使讀者能了解著者研究此一課題之大概輪廓。因字數太多，稍有刪節。然譯者基于介紹此一著作之責任心，刪節之處，均經細心較量，務使原作因此所受之損失，減至最少限度。

日本文部省的「日本諸學振興委員會」，于一九四〇年（日本昭和十五年）至一九四六年間，委託伊藤吉之助氏，從事于「諸民族思維方法之比較研究」。伊藤氏因此書之著者對印度文化鑽研有素，故請其研究「特別表現于語言形式及論理學上的印度人之思維方法」和「通過佛教思想的容受形態來看中國民族及日本民族之思維方法」。著者認為在東洋民族中，僅印度、中國、日本、西藏四民族，有論理的自覺，且皆受有佛教之共同影響，故即以此四民族為東洋諸民族思維方法之代表，作個別之研究。研究之結果，分為六編：第一編，序論；第二編，印度人之思維方法；第三編，中國人之思維方法；第四編，日本人之思維方法；第五編，（附論）西藏人之思維方法；第六編，結論。前三編為第一部，出版于一九四八年。其餘為第二部，出版于一九四九年。此處所譯之有關第一部者，係根據一九四九年之再版本。

著者之基本觀點，是認為東洋文化，也和西洋文化一樣，有其學問的普遍性。所以今日在以西洋文化即是世界文化的大氣壓下，努力「知道東洋，發展東洋文化，依然有極大的意義」。「僅此時所應注意者，各民族對於外來文化，應常常是批判的；同時，對於自己固有文化，也不能不是批判的。」著者認為站在這種立場來研究東洋文化，「也能對於世界新文化的形成，有積極的貢獻」。此著即係他站在此一觀點上所作的研究的結晶。我們今日正處在一個創鉅痛深的時代。我們自己，正受到非常的考驗；我們的歷史文化，也正受到非常的考驗。我覺得我們應根據文化本身的自律性，亦即文化本身的論理性，使我們的歷史文化，在此一考驗反省中重新發現其真價與光輝，以增加我們在艱難中的生命力，並貢獻於在歧路徬徨中的世界人類。若沒有經過此一真實努力，而僅從感情上抹煞自己的文化，或頌揚自己的文化，這不是仰面唾雲，即是痴人說夢。所以中村氏的觀點，應該值得我們同情；基於此一觀點所得出的研究結論，應該值得加以介紹——最低限度是關於中國的這一部分。

不過，我並不以中村氏所得的結論，便是完全可以接受的結論。第一、語言與論理的關係，已如著者所述，至今還是爭論不決的問題；換言之，由一個民族的「自然語言」以推斷其論理中的概念判斷等等，多少要帶點理論的冒險性。第二、著者從判斷及推理之表現形式上以考察思維方法之特徵；更將此特徵證驗之於文化現象，這是認為文化現象是由思維方法所制約的，我承認這不失為一條探索的途徑。但我懷疑思維方法可以制約思維對象，以形成有特徵的文化現象；但思維對象，是不是也可以制約思維方法，以形成有特徵的思維方法呢？具體地說，以自然為思維對象，和以宗教、藝術、生命道德等為思維對象時，會不會影響到思維方法之不同呢？假定二者——思維方法與思維對象——是互相制約的，則著者所採取的途徑，不能算是一個完全的途徑，僅由此途徑以評價中國乃至東洋的思維方法，恐怕不易作真切的評價。

還有，著者認為佛教在東方是普遍性的宗教，於是主要通過各民族對佛教之容受形態以考驗各民族的思維方法特徵，我想，這對於日本或西藏而論，大概沒有多大問題；因為他們當容受佛教時，在文化上是處於裸體狀態；所以他們對佛教的容受形態，是他們唯一的或者是主要的文化現象。但在中國，正如著者所承認，自己早有高度的文化。佛教因中國的思維方法而變貌，固然可以特別凸現出中國思維方法的特徵。但佛教既不會因此而完全失掉其特性；而中國的文化，也不會全部通過佛教的容受形態以自見。兩個文化由接觸所發生的影響，是相互的影響；即是彼此的特性，都互相打了一個折扣。尤其是，中國自有其文化的主流。此文化的主流，固然亦受到佛教的影響，但此主流必有其自己貫徹自己的中心不動之點。所以「中國化」了以後的佛教，依然是佛教；而不能稱之為儒教。而受了佛教的影響以後的儒教，近人綜稱之為新儒教，但決不能稱之為新佛教。於是僅由佛教的容受形態以把握中國文化現象的特徵，只是一個打了折扣的側面性的把握。正因為這樣，所以著者一牽涉到儒教問題時，便表現非常的淺薄。例如他說：「孔子的教說，是以支配階級社會身分的優越性為前提，僅強調在下位者對在上位者片面的服務。」（原著第一部，五〇七頁）孔子分明主張「君君，臣臣，父父，子子」，「君使臣以禮，臣事君以忠」的「忠恕」之道，固然是強調義務而不強調權利；但忠恕是雙方的平等的義務，決不應解釋為片面的服從。西漢「三綱」之說出而儒家的平等義務觀雖有改變，但怎樣也不能以階級觀點來解釋儒家的道德基礎。又如他說中國「規定家族成員間的人倫關係的道德，是道德的全體。家族關係之外，幾乎不承認有道德」（原著第一部，五一〇頁，譯刪）。但孔孟分明說：「己欲立，而立人；己欲達，而達人。」「老吾老，以及人之老；幼吾幼，以及人之幼。」「故推恩，足以保四海；不推恩，不足以保妻子。」可見道德與不道德，全在人之能「推」不能「推」，能「及」不能「及」。儒家只認為家庭是各人所不能自外的道德實踐的最現成的對象，何能說中國在家庭以外無道德。又如他提到中國人的民族自尊心的這一點說：「忽視人本身之尊嚴性的思維方法，必然僅僅主張自己所屬的民族之優越性，偉大性。」（原著第一部，五二一頁，譯刪）著者已經了解中國是「個人面對絕對者」，而不需要在個人與絕對者間的媒介體的存在，即不需要教會，或神的存在。可見中國是最重視人性尊嚴的民族。由對人性之尊嚴而自然凝結為民族的尊嚴，於是才能堅持對日的八年抗戰。著者的這一說法，反映出日本的學人，對於日本由侵華所招致的痛苦並沒有真正的反省。且著者在結論中引太宰春臺氏所說「日本人之所以免於禽獸之行，皆中國聖人之教之所及」的話，以證明中國文化之有普遍性；但如著者對儒家淺薄的了解，則太宰春臺氏的話會完全落空了。這分明是一個大矛盾。

本書雖有上述的若干缺點，但著者關于此一問題，是採取一個確實地——縱然不是完全的——途徑，搜羅了許多學者的意見，經過了長期學術性的努力，把我們平日沒有明確意識到的問題，一一凸現於我們之前，不論他的結論對與不對，——當然我覺得大部分是對的——總會引起我們深切的反省。例如，據著者的研究，我們思維方法的特徵，許多地方可以說是遠於印度而近於西洋的。但我們不僅過去能大量吸收了印度文化，而且也發揚了印度文化；中印文化，雖有時發生爭論，而大體上則歸於融和；彼此都從對方得到了營養。而中國近百年來對于西方文化的吸收，迄今尚無成效；有的人既未吸收西洋文化，覺得先要根絕中國文化；即此一端，已經值得我們深切的反省了。我們不能在一知半解，意識朦朧的狀態下來談中國文化。所以倘因此著作之介紹而能引起我們的反省，在反省中，把自己推進一大步，同時也把日本有關這一方面的學者推進一大步，以貢獻於中日文化的交流，這才是譯者真正的願望。

徐復觀譯於臺中　民國四十二年三月十四日

《詩的原理》

譯　序

這幾年來，我偶然從日文中翻譯一點東西，一是針對某一文化問題的爭論，想藉此以幫助大家的了解；一是出於心情上的煩躁，想把這種工作當作精神上的鎮定劑。前歲暑假，毫無計劃的著手翻譯此書，其動機完全是出自後者。因此書「內容論」的前八章，都是關於藝術上最基本的理論問題，所以每譯成一章，將其中特別關連到詩的若干「過門」性的文字刪掉，使其保持相當的獨立形式，以「藝術上的若干基本問題」為總標題，用內人王世高的名字，在香港王貫之先生所辦的《人生雜誌》上，分期發表。發表到了第十章，因忙於研讀其他的東西，遂爾擱筆。後來看到錢賓四、牟宗三兩先生時，都認為此一譯文頗有意義；但我則已意興闌珊，沒有繼續翻譯下去。一年來教授大一國文的經驗，深深感覺到我們過去每喜歡用「可意會而不可言傳」一語去形容好的文學作品。而初學的人，只靠再三熟讀的方法，以達到「意會」的目的，因而得到作文的門徑。現在的青年，很難得有像過去那種熟讀的機會，於是講授的人，若對藝術的基本理論毫無了解，不能把過去認為不能「言傳」的，通過概念的分解，大體上把它言傳出來，則要使學生於字句解讀之外，更接觸到文學自身的意味，以啟發其思路與技術，幾乎是不可能的事。因此，又時時想起此一未完的工作。現因東海大學創辦伊始，開課稍遲，乃得抽暇把未譯完的譯完，已譯而曾經有刪節的地方重新補足，使其成為完璧。惟「形式論」中之原第十章〈詩中的主觀派與客觀派〉，第十二章〈日本詩歌的色〉，第十三章〈日本詩壇的現狀〉，都是切就日本的和歌與俳句等立論，與我國文壇的關係太少，所以只好割愛。幸而有〈特殊的日本文學〉一章，已概略底敘述了日本文藝的特性，且可作我國有關文藝反省的借鏡，所以對於其全部結構並無損害。

著者覺得詩的這一語言，從來都是曖昧模糊，不易把握其真正意義；而一般詩人所作的詩論，又不過是各為自己的詩作說明辯護，十人十義，缺乏理論上的普遍妥當性。他的目的，是要寫成一部任何人也可承認的，有普遍共同性的詩的原理。並要從現代自然主義、唯物主義的雰圍中，回復詩的主觀性，以喚醒詩之所以為詩的靈魂。他經過了十年以上，鏤心鉥骨的思索，闖過了多次令他絕望的難關，才寫成這一部理路整飭的著作。所以此書本來在大正八年九月（一九一九年）已經預告出刊，但一直延遲到昭和三年十二月（一九二八年）始行問世。中間改寫三次，並將寫就的八百張稿紙，壓縮為五百張。即此一端，已可想見此書成立過程中的艱苦。他刊落藝術理論中的一切枝葉，深深底把握住最基本的主觀與客觀的兩條線索，條分縷析，以發現詩在整個藝術中的地位。更將藝術中，尤其是文藝中的其他部門，細心剖白比較，以凸顯出詩之所以不同於其他藝術或文藝的特性。所以這是以詩為中心的一部文藝理論著作。誠如著者在其自序中所說：「此書所思考的，不僅是詩的這一部門，而是要判別在文學藝術、及人生的全體中何處有詩的正當位置。所以此書所論的範圍，不僅限於韻文學之詩，而是涉及到在詩的本質上所能包括的一切文藝。從某一意義看，本書也可以說是一種「小說論」。因此，他認為讀者「至少可由此書而了解詩這一觀念所意味著的真正根本的定義。並且，了解了這一點，便也了解了文學中最重大的精神」。同時，因其文字的特別洗鍊，所以深刻的思索，依然能明白簡當的表達出來，使讀者從環繞於藝術理論的雲霧中，可以很清楚的把握到最基本的意義。本書出版之初，引起日本文壇不少的爭論。作者對此，只希望讀者從頭到尾，一字不遺的讀了下去；覺得這樣便可對那些爭論能與以解決。作者的自信力，畢竟獲得了證明。此書出版後，十年之間，重版了十多次。前歲創元社收入「創元文庫」，成為日本文藝理論中銷行最佳的讀物，與日本文藝界以很大的影響。

我國係孤立語（Isolating Language）民族，在韻文上的修辭特為便利；而每一字所具之四聲或五聲，亦最易適合於韻律的要求。著者在文書中特別指出「詩是文字的音樂」，此語用在我國，真是最為恰當。同時，我國數千年的文化精神，概括的可以說是性情之教。而性情正是詩的靈魂。因此，我國可說是天然的詩歌之國。事實上，以純文藝的眼光看，在詩歌這一方面的成就也別豐富。西洋文化，在每一部門中，都鬧著主觀與客觀的對立，詩歌也不曾例外。我國的詩歌，則常常是把主觀的情緒，通過客觀事物的形相以表達出來。由「情象」與「描寫」的合一，以構成主客兩忘，渾茫綿邈的境界，著者在本書最後特設「詩的逆說精神」一章，想由此以得到詩在主客對立中的精神的統一、理論的統一；這可說是著者追索到最後的苦心孤詣。但這對我國的詩而論，簡直可以說是多餘的，因為在我國的詩中，並沒有主客對立的問題。所以譯者認為我國在詩這一方面的成就，是世界詩中的最高的成就。但文藝的繼續發展，有賴於由理論反省而來的精神上的提撕。而一切理論上的東西，必須通過概念性的思考；這恰是我國文化中的缺點。因此，我國自古以來，關於詩的評論。雖是作者如林；然下焉者僅是枝節片斷的直感，很少接觸到根本的全般的問題。上焉者則依然是以詩的表現方法來評論詩，例如鍾嶸《詩品》，其本身即是一首好詩；因其缺乏概念性的陳述，不易達到理論反省的目的。假定能通過概念性的思考，把幾千年詩的遺產中所蘊藏的真正精神，重新發掘喚醒，藉以激發人生內在的性情，潤澤人們枯槁的生命，因而增進民族精神的活力，我想這將是一件很有意義的工作。此書的介紹，我不認為它對此一工作，能提供以現成套用的格架；但它可從正面，反面，乃至側面，與此一工作以啟發，則是無可懷疑的。同時，若因此而能對目前的文藝批評界，稍盡點推進澄清之責，這倒也是譯者一種附帶而也是可能的願望。

民國四十四年十月十五日

譯者於臺中市

《學術與政治之間》

新版　自序

經過二十多年，這部雜文，又由學生書局在臺灣重新排版印行，主要是來自馮愛羣先生和我三十五六年的深厚友誼。假定其中稍有可取之處，只在一個土生土長的茅屋書生，面對國家興亡，世局變幻，所流露出的帶有濃厚呆氣戇氣的誠懇待望；待望著我們的國家，能從兩千多年的專制中擺脫出來，走上民主法治的大道。待望著我們的文化，能不再受國人自暴自棄的糟蹋，刮垢磨光，以其真精神幫助世人渡過目前所遭遇的空前危機。我所能做的實在太渺小了，渺小得毫不足道。但精衛決無填海之力，卻不妨他抱有填海之心。讀者若能於文字的呆氣戇氣中有以諒其區區填海之心，便是我的大幸。

裡面的文章，都是住在臺中時寫的，也是由臺中的朋友彙印成書的。在我流浪的一生中，住臺中的時間，比住生我的故鄉還要久。臺中的人物風土，都給了我深厚的感情，自然也縈廻著我永遠的懷念。假使九原可作，則為我題封面的莊垂勝先生，看到由他所發心的這部書，能以面目一新的姿態，重新回到臺灣，他該是多麼高興。念及此，不覺為之泫然。

一九八〇年四月十四日浠水徐復觀序於九龍寓所

港版學術與政治之間自序

我由一九四九年開始正式執筆寫文章。承亡友莊垂勝（遂性）先生的厚意，一九五六年，在與他有關係的中央書局，為我彙印成《學術與政治之間》甲集，一九五七年，又彙印成乙集。《學術與政治之間》的標題，也是他為我寫的。甲乙集印行後，因我發表過〈從文學史觀點及學詩方法試釋杜甫戲為六絕句〉一文，不知怎的，轉一個彎，引起某一地域裏的「名士」們的不滿，竟把禍嫁到甲乙集上。有一次我到臺北，當時某機關的政治部主任王超凡先生請我吃飯，還約了我兩位好朋友作陪。吃飯中，王先生再三要我把甲乙集自動收回，被我拒絕，弄得彼此間很不愉快。幸虧美而且賢的王夫人當場責備了王先生幾句，大家借此收場。後來知道，王先生之所以出此，是由他機關裏的一位「詩人」促使的。另有某位先生，以斷章取義的方法，報告給故總統蔣公，使我離開了國民黨的組織。但蔣公並沒有因此對甲乙集作過任何禁止發行的指示。只是在此種情形下，聽任它自行絕版。現在想來，這裏面的文章，假定是現在執筆，應當減少當時由熱心太過及不算刺激的刺激而來的許多尖銳詞句，以致形成「心善面惡」的情形，引起不必要的誤會。而甲乙集畢竟能賣完為止，王超凡先生也只是「先禮」卻並沒有「後兵」。這不能不感謝自由中國的政制，及許多老朋友的愛護。某位先生雖在政治一路上飛黃騰達，而王先生則早已離開人世。偶然回想及此，徒增加生活史中的一點慨嘆。

我的個性，在自己某部書印出後，認為此方面的工作已告一段落，即不願再看第二次。對有點不祥之感的甲乙集，更是如此。去歲馮君耀明，卻花費寶貴時間，把它重新校閱一過，並提出若干寶貴意見。現時他又約同友人，要把甲乙集合併為一集，發行香港版，我沒有反對的理由。其中只去掉四篇文章，增加一篇文章；不妥的字句，則一仍其舊，以保持原來面目。這裏面的文章，就我個人來說，只能算是對國家問題，對學術問題，摸索、思考的一個歷程。十年以來，我還是繼續摸索、思考，希望能向前走一步兩步。對讀者來說，若能從這些文章中，接觸到大時代所浮出的若干片斷面影，及聽到身心都充滿了鄉土氣的一個中國人在憂患中所發出的沉重地呼聲，我便感到滿足了。

一九七六年一月徐復觀誌於九龍寓廬

自序

繼《學術與政治之間》的甲集後，又選印出這部乙集，完全是由於中央書局的朋友們的好意。在乙集裏，學術性的討論，超過了政治性的討論，這只說明我個人生活的環境與心情，正在天天的演變。倘由此而能演變到將我的餘年完全埋葬在書房裏面，那將是人類對我所作的最大恩賜。我希望能得到這種恩賜。

在乙集裏面，也收有若干在情調上與全書並不十分諧和的文章；這純是留作個人生命歷程中的紀念，希望讀者與以原諒。

對於無涯的知識，每個人都是偃鼠飲河，不過滿腹；對於無窮的人生境界，每個人都可以當下自足，但同時也會感到仰之彌高。自己所沒有研究到的知識，應謙虛地與以保留；自己所沒有達到的人生境界，應虔誠地加以尊敬；我覺得這是作為一個學人所必須具備的良心，也是「道並行而不相悖」的思想自由的基礎。自己所不知道的知識，便要獨斷地加以打倒；自己所未達到的人生境界，便要武斷地加以踏平；每個人覺得自己就是知識世界的全體，自己就是人格世界的全體；像這種精神中的各個極權王國，若不設法把她敞開，則人類的文化，個人的生命，都將感受到窒息，而失掉談文化，講思想的真正意義。

許多精神地極權王國之所以形成，我懷疑它和今日的政治問題，有種共同的心理因素，即是作為一個中國人的過分地自卑感。在現實政治中本找不出聖賢，便不能希望搞現實政治的人能放棄個人的權力欲望。但有的人，在民主政治體制之下，一樣可以得到光榮地權力；可是他們寧願面對社會，面對世界，說出許多自損尊嚴的虛辭誑語，以求達到欲蓋彌彰的反民主自由的目的。在他們的各種說法中，決找不出可以作為反民主自由的任何根據；然則原因到底何在？恐怕只是由於在各個人念慮的幾微之際，有一種「滿身污穢」的自卑感覺，因而只想躲在薄暗地殿堂裏面，不願照見民主自由的太陽。此種自卑心理的未能解除，結果造成了國家和政治中各個人自身的不幸，是非常顯而易見的。

在今日，既有人以滿身污穢的自卑心理來面對政治問題，也有人以「滿面羞慚」的自卑心理來面對文化問題。在此種人的心目中，覺得只有咒罵誣辱自己的歷史文化，才能減輕作為一個中國人的罪孽感；這恰和共產黨裏面許多人為了「丟掉歷史包袱」所作的坦白心情，一般無二。政治上反自由民主者口頭上的理由，是說中國不合於自由民主，亦即是承當不起自由民主；把個人承當不起的自卑心理，投射在整個的國家身上。文化上反歷史文化者的口頭理由，是說不打倒自己的歷史文化，西方的文化便走不進來；把這一代人的陰鄙墮退，一筆寫在自己的歷史文化身上。其實，人類文化，都是由堂堂正正的人所創造出來，都要由堂堂正正的人所傳承下去。只有由平實正常的心理所形成的堂堂正正地態度，才能把古今中外的文化，平鋪在自己面前，一任自己理性良心的評判，選擇，吸收，消化。滿面羞慚的自卑心理，使一個人在精神上抬不起頭來；這固然不能正視自己的歷史文化，同樣也不能正視西方的歷史文化。在此種情形下，縱然有少數人能認真做一部分西方文化的研究工作，但其內心深處，好像舊社會裏不敢抬頭的男女戀愛，很不易為國家得到結婚生子的結果。何況抱著此種心理的人，多半是東張西望地混過一生，最後還是對文化交白卷。

因此，人格尊嚴的自覺，是解決中國政治問題的起點，也是解決中國文化問題的起點。一個人，一旦能自覺到其本身所固有的尊嚴，則對於其同胞，對於其先民，對於由其先民所積累下來的文化，當然也會感到同是一種尊嚴的存在。站在人類共有的人格尊嚴的地平線上，中西文化才可以彼此互相正視，互相了解。在互相正視，互相了解中吸收西方文化，這有如一個像樣地民族資本家和外國工商業者作經濟來往一般，到真能做點有規模有計劃地以有易無的兩利生意。我不認為在買辦式地精神狀態下，甚至是在乞丐式地精神狀態下，能有效地吸收世界文化以發展自己的文化。同時，西方人要靠這種買辦式地東方人來了解東方文化，也同樣是非常可悲的事。

年來在學術上我和時賢所發生的爭論，決非出於個人僭妄之心，想用我的學問去壓倒時賢的學問；我很坦白地承認自己並沒有學問。只是從時賢談學問的態度中，引發我上述的感觸；因而不能抑制自己，寫出了這種感觸。把政治上的感觸寫出來容易，但把文化上的感觸寫出來卻相當地困難，因為這要冒著社會風氣的大不韙。現實政治上的壓力，在形式上很重，而在精神上卻很輕。社會風氣的壓力，在形式上似乎很輕，而在精神上卻很重。一個人的生命，若非不幸而完全沉浸在這種時代感觸之中，無法自拔，誰又肯冒雙重的壓力，以自甘孤立於寂天寞地之中，而可不懼，不悔，不悶？假定我所感觸的畢竟無法與此一時代的心靈相感相通，則我懇切地希望我的感觸只不過是個人無病呻吟的謬見，以讓我們的時代，能背棄我的感觸而向前邁進。至於我在討論中，常常不免對人用上過當的辭氣，這完全暴露我作人的修養，還無法克制在執筆時的心情。我把這種辭氣照原地保留下來，藉此表示我內心愧疚。

當我忙於授課的時候，省立農學院的高希均同學，肯自動為我細心校正印稿，因此使我得節省不少的時間精力，這和中央書局願出力印行此集的朋友，是同樣值得感念的。

四十六年雙十節徐復觀誌於東海大學宿舍

再版序

茲當甲集再版之際，僅述兩事以資感念。第一是在周棄子先生閱過的一冊文錄上，注出的錯字有五十七個之多，我便借回來一一改正，得以偷懶省去自己的再校工作。此外，我還發現他在八個地方記下了？號；對於這些？號，雖然除了二十一頁第十行提到五四運動的幾句話，實在近於粗率，深感不安外，其餘的我不願另外表示意見，但周先生肯這樣認真地細閱這本文錄，實使我感到榮幸。其次，文錄出刊後，程滄波先生曾寫了一篇介紹文章，稱譽過當，某機關報的星期專論，曾指射這是文人的互相標榜。但我知道滄波平生是不輕作諛詞的人。他之所以稱譽過當，恐怕完全是出自他對時代的感覺。讀者若從滄波文章的正面來衡量我個人，我便會覺得非常惶恐。但若從他文章的反面去正視此一時代，了解此一時代，則將立刻發現由他那一副蒼涼感情所浮出的文字，也實有其客觀的意義。他在文章收尾處更補上顧亭林初看見《明夷待訪錄》的一段故實，他說他自己不敢自擬於亭林，而以黃梨洲期待我；這或許更增加標榜之嫌；但我覺得，顧亭林黃梨洲這兩個姓名，現在的人看起來很以為光榮，但在當時一般人看來恐怕是不祥之物。我國歷史中，政治勢力，才是最動人的東西；擔當一個與現實政治勢力經常處於危疑狀態的人類責任，獨往獨來，這並不是討便宜的勾當。因此，時代假定依然需要顧亭林黃梨洲，這將是與人無競，與世無爭的一條人生道路，而滄波正不必以此謙讓未遑的。所以我依然把滄波的那篇介紹文章附錄在文錄的後面。

中華民國四十六年七月徐復觀於私立東海大學

自序

三年以來，中央書局的朋友，常要把我已經發表過的零篇文字，彙印一部分，最近我始以感激的心情加以接受。此一規模並不鴻鉅的書局，過去在日人統治之下，曾經從文化方面，表示了人類的尊嚴，祖國的尊嚴。我的文字，只有有這種歷史的書局，才願自動伸出手來，才使我感到有彙印的意義。

我既不是學者，也不是作家。並且我從來也不曾覺得在這樣逼窄的空間，專靠賣文便可以維持生活。我之所以拿起筆來寫文章，只因身經鉅變，不僅親眼看到許多自以為是尊榮，偉大，驕傲，光輝的東西，一轉眼間便都跌得雲散烟銷，有同鼠肝蟲臂。並且還親眼看到無數的純樸無知的鄉農村嫗，無數的天真無邪的少女青年，有的根本不知今是何世，有的還未向這世界睜開眼睛；也都在一夜之間，變成待罪的羔羊，被交付末日的審判。在這審判中，作為人類最低本能的哭泣，呼號，作為人類最大尊嚴的良心，理性，都成為罪惡與羞辱，不值分文。而我的親友，家園，山河，大地，也都在一夜之間，永成隔世。凡這種種，並非歷史中的神話，而是一個人親身的經歷；則作為「蓋人心之靈，莫不有知」的我，對此一鉅變的前因後果，及此一鉅變之前途歸結，如何能不認真的去想，如何能不認真的去看，想了看了以後，在感嘆激蕩的情懷中，如何能不把想到看到的千百分之一，傾訴於在同一遭際下的人們之前。所以我正式拿起筆來寫文章，是從民國卅八年開始。因此，不僅我的學力限制了我寫純學術性的文章；而我的心境也不容許我孤踪獨往，寫那種不食人間煙火的文章。我之所以用一篇〈學術與政治之間〉的文字來作這一文錄的名稱，正是如實的說明我沒有能力和方法去追求與此一時代不相關涉的高文典冊。這是人生最大的不幸。至於我在這泛濫著百千萬人的血河淚海中，大之不能逞呼風喚雨之靈。小之不能陳鷄鳴狗盜之力。幾希之明，只能傾吐出這些微末不足道的慨嘆，以偃蹇於荒天漠地之中，內心的惶愧，當然是不言可喻的。

在這裏，除了已經印成單行本的，不再收錄外，有關純時事性的文字，也幾乎不曾收錄；此會使許多讀者失望。但這決非因此類文字，已境過情遷，一無價值。相反的，此次重清舊稿，發現我過去寫這類的文字時，常是傾注自己的心血，以直接承擔著時代中的某一問題；我從未覺得我是與惡魔決鬪的勇士，而只是在我的前後左右，沒有安放惡魔的位置。所以每篇文字中，儘管夾雜有許多的委曲，但總流露有幾句真切的話，以與時代的呼吸相通。我之所以不收錄這類文字，第一，是因為這個時代對於我們特別艱難，不容多一次浪費紙墨。第二，是因為這類文字，雖不是什麼肘後之方，但總希望對時代的智慧能稍有所補益。此而不能，則惟有留待將來的歷史家，當他們開闢榛蕪時作一點索引之用；所以現在寧可束之高閣。同時，我也常常想到，一個病人正當生死存亡待決的關頭，也正是醫生們的診斷工作最為緊張忙碌的時候。等到病人的前途，只靠自己的生理作用而不是靠藥物刀圭，則醫生們自然可以攸閒下來，把注意力轉向另外的事物。因此，我不僅近三年來極少寫這類的文章，恐怕今後對此會完全擱筆不寫了。但我得再鄭重申述一句，中國古聖先賢，有如孔子孟子，他們對當時君臣們的諄諄告誡，實際就是他們的時論文章。所以我認為凡是以自己的良心，理性，通過時代的具體問題，以呼喚時代的良心理性的時論文章，這都是聖賢志業之所存，亦即國家命運之所繫。人類數千年的歷史文化，證明要政治清明，國家強盛，則政治指導之權，必操於社會。社會指導政治的具體途徑，一為輿論，一為選舉。有真正的輿論，乃有真正的選舉，故輿論又為選舉的先決條件。而所謂輿論，乃係對政治的批評，不是對政治的歌頌，此乃無間於古今中外之常理。假定一個時代，到了由釘死自己的良心理性，進而想去釘死社會的良心理性的阿諛家們，起來取真正的時論者而代之的時候，這正說明此一時代的終結。因此，我堅信希特勒、史達林們，必永遠受到人類的唾罵。這是他得到的阿諛所必須付出的代價。

收在這裏的二十篇文章，其次序是按照發表時間的先後。在內容上，有的地方感到重複，因為這本不是一部組織完整的書。有的地方又感到互有出入，因為這是個人在不斷的思索過程中自然發生的演變。本來是極尋常的道理，但要真能心領神會，直接加以承當，卻須幾經曲折，幾經甘苦，得來卻並不容易。我對中國的政治問題，一直到寫〈中國政治問題的兩個層次〉一文時，才算擺脫了數十年來許多似是而非的糾纏，看出一條明確簡捷的道路。我對於中國文化在解決中國今後問題中所佔的地位的問題，一直到最近三年，才能從歷史和時代的泥淖中拔了出來，得出一個確然不可移易的分際和信心。我的觀點並沒有完全包括在這本文錄裏面，甚至有許多還沒有寫出來。但這本文錄，也多少可以表示我在思考途程中的標誌。

我深深的體驗到，在這樣的時代，要保持一個乾淨的心靈，不僅須靠個人不斷的反省，懺悔，並且也還需要外緣的幫助扶持。所以我對於年來在精神上，生活上給我以許多鼓勵和關注的朋友，願藉此機會，表示衷心的感謝。

中華民國四十五年八月十二日徐復觀誌於臺北旅次

《中國思想史論集》

我的若干斷想

茲當此書發行三版補編之際，以下面曾經在《人物與思想》上刊出過的一文，作為代序

七三、十一、十五

香港「現代研究輔導中心」，把我寫的各書裏面提到方法的文字，抽出來彙印在一起，以為可供青年人治學的參考，並要我再寫幾句話在前面，這是非常使我感愧的一件事。我年來所作的是有關中國思想史這一方面的工作，這裏只能補充若干片斷地感想。

我國過去，常有借古人幾句話來講自己的哲學思想的，一直到熊十力先生的體大思精的新唯識論，還未脫此窠臼。所以他曾告訴我，「文字借自古人，內容則是出自我自己的創造」。所以新唯識論只能視為熊先生個人的哲學，不能當作中國哲學思想史的典據。但在今日，我主張個人的哲學思想，和研究古人的哲學思想史，應完全分開。可以用自己的哲學思想去衡斷古人的哲學思想；但萬不可將古人的思想，塗上自己的哲學。

可是，上述的簡單要求，並不容易達到。我們了解古人，僅能憑藉古人直接留下來的文字。朱元晦

讀書的精細，及態度的客觀，只要看過《朱子讀書法》的人，便不能不加以承認。但當他費最大精力注釋《孟子》時，對《孟子》中言心言性的地方，幾乎無不顛倒；因為他自己有一套理氣的哲學橫在胸中，不知不覺的便用了上去。這裏便遇著一個難題，沒有哲學修養，如何能了解古人的哲學思想？有了哲學修養，便會形成自己的哲學，便容易把自己的哲學與古人的思想作某種程度的換位。在這種地方，就要求治中國哲學思想史的人，有由省察而來的自制力。對古人的思想，只能在文字的把握上立基，而不可先在自己的哲學思辨上立基。孔子自謂「夏禮吾能言之」，「殷禮吾能言之」，所謂「能言」乃由周禮上推，以言其「禮意」；但因「文獻不足」，他終於不言。我讀《論語》，常常是在他生命的轉化中所自然流露出的「平凡中的偉大」的語言上受到感動。西方一套一套的形而上學，面對著孔子由生命轉化中所流露出的語默云為，我不感到有多大意義。上面引的乃其一例。

治學最重要的資本是思考力；而我國一般知識分子所最缺乏的正是思考力，亦即是缺乏在分析綜合中的辨別推理能力。連許多主張西化的人也不例外。思考力的培養，讀西方哲學家的著作，較之純讀線裝書，得來比較容易。我常常想，自己的頭腦好比是一把刀；西方哲人的著作好比是一塊砥石。我們是要拿在西方的砥石上磨快了的刀來分解我國思想史的材料，順著材料中的條理來構成系統；但並不要搭上西方某種哲學的架子來安排我們的材料。我們與西方的比較研究，是兩種不同的劇場，兩種不同的演出相互間的比較研究，而不是我們穿上西方舞臺的服裝，用上他們的道具的比較研究。我們中國哲學思想有無世界地意義，有無現代地價值，是要深入到現代世界實際所遭遇到的各種問題中去加以衡量，而不是要在西方的哲學著作中去加以衡量。面對時代的鉅變，西方炫學式的，與現實遊離得太遠的哲學思想，正受著嚴重的考驗。我們「簡易」的哲學思想，是要求從生命，生活中深透進去，作重新地發現，是否要假借西方炫學式的哲學架子以自重，我非常懷疑。我們在能與西方相通的地方，可以證人心之所同；我們與西方相異的地方，或可以補西方文化之所缺。這也和我們要吸收西方所有，而為我們所沒有的，以補我們之所缺，是同樣的道理。做學問，只能求之於自己學術良心之所安，而不必先問西方人的能否接受；因為接受不接受，是西方人的事情。孔子說，「古之學者為己（為了充實自己），今之學者為人（做給他人看）。」今人治學的精神狀態，「為人」的成份太多了。

談到方法問題，大體上說，是出自治學歷程中所蓄積的經驗的反省，由反省所集結出的方法，又可以導引治學中的操作過程。沒有適當的方法，很難得出有意義的結論。但懸空地談方法，可以簡括成幾句話。可是知道了簡括的幾句話，並不能發生什麼真正作用。方法的真正作用，乃發生於誠摯的治學精神與勤勉的治學工作之中。方法的效果，是與治學的工力成正比例。面對學問的自身而言，我還是一個幼稚園的學生；這便局限了我所提到的方法問題的價值。但我所提到的，雖各有根源；而我對它的把握，則是來自治學過程中的觸發和領悟，而不是出於抄襲，懸擬，這一點，或者勉強可以對答「現代研究輔導中心」的盛意。

一九七一年一月三日於九龍寓所

再版序

本書第一版早經絕版。其中有關文學方面的三篇文章，已抽出編入《中國文學論集》裡面。我原來打算把《學術與政治之間》甲乙集重新編印，將其中論政與論學的文章，完全分開；而論學的文章，即編入本集之內。但因許多原因，此事尚有所待。現當本集再版時，只補進兩篇性質相同的文章；並另將性質不完全相同的四篇文章也一併收為附錄。

在本集交付再版之前，我抽暇從頭到尾看過一遍，除了看出若干錯字，列為勘誤表外，對內容有不甚妥當的地方，因將就原有版型的關係，不能改寫，便在這裡略為指出：

1.〈象山學述〉一文中，「八、陸王異同」一節，我把問題處理得太簡單，應完全去掉。我在《兩漢思想史》寫成後，對宋明理學，預定要寫幾篇文章，以了我原來的志願；對此問題當有進一步的交代。

2.〈《中庸》的地位問題〉一文中的第二節，提出了五點論證，以證明《中庸》乃出現在《孟子》之前。現在看起來，只有將《論語》、《中庸》之知仁勇，與《孟子》之仁義禮知作對比之第二項證據，可堅確不移；其他四項論證，則稍嫌薄弱。此一問題，須在拙著《中國人性論史先秦篇》中而始得到解決。近來也有人以《中庸》上有「故大德必得其位」，及「國家將興，必有禎祥」等語，遂認定這是戰國末期的「受命」及「符瑞災異」的思想，因而認為《中庸》是戰國末期的作品。我以為孔子本有大德可以受命的想法，始有《論語》上「鳳鳥不至，河不出圖，吾已矣夫」之嘆；子思遂以之立萬世受命的準則。而「大德」受命，與戰國末期所流行的由鄒衍「五德運轉」而來的受命，有其本質上的分別。符瑞災異思想，源遠流長，不始於戰國。但戰國末期所流行之符瑞災異思想，皆徵驗於罕見之自然現象，無一以蓍龜為徵驗的；因為蓍龜在此時已極少在社會上層中應用。《中庸》則謂「見乎蓍龜」，尚保存蓍龜之神秘性，正可見其出於《孟子》之前。

3.在〈有關思想史的若干問題〉一文中，談到孔老關係（九八頁）的地方，不夠確切。此一問題，應以在拙著《中國人性論史先秦篇》附錄一〈有關老子其人其書的再探討〉一文中，始有精密的考查，應以之糾正本文的錯誤。同時，今春我在香港中文大學新亞書院研究所授課時，曾將《莊子．天下》篇所述「老聃曰」的一段話，逐句與現行《老子》一書對照，發現無一字不是出自現行《老子》一書。是〈天下〉篇成篇時，《老子》一書已開始流行。雖然其中或不免有後來附益上去的東西；但基本形態，則形成於〈天下〉篇成篇之前，是決無可疑的。而《莊子・天下》篇，我以為是出於莊子本人之手（此另有考證）。因為以後大概沒有機會專談此一問題，故附記於此。

4.在〈《孟子》知言養氣章試釋〉一文中，我在幾個地方改了幾個字，列入勘誤表中；希望讀者在此等處，細心體察所以改動之故。

5.在〈中國孝道思想的形成、演變、及其歷史中的諸問題〉一文中，我對《孝經》成書的考證，認為它是出現於漢武帝、宣帝之際，這是錯誤的。年來我把兩漢的文獻完全讀過一遍，發現陸賈《新語》，已有兩處引用到《孝經》；在文、景時代，也有多人引用到。現在我認為它是出於戰國中期以後；到呂不韋的門客集體寫《呂氏春秋》時，它已經流行。我有關本問題考證的最大缺點，在於太注重鑽材料的空隙，而忽視了廣大的背景；更忽視了古代對某些事情，不可能紀錄得完全；因紀錄得不完全而遽然斷定這些紀錄為偽，這是非常冒險的考證方法。有關《孝經》問題，預定還有專文談到它。但在此文中對它內容的批評，卻完全可以成立的。

我寫的文章發表後，非常希望學術界能提出負責的批評；但在目前環境之下，是一種很不容易的事。並且像陸王異同及《孝經》成書年代與孔老關係等問題，即使有人指出我的錯誤，我也容易找出逃避之所。在這種地方，只有靠個人不斷地繼續努力，並須要不把「愛假面子」當作維持自己地位的重要手段時，才會引起真正的反省，因而在學術上可以減少對天下，對後世所犯的欺枉之罪。當然，寫文章的主要動機，到底是為了個人的名位，還是為了對天下、對後世的責任心，更是一個人有無反省力的決定因素。我回想到在寫陸王異同和《孝經》成書年代時，多少含著有點賣弄聰明、馳騁意氣的成分在裡面，這是立說容易流於武斷的最根本原因。我在這裡特別指出，以作治學的大戒。

把含有不少錯誤的文章重印出來，並不是為了把它當作個人治學過程中的里程碑，而是為了我的這些文章，都是在時代激流之中，以感憤的心情所寫出來的。對於古人的了解，也是在時代精神啟發之下，所一步一步地發掘出來的。所以我常常想到克羅齊（B. Croce）的「只有現代史」的意見，因此，在我的每一篇文章中，似乎都含有若干有血有肉的東西在裡面。而本集裡，對治思想史的方法與態度的不斷提出，及對於迷離惝恍的文字魔術所作的追根究底地清理，這都可給下一代有志氣從事於學問的人以一點幫助。

現代特性之一，因科學、技術的飛躍進展，及國際關連的特別密切，使歷史演進的速度，遠非過去任何時代可比；關於人自身問題的看法，也像萬花筒樣地令人目光撩亂。最主要的是表現在西方傳統價值系統的崩潰，因而有不少人主張只有科學、技術的問題，沒有價值的問題；事實上則是以反價值的東西來代替人生價值。十多年來，我一方面盡可能的保持對這些時代風潮的接觸，一方面坐穩自己的研究椅子，從人類的過去以展望現在與未來，認定在科學、技術之外，還要開闢人類自己的價值世界，以安頓人類自己。有些沾點西方反價值者的餘瀝以標新立異，並百端誣衊我的人們，可謂盡變幻神奇的能事。但因為我從人類古老歷史的殘渣中，早已看過這類的臉譜，和這類臉譜所擔當的角色，所以從未因此而阻擾到自己努力的大方向。而這種努力的大方向，今日又正從世界各個文化園地，以各種不同的語言、形態，發出在本質上是相同的呼聲，這又在說明什麼呢？站在人性根源之地，以探索人類運命的前程，這與新舊中西等不相干的爭論，是頗為緣遠的。

五十六年孔誕節徐復觀記於東海大學寓廬

研究中國思想史的方法與態度問題——代序

一

這裡所收的十一篇文章，都是已經在刊物上發表過的。因研究的對象——中國思想史——大體相同，所以現在略加補正，彙印成這本《中國思想史論集》。其中〈象山學述〉，是沒有到東海大學以前所寫的。我到東海大學，經已四年。前兩年所寫的這類的文章，已收入在《學術與政治之間》的乙集。僅乙集裡面〈《中庸》的地位問題〉一文，因與此集所收的〈中國思想史中的若干問題〉一文，有直接關係，所以也彙印在這裡。此外收集在《學術與政治之間》甲乙兩集的若干同性質的文章，未能放在一起彙印，實係一大缺憾。所以後面特附存一個篇目。同時，在這兩年內，除了收在這裡的九篇及收在《東海學報》一卷一期的〈《文心雕龍》的文體論〉一篇以外，尚有幾篇關於現代文化評論性的文章，或者更值得這一時代的人們看看；但因為性質的關係，所以都未加收錄。至於這兩年內發表過的若干雜感性的文章，那本來是不足愛惜的。

二

我的看法，對於中國文化的研究，主要應當歸結到思想史的研究。但一直到現在為止，還沒有產生過一部像樣點的綜合性的著作。這一方面固然是因為分工研究的工作做得不夠；但最主要的還是方法與態度的問題。

五四運動以來，時賢特強調治學的方法，即所謂科學方法，這是一個好現象。歷史上，凡是文化的開山人物，總多少在方法上有所貢獻。不過，憑空的談方法，結果會流為幾句空洞口號。方法是研究者向研究對象所提出的要求，及研究對象向研究者所呈現的答復，綜合在一起的一種處理過程。所以真正的方法，是與被研究的對象不可分的。今人所談的科學方法，應用到文史方面，實際還未跳出清人考據的範圍一步，其不足以治思想史，集中已有專文討論。

一個思想家的思想，有如一個文學家的文章，必定有由主題所展開的結構。讀者能把握到他的結構，才算把握到他的思想。西方哲學家的思想結構，常即表現為他們的著作的結構。他們的著作的展開，即是他們思想的展開；這便使讀者易於把握。但中國的思想家，很少是意識的以有組織的文章結構來表達他們思想的結構，而常是把他們的中心論點，分散在許多文字單元中去；同時，在同一篇文字中，又常關涉到許多觀念，許多問題。即使在一篇文章或一段語錄中，是專談某一觀念某一問題；但也常只談到某一觀念，某一問題對某一特定的人或事所須要說明的某一側面，而很少下一種抽象的可以概括全般的定義或界說。所以讀的人，不僅拿著一兩句話推論下去，常會陷於以偏概全；容易把針對某一具體情況的說法，當作是一般性的說法；例如看到孔子曾主張「拜下」❶，便誤認孔子係以卑下為臣道，這當然是非常危險的結論。即使是把多數材料彙集在一起，但若不能從這些材料中抽出可以貫通各材料的中心觀念，即是若不能找出黃梨洲所說的學者的「宗旨」❷，則那些材料依然是無頭無尾的東西。西方的思想家，是以思辨為主；思辨的本身，必形成一邏輯的結構。中國的思想家，係出自內外生

❶《論語・子罕》「子曰：拜下，禮也；今拜乎上，泰也。雖違眾，吾從下。」按此語乃針對當時《魯之三家》而發。

❷ 見黃梨洲《明儒學案》凡例。此凡例對治思想史者極富有啟發性。

活的體驗，因而具體性多於抽象性。但生活體驗經過了反省與提鍊而將其說出時，也常會澄汰其衝突矛盾的成分，而顯出一種合於邏輯的結構。這也可以說是「事實真理」與「理論真理」的一致點，接合點。但這種結構，在中國的思想家中，都是以潛伏的狀態而存在。因此，把中國思想家的這種潛伏著的結構，如實的顯現出來，這便是今日研究思想史者的任務；也是較之研究西方思想史更為困難的任務。我在寫〈象山學述〉一文時，先是按著象山的各種觀念，問題，而將其從全集的各種材料中抽了出來；這便要把材料的原有單元（如書札、雜文、語錄等）加以折散。再以各觀念，各問題為中心點，重新加以結合，以找出對他所提出的每一觀念，每一問題的比較完全的了解。更進一步把各觀念，各問題加以排列，求出它們相互間的關連及其所處的層次與方位，因而發現他是由那一基點或中心點（宗旨）所展開的思想結構（或稱為體系）。這種材料的折散與結合，及在再結合中所作的細心考量比較，都是很笨的工夫。此後我所寫的與思想史有關的文章，都是以這種笨工夫為基底。當然，在這種笨工夫中，還要加上一種「解釋」的工作。任何解釋，一定會比原文獻上的範圍說得較寬，較深，因而常常把原文獻可能含有，但不曾明白說出來的，也把他說了出來。不如此，便不能盡到解釋的責任。所以有人曾批評我，「你的解釋，恐怕是自己的思想而不是古人的思想。最好是只敘述而不解釋。」這種話，或許有一點道理。但正如卡西勒（Carsirer）所說，「哲學上過去的事實，偉大思想家的學說與體系，不作解釋便無意味」❸。並且沒有一點解釋的純敘述，事實上是不可能的。對古人的，古典的思想，常是通過某一解釋者的時代經驗，某一解釋者的個性思想，而只能發現其全內涵中的某一面，某一部分；所以任何人的解釋，不能說是完全，也不能說沒有錯誤。但所謂解釋，首先是從原文獻中抽象出來的。某種解釋

---

❸ *An essay on man* 日譯本二五七頁。

提出了以後，依然要回到原文獻中去接受考驗；即須對於一條一條的原文獻，在一個共同概念之下，要做到與字句的文義相符。這中間，不僅是經過了研究者捨象抽象的細密工作，且須經過很細密地處理材料的反復手續。

三

戴東原曾說：「義理者，文章考覈之源也。熟乎義理，而後能考覈，能文章。」❹此處的義理，可以泛解作「思想」，這本是很平實的話。但段玉裁卻接著說「義理文章，未有不由考覈而得者」❺，這便把他先生的意思完全弄顛倒了。今人表面上標榜戴氏，實則並不足以知戴氏，而僅承段氏之末流。凡研究與文獻有關的東西，必須先把文字訓詁弄清楚，這還有什麼疑問？但由段氏以至今日標榜考據的人所犯的毛病是：一則把義理之學與研究義理之學的歷史（研究思想史），混而不分；一則不了解要研究思想史，除了文字訓詁以外，還有進一步的工作。僅靠著訓詁來講思想，順著訓詁的要求，遂以為只有找出一個字的原形，原音，原義，才是可靠的訓詁；並即以這種訓詁來滿足思想史的要求。這種以語源為治思想史的方法，其實，完全是由缺乏文化演進觀念而來的錯覺。從阮元到現在，凡由此種錯覺以治思想史的，其結論幾無不乖謬。現在我引二十世紀語言學權威耶斯柏孫（Otto Jespersen）在 *Mankind, Nation and Individual from a Linguistic Point View*（日譯為《人類與言語》）大著中的幾句話來破除這種錯覺。他說「在下宗教，文明、教育等某些概念的定義時，多數人總愛先問『它的語源是什麼』？以為

❹《戴東原集》段玉裁序。

❺ 同上。

由此而對於它本來的性質可投給以光明；這實在是最無意義的事。這是迷信名號之力的學者；他們與相信名號有魔術能力的（按如念真言咒語之類）原始迷信，有其關聯。我們即使知道『悲劇』（Tragedy）曾經指的是『山羊之歌』，這對於悲劇本質的理解，不曾前進一步。又知道『喜劇』（Comedy）的希臘語 Kōmos 的語源是『祭之歌』『宴饗之歌』的意味，對於喜劇本質的理解，更無所進步」❻。因中國文字的特性，從語源上找某一思想演變的線索，並不是沒有一點益處；但不應因此而忽略了每一思想家所用的觀念名詞，主要是由他自己的思想系統來加以規定的。即使不是思想家，也會受他所處的時代流行用法的規定。

四

其實，決定如何處理材料的是方法；但決定運用方法的則是研究者的態度。有人強調科學方法，而常作陷於主觀的論證，這種令人困惑的情形，大概不是在方法上可以求得解答，而關係到隱藏在運用方法後面的態度。所以科學方法，與科學態度，是不可分的。但所謂態度，是整個現實生活的自然流露。在研究自然科學方面，因為研究的對象和研究者的實生活，有一個距離，於是他的實生活的態度，和他走進實驗室時的態度，也可以形成一個自然的隔限，而不易受到實生活態度的影響。所以有不少的自然科學者，其實生活的態度，和在實驗室中的態度，無妨其有相反的現象；例如實生活是固執的，而作實驗時則是客觀的；在實生活中帶有迷信，而在實驗室中則全係理智。這也不大妨礙他的研究工作。並且自然科學的真理，其證明是來自對象的直接答復。所以一經證明以後，便沒有多大的爭論。研究人文科

❻ 日譯本三〇四頁。

學，則研究的對象與研究者實生活的態度，常密切相關；於是在實生活中的態度，常能直接干涉到研究時的態度。譬如假使有人對跳舞有興趣，便可以把孔子的「游於藝」解作即是他的進跳舞場；而不知孔子的游於藝，是和他的「志於道，據於德，依於仁」連在一起，所以和今人的跳舞，在精神上會有些兩樣；因此，便很難把自己的跳舞，解釋是在師法孔子。並且在人文這一方面的證明，常常是間接性的證明；任何簡單明白的道理，也可以容許人的詭辯。所以在這方面的困惑，許多是和研究者的現實生活的態度有其關連。要使我們的實生活態度能適合於研究時的態度，最低限度，不太干涉到研究時的態度，這恐怕研究者須要對自己的生活習性，有一種高度的自覺；而這種自覺的工夫，在中國傳統中即稱之為「敬」。敬是道德修養上的要求。但黃勉齋稱朱元晦是「窮理以致其知，反躬以踐其實；居敬者所以成始成終也。謂致知不以敬，則昏惑紛擾，無以察義理之歸；躬行不以敬，則怠惰放肆，無以致義理之實」❼。這段話便說明敬乃貫徹於道德活動，知識活動之中的共同精神狀態。在求知的活動中，為什麼

---

❼ 黃勉齋〈朱熹行狀〉。

茲將未收在本集中的有關中國思想史的論文附目如下：

〈儒家精神之基本性格及其限定與新生〉　《民主評論》三卷十期。有抽印本。
〈儒家政治思想的構造及轉進〉　《學術與政治之間》甲集。
〈中國的治道〉　同上
〈荀子政治思想的解析〉　同上
〈儒家在修己與治人上的區別及其意義〉　同上
〈中國自由社會的創發〉　《學術與政治之間》乙集。
〈釋《論語》民無信不立〉　同上
〈釋《論語》的仁〉　同上

須要這種精神狀態？因為求知的最基本要求，首先是要對於研究對象；作客觀的認定；並且在研究過程中，應隨著對象的轉折而轉折，以窮究其自身所含的構造。就研究思想史來說；首先是要很客觀的承認此一思想；並當著手研究之際，是要先順著前人的思想去思想；隨著前人思想之展開而展開；才能真正了解他中間所含藏的問題，及其所經過的曲折；由此而提出懷疑，評判，才能與前人思想的本身相應。否則僅能算是一種猜度。這本是很尋常的事。但一般人在實際上所以作不到這一點，只是因為從各個人的主觀成見中，浮出了一層薄霧，遮迷了自己的眼睛，以致看不清對象；或者把自己的主觀成見，先塗在客觀的對象上面；把自己主觀成見的活動，當作是客觀對象的活動。這自然就容易作出指鹿為馬的研究結論。此種主觀成見的根源，是因為有種人在自我的欣賞，陶醉中，把自己的分量，因感情的發酵而充分的漲大了；於是常常會在精神的酪酊狀態下看問題；也在精神的酪酊狀態中運用方法；所以稍為有了一點聲名地位的人；更易陷於這種狀態而不自覺。敬是一個人的精神的凝斂與集中。精神的凝斂與集中，可以把因發酵而漲大了的自我，回復到原有的分量；於是先前由漲大了的自我而來的主觀成見所結成的薄霧，也自然會隨漲大部分的收縮而烟消雲歛，以浮出自己所研究的客觀對象，使自己清明的智

〈儒家對中國歷史運命掙扎之一例——西漢政治與董仲舒〉　同上

〈三十年來中國的文化思想問題〉　同上

〈有關中國思想史中一個基題的考察——釋《論語》五十而知天命〉　同上

〈兩篇難懂的文章〉　同上

〈答毛子水先生的「再論考據與義理」〉　同上

〈考據與義理之爭的插曲〉　同上

〈國史中人君尊嚴問題的商討〉　同上

性，直接投射於客觀對象之上；隨工夫之積累，而深入到客觀對象之中，即不言科學方法，也常能暗合於科學方法。例如朱元晦本人，並不曾標榜什麼校勘學；但其校勘方法的謹嚴精密，正是出於他的居敬工夫。茲摘錄他《與張欽夫論程集改字》書以作一例證。

> 夫所謂不必改者（按指程集舊本之文字而言），豈以為文句之間，小小同異，無所繫於義理之得失而不必改耶？熹所論出於己意，則用此說可也。今此乃是集諸本（按指程集舊刻諸本）而證之；按其舊文，然後刊正。雖或不能盡同，亦是類會數說而求其文勢語脉所趨之便；除所謂疑當作某之外，未嘗敢妄以意更定一點畫也。……若聖賢成書，稍有不愜己意處，便率情奮筆，恣情塗改；恐此氣象亦自不佳。蓋雖所改盡善，猶啟末流輕肆自大之弊，況未必盡善乎。伊川先生嘗語學者，病其於己之言有所不合，則置不復思，所以終不能合。（原註：答楊迪及門人二書，見集）今熹觀此等改字處（按係指胡刻程集所改舊本之字），竊恐先生之意，尚有不可不思者，而改者未之思也。並非特己之不思，又使後人不復得見先生手筆之本文，雖欲思之以達於先生之意，亦不可得。此其為害，豈不甚哉。夫以言乎己，則失其恭敬退讓之心；以言乎人，則啟其輕肆妄作之弊。以言乎先生之意，則恐猶有未盡者而絕人之思。姑無問其所改之得失，而以是三者論之，其不可，已曉然矣。……大抵古書有未安處，隨事論著，使人知之，可矣。若遽改之以沒其實，則安知果無未盡之意耶？漢儒釋經，有欲改易處，但云某當作某；後世猶或非之，況遽改乎。……竊以為此字（按指舊刻本程集中所用之「沿」字。）決當從舊，尤所當改（按此指胡刻本將舊本「沿」字改作「泝」字，故朱子主張改從舊本。）。若老兄必欲存之，以見「泝」字之有力，則請正文只作沿字，而注其下云（某人云沿當作泝字。）不則云（胡本沿作泝。）不則云或人可也。如此兩存，使讀者知用力之方，改者無專輒之咎……豈不兩全其適而無傷乎。……計老兄之意，豈異於此。但恐見理太明，故於文意瑣細之間，不無闊略之

處。用心太剛，故於一時意見所安，必欲主張到底。所以紛紛未能卒定。如熹則淺暗遲鈍，一生在文義上做窠窟，苟所見未明，實不敢妄為主宰。……

按胡刻《二程全集》，將舊本之「沿」字改為「泝」字，將舊刻之「姪」字改為「猶子」；張欽夫重刻程集，欲遵用胡刻所改之字，而朱元晦以長凡二千二百五十二字之書札爭之，其對校勘方法之謹嚴，可以概見。其所以能如此者，乃出自其「恭敬退讓」之心，亦即來自其居敬之精神狀態。今人好作毫無根據的翻案文章，乃至先存一種看假把戲的心情來標榜他的研究工作，其病根正在缺少此一敬字。說文「忠，敬也」，無私而盡己之謂忠。因不曾無私而盡已，所以自會流於不敬；因為肆無忌憚，所以也自然會不忠於所事。忠與敬是不可分的。

五

儒家思想，為中國傳統思想之主流。但五四運動以來，時賢動輒斥之為專制政治的維護擁戴者。若此一顛倒之見不加平反，則一接觸到中國思想史的材料時，便立刻發生厭惡之情，而於不知不覺中，作主觀性的惡意解釋。這與上述的研究態度相關連，也成為今日研究思想史的一大障碍。從歷史上看，學術思想若與現實的政治處於分離狀態，則其影響力常係局部的，慢緩的。若與現實政治處於對立狀態，復無有力之社會力量加以支持，以改變當時之現實政治，則現實政治之影響於學術思想者，將遠過於學術思想之影響於現實政治。若在本質上係與現實政治相對立，而在形勢上又須有某程度之合作時，則現實政治對學術思想之歪曲，常大過於學術思想對現實政治之修正。學術思想的力量，是通過時間的浸潤而表現；現實政治的力量，則在空間的擴張中而表現；所以學術思想常無法在某一空間內與政治爭勝。

政治是人類不得已的一種罪惡，它是由現實中的權力關係生長起來，開始時並不靠什麼學術思想。而學術思想，則一開始便會受到現實政治的干擾。近代民主主義與社會主義，其所以能改變現實政治，是因為先有了市民階級，工人階級，及立基於此種階級之上的強大政黨。換言之，即是結合上另一政治力量以改變原有的政治力量。至於可以不受到現實政治的干擾而自由發展其與人自身有關的學術思想，只有在民主政治之下，才有其可能。民主政治，在交通通信尚未發達以前，僅有在地小人少而又集中的城邦，始能實現。中國從古代以至近代，都是以散漫的農業生產為社會經濟的基礎；而黃河流域的廣大平原的實力，使它可以向四周輻射，以建構一個龐大的農業帝國；這便促進了封建政治向大一統的專制政治的發展。而大一統的專制政治建立起來以後，雖不斷的改朝換代，但卒無一種社會力量可以支持建立專制以外的政治形式；於是中國專制政治的規模之大，時間之久，在人類歷史中殆罕有其匹。處於此種歷史條件之下，一切學術思想，不作某程度的適應，即將歸於消滅。五四運動以來，有人反儒家而崇尚道家，以為道家富有自由精神；殊不知先秦各家思想，除法家本為統治階級立言以外，最先向專制政治投降者即係道家。以出世為目的，並主張不拜王者的佛教，傳入中國後，亦必依附帝王以伸張或保存其勢力，所以從前藏經的扉頁，首先要印上「皇圖鞏固，帝道遐昌」八個大字。儒家思想，乃從人類現實生活的正面來對人類負責的思想。他不能逃避向自然，他不能逃避向虛無空寂，也不能逃避向觀念的遊戲，更無租界外國可逃。而只能硬挺挺的站在人類的現實生活中以擔當人類現實生存發展的命運。在此種長期專制政治之下，其勢須發生某程度的適應性，或因受現實政治趨向的壓力而漸被歪曲；歪曲既久，遂有時忘記其本來面目，如忘記其「天下為公」，「民貴君輕」等類之本來面目，這可以說是歷史中的無可奈何之事。這只能說是專制政治壓歪，並阻遏了儒家思想正常的發展，如何能倒過來說儒家思想是專制的護符。但儒家思想，在長期的適應，歪曲中，仍保持其修正緩和專制的毒害，不斷給與社會人生以正常的方向與信心，因而使中華民族，度過了許多黑暗時代，這乃由於先秦儒家，立基於道德理性的人性所建立起來的道德精神的偉大力量。研究思想史的人，應就具體的材料，透入於儒家思想的內部，以把握其本來面目；更進而了解它的本來面目的目的精神，在具體實現時所受的現實條件的限制及影響；尤其是在專制政治之下，所受到的影響歪曲，及其在此種影響歪曲下所作的向上的掙扎，與向下的墮落的情形，這才能合於歷史的真實。梁啟超住在租界裡面寫〈異哉所謂國體問題者〉，卻在《中國歷史研究法》中，大罵無租界可住的古人，何以會由臨文不諱，變而為臨文有諱？今人常在他們所不願意的宣言上簽上自己的名，常在他們所不願意的場合說上連自己也不相信的話；卻怪無外國可跑，無憲法可引的古人，何以不挺身而起，對專制政治作革命性的反抗？此皆由顛倒之見未除，所以常常拿自己在千百年以後所不能作之事，所不敢自居之態度，以上責於千百年前之古人，這如何能與古人照面呢？對古人的不忠不恕，正因為今日知識分子在其知識生活中，過於肆無忌憚。

我中年奔走衣食，不曾有計劃的做過學問。垂暮之年，覺得古代思想堡壘之門，好像向我漸漸開了一條隙縫，並從縫隙中閃出了一點光亮；所以這幾年作了若干嘗試性的工作。此一工作對我個人說，僅僅算是開端；就全般工作自身說，幾乎並未開始，而依然是一片廣漠的處女地。因此，我對下一代的人在此一工作中的期待，遠過對我自己的期待；所以當本集付印之際，不敢阿附時賢，而率直寫出這些感想。

徐復觀於東海大學　一九五九年十月二日

《中國人性論史先秦篇》

再版序

一

茲當本書再版之際，願把本人寫此書時的若干用心，簡單陳述出來，或者對讀者能有所幫助。

首先要說明的是，我對與此書有關的文獻，曾作過一番艱苦地考證工作。我在著手此種工作時，不是存心去翻古人的案，也不是存心去翻今人的案。並且原來的打算是：在這一方面，盡量利用他人的成果，藉便把時間、精力，集中在思想的抓梳、條理方面。但因偶然的機會，發現一般視為權威的說法，其根據的薄弱，使我為之駭然。嗣後對這類的考證，稍加覆案，即逼使我非自己動手不可。我在資料的搜集、批評中，希望能從各個角度去發現問題；並希望能把各種因素加以比較、綜合，以導向問題的解決。同時，由重要名詞出現的先後，及抽象名詞內涵的演變，也可成為考證中之一助，也許是過去的考據家所未曾加以重視的。

二

先哲的思想，是由他所使用的重要抽象名詞表徵出來的。因此，思想史的研究，也可以說是有關的重要抽象名詞的研究。但過去研究思想史的人，常常忽略了同一抽象名詞的內涵，不僅隨時代之演變而演變；即使在同一時代中，也因各人思想的不同而其內涵亦因之不同。本書在方法上，很小心的導入了「發展」的觀點，從動進的方面去探索此類抽象名詞內涵在歷史中演變之跡；及在演變中的相關條件；由此而給與了「史」的明確意義。同時，思想史中的重要抽象名詞，不是僅用《爾雅》、《說文》系統的傳統訓詁方法，即能確定其內容的。而我先哲，又沒有下嚴格定義的習慣。許多混亂情況，即由此發生。我在本書裡，盡量使用歸納方法，以歸納出各家各人所用的抽象名詞的具體內容，為他們補出一種明確地定義；把各家各人雖用了相同的抽象名詞，但其關涉所及的範圍並不相同的情形，明確的指陳出來，這對於從不必要的歷史混亂中的脫出，或有所幫助。又如《論語》中「命」與「天命」，從傳統的訓詁上，不能發現二者間的差異；因而對孔子「五十而知天命」的意義，發生許多不相干的爭議。但經我用歸納方法，把二者不同的內容界定出來以後，便多少可以收點澄清之效。由此不難了解：以歸納方法補傳統訓詁之不足，是治思想史的人應當注意到的問題。

三

人格與一般物件不同。一般物件是量的存在，可以用數字計算，並可加以分割。人格是質的存在，不能用數字計算，並不能加以分割。人性論是以人格為中心的探討。人性論中所出現的抽象名詞，不是以推理為根據，而是以先哲們，在自己生命、生活中，體驗所得的為根據。可以說是「質地名詞」。「質地名詞」的特性，在於由同一名詞所徵表的內容，常相對應於人格的「層級性」而有其「層級性」。例如《論語》中的「仁」，孔子常對應於發問者在人格上的層級不同，對仁的指陳，也有其差異。但這不是平列性的差異，而是層級性的差異。平列性的差異，當然彼此間也可以發生左右互相影響的關連；但這常常是不同事物間的外在關連。層級性的差異，則不論由下向上通，或由上向下落，乃是一個立體的完整生命體的內在關連。西方少數以體認為立足點的哲學家及大文學家大美學家，常把這種內在關連，組成思想體系，以相對應的文字組織，表達出來；這便使讀者容易順著他們文字的理路，一直追尋下去，作如實的了解。中國的先哲們，則常把他們體認所到的，當作一種現成事實，用很簡單的語句，說了出來；並不曾用心去組成一個理論系統。尤其是許多語句，是應機、隨緣，說了出來的；於是立體的完整生命體的內在關連，常被散在各處，以獨立姿態出現的語句形式所遮掩。假定我們不把這些散在的語句集合在一起，用比較、分析、「追體驗」的方法，以發現其內在關連，並順此內在關連加以構造；而僅執其中的隻鱗片爪來下判斷，並以西方的推理格套來作準衡：這便是在立體的完整生命體中，任意截取其中一個橫斷面，而斷定此生命體只是如此，決不是如彼；其為鹵莽、滅裂，更何待論。馮友蘭的《中國哲學史》，以正統派自居；但其中除了對名家（辯者）稍有貢獻外，對孔、老、孟、莊的了解，尤其是對孔與孟的了解，連皮毛都沒有沾上；這倒不是來自他的不誠實，而是因為他不曾透過這一關。我在此方面的努力，不敢說已經有了什麼成就；但在內在關連的發現中，使散佈在各處的語句（例如《論語》中的「仁」），都能在一個完整生命體中，盡到一份構成的責任，佔一個適當的位置；並彼此間都可以發揮互相印證的作用。這即說明我對先哲思想的陳述，決非如少數人所懷疑的，是憑藉古人來發揮我自己的思想。並且我認為只有做到這一步，才算盡到治思想史的責任。

四

本書裡，實有不少的缺憾，我應藉此機會指出。第一、因論題所限，裡面完全沒有提到先秦名家；

對法家也談得不夠。關於前者，希望能由我的《公孫龍子講疏》及前面的一篇代序，來加以補助。關於後者，我即將在另一機會中有所致力。第二、我在對孔子思想的概述中，把《論語》中的孝弟思想，只包涵在仁的思想裡面，而不曾特別加以標舉，這是我的一大疏忽。此一缺憾，希望能由我的《中國思想史論集》裡面〈中國孝道思想的形成、演變、及其歷史中的諸問題〉一文，能稍加補救。第三、我在寫本書時，只著重把自己在研究中稍有所得的寫了出來。凡不是我研究所得的，便以為這不過是一般人所能了解的常識，可以從略。事後才知道，在五十年前的常識，在我當師範學生時的常識，現在卻存留在常識範圍之外。此一可悲的缺憾，目前是無法彌補的。當然其中對思想的疏導，還有不盡瑩澈的地方，這在目前也是無可奈何之事。書後新附的勘誤表，希望讀者肯加以利用；但可能還有失校的地方。

最後，我對王雲老肯將本書收到商務印書館的大學叢書之內，以增加與讀者見面的機會，表示誠摯地謝意。

中華民國五十七年十二月十八日徐復觀序於東海大學之寓廬

序

一

這裡所刊行的《中國人性論史先秦篇》，是對「一般性的哲學思想史」而言，我所寫的「以特定問題為中心」的中國哲學思想史的一部分。我的想法，沒有一部像樣的中國哲學思想史❶，便不可能解答當前文化上的許多迫切問題；有如中西文化異同；中國文化對現時中國乃至對現時世界，究竟有何意義？在世界文化中，究應居於何種地位？等問題。因為要解答上述的問題，首先要解答中國文化「是什麼」的問題。而中國文化是什麼，不是枝枝節節地所能解答得了的。不過，因為近兩百年來，治中國學問的人，多失掉了思想性及思考的能力，因而缺乏寫一部好哲學思想史的先行條件；所以要出現一部合乎理想的哲學思想史，決非易事。於是，我想，是否在歷史文化的豐富遺產中，先集中力量，作若干有系統的專題研究；由各專題的解決，以導向總問題的解決，會更近於實際？我之所以著手寫人性論史，正由此一構想而來。這裡所印出的是屬於先秦階段的。其中有的文獻，雖可以斷定是編成於秦代；但正如我在本書第十四章裡所說，這些可以視作先秦思想的餘波，所以我便一概稱之為《先秦篇》。

人性論是以命（道）、性（德）、心、情、才（材）等名詞所代表的觀念、思想，為其內容的。人

❶ 近三十年來，有人以為西方哲學，是以知識為主。若以此作標準，便認為在中國歷史中並無可以與之相對應的哲學；於是把原用的「中國哲學史」的名稱，多改為「中國思想史」的名稱；我覺得這是一種錯誤。西方的所謂「哲學」，因人、因時代，而其內容並不完全相同。希臘以知識為主的哲學，到了斯圖噶學派（Stoic school），即變成以人生、道德為主的哲學。而現時哲學的趨向，除了所謂科學地哲學以外，也多轉向人生價值等問題方面；則在中國文化主流中，對人生道德問題的探索，及其所得的結論，當然也可以稱之為「哲學」。「思想史」的「思想」一語，含義太泛；所以我主張依然保留「哲學」一詞，而稱之為「哲學思想史」，以表示在中國的歷史文化中，在這一方面的成就，雖然由於知識地處理、建構，有所不足；但其本質依然是「哲學地」的。在原用的「哲學史」中加入「思想」一詞，不是表示折衷，而是表示謹慎。等於說，中國歷史中沒有「政治學」，因為沒有建立成一套組織嚴密的「學地」系統；但卻有豐富地「政治思想」，而可以由我們的努力，把它拿來作「學地」建立；有如從鐵鑛中鍊鐵，從鐵中鍊鋼一樣。

性論不僅是作為一種思想，而居於中國哲學思想史中的主幹地位；並且也是中華民族精神形成的原理、動力❷。要通過歷史文化以了解中華民族之所以為中華民族，這是一個起點，也是一個終點。文化中其他的現象，尤其是宗教、文學、藝術，乃至一般禮俗、人生態度等，只有與此一問題關連在一起時，才能得到比較深刻而正確的解釋。我國歷史文化中的人文現象，有時會歧出於此一範疇之外；但這多屬民族地自覺，因某些原因而暫歸於墮退的時代。亦即是歷史的發展，脫了軌的時代。歷史的發展一旦恢復了正常，則由先秦所奠定的人性論，有如一個深廣的磁場，它會重新吸引文化的各部門，使其環繞此一中心以展開其活動。這並不是說，我在此書裡面，都直接解答了這些複雜的問題；而是說經過我的考查，發現這種密切地關連，乃是歷史中的事實。在本篇中，對古代宗教，是如何向人性論演進？提出了相當詳細地解答。爾後印度佛教的中國化，依然是由人性論的磁性所吸收而始完成了它的轉向。我在〈《文心雕龍》的文體論〉一文中，曾指出中國的文學理論，雖然出現得較西方為遲；但作為此一理論中心的「人與文體」的關係，卻較西方提出得早一千多年之久。這種情形，也只有在中國文學的一般文化背景上，即是在人性論的文化背景上，才可加以解釋。而我國的藝術精神，則主要由莊子的人性論所啟發出來的。這都是很顯著的例子。

二

我認為中國哲學思想的產生，應當追溯到殷周之際；所以我便從周初寫起。胡適認為《尚書》「無

---

❷ 請參閱本書第十四章。第十四章是一個結論，但也可以說是一個概論。所以讀此書的人，最好先從第十四章看起。

論如何，沒有史料的價值」❸，這大概不是常識所能承認的；尤其是對其中的周初文獻而言。先秦雖百家爭鳴，但總應以儒、道、墨三家為主幹。而站在人性論的立場，墨家卻居於不重要的地位。本篇在次序的安排上，把儒家放在道家的前面，決不是像胡適說馮友蘭一樣的，「認孔子是開山老祖」，所以在「孔子之前，當然不應該有一個老子」❹。我對於馮友蘭「孔子實佔開山之地位」的說法，及胡適「道家集古代思想的大成」的說法❺，都完全不能了解。如馮所說，則孔子的思想，難道真是「生而知之」❻？而孔子自稱為「述而不作」的「述」，豈非全係誑語？我國古代思想中的《詩》、《書》、《禮》、《樂》，仁、義、禮、知、忠、孝、信等，在道家思想中並未加以肯定；而道家以虛、無為體的思想，亦為道家以前所未有。在這種情形之下，則胡氏的所謂「集大成」，到底作何解釋呢？我之所以把儒家安排在道家前面，並一直敘述到《大學》為止，乃認為儒家思想，是由對歷史文化採取肯定的態度所發展下來的；道家則是採取否定的態度所發展下來的。先把由肯定態度所發展下來的思想，順其發展的歷程，加以敘述，這對於歷史文化發展的線索，比較容易看得清楚。我在儒家與道家之間，加入了談墨子的第十章，這是因為墨家在人性論方面的思想，相當的貧弱；並且儒道兩家思想，在孔、老之後，皆有其自身之發展。但墨家的活動，雖大概延續到了戰國末期；可是除了「別墨」對名學思想有所致力外，墨子本人的思想，在其後學中，幾乎看不出有什麼發展之跡；所以對先秦這一意義重大的學

❸ 見胡適《中國古代哲學史》二十二頁。

❹ 同上，〈臺北版自記〉。

❺ 馮說見於其《中國哲學史》的二九頁。胡說見於其《淮南王書》手稿本十六頁。

❻ 孔子當時，有人認為他是「生而知之」，這實際是來自傳統的宗教意識。所謂「生而知之」，即認為孔子的知能，是出自「啟示」。後人對此，似都無確切地解釋。

派，在本篇中只分給它短短一章的地位。這孤單地一章，由排列形式上的要求，只好把他安放在儒道二者之間，此外更無深意。

三

在我的研究休假一年中，把時間完全用在有關資料的閱讀、抄錄，及日本旅行方面去了。等到拿起筆來寫的時候，則只能利用授課的餘閒。因為我教書的經驗不夠，必須做許多準備工作，所以這裡的十四章正文，和三個附錄，都是在時斷時續的狀態之下，作為一篇一篇的獨立論文而寫成的。這便不免於有互相重複，或前後照顧不到的地方。尤其是各章文字的不統一。雖經再三改正，總還留有一些痕跡。附錄一是為了論斷道家思想發展所不可少的考證工作。附錄二，不僅由對先秦若干文獻的時代、解釋，等問題的澄清，而使先秦思想發展的線索，得以特別明顯；並且為得要了解先秦與西漢，在文化思想上不同的性格，也提供了確切地根據。而附錄三，經把辯論時不適當地辭句，加以刪節後，只作為附錄二的補充，才收入進去的。上面的文章，除了第十四章外，都曾在刊物上發表過。這一方面是為了希望能得到朋友的教正。更重要的是，經過了一些時候，再看自己已經刊出來的文章，在心理上，彷彿是完全處於一個負責地第三者的地位，才容易作進一步的思考與檢證。所以已經刊出的文章，除了三個附錄，僅增入若干論證的材料，修正不多以外；其餘的，都經過了詳細的修正，乃至改寫。在本篇以前，我所發表過的有關文章，有的觀點與結論，和本書所說的，若有所出入，當然應以此書為準。愈是迫近到研究的對象，愈感到要把握住一個偉大地人格，及把握由一個偉大人格所流露出來的思想，該是多麼困難的事情。我在研究過程中，雖然盡力要守住「不笑、不悲、不怒、只是理解」（Non ridere, non lugere, neque detestari, sed intelligere）的斯賓諾莎（Spinoza 1632-1677）的格言；但常常感到站在研究的對象面前，自己智能的渺小。所以在本書中，不僅因題目的限制，以致有許多重要方面，完全略過了。即在用力寫到了的範圍之內，恐怕也有不周到，不深切的地方。我想，這只有希望將來有機會能寫若干專文彌補。更希望能得到學術上地有力批評。

四

我對於材料的批判和解釋，有的和傳統乃至時下的許多說法，並不相同。但可以負責地說一句，我既不曾有預定的立場；更無心標高立異；而只是看了許多有關的說法以後，經過自己的批判，順著材料的本身，選擇一條心之所安的道路。我的批判能力，當然是有限的。但我斷沒有不經過一番批判，而隨便採一說，建一義的。其中，應當有許多對比的討論，而始易明瞭其是非得失之所在。但這樣作下去，那將顯得非常枝蔓。並且有許多說法，在今日看起來，並不需要去批評。所以我只對於有代表性或有影響力的不同意見，間或加以討論。不過，我在這裡應當鄭重申明一句，我對於中、日兩國時下學人有關的著作所提出的討論，和我對於朱元晦、王陽明，所提出的討論，完全是出於同樣的態度。有的地方我批評了朱元晦、王陽明；但決不曾減少我對這兩位大儒的敬意；而這兩位大儒在學術上的地位，也決不會因我的批評而受絲毫損失。我年來漸漸了解，一個人在學術上的價值，不僅應由他研究的成果來決定；同時也要由他對學問的誠意及其品格之如何而加以決定。學問是為人而存在；但就治學的個人來說，有時也應感到人是為學問而存在。我們每一個人的努力，都希望對「知識的積累」，能有一點貢獻。自己的話說對了，這固然是一分貢獻；能證明自己的話說錯了，依然是一分貢獻。當我寫〈中國孝道思想的形成、演變、及其歷史中的諸問題〉一文❼時，推斷《孝經》是成篇於西漢武昭之際。友人牟潤孫先生來信，認為我把時間推斷得太後；我當時並未能接受。但經過這幾年隨時留心的結果，發現牟先生的話是正確的。我一面感謝牟先生的啟發，使我經過一段時間後能發現自己的錯誤；同時，也感到由此一錯誤的發現，而能使我那一篇文章更為完整。中國兩百年來在學術上的落後，不僅是鐵地事實；而且這種距差，還在一天一天地增加。即以中國人研究中國的學問而論，我原以為兩百年來，雖然很少值得稱為有系統地知識的探究；但在訓詁、考證方面，總應該有可供利用的基礎。尤其是在倡導科學方法之後。但這幾年我漸漸發現，連這一方面的工作，也多是空中樓閣。許多考據的文章，豈特不能把握問題的背景；最令人駭異的是，連對有關資料的文句，也常缺乏起碼的解釋能力。甚至由門戶、意氣、現實利害之私，竟不惜用種種方法，誘迫下一代的優秀青年，在許多特定勢力範圍之內，作「錯誤累積」的工作，以維護若干人在學術上的地位。假使有青年想憑自己獨立地意志去追求真是真非，便很難有插足學術研究機關的機會。因此，我們這一代乃至比我們更上一代，研究中國學問的人，除了其中極少數的人以外，豈僅在學術上完全交了白卷，實際還在率下一代的人去背棄學術。因此，我懇切呼籲已經在學術界中取得了一些地位的先生們，要有學術的良心，要有學術的誠意，要向下一代敞開學術研究之門；這是我們這一代的知識份子必須有的良心上的贖罪。我再進一步說一句吧！站在人類文化的立場，沒有任何理由可以排斥對歷史中某一門學問的研究工作。我也發現不出今日中國知識份子在學術上的成就，具備了排斥某一門學問的資格。在長久的中國歷史中，可以頂天立地站起來的知識份子，為數非常有限。兩百年來流行的無條件地排斥宋明理學的情形，經過我這幾年不斷地留心觀察，發現這並不

❼ 此文收入《中國思想史論集》中。

是根據任何可以稱為學術上的研究的結論；而只是壞的習性，相習成風；便於有意或無意中，必以推倒在歷史中僅有的，可以站得起來的好知識份子為快。這和在政治上，在社會上，壞人必定編出許多藉口以排斥正人君子，是出於同樣的心理狀態。而宋明兩代的歷史事實，正證明這兩代的理學家，雖各有其缺點，但皆不失為君子。而結羣存心去打倒他們的人，卻可以斷定，十九是一批小人。誰能推翻這種歷史上的公是公非呢？清初顧、顏他們的反理學，實際乃是理學自身的補偏救弊。顧亭林所提倡的「行己有恥」；顏習齋的特別重視禮，並以每日「習恭」為修持之法，其本身都是一種理學。他們對宋明學的批評，實有如朱陸之爭，不能作今日反理學的人們的借口。我之所以不怕時代風險，說出這些使人厭惡的話，是痛切感到由於我們知識份子之不曾盡到起碼地責任而來的民族命運之可悲，及每一個人在學術面前智能的渺小；所以希望大家應痛加反省；不可再作今後學術正常研究工作的絆腳石乃至罪人。以我在今日的環境、地位，難說除了希望在學術上為民族留一線生機的真誠願望以外，還能有其他的個人企圖？而這類的真話說得越多，越會使我陷於孤立，這點為自己打算的聰明，我是具備的。我在這裡，是以和許多知識份子負擔同樣的責任、罪過的心情，來說這種話的。

陳生淑女，為我抄錄了約四十萬字的資料；蕭生欣義，為我獨負校對之勞；在校對中常提出很好的意見；並和李生英哲，將目錄譯成英文。更承彭醇士先生賜署書眉；這都是值得非常感念的。

一九六二年十二月廿八日徐復觀自敘於臺中市私立東海大學

補記

本書寫成於十二年前。茲當商務印書館刊行第二版之際，改正若干地方，並補充若干材料，以表示在可能範圍內對讀者多負一點責任。希望我在兩漢思想史寫完後，尚有時間精力，為《論》、《孟》、《老》、《莊》這四大中國文化支柱寫出注解，使其成為現代可讀之書。

㈠頁一六「二、周初文化的系屬問題」，是說明夏殷未亡時，乃當時所承認之共主，而周文化乃殷帝國文化中的一支。此一斷定，是完全可以成立的。年來地下器物的發現，證明周初銅器的形式，及墓葬的情形（但周初已無殺人殉葬之事），皆襲殷商之舊；至康、昭後，始逐漸表現出周器的特色；這便為孔子所說的「周因於殷禮」作了堅強的證明。而殷周的關係，應加上《詩經》中的兩條材料。《詩・大雅・大明》「摯仲氏任，自彼殷商。來嫁於周，曰嬪於京。乃及王季，維德之行」。文王「殷之未喪師，克配上帝。」

㈡頁四二——六，說明周初含有人文意義的重要觀念，是由「彝」這一名詞所代表，而不是由「禮」這一名詞所代表。禮開始只指祭神的儀節而言。春秋時代所說的禮的內容，是接受了彝的觀念而逐漸發展出來的這一說法，應加上周初金文，沒有出現禮字的事實；及近年周墓的大量發掘，只在西周末期墓葬中，才出現與儀禮及其他有關材料所說的葬禮相合的事實。這似乎可以加強我的說法。

㈢頁五一——六，我舉出六點以說明春秋時代「宗教的人文化」。在「第六」一段的後面，應加上一段，其意義更顯。

在上述的轉化中，人更確立了自己的主體性，認吉凶是決定於人而非決定於神。《左・僖》十六年周內史興謂「吉凶由人」；《左・僖》二十一年，魯僖公因大旱而欲焚巫尪。「臧文仲曰，非旱備也。脩城郭，貶食，省用，務穡，勸分，此其務也。巫尪何為？」，《左・昭》十八年鄭子產對於裨竈請禳火災謂「天道遠，人道邇，非所及也，何以知之，竈焉知天道」。十九年，國人請禁龍鬪，子產謂「吾無求於龍，龍亦無求於我。乃止也」。由對神的束縛的擺脫，而人確立了自己的地位，在當時的賢士大夫中，已展開一片理智清明的世界。

㈣從頁六三—七六，我提出六點來說明「孔子在中國文化史上的地位」；但應把頁六四的「第一」改為「第二」，而加入「第一，孔子最大貢獻之一，在於把周初以宗法為骨幹的封建統治中的孝弟觀念，擴大於一般平民，使孝弟得以成為中國人倫的基本原理，以形成中國社會的基礎，歷史的支柱。程伊川在所寫的〈明道先生行狀〉中說：『知盡性至命，必本於孝弟』，這說的不是庸俗空泛的話；其意義非常深遠。這是把握中國文化特性的一個基點。」當我以虔敬之心寫到孔子時，卻遺漏了這重要的一點，使我感到非常慚愧。同時年來漸漸了解，一般浮沉鄉曲之士，餖飣考據之徒，固不足以知孔子。立足於西方哲學的先生們，也不易了解孔子。則中國文化今日的遭遇，決非偶然。

㈤頁一四二—五，主要在指出《中庸》下篇的「載華嶽而不重」的華嶽，並不是陝西華陰縣的西嶽華山，而係齊國境內的兩個山名。這裏應補出《史記．封禪書》的一段材料。〈封禪書〉：「及秦並天下，令祠官所常奉天地名山大川鬼神，可得而序也。於是自殽以東，名山五（據上文，即秦及其以前之五嶽），大川祠二。曰太室，太室，嵩高也。恆山，泰山，會稽，湘山（按即今日之衡山）……自華以西名山七，名川四。曰華山，薄山，薄山者襄山也。岳山，岐山，吳岳，鴻冢，瀆山，瀆山，蜀之汶山也」。是秦時之華山，不在五嶽之數，而袁子才們因「載華嶽而不重」一語，遂疑《中庸》出於秦世之說，為不足據信，又《左．襄》二十八年齊慶封「反陣於嶽」；此嶽雖是里名而不是山名，但要因係先有嶽山之山名，而後有因山得名之里名。由此可知《山海經．東山經》「又南三百里曰嶽山」，是齊本有嶽山，可以相信的。

㈥頁二〇九行倒十二，我以「按照」兩字譯《易・說卦》「將以順性命之理」的「順」字，不妥。應由順從之訓而引伸為「條暢」之義。性命之理，是潛伏著的，賴《易》而得以條暢出來，故用「將以」兩字。

㈦頁二二八行十四引《荀子・天論》篇「物之罕至者也」下漏「怪之可也」一句，應補入。

㈧頁二六七行七我說「《周禮》一書，在我看，大約成篇於戰國中期前後」。年來研究的結果，認為係由王莽劉歆們編纂若干古典材料，再加入自己的政治理想而成。其中〈大司樂〉乃所收錄古典之一。又頁二六八我說呂不韋門客編纂《呂氏春秋・十二紀》時，「大學之觀念，至此尚未形成」，這是不對的。在〈十二紀〉、〈紀首〉中未出現「大學」一詞，是在編纂〈紀首〉時，尚未在有關歷史中發現「大學」的材料。但卷四〈孟夏紀〉、〈尊師〉「天子入大學，祭先聖，則齒嘗為師者弗臣」，這裏所述的不是歷史事實，而是寫這篇〈尊師〉（是一篇非常有意義的文字）的人的理想。這是最早出現的大學一詞。此後提到大學的，則有漢文帝時代的賈誼〈治安策〉，賈山《至言》。《呂氏春秋》述有秦滅六國之事，所以一直到秦統一天下後，還在繼續修補。我在頁二七三斷定《大學》一篇「是秦統一天下以後，西漢政權成立以前的作品」，是可以成立的。並由此而可一掃由日人武內義雄所引起的一連串的錯誤（見頁二六九—二七二）。至於頁二六九行一行二，我說「因有大學的觀念，才有小學的觀念」，還要採取保留的態度。因盂鼎有「余唯即朕小學」一語，是西周初已有小學。但從上下關連的文字看，此句的意義不能明瞭，則此處所說的「小學」，到底是什麼性質，也不能明瞭，有待於金文專家進一步的研究。且若周初已有小學，而以後七、八百年的文獻中，都未曾提到，這也是難於解釋的。但我不是否定有此可能性。

㈨頁三〇八行六「三、黃梨洲述劉宗周作《陽明傳信錄》之旨謂：」應改正為「三、述良知與《大學》之關係謂：」

(十)頁三二三我對墨子〈尚同〉的疏釋，失之於粗率。墨子在〈尚同〉中，主張各級統治者，皆由選舉而來。選舉的觀念，雖首見於《論語》的「選於眾，舉皐陶」；但提得最具體的卻是墨子。因此，他的政治思想，是認為只有由選舉出來的統治者，才值得人民與其相同。不把這一層說出來，便冤屈了這位偉大的思想家。

(土)頁三三七—九，疏釋老子所說的道的創生情形，是很妥切的。但對「夫莫之命，而常自然」這句話的解釋（頁三三九行五）則欠妥。這句話是承「是以萬物莫不尊道而貴德。道之尊，德之貴」下來的。所以「夫莫之命」的意思是說「萬物的尊道貴德，並非由於道德所命，而係萬物自己如此」。萬物若不尊道貴德，則宇宙、社會、人生，將因失掉了統宗而陷於混亂。若萬物尊道貴德是由道與德所命，有如統治者命令臣民尊貴他一樣，則萬物將因此而失掉了自由獨立；由此可知老子的這種說法，意義深遠。

(士)頁三八七疏釋《莊子》「精」的觀念，尚可補充〈秋水〉篇「河伯曰，世之議者皆曰，至精無形，至大不可圍……是信情乎？」〈則陽〉篇「精至於無倫，大至於不可圍」的材料。〈秋水〉、〈則陽〉，皆出於莊子後學之手。由〈秋水〉的「世之議者皆曰」的「皆」字看，可知「精」的觀念。在戰國末期盛為流行，在思想上發生了很大的影響。這在我《兩漢思想史》卷二（正印刷中）中，隨處有所闡述。

(圭)頁四〇四我引《莊子．齊物論》「道烏乎隱而有真偽」一段，中間不應將原文加以刪節。望讀者自己補全原文，以便更易於了解莊子的原意。

(亩)頁五一八—五二三，是說明「春秋時代的所謂五行，皆指生活中不可缺少的五種實用材料而言，決無後來所說的五行的意義」（頁五二三行二―三）。此尚可補充下面的兩個材料。《國語・鄭語》史伯答鄭桓公（鄭始封之君）之問中有謂：

「故先王以土與金木水火，雜以成百物」，韋注「成百物，謂若鑄冶煎烹之屬。」

又《國語・魯語》：

展禽曰……及天之三辰，民所以瞻仰也。及地之五行，所以生殖也……

㈤頁五二七行六―十四，是和屈萬里先生討論〈禹貢〉成書年代的。屈先生由兩點斷定〈禹貢〉是戰國時期的作品。第一點，周初的疆域沒有〈禹貢〉上所說的九州那樣大。第二，中國人開始用鐵，乃在戰國時代，而〈禹貢〉中已出現一個鐵字。我從文獻上的材料，反對屈先生的說法。我的說法，現在可以補充的是：關於第一點，由近二十年來地下材料的不斷發現，已證明周初疆域，北到了熱河遼寧，西到了四川的川東川北；南到了江蘇的蘇常一帶及湖南的大部分，這已包括了〈禹貢〉上的九州。但有人說，九州的觀念，乃始於戰國時代。這不僅抹煞了許多文獻上的紀錄，且對〈叔弓鎛銘〉「咸有九州，處禹之堵」，又作何解釋呢？近年出版了一部辛樹幟著的《禹貢新解》，顧頡剛曾為他作了文字上的修飾。辛氏堅持這是西周全盛時期太史所錄（按與我的推論，大體相同），引起了許多人的反對。反對的最重要根據是「〈禹貢〉中之鐵及漆，皆在戰國時始盛行。近年所掘西周墓葬，未見鐵漆痕跡」。（夏鼐）但由我下面引用的材料，都得到了解答。

關於第二點，因為屈先生對鐵的問題，不信文獻上的資料，我便引用了梅原末治〈中國出土的一羣銅利器〉一文中所說的，有的銅利器把鐵嵌入到裏面去作刃，梅原氏斷定這羣利器是周初或殷末的。因而我認為西周初年已用到鐵。但屈先生說，「在我（屈先生自稱）是不敢得到徐先生那樣論斷的」。對我所引的梅原末治的地下材料，他說「似乎還有討論的餘地」（以上皆見頁六〇五所轉引）。現在我更引一個無討論餘地的地下材料，以釋屈先生之疑。

一九六五年九月，在藁城縣臺西村的西臺，因農民取土，發現了成組的商代銅器及長達三九釐米的玉戈。一九七二年十一月，農民於農作中，又在同地點的最低層發現了青銅鼎、瓿、斝、觚、匕、刀、戈茅、鐏和玉刀、璇璣、石磬等。伴出的還有一件鐵刃青銅鉞。其年代約當西紀前十四世紀前後。通過化學定量分析，金相觀察，電子探針微區分析，X光線透視，確認銅鉞的刃部，係古代冶鍊的熟鐵（不同於現代生產方式生產的熟鐵）；包入器身內的鐵刃殘部約一釐米左右（《文物》一九七四年八期〈河北藁城縣臺西村商代遺址一九七三年的重要發現〉）。一九七三年六月到十一月，在上址東西兩側進行發掘，發現了房子、水井、墓葬。十幾塊殘鐵渣，及技術水準很高的漆器殘片。這些漆器殘片，雖殆已腐朽，但有些仍能看出器形，有盤、有盒。花紋分饕餮紋、菱紋、雷紋、蕉葉紋幾種；均為朱文地黑漆花。有的花紋上還嵌有磨制成圓形、方圓形、三角形嫩綠色的松石，色彩絢麗鮮明。漆面烏黑發亮，很少雜質。（同上）。這不僅把〈禹貢〉上的鐵與漆的問題解答了；並且《山海經》上記有百多個產鐵的地方，而〈禹貢〉上卻只有一處，這說明此時對鐵的產地、用途，是知道得很少的。正可證明〈禹貢〉是出於西周的太史們之手。

㈥頁五七八行八起，到頁五八四止，是談董仲舒與陰陽五行的關係的。大體上可以成立。惟對此一問題，直到我寫了約九萬字的〈春秋繁露研究〉（收入《兩漢思想史》卷二）時，才澈底弄清楚。簡單說一點，在董仲舒手上，還沒有把五行組入到陰陽下面去成為一個系統。把五行視為是由陰陽演化出來而成為一個系統，是受董仲舒影響以後，才發展出來，而明白紀錄在《白虎通德論》的〈五行篇〉的。

治中國思想史，不必太求於之高深，但須務能期之於精密。這在今日，真是大非易事了。

一九七五年一月十二日徐復觀記於九龍寓所

《中國文學論集》

再版　補編自序

我對中國古典文學，有濃厚地興趣，也有相當地理解。這些年來，所以把研究的精力傾注到中國思想史方面，完全是來自對中國文化的責任感。但因偶然地機緣，仍情不自禁地寫了些有關中國文學方面的文章；這裡補編的十六篇，是自己覺得比較有點意義的。

〈西漢文學論略〉，是一篇披荊斬棘性的文章，對中國文學史的研究，應當有若干貢獻。但其中也犯了些錯誤；藉此次彙印的機會，把它改了過來，好像放下了精神上所壓的一塊石頭。

以「文心雕龍淺論」冠名的七篇文章，再加上「釋溫柔敦厚」的一篇，都是為《華僑日報》「中國文學雙周刊」寫的；因篇幅限制，不得不出之以凝縮地方式。但此次重看一遍，好像是看他人的文章一樣，感到不是把精神完全沉浸下去，決無法寫出。有志研究中國古典文學的青年，也應當把精神完全沉浸下去閱讀。另有兩篇講演紀錄的短文，都是針對一個問題所提出的淺鮮看法，對青年也許有點幫助。談中國文學中想像問題的兩篇文章，似乎可以當「深切著明」四個字。

有關《紅樓夢》的三篇，應當引起讀者更大的感想；即是，百年來我們在文史上一片空白的最基本原因，到底在什麼地方，似乎可以得到一點解答。還另有答覆對我提出反詰的三篇文章，因反詰得愈來愈離譜，所以答覆的也沒有實質的意義，便不應再糟蹋紙張了。對《文心雕龍》和《紅樓夢》，還有預定要寫的文章，日暮途遠，我能許下什麼願心呢？

癸丑年十月廿七日記於九龍

自序

這裡印出的八篇文章，前面七篇，都曾在刊物上發表過，此次只對文字稍加整理。最後一篇——〈中國文學中的氣的問題〉——則係十年前已經預定要寫的；可是，因偶然地機緣，在這一方面寫了十多萬字；但預定要寫的，反一直拖了下來，拖到本書彙印的前夕，才倉促提筆寫成。即此一端，也不難想見我的生命，給偶然地機緣，銷耗得太多了。

從民國十五年起，受當時革命浪潮的衝激，一直到民國三十四、五年，我完全摒棄了線裝書，尤其是摒棄了宋明理學和桐城派的古文。但當無聊的時候，還讀讀詩詞，以資消遣；因此，也特別留心到中國文學史這方面的著作。中日有關這類出版的東西，總是盡量收集。到抗戰發生為止，所收集到的，都燬於民國二十八年日機對重慶的一次轟炸。等到我認識了熊師十力，而自覺到過去對中國文化的鹵莽愚妄時，在詩詞及文學這一方面的興趣，反而淡漠起來了。現在，進入到我心靈最深的，卻是我過去所摒棄最力的宋明這批人格主義的思想家。並且十多年來，也慢慢地重新了解所謂桐城派古文，在中國文學史中，必然要佔崇高地一席。我之所以用「重新」兩個字，說來真是惶恐；原來我在二十一、二歲以前，湖北的幾位老先生，也是我的恩師——王季薌、劉鳳章、黃翼生、李希如、孟晉祺諸位老先生，都認定我會成為此中的能手。誰知垂暮之年，卻只落得一雙白手呢！

友人牟宗三先生，看到我偶然寫的這方面的文章，曾來信鄭重地要我寫一部中國文學史。並認為假定我肯寫，定和我目前所寫的中國藝術史——即現時付印的《中國藝術精神》——同樣有價值。因為我的《中國藝術精神》中的一部分，牟先生曾經看到過。不過，目前中國文化界的趨勢，和民國十五年以後的二十年間的我一樣，正以鹵莽愚妄的態度，對待自己的文化；但在文學這一方面，還有些人感到興趣。只要感到興趣，總會慢慢地弄出點頭緒出來。此後的餘年，倘再能寫幾篇文學方面有關鍵性的文章，便已經不錯了。恐怕不容許我把寫一部值得稱為中國文學史的時間，安排到自己也不能完全控制的未來的日程裡面。

每門學問，都有它自己的世界，這即是一般所說的學術的自律性。目前所以不能出現一部像樣點的中國文學史，就我的了解，只因為大家不肯進入到中國文學的世界中去，而僅在此一世界的外面繞圈子。有的人，對於一個問題，搜集了許多周邊的材料，卻不肯對基本材料——作者的作品——用力。有的人，對基本材料，做了若干文獻上的工作，卻不肯進一步向文學自身去用力。所以在這類文章中，使人感到它只是在談無須乎談的文獻學，而不是談文學，不是談文學史。在某一文獻本身有問題時，談談文獻學，當然是需要的。在沒有文獻問題的典籍中去大談而特談其文獻學，便只有把文學驅逐得更遠了。至於鈔襲剽竊之流，又何足論。

上述情況，除了以派系霸佔地盤，維持飯碗，破壞了整個學術研究風氣的原因之外，切就文學史的本身而論，我想還有三個原因，會妨礙這工作的進展。第一，研究文學史的人，多缺乏「史地意識」；常常是以研究者自己的小而狹的靜地觀點，去看文學在歷史中的動地展出。不以古人所處的時代來處理古人；不以「識大體」的方法來處理古人；也不以自己真實地生活經驗去體認古人；而常是把古人拉在現代環境中來受審判；拉在強刑逼供，在鷄蛋裡找骨頭的場面中來受審判；拉在並不是研究者自己真實地生活經驗，而只是在自己虛憍浮薄的習氣中來受審判。我年來發現，有的人寫文章的目的，似乎是在造成歷史地冤獄，認為只有這樣才可以抬高自己的地位。第二，「凡屬文言的作品便是死文學；只有白話的作品，才是活文學」的口號，使文學史中，唯有俗文學才受到文學地待遇；五十年以前，每一時代的文學主流，便實際都受到「非文學」地待遇。文學史，是「文學地歷史」；是通過文學作品以發現有代表性的心靈活動，及在此活動中所真切反映出的人類生活狀態的歷史。只有在值得稱為「文學地作品」中，才顯得出人類的心靈活動。文言白話的自身，都不是文學，所以文學也無間於白話與文言。不能在文言中發現文學，也決不會在白話中發現文學。不能發現文學，如何能發現「文學地歷史」。第三，進化的觀念，在文學、藝術中，只能作有限度的應用。歷史中，文學藝術的創造，絕對多數，只能用「變化」的觀念加以解釋，而不能用進化的觀念加以解釋。可是時下風氣，多半把個人的文學觀點，套上未成熟地進化觀念的外衣，無限制地使用；結果，文學史中十之八九的人和作品，都在這些人的心目中，變成了過時的廢料。有的朋友諷刺我的興趣太廣。也許正因為這一缺點，而使我能從各種角度去了解文學、藝術，去承認文學、藝術多方面的價值。除了是虛偽的東西。

我這本書，在性質上，若套用日本常用的名詞，應當和同時印出的《中國藝術精神》，稱之為「姊妹篇」。但我不願這樣說，是因為《中國藝術精神》，係計劃地、有系統地一部書；而本書彙印的八篇文章，並非出於預定的計劃。雖然如此，但當我因偶然機緣的觸發而拿起筆來的時候，還能保持嚴肅地態度。假定這幾篇文章，對下一代好學深思之士，在文獻考證及思想把握的態度與方法上，能發生若干啟發性的作用，我便非常滿意了。其中錯誤之處，定所不免，我懇切希望能得到指教。此外我還寫過不少的有關文學、藝術的短篇文章，但多以介紹西方者為主，將來預備收印到我的雜文集中去。

友人朱龍盦先生，隱於下吏，書畫雙絕，人品尤高；本書封面的檢書，是他為我集的漢碑，至可感謝。

民國五十四年十月四日徐復觀自序於東海大學寓廬

把全稿交印後，又因偶然機緣的觸發，寫了一篇〈林語堂的蘇東坡與小二娘〉，順便收為附錄。我希望今後能做到不看時人這類的東西，以免控制不住自己的時間而浪費筆墨。

十月十一日又誌

《公孫龍子講疏》

先秦名學與名家——代序

一 名的起源問題

許氏《說文》二上「名，自命也。从口从夕。夕者冥也。冥不相見，故以口自名。」《淮南子‧繆稱訓》，「名，自命也」；許氏之說蓋本此。名到底是起於自命，還是起於命物，這是值得考慮的問題。禽獸之名，多近於禽獸所發之聲；但人僅因禽獸之聲以定禽獸之名；不能說禽獸之聲係出於自命。至於由从口从夕而說是「冥不相見，故以口自名」，張文虎《舒藝室隨筆》謂「其說甚陋」；李慈銘《越縵堂日記》謂「亦甚迂濶」。林義光則以為「夕是象物形，口對物稱名也」。按許氏對名字之解釋，是否得造字之原義，固難斷定；而諸家之說，亦不出猜度、傅會之域，其能是正許氏者至為有限。且古人造字，多係應機而作，不可全用今日合理之思考加以衡量。若以許氏對名字之解釋，未能得名字之原義，亦惟有保持闕疑之態度，不必過作穿鑿。且即使能得名字造字之原義，其對名之起源，亦不能作有力之說明。蓋有人類，即有某程度的語言；而語言的自身，即所以「自命」及「命物」。故可以說，名的發生，乃與人類自身同其久遠；文字之出現，則遠在其後。加以造「名」字之人，決不能以一字說明名之所由起。所以我們探討名的起源問題，應放棄語源字源的討論。甚至可以說，我們很難從歷史上明確地找出名的起源問題。中國古代的習慣，常把經過許多時代，並且是由許多人共同努力所完成的事物，說成某一個聖人的創作；比如燧人氏鑽木取火，神農氏教民播種百穀等是。《禮記・祭法》說「黃帝正名萬物」，也是由此種習慣而來的，不足為典據。

至於從制名的原則以說明起源的，則約略可分成理想的，和現實的兩派；前者可用董仲舒的說法代表。《春秋繁露》卷十〈深察名號〉第三十五：

名生於真。非其真，弗以為名。名者聖人之所以真物也。名之為言真也。

此一說法，是認為物之真，是由名而見，所以名與真是不可分的；也即是名與實是不可分的。這是把名的制定說得太理想化了；在事實上，名並非出於聖人；即使是聖人制名，也無法使名能恰如其真的。在此一說法的後面，實含有古老的宗教傳統，這在下面還要說到。

從現實上說明制名原則的，可用荀子的說法作代表。《荀子・正名》篇第二十二：

名無固宜，約之以命。約定俗成謂之宜。異於約，則謂之不宜。名無固實，約之以命實。約定俗成，謂之實名。名有固善，徑易而不拂，謂之善名。

名不是生於真，而是生於集體生活中的互相約束，互相承認。在此一說法中，不僅把名的神秘性完全打破了，並且認為名對實物而言，只是一種符號；這在現代的語言學中，依然有其重大意義。

二　名的特別意義及孔子的正名思想

人一開始即在集團中生活。為了達到共同生活的目的，必須憑藉語言以溝通彼此的意志。構成語言骨幹中的「名」，乃是指明各種事物及人己關係，以求互相了解、協同的。這是名的一般地意義。但在以神話為主的遠古時代，某物之名，不是認作某物的符號，而是認作某物的實體。把握到某物之名，即認為把握到某物之實體。因此，對神的希求，對惡物的避忌，對仇人的報復，都可通過對其名的某種形式的呼喚，認為即可達到目的。這是形成呪語的基本因素。佛教徒認為呼佛的名號而即可得到佛的慈悲；基督教徒認為呼主的名而即可得到主的救濟，都是來自這一古老的傳統。中國古代，當然也不會例外。但中國的原始宗教，從周初已開始動搖，經過《詩經》時代而到《春秋》時代，可說已經垮掉了；所以宗教的呪語，在上層社會的文化意識中，亦早經消失。尤其是在以老子孔子為中心的文化活動中，可以說原始的咒語，完全由合理的思維和合理的言語所代替了。但名的神秘性雖在宗教中褪色或消失，卻在政治上還發生很大的作用。貴族的統治階級，把自己由地位而來的名，認為即是政治權力的真。有此名，即無條件地應有此統治權力，人民即應無條件地服從他的權力。在這種觀念之下，名即是真，便無所謂正不正的問題。正因為如此，懷有野心的人，便不惜以竊名者竊位，以竊位者竊權力，釀成政治上攘奪相循的大混亂；這樣便出現了孔子的正名思想。

孔子的正名思想，是經過一段相當長時期對名的自覺而始能出現的。所謂對名的自覺，是不認為名的自身即有其神秘性的意義，而須另外賦與某種意義，使某種意義成為某種名之實，某種名乃代表某種實的符號。於是名的價值並不在其自身，而係在由它所代表的某種意義。

首先，名與禮是不可分的。《左》莊十八年：

十八年春，虢公晉侯朝王，王饗醴，命之宥，皆賜玉五瑴，馬三十匹。非禮也。王命諸侯，名位不同，禮亦異數，不以禮假人。

按「非禮也」以下，是左氏對此事所作的判斷。禮須與名位相合，這是政治上的秩序。不相合，這是表示政治的秩序未被尊重，便可以啟窺伺之心，紊上下之序。但在上述一段話中，重點是在禮而不在名。名的主要意義，在下面的一段話中說得更清楚。左成二年：

新築人仲叔于奚救孫桓子，孫桓子是以免。既，衛人賞之以邑，辭。請曲縣繁纓以朝，許之。仲尼聞之曰，惜也，不如多與之邑。唯器與名，不可以假人。君之所司也。名以出信；信以守器；器以藏禮；禮以行義；義以生利；利以平民；政之大節也。若以假人，與人政也；政亡，則國家從之，弗可止也已。

孔子上面的話，大概是經過了左氏的修飾。器和名，都是政治權力和秩序的象徵。名器不以假人，是尊重政治權力的秩序以求政治的安定。《國語．晉語》四「信於名，則上下不衍」，正是這種意思。孔子這段話成為後來司馬光作《資治通鑑》的主要思想，所以他特在「初命晉大夫魏斯趙籍韓虔為諸侯」下，發揮了一大段議論。不過上面的話，假定完全出於孔子，這也只是代表一種傳統的意見；只可稱之為「守名」，不能稱之為「正名」。《左》桓二年晉師服曰「夫名以制義，義以出禮，禮以體政，政以正名」，這裡直接把名和義連接起來以言正名，才可以說是孔子正名思想的來源；而正名思想，才是對名的問題的一種劃時代的發展；司馬光把守名與正名混而同之，這是出於他在政治上偏於保守的原故。

《論語》：

子路曰，衛君待子而為政，子將奚先？子曰，必也正名乎！子路曰，有是哉，子之迂也，奚其正？子曰，野哉由也！君子於其所不知，蓋缺如也。名不正，則言不順。言不順，則事不成。事不成，則禮樂不興。禮樂不興，則刑罰不中。刑罰不中，則民無所錯手足。故君子名之必可言也。言之必可行也。君子於其言，無所茍而已矣。（〈子路〉）

對於正名的意義，何晏《論語集解》引「馬曰，正百事之名。」孔子的正名思想，當然包括有「正百事之名」的意思在裡面。如《論語》「觚不觚，觚哉觚哉」，此即係正物之名。《穀梁》僖十九年〈傳〉「『梁亡』，『鄭棄其師』，我無加損焉，正名而已矣。」此即正事之名。但就上面答子路的情形來看，以正名為正百事之名，則未免解釋得太泛。朱元晦《集注》以為「是時出公不父其父而禰其祖，名實紊矣」；他的意思，孔子的正名，是要把當時衛國的父子爭國的問題重新加以處理，亦似嫌迂濶。名的正不正，不能決定於名的本身，而是決定於由名所象徵的實。名與實相符，這是名得其正。名與實不相符，即是名不得其正。孔子在這裡所提出的正名觀念，當然是在政治倫理上立論。於是作為名的正不正的標準之實，不是政治倫理上所居之位，而是對所居之位的價值要求。亦即是對所居之位，要求應盡到的責任。他答齊景公問政說「君君，臣臣，父父，子子」（《論語．顏淵》），這才是他在政治上正名的具體內容。「君君」的上一「君」字，是指人君之名；下一「君」字，是指能盡人君之道。當人君的人，能盡為人君之道，這才值得稱為人君，君之名與君之實才算相符，這才算君的名能得其正。否則有君之名，無為君之實，這即是君的名的不正。下面的「臣臣，父父，子子」，都應作同樣的解釋。前面所說的「名不正則言不順」，是說君若不盡為君之道，則政令（言）所要求於人民者，與人君自己的行為不相符合；此之謂「言不順」；「言不順」，是說言不順於所言之實，亦即是只以言教而不能以身教。這樣一來，「其所令反其所好，而民不從」（《大學》），所以言不順便事不成。事不成，則上下相違，教養皆闕，自然會禮樂不興。禮樂不興，便失掉了刑罰所以成立的合理原則，所以刑罰便因之不中，而使民無所措手足。假定說「名」是維繫貴族統治的主要工具，「正名」則係打破政治上名自身的神秘性，使其僅成為使人易於了解、把握的某種實的符號；於是統治者不再僅能靠其名其位來達到統治的目的。並且無實的名與位，是不正的名；不正之名所代表的位，應隨時加以改變或與以消滅。儒家在政治上肯定革命的權力，與正名思想，有密切地關係。這對貴族政治，封建政治而言，是給與了一致命的打擊。至於老子的無名，一方面是來自他的「無」的形而上學；一方面是對由傳統之名所象徵的權力統治，有加以徹底否定的意味在裡面；這在破壞貴族統治上，也有極大的意義。但戰國末期的道家，卻都從正面討論了正名的問題。

孔子的正名思想提出以後，更影響到戰國時代的各家思想。在以君道臣道來正統治者所居之名，所居之位的這一點上，沒有得到很明顯的發展；因為這要和當時的統治者發生直接地衝突。但在以一般地政治問題為中心而正百事之名上，卻有了相當地發展，這即是政治中的名實問題或形名問題。《墨子》的〈經〉上下、〈經說〉上下、及〈大取〉、〈小取〉，皆有正名的討論。就《莊子．天下》篇看，這都是出自墨子後學之手。《荀子》及《呂氏春秋》，皆有〈正名〉篇。《春秋繁露》有〈深察名號〉篇。現行《尹文子》，大約出現於西漢之末，其上篇主要談的是正名的問題。他並將名的內容，綜合為三科。他說「名有三科，法有四呈。一曰命物之名，方圓白黑是也。二曰毀譽之名，善惡貴賤是也。三曰況謂之名，賢愚愛憎是也。」這裡應附帶提醒一句的是，《尹文子》把先秦以政治為正名之名的主要內容，卻劃分到「法有四呈」裡面去了；這說明先秦的正名思想，在西漢末期已開始模糊起來。

經長期演變而成的《管子》，對正名問題雖未設有專篇，但下面的材料，正可看出這一派人對名的重視。《管子．樞言》第十二「有名則治，無名則亂；治者以其名。」「名正則治，名倚則亂，無名則死；故先王貴名。」〈心術〉上三十六「物固有形，形固有名，名當謂之聖人。」「物固有形，形固有名。此言（名）不（王念孫謂不字上當有名字）得過實，實不得延（張佩綸謂「延名乃過名之誤」）名。姑（張佩綸謂姑當作故）形以形，以形務名。督言正名，故曰聖人。……無為之道，因也。因也者，無益無損也。以其形，因為之名，此因之術也。名者聖人之所以紀萬物也。」〈白心〉第三十八「是以聖人之治也，靜身以待之，物至而名自治之（尹註「循名責實，則下無隱情，故理」）正名自治（原「治」下有「之」字，依王念孫校刪），奇名（原「名」字在「自」字下，依王念孫校正）自（原「自」字作「身」字，依王念孫校改）廢。名正法備，則聖人無事。」〈九守〉第五十五「循（原作修，依王念孫校改）名而督實，按實而定名；名實相生，反（猶還也）相為情。名當實則治，不當則亂。名生於實，實生於德，德生於理，理生於智，智生於當。」以上的材料，大約是出現在戰國的末期。裡面是把儒、道、法三家，尤其是把道家的思想，摻和在一起的。

韓非集法家的大成；並取老子之言，以為其法的根據，所以更重視形名的問題。下面僅引〈主道〉第五的一段材料作代表：

> 有言者自為名，有事者自為形。形名參同，君乃無事焉，歸之其情。
>
> 故羣臣陳其言，君以其言授其事，事以責其功；功當其事，事當其言，則賞。功不當其事，事不當其言，則誅。

由上面所引的簡單材料看，戰國中期以後，言政治的，幾無不受孔子正名思想的影響，對正名的內容，作各適應於其基本政治思想的規定。這裡應當附帶說明的是：自從嚴復以「名學」一詞作為西方邏輯的譯名以後，便容易引起許多的附會。實則兩者的性格，並不相同。邏輯是要抽掉經驗的具體事實，以發現純思惟的推理形式。而我國名學則是要扣緊經驗的具體事實，或扣緊意指的價值要求，以求人的言行一致。邏輯所追求的是思惟的世界；而名學所追求的是行為的世界。兩者在起步的地方有其關連，例如語言表達的正確，及在經驗事實的認定中，必須有若干推理的作用。但發展下去，便各人走各人的路了。中國文化中所以未曾出現形式邏輯，這不關係於文化發展的程度，而關係於文化的性格及其所追求的方向；即是它主要是追求行為的、實踐的方向。

三　辯者與名家

名家一詞，出於司馬談〈論六家要旨〉：《漢書・藝文志》，列有「名七家三十六篇」，並敘之謂：

> 名家者流，蓋出於禮官。古者名位不同，禮亦異數。孔子曰，必也正名乎。名不正，則言不順；言不順，則事不成；此其所長也。及謷（工釣反）者為之，則苟鉤鈲析亂而已。

如前面所述，自孔子倡導正名思想之後，先秦各家，幾乎都有其正名思想。於是胡適認為不應特立名家為一家。馮友蘭則根據《莊子》上的材料，把《漢志》上所舉的名家七家，改稱之為「辯者」。《莊子・天地》篇「辯者有言曰，離堅白若縣寓。」〈天下〉篇「惠施以此為大觀於天下，而曉辯者，天下之辯者相與樂之。」「辯者以此與惠施相應，終身無窮」。「桓團公孫龍，辯者之徒，飾人之心，易人之意；能勝人之口，不能服人之心，辯者之囿也。惠施日以其知與人之辯，特與天下之辯者為怪，此其柢也。」「惠施不能以此自寧，散於萬物而不厭，卒以善辯為名」。這一派人的特點，不是以解決現實問題而與人辯論，乃是為了辯論的樂趣而與人辯論；由此可知馮友蘭把他們概稱之為辯者，並無不當。而且在〈天下〉篇所舉當時辯者的二十三個論題中（惠施的十二論題除外），有的現在不能完全明瞭，有的分明是與公孫龍的主張相反，如「犬可以為羊」者是；但有的卻分明為現存《公孫龍子》中的命題，如：「火不熱」，「目不見，指不至」，「狗非犬」等；則公孫龍之為辯者之一，是沒有問題的。馮氏又因《莊子．秋水》篇有「公孫龍問於魏牟曰，龍少學先王之道，長而明仁義之行；合同異，離堅白；然不然，可不可；困百家之知，窮眾口之辯，吾自以為至達矣」的一段話，認為當時辯者可分為「合同異」及「離堅白」兩派；這兩派在莊子及其學徒的心目中都是「辯者」，所以便由公孫龍一人的口中表達出來。若將〈天下〉篇所舉惠施的十二個論題，以作合同異一派的代表；而以今日可以看到的《公孫龍子》，作離堅白一派的代表；則馮氏這種說法，也是可以成立的。但並不能因此而否定司馬談的「名家」一詞的建立。

司馬談〈論六家要旨〉，把先秦思想，分為六家，即是分為六大類或六大派；這在思想史的整理、把握上，是一件了不起的工作。他的價值不關係於他對各家評斷的是否得當。他對名家的陳述是：

「名家使人儉（與檢通，按猶察也）而善（易）失真。然其正名實，不可不察也」。又：「名家苛察繳繞，使人不得反其意；專決於名，而失人情，故曰使人儉而善失真。若夫控名責實，參伍不失，此不可不察也」

司馬談與《漢志》對名家的陳述，有一不同之點；即是《漢志》以孔子的正名，為名家主要地特徵；司馬談雖然也說他們是「正名實」，在這一點上，與其他各家的正名思想，似乎並無不同。但名家之所以為名家，乃在於他們是「專決於名」。他們之所謂實，乃是專從名的本身去認定實。例如公孫龍的離堅白，乃是從「堅」是一名，「白」又是一名；因而推論堅為一實，白又另為一實；堅與白，雖由與石或其他物結合而為人所拊所見；但未與石或其他物相結合時，堅與白仍潛伏（藏）於客觀世界（天下）之中而為各自獨立之存在。在其他各家，對名與實之是否相符，乃是以觀察等方法，先把握住實；再由內外經驗性的效果以證明實，看名是否與此實相符；這是「專決於實」，而不是「專決於名」。換言之，諸家是由事實來決定名；而公孫龍這一派，則倒轉過來成為由名來決定事實；他們是以語言的分析來代替經驗事實，而成為玩弄語言魔術的詭辯派。司馬談乃至許多人對他們的批評，皆由此而來；所以把他們特稱之為名家，以與其他主張正名各家的思想作一區別，並無不當。

問題的混淆，還是出在《漢志》。《漢志》一方面以正名為此派主要的內容；而將此派的特色，僅歸之於「警者」。同時又把「合同異」的惠施一派，也歸在名家裡面；惠施可以說是「辯者」中的一派；但他實屬於《荀子・解蔽》篇所說的「惑於用實以亂名」的一派，而不應屬於「專決於名」的一派。假使司馬談自己舉出名家的著作，恐怕不會把「《惠子》一篇」列在裡面。但這裡應附帶提出的是，荀子所說的「惑於實以亂名」的一派，就其所舉例證來看，如「山淵平，情欲寡，芻豢不加甘，大鍾不加樂」等，則他們之所謂實，乃指究竟性質之實，或可能性之實而言。他們是以這種實來破壞日常生活經驗中之實，因而破壞日常生活經驗中所立之名的。總之，「辯者」一詞，可以包括當時合同異與離堅白的兩派；而「名家」一詞，可以指的是「辯者」中離堅白的一派。

四　公孫龍及《公孫龍子》

《史記・孟荀列傳》「而趙亦有公孫龍，為堅白同異之辯。」又〈平原君列傳〉「虞卿欲以信陵君之存邯鄲為平原君請封。公孫龍聞之，夜駕見平原君曰……平原君遂不聽虞卿。……平原君厚待公孫龍。公孫龍善為堅白之辯。及鄒衍過趙言至道，乃絀公孫龍。」這與〈仲尼弟子列傳〉所稱的「公孫龍，字子石，少孔子五十三歲」，其另為一人，至為明顯。再將《史記》上面的記載，與《呂氏春秋・審應》篇所載有關公孫龍的三個故事，及〈淫辭〉篇所載「孔穿公孫龍相論於平原君所」的故事，互相參照，則他是趙人，曾為平原君客，其生年約與孟子、惠施、莊子、鄒衍諸人同時；也是大約可以斷定的。《莊子・徐無鬼》有「然則儒墨楊秉四，與夫子（按指惠施）為五」的話，成玄英疏「秉者公孫龍也」。《列子・仲尼》篇殷敬順釋文謂「龍字子秉。」按成、殷皆唐人；成曾於貞觀間召至京師，則生年當在殷之前。成說在唐以前無可考；殷說太約因成說而於「秉」字上加一「子」字，以合於字之通例；此皆不可信。譚戒甫《公孫龍子發微・傳略》第一引王啟原注，以《鹽鐵論・箴石》第三十一有「賢良曰……此子石所以嘆息也」之語，以證明公孫龍亦字子石；譚氏以王氏之說「似得其實」。按上面賢良引子石語中，有「狼跋其胡，載疐其尾；君子之路，行止之道固狹耳」等語。又《說苑・雜言》篇有「子石登吳山而四望，喟然而嘆息曰……」約二百餘字，楊樹達氏以為此即《鹽鐵論》賢良之所本。我的看法，此乃真孔子弟子公孫龍字子石之殘文賸義。與〈箴石〉第三十一前段丞相所引「公孫龍有言曰，論之為道辯，故不可以不屬意……」，分明是兩個不同的故事，也是兩種不同的內容。無法把兩方面由不同的主張而各引內容互不相同的故事，牽合在一起。持堅白論的公孫龍，不會像子石樣去引詩述史的。

《漢書・藝文志》著錄《公孫龍子》十四篇，原注「趙人」。《隋志》道家有《守白論》一卷。現存六篇；其八篇《四庫全書總目提要》，以為亡於宋時。清姚際恒《古今偽書考》以為「《漢志》所載，而《隋志》無之，其為後人偽作無疑」。欒調甫有《名家篇籍考》，對此特加以解釋說：

> 《公孫龍子》之名《守白論》，本書〈跡府〉篇云「疾名實之散亂，因資財（材）之所長，為守白之論；假物取譬，以守白辯」。此其命名之由者一也。《隋志》雖錄於道家，然確知其不為道家者，因老子云「知其白，守其黑，為天下式」；道家旨在守黑，而論名守白，顯非道家之言，二也。唐成玄英疏云「公孫龍著守白之論，見行於世」。又云「堅白公孫龍，守白論者也」。此唐人猶有稱《公孫龍子》為《守白論》，三也。復合隋唐兩志考之，《隋志》道家有《守白論》，而名家無《公孫龍子》。《唐志》名家有《公孫龍子》，而道家無《守白論》。是知其本為一書，著錄家有出入互異。四也。至《隋志》著錄在道家，乃由魏晉以來，學者好治《老》、《莊》書；而因《莊》、《列》有記公孫龍堅白白馬之辯，故亦摭拾其辭以談微理；此風已自晉人爰俞開之（按見《三國志・鄧艾傳》註引荀綽冀州記）；而後來唐之張游朝著《沖虛白馬非馬論》，《新唐志》列入道家。宋之陳元景錄〈白馬〉、〈指物〉二論以入其《南華餘錄》，亦在道藏。然則《隋志》之錄守白於道家，又何足疑。五也。

按上引欒氏的說法中，除老子的守黑，乃指柔弱之人生態度，與公孫龍的守白，僅係名詞上的巧合對應，在內容上並不相對應外，餘均可以成立。

五　公孫龍的批判者

公孫龍的堅白異同之論，從當時一直到漢初，發生了很大的影響，也引起了很多的批評。因為他以專決於名的方法來正名實，事實上，是把常識上的名實關係都破壞了，這便引起人對客觀世界認識上的混亂。

莊子常是把當時的辯者混淆在一起說。他對惠施的批評，幾乎也可以用到公孫龍方面。他是以超知忘言的態度來批評這些執名以爭實的人。除了〈齊物論〉中「以指喻指之非指」數語，係反對公孫龍的〈指物論〉、〈白馬論〉以外；下面的話，雖然說的是楊墨，但實際主要指的是公孫龍。

駢於辯者，纍瓦結繩（按所纍者瓦，所結者繩，言疲精於無用也）。竄句（按竄者移易變亂之意。竄句，變亂文句之意義）遊心（遊心，放適其心。）於堅白同異之間，而敝（疲敝）跬譽（郭鈞仙「邀一時之譽」。按「敝」字下當奪「於」字）無用之言，非乎？而楊墨是已。（〈駢拇〉）

又〈秋水〉篇下面的話，大概是莊子後學所紀錄緣飾，以伸張師說的。但很可由此以了解莊子與名家的區別。

公孫龍問於魏牟曰，龍少學先王之道，長而明仁義之行；合同異，離堅白；然不然，可不可；困百家之知，窮眾口之辯，吾自以為至達矣。今吾聞莊子之言，汒焉異之……今吾無所開吾喙，敢問其方。公子牟隱机太息，仰天而笑曰，子獨不聞夫埳井之蛙乎？……且彼（莊子）方跐（音此，履也。）黃泉而登大皇（天也）……始於玄冥，反於大通。子乃規規然而求之以察，索之以辯，是直用管闚天，用錐指地也，不亦小乎。

莊子的批評，完全是超越於名實之上的批評。《墨子》〈經〉上下，〈經說〉上下，〈大取〉、〈小取〉各篇，出於墨子後學之手；裡面許多是針對公孫龍的論點加以批評，而要使其歸於常識判斷之上的。茲略引最明顯的例子於下：

〈小取〉篇：「白馬馬也。乘白馬，乘馬也。」這分明是駁「白馬非馬」的論點。

〈經〉上：「堅白不相外也」。〈經〉下：「於一有知焉，有不知焉，說在存。」〈經說〉下：「石，一也。堅、白，二也。而在石。故有知焉，有不知焉，可。」以上分明是反對離堅白的。

〈經說〉上「二名一實，重同也」。這分明是反對「獨而正」的觀念的。

不過《公孫龍子》的〈名實論〉中，像「彼彼止於彼，此此止於此，可。」這種看法，除了不管公孫龍的「獨而正」的哲學思想外，實在有嚴格地語意學的意味，同樣被墨家後學所接受了的。

《史記．平原君列傳》《集解》引劉向《別錄》曰：

齊使鄒衍過趙，平原君見公孫龍及其徒毋綦子之屬，論白馬非馬之辯。以問鄒子，鄒子曰，不可。彼天下之辯，有五勝三至，而辭至為下。辯者別殊類使不相害；序異端使不相亂。抒意通指，明其所謂，使人與知焉，不務相迷也。故勝者不失其所守，不勝者得其所求；若是，故辯可為也。及至煩文以相假，飾辭以相惇（按當作敦，《說文》「敦怒也，詆也」。），巧譬以相移，引人聲使不得及（當作反）其意，如此害大道。夫繳紛爭而競後息，不能，無害為君子。坐皆稱善。

鄒衍是從辯的正常目的、意義，來駁斥公孫龍以辯為遊戲的。《呂氏春秋・淫辭》篇下面的故事，則是以事實來駁斥公孫龍，也即是以實來正名的。

> 孔穿、公孫龍相與論於平原君所，深而辯。至於藏三牙（按孔叢子公孫龍篇作「藏三耳」者是也。）。公孫龍言藏之三牙甚辯，孔穿不應。少選，辭而出。明日，孔穿朝，平原君謂孔穿曰，昔者公孫龍之言辯。孔穿曰，然，幾能令藏三牙矣。雖然，難。願得有問於君，謂藏三牙，甚難而實非也。謂藏兩牙，甚易而實是也。不知君將從易而是者乎？將從難而非者乎？平原君不應。明日謂公孫龍曰，公無與孔穿辯。

《呂氏春秋》的〈正名〉、〈離謂〉、〈淫辭〉諸篇，可以說都是主張以實正名，駁正公孫龍的觀點。公孫龍的觀點，即《荀子・解蔽》篇所說的「此惑於用名以亂實者也。」荀子所舉的駁正的方法是「驗之名約，以其所受，悖其所辭，則能禁之矣。」按所謂名約，是指約定俗成之名而言，亦即是常識上的名。《白帖傳》之九引桓譚《新論》中的一個故事是「公孫龍常爭論曰，白馬非馬，人不能屈。後乘白馬無符傳欲出關，關吏不聽。此虛言難以奪實也。」「無符傳」，是沒有使馬得以通行的證件。站在公孫龍的觀點來說，白馬既不是馬，則他沒有馬的通行證，應無礙於他所騎的白馬的通行。但關吏則認定白馬即是馬，沒有馬的通行證，便不讓公孫龍騎著白馬通過；這即是以常識之所能接受，違反了公孫龍平日白馬非馬之辭（悖其所辭）。語言的玩弄，窮於事實之前。公孫龍以名亂實，荀子則用以實正名的方法加以糾正，使孔子的正名思想，依然回到應有的軌道。

六　先秦正名思想的完成

荀子把當時的詭辯派分為三派，各提出扼要的斥破方法。但我認為荀子最大的貢獻，除了對於名提出了「約定俗成」的最合理的說明之外，更提出了「制名之樞要」。這可以說是先秦正名思想的完成。茲將〈正名〉篇節引一段在下面，並略加疏釋：

然則所為（以）有名，與所緣（因）以同異，與制名之樞要，不可不察也。異形離心按指各人不同之心交喻。異物名實玄依王念孫校當作互紐《說文》十三上「紐，系也。一曰結而可解」。按從來釋此二語者，多與下文之意義相連而解釋為名實紛亂之意，恐不妥。此二語乃總說名之作用。上語是說異形之物，反映於各人不同之心，因名之作用而能使交相了解。如牛馬不同，因有牛馬不同之名而可使大家共同了解。下語是說各種不同之物，因能以名指實，而可使其互相關連而不亂（互紐）。如下文大共名大別名者即是。。貴賤不明，同異不別，如是則志必有不喻之患，而事必有困廢之禍。故知者為之分別制名以指實，上以明貴賤，下以辯同異；貴賤明，同異別，如是則志無不喻之患，事無困廢之禍，此所為有名者也。

然則何緣而以同異，曰，緣天官楊注：天官，耳目口鼻心體也。凡同類同情者，其天官之意物也同按意物即認知物而加以判斷。故比方之於疑似而通對疑似之物，由天官加以比較、辨別，即品類分明（通），是所以共其約名以相期也按約既非如楊注之為「省約」，亦非如王念孫之為「要約」。《說文》十三上「約，縛束也。」又《周禮》司約注「言語之約束也」。「約名」是將某名縛束於某事某物之上。更與人以此名互相約束。。形體色理以目異；聲音清濁調竽調竽，俞樾以竽為笑字之誤，王先謙以竽為節字之誤；與下文相對，皆不可通；不如姑從楊注，竽讀本字。奇聲以耳異。甘苦鹹淡辛酸奇味以口異。香臭芬鬱腥臊洒酸王念孫謂洒酸乃「漏庮」之誤。螻蛄臭曰漏，惡臭曰庮。奇臭以鼻異。疾養同癢滄寒也熱滑鈹當為鈒與澀同輕重以形體異。說（悅）故按故猶習也，即今所謂慣性。喜怒哀樂愛惡欲以心異。

心有徵知楊注「徵召也」。按徵乃徵驗之意。心除對喜怒哀樂等之直接感覺以外，更能對其他天官所知者加以徵驗。其他天官所知者不徵驗之於心，則認識依然不能成立。俞樾因不了解心的兩層意義，故「疑此文及注並有奪誤」。直接感知之心。與其他五官在同一層次，而同為天官。由心的思維與反省作用以徵驗天官之所知，此時之心，乃君臨於其他天官之上，為另一層次。。徵知則緣耳而知聲可也，緣目而知形可也按因心有徵知能力，故可因耳目等天官以完成對客觀之認識。。然而徵知必將待天官之當簿按簿是記錄，當簿是合於客觀事物之紀錄。猶模寫也。其類，然後可也。按上文係說明天官之知，必待心加以徵驗；此句係說明心的徵驗，必以天官對事物之模寫為其材料。。五官簿之而不知，心徵之而無說按說是解說，猶判斷，則人莫不然王念孫以此然字為衍文。按「莫不然」者，即「莫不如此」，與「皆」同義，故不必視為衍文。謂之不知。此所緣以同異也按荀子之意，名所以徵表事物之異同。名之所以成立，係來自對事物之認識。而認識之所以能成立，一由於天官對事物之能模寫，此即所謂當簿其類。一由於虛一而靜的心體，對天官所模寫者能加以綜合判斷；此即所謂心有徵知。公孫龍僅從感覺上去作推論，而忽視了心的綜合與判斷的重大作用。。然後隨而命之隨同異以命其名。同則同之（名），異則異之。單足以喻則單如「牛」、「馬」。。單不足以喻則兼如「黃牛」、「白馬」。。單與兼無所相避則共如甲家有一牛，乙家亦有一牛，此單之無所相避者，即共名之曰牛。此有一白馬，彼亦有一白馬，此兼名之無所相避者，即共名之曰白馬。；雖共不為害矣千牛萬牛，不妨共名之為牛，千白馬萬白馬，不妨共名之為白馬。。知異實者之異名也，故使異實者莫不異名也。猶使異實楊注：「或曰，異實應為同實」。王念孫謂或說是。者莫不同名也。故萬物雖眾，有時而欲徧舉之，故謂之物。物也者，大共名也。推而共之，共則有共，至於無共，然後止。按無共乃其上再無可共，過此以往，從經驗上言，即是無。無則無名，故然後止。有時而欲徧王念孫謂徧乃別之誤。俞樾謂係徧之誤。從俞說。舉之，故謂之鳥獸按「物」一名中，包括有許多東西，今僅舉其中之鳥獸。。鳥獸也者，大別名也鳥獸對於「物」而言則是別；但在鳥獸之名裡，還包括有許多可分別的名；鳥獸之名，對於它所包括的許多可分別之名而言，所以它是大別名。。推而別之，別則有別如鳥中有雞，雞中有公雞母雞大雞小雞等；至於無別，然後止至於無可再分別，過此以往，從經驗上說，也是無。無則無名，故然後止。。

名無固宜，約之以命。約定俗成謂之宜。異於約，則謂之不宜。名無固實，約之以命實。約定俗成，謂之實名。名有固善，徑易而不拂，謂之善名。按名並非來自與實之不可分，乃是來自集體生活中的一種相互約束；對某事某物約束之以某名，而得到大家共同承認時，此名與實乃發生固定之關係。所以說名無固宜，名無固實。但這並不否定名之有善有不善。何謂善，荀子舉出了兩個標準。第一個是「徑」，徑是徑直，即名與實中間本有一種距離；徑是兩者間的最短距離；例如貓名與實物之貓所發之聲相近，牛名與實物之牛所發之聲相近，這便是徑。第二個是「易」，易是平易，為某集團生活慣性所容易接受之名。「拂」與易相反。物有同狀而異所者按《荀子・正名》篇有「是非之形不明」的話；可知「狀」與「形」不同，狀乃事與物之狀態。如「急走」之「急」，是走之狀；「白馬」之白，是馬之狀。表現事物之狀的名，則為對實加以形容之形容詞、副詞。形容詞加於名詞之上，副詞加於動詞之上；必如此，乃能界定嚴密，表現分明。同狀，如同為白色；異所，如白馬、白雞。「所」乃表示實之空間位置，與實同義。有異狀而同所者如幼、老為異狀；某人由幼而老，仍為同一個人，即係異狀而同所。。可別也。由形容詞、副詞之運用而可加以分別。狀變而實無別，而為異者，謂之化。有化而無別，謂之一實某人由幼而老，這是狀變；但仍為某人，這是實無別。但何以有老幼之異（而為異者）？這是某人由年齡而來的生理上的變化；某人生理上雖有此變化，但並非另為一人，所以依然謂之一實。。此事之所以稽實定數也因為有形容詞與副詞之運用，所以能詳考其實，決定其具體之情況（定數）。此制名之樞要也。後王之成名，不可不察也。

按公孫龍之弱點：㈠他以為名有固實，因而執名以為實。此與荀子名無固實者相反。㈡荀子對共名別名的提出，乃由認識客觀事物之分類系統，以形成名之分類系統；必如此而始能建立認識之秩序。公孫龍則似乎完全缺少此種觀念，或故意抹煞此種觀念；所以他只是停頓在感覺上，以玩弄語言的魔術；是軼出於正名思想之外的詭辯。

七 名家的價值

然則作為名家代表的現存《公孫龍子》，有無研究價值呢？我認為還是很有研究價值的。第一，關於戰國中期盛極一時的辯者，除了《公孫龍子》以外，只留下僅有結論而沒有立論根據的若干片鱗隻爪，僅足供後人猜啞謎之用。《漢志》著錄的《鄧析子》，已非出自鄧析本人；今日所能看到的，亦非《漢志》著錄之舊。現時所能看到的《公孫龍子》，雖係殘闕之餘；但剩下的五篇，皆首尾完具，猶得以考察其立論的根據和理論的線索。只憑這一點，已經有思想史上的價值。第二，中國傳統文化中，注重具體而忽於抽象，深於體驗而短於思辯。公孫龍因為是「專決於名」，執名為實；於是他的辯論，主要是順著語言的自身所展開的、離開了具體地經驗地事物的辯論。他口裡所說的具體物，如馬、石等、和它們的屬性，公孫龍認為都是可以互相分離而獨立存在的；即使不能為人的感官所見，有如白未與物為白，堅未與物為堅時，但它只是隱藏著而並不是不存在。這便與柏拉圖所說的共相，同一性格；他在這種地方，表現出很高的抽象能力。這種抽象能力，是倚賴他的思辨能力，才可以達到的。他之所以能困百家之知，是因為他的辯論，有嚴密地抽象思辨能力，發揮了很嚴密地抽象推理作用。王啟湘在他所著的《公孫龍子校註》的序文中說「合同異者，名家所謂歸納也。離堅白者，名家所謂演繹也」，這當然是莫名其妙的亂說。但若把公孫龍的辯論，分別用形式邏輯把它來加以形式化，可能它裡面含有很高的純思維法則；很接近於古代希臘的形式邏輯。形式邏輯不管真假而只管對、錯；他所發揮的影響力，主要是由這種形式邏輯的對、錯來的。這在中國思想史中，佔有一個很突出的地位。正因為在中國文化中，缺少這一方面的努力，所以自西漢以後，他便沒有得到真正地解人。近代治之者雖多，但收功較其他諸子為更少；尤其是到譚戒甫的《公孫龍子形名學發微》出，而把這一部分思想，更投入到黑暗的深淵去了。治《公孫龍子》的重點，是在如何能把握到他所運用的思辯的法式；或者可以說，是在如何能把握到他的立論的「理路」，順著他的理路推演下去。而不重在於校刊訓詁。先秦諸子，都是以思想為主的。但治先秦諸子的人，多缺乏思想的訓練，對於因自己的思想銜接不上，而無法看懂的，便在訓詁上亂變花頭，愈變離題愈遠，其中尤以半吊子的古文字學者的訓詁，如于省吾之流，更為可笑。《公孫龍子》因為是高度地抽象思辨性的作品，對於這類的訓詁家，更要算是無緣之物。我因為年來講授中國哲學思想史的課程，每當講到這一部分時，常廢然而返。今春似偶有所啟發，不忍放過，便趕著寫了出來，以補《中國人性論史先秦篇》之所缺。我之所以寫成講疏體，就是想把他的理路擺清楚。當然在校刊、訓詁方面，我也重新下過一些考校的工夫。可惜我的邏輯訓練不夠，不能把「心知其意」的，列成邏輯的形式。這一缺憾，我不知道將來有何人肯加以彌補。

從典籍中所遺留下的有關公孫龍的零星故事來看，可知他並非不重視當時政治的人。在現有《公孫龍子》五篇裡面，我發現在他的「故獨而正」的基本論點中，實因當時政治和社會的結構，把在人君以下的人們，都編入在一連貫的隸屬系列之中，使每人都成為政治中的附庸，而失去了獨立性；他針對這點便以迂曲的方式，要求把每一個人，從這些隸屬系列的附庸中解放出來，以保持每一個人的獨立存在。如用現在的名詞說，他可能是一個近於楊朱的個人主義者。這種思想，在現存五篇的〈通變論〉中，稍有流露。在亡失的篇章中，可能有更多的發揮。可惜宋謝希深的註，都把它解釋到相反的方向去了。我常說：先秦許多寶貴的政治、倫理上的思想，常被長期專制下的學者所誤解，所傅會；此亦其一例。

歲在丙午中秋前一日徐復觀記於私立東海大學宿舍

《這一代青年談台灣社會》

西方文化沒有陰影

自從我們發表座談會的紀錄：〈在西方文化陰影下的臺灣〉一文之後，首先，我們接獲徐先生的大作，從另一個角度提出他的看法，我們歡迎讀者能夠提出更多的「異見」來討論這一項問題。

——編者——

一

五十七年十二月出版的《大學雜誌》，刊有十一月十五日在耕莘文教院，以「在西方文化陰影下的臺灣」為題的座談紀錄；我看過後，首先感到，在座談中有的先生主張應當對「文化」一詞，先加以界定：這是一種非常寶貴的意見。可惜彼此的討論，並沒有沿著此一線索發展，所以座談似乎沒有多大收穫。並且「西方文化陰影」六個字，不僅是太情緒了的問題，而且可以增加問題的混亂。下面，簡單說出我個人未曾經過嚴肅研究過的感想。

我認為近代的西方文化，對人類來說，應當是一種光輝，而不是一種陰影。今日的臺灣，確實籠罩著一片陰影。但這種陰影，不是從西方文化的本身發出來的，而是從西方文化通過西方人的國家政治意識所發生出來的。此外，則是通過西方現代的反文化現象，所發生出來的。對問題的釐清，首先應在這種地方作一明確地界定。

所謂西方人的國家政治意識，以集中的表達方式說了出來，即是西方人為了自己國家的利益所實行過的殖民主義；及在殖民主義影響之下所形成的人種優越感的意識。今日美國和日本在臺灣的勢力，我不應一口斷定這即是一種殖民主義的勢力；但殖民主義的意識，還存在於少數美國人和日本人之間，也是事實。而在今日臺灣的上層社會中，確實有不少的人，假借「文化」之名，以迎合殖民意識的方式，圖謀獲取個人的利益，也是事實。臺灣最大的陰影，是由此而來的。若把這種陰影，用「西方文化」的招牌加以掩飾，甚至加以美化，即等於說，我們要接受西方文化必須先接受他們的殖民主義。若把這種陰影，逕直歸結在西方文化身上，又等於說，要反對殖民主義，便應當反對西方文化。西方的殖民主義與西方文化有其密切關連；但二者之間，不能畫上一個等號。因為中間加入了西方人的國家「政治意識」。日本當最崇拜我國文化的時候，有位孔子的信徒，突然向他的學生發出問題說：「假定孔子為之帥，顏子作先鋒，要來征服日本，我們怎麼辦？」聽的學生一時都呆住了；最後的結論，還是要全力抵抗。並且這種抵抗，也正合於孔子之所教（故事內容大概如此，未去翻閱原典）此一故事，對今日的中國人來說，實有非常深刻的意義。

二

有人以為文化（Culture）與文明（Civilization）的區別，有如精神文明與物質文明的區別。但在一般使用習慣上，沒有加以嚴格區別的必要。何謂文化？可以下許多互有出入的定義。這裏試採取較為通俗的說法：所謂文化，「是按照個人與集體的生活要求，以支配、並創造諸自然，諸事物，使其能把生活推向理想方面進展。這種努力的過程稱為文化」。再加以補充是「文化指的是由人類一切活動的自由發展，而對自然賦與以某種價值的過程」（請參閱日本《岩波哲學辭典》八一八—八一九頁）。在此一努力過程中所產生的「文化財」，應當包括科學、藝術、道德、宗教、法律、經濟等等。西方文化，指的是由西方人所建立的這些文化財，及由這些文化財所產生的價值。我因為過去環境的關係，不懂西方語文，而只能通過日文翻譯，以接觸上面那些西方文化。我曾短時期的讀過西方的經濟學、經濟史；曾花費近二十年的時間，斷斷續續地讀過些西方社會思想這方面的著作，曾很辛苦地讀過些西方的哲學、史學、文學、藝術這些東西。因為興趣太廣。天資不高，又缺乏基本訓練，所以對西方的東西，沒有一門能讀成一個樣子。但當我讀的時候，不僅總是興會淋漓，而且常常受到他們內容精深宏博的感動，偶而把書放下來徘徊半響，說不出當下所感到的生命的充實。只有讀中國的《論語》、《孟子》、《離騷》、《史記》、杜詩和宋明諸大師的語錄時，才能獲得同樣的經驗。我因已經老了，為了文化責任感，所以要努力寫點中國文化方面的東西，以致兩三年來，很少有讀西方典籍的機會，這是我讀書興趣上的莫大損失。但我從來沒有感到西方文化對我有什麼陰影；也沒有讀出中國人不應當居於平等地位的暗示；更沒有在西方文化的追求中，對中國文化，發生一種禁制作用。而在中國文化的探索中，更從來沒有發生非反對西方文化不可的情緒。當我第一次開《文心雕龍》時，即發現數百年來對《文心雕龍》的重要誤解，因而寫了一篇〈《文心雕龍》的文體論〉。偶然弄弄中國繪畫，以調劑生活時，發現其中有很高的藝術價值，因而寫了一本《中國藝術精神》。我所寫的中國思想史方面的東西，可能比一般人來得深切謹嚴一點。這並不是如討厭我的人所說的，「徐某有天份」；說穿了，主要得力於我僅有的西方文化知識的啟發。很奇怪的是，在我所得的啟發中，只是鼓勵我研究中國文化，重視中國文化。而我每當對中國文化中的某些問題的疏解，感到辭難達意時，便恨我對西方文化某些方面的知識不夠。西方文化也從未使我自卑；中國文化也從未使我自尊；當然有時也會絜長較短，辨同別異。但這和人與人，國與國間的尊卑榮辱，有什麼關係呢？在文化的追求中，我不知道什麼地方能安放得下中西之爭，自卑自尊之念。我年來為中國文化講了不少話；乃是對既未曾研究中國文化，也未曾研究西方文化，而只是跟在洋人腳跟後面，以糟蹋中國文化的方法，滿足洋人的殖民心理，滿足自己的自卑心理；所以我便起而打抱不平。這種不平，不僅站在中國人的立場應當打，站在人類整個文化的立場也應當打。我覺得幾十年來的文化空白，主要是來自大家不好好地做本分內的研究工作，卻先要爭一個東西長短，並先要拼個你死我活。於是阻礙吸收西方文化的，常常是自己飭封自己為「西化」的打手。阻礙中國文化復興的，常常是在中國文化旗幟之下，趁混水摸魚的鄙夫。尤其是，今日有少數外國人，在臺灣劃定一小撮人（我不願稱之為知識份子），認為這是屬於西洋的。既是屬於西洋的，便在學問上可以胡言亂道；若稍加批評，便認定這是妨礙了國際關係。而這一小撮人，也正藉此以沾沾自喜，凌駕儕輩。這和義和團以前，外國的傳教士，運用堅甲利兵的背景，以保護出身於地痞流氓，為非作歹的土著教士，如出一轍。這是目前學術界中真正的陰影。但這一部份美國人及這一部分中國人正屬於我上面所界定的殖民意識範圍，他們和西方文化有什麼關係呢？

三

美國目前是富強，我們目前是貧弱。但「富人要進天堂，比駱駝想穿過針孔還要困難」，這正是西方基督教的教義。所以從國格人格的立場來講，富強與貧弱，彼此依然是平等的。我們要學西方的科學、技術等等，以圖自己國家的富強；並不是說我們即應當向美國人或日本人出賣自己的國格人格。而出賣自己國格人格的人，決不能吸收科學技術以為自己的國家發憤圖強的。我們與美國人之間，與日本人之間，是要由「內不失己，外不失人」，「言忠信、行篤敬」的態度，和他們做朋友和他們合作，朋友也有勸善規過之義，說不上誰尊誰卑。一個堂堂正正地中國人，才有資格吸收西方文化，才有資格做堂堂正正地美國人、日本人的朋友。就我在東海大學的觀察；就我與日本朋友交往過的情形；我覺得絕對多數的美國人、日本人，並無意要成為我們的陰影。陰影的形成，乃出於有些中國人的不自重、不自愛，無廉恥之心，無國格人格之念，在鑽洋門路中，在滿足自卑感中，才造成今日的陰影。「人必自侮，而後人侮之」，今日許多知識份子，許多工商界中的大亨，正在為孟子的名言作證。則臺灣假定有朝一日淪為殖民地，其責任不在美國人日本人，而在中國的「大知識份子」（以官階言故稱之為大）及大工商業份子。至於並不研究西方文化，而只是成天地摩拳勒掌，要打倒中國文化的西化派，到頭只不過在地下撿骨頭而已。但是，想把臺灣變成殖民地以便在殖民地下面撿便宜的，任何人，都是枉費心機，都是白地出賣自己的靈魂。臺灣只能走向民主之路，決不能走向殖民之路。

四

另一種陰影，是從拿著鷄毛當令箭的人們，抱著西方文化中偶發生的反文化的現象，當作是最新地西方文化而加以謳歌崇拜所引起的。西方文化中的科學理性過剩，抑壓了人生中其他方面的理性的發展，以致使文化、人生、失掉了平衡，因而發生了反理性的傾向，這是可以理解的。傳統的價值觀念，漸成為有軀殼而無靈魂，並且成為有權勢者驅使無權勢的工具，因而發生反價值的傾向，這也是可以理解的。聞風而起的失掉基本教養的少數年輕人，求其說而不得，於是在色情方面去求解放，覺得只有回到五千年前，女人不穿衣服的雜交時代，才算解決了當前的問題，有如美國的嬉皮；這只是激動時代中的泡沫。但我深信：

㈠補救理智主義危機的還是要靠更高的理智，以使科學理智與藝術等理性取得平衡。藝術依然是理性地，而不是反理性的。

㈡取代傳統價值的依然要靠重新肯定的價值。而重新肯定的價值，依然是使人生更為向前向上，而決不會回到野蠻的時代。

㈢西方文化根基深厚；上述反理性反價值的傾向，尤其是向色情求救星的情形，畢竟只是出於少數人；畢竟只能算是短期的插曲。這種少數人，這種插曲還不能動搖他們文化、社會的根基；並且可能因此而促進文化自身的調整作用。假定在某一地區，此種情勢，佔到優勢的時候，例如，假使美國的嬉皮，佔到優勢的時候，美國便會崩潰下去。臺灣有些人們，對於西方這種插曲，不窮其源，不究其委，以為這是最新的東西。（實際是最舊的）；所以也是最好的東西。我們百年的文化落後，實際是理性薄弱，而不是理性失調；但也要隨之反理性。實際是青黃不接，不知道什麼是價值，但要也隨之反價值。薩特早在四年前公開宣佈唾棄他壯年時的「嘔吐」了，但我們還有人要在這裏乾嘔乾吐。更糟的是：許多人根本沒有時代的感觸，而只有食色的衝動；於是在許多人心中，今日的西方文化，只是色情文化，只是生殖器崇拜的文化。在西方，一百種學術性的刊物中，偶然出現一兩種色情刊物，還無所謂。在臺灣，找不出一兩種值得稱為學術性的刊物，卻彌漫著色情的報紙刊物，便不能是無所謂的。美國在兩億人口中有萬把幾千個嬉皮，還不算一回事；臺灣一千萬人口中，假使也有萬把幾千個嬉皮，能不算一回事嗎？所以我說，臺灣學術文化界中的另一陰影，是來自把西方的反文化，當作是西方文化。

我在學問上一無成就，但經歷過一番甘苦。從民元發蒙時候起，到民國十五年革命軍到武漢為止，主要是讀線裝書。從民國十五年以後，到二十九年止，我唾棄了線裝書，追求「科學地社會主義」。從三十二年遇見熊十力先生起，我知道過去雖然讀了許多線裝書，但可以說，並不曾真正讀懂一句，因而不敢隨便唾棄線裝書。但依然是想在日譯的西方典籍中求得一點什麼。四十五年到東海大學中文系教書，自然把重點轉到線裝書上面，到民國四十七年，才讀出一點縫子，才知道所謂文化論戰是什麼一回事。我已經老了，希望下一代的智識份子，只問自己是不是在認真地研究。不必說什麼值得研究，什麼不值得研究。只問人家研究的態度是否誠實？研究的結論是否正確？不可認為研究西方的才是進步，研究中國的便是頑固。更應知道「什麼叫作研究」，守住做學問的大「行規」；凡不曾研究過的，便不應當開口，更不應當信口批評他人。世界決無一通百通的學問。學問的趨向，也有一種市場作用；不必杞人憂天，怕研究中國文化的人太多了，會減少了西化的努力。目前學校最難請的是好一點的文史教員；能講中國思想的更是鳳毛麟角。此乃大勢所趨，只要不受到無知的干擾，也會慢慢出現平衡的。總之，凡是文化，都是光輝的；可是得來並不容易。只問努力不努力，不必問中化與西化。

（《大學雜誌》第三卷十三期）

《兩漢思想史卷一》

三版改名自序

我研究中國思想史所得的結論是：中國思想，雖有時帶有形上學的意味，但歸根到底，它是安住於現實世界，對現實世界負責；而不是安住於觀念世界，在觀念世界中觀想。所以我開始寫《兩漢思想史》時，先想把握漢代政治社會結構的大綱維，將形成兩漢思想的大背景弄清楚。而兩漢政治社會結構的特色，需要安放在歷史的發展中始易著明；因材料及我研究所及的限制，便從周代的政治社會結構開始，寫成了六篇文章，彙印為一九七二年三月由新亞研究所出版的《周秦漢政治社會結構之研究》。這實是《兩漢思想史》的開端，應如我在《兩漢思想史》卷二自序中所說，可稱為《兩漢思想史》卷一。我當時所以不用兩漢思想卷一的名稱，是因為生活播遷，年齡老大，對能否繼續寫下去，完全沒有信心。及一九七五年有印出第二冊的機會時，便在自序中首先說明，一九七二年出版的「可稱為《兩漢思想史》卷一，此處所彙印的七篇專論，便稱為《兩漢思想史》卷二」。但卷二出版後，很快便追問「卷一」的下落的，我記得是香港大學的一位先生。學生書局的朋友，大概也受到這種困擾。此書由新亞研究所印行時是第一版；由學生書局發行臺灣版時是第二版；現時重印則是第三版。學生書局的朋友，當重印之際，提議乾脆改名為《兩漢思想史》卷一，我覺得這是很適當的，所以現在便標題為「三版改名」《兩漢思想史》卷一，而以周秦漢政治社會結構之研究為副標題。

我認為郭沫若在學術上最大的污點，除了揣摩毛澤東的意旨，特寫李白與杜甫，存心誣衊杜甫外，莫過於一口咬定西周是奴隸社會。此說因得到毛澤東的支持，遂成為今日大陸學術界的定論。問題本身，乃是研究的態度是否客觀，舉出的證據是否堅確的問題，與政治立場並沒有關係。不過我曾再三指出過，不顧客觀證據，存心誣衊沒有直接利害關係的古人的人，斷乎沒有不誣衊有直接利害關係的今人之理。四人幫及其相關人物，即是眼前的顯證。我除寫了西周政治社會的結構性格問題一文，在第一節中，檢討了西周奴隸社會論者的論證外，後來看到郭沫若以人性、殉葬與召鼎銘文為主的新論證，便又寫了一篇有關中國殷周社會性格問題的補充意見，以作為此書臺灣版的代序，對這兩點加以反駁。我在補充意見中，舉出中外有關材料，證明人性及殉葬，「乃出於古代野蠻的信仰，再加上王權的橫暴」；二者中有的用的是奴隸，但有的並不是奴隸，所以「與奴隸社會，沒有必然的關係」。並且更進一步指出「郭沫若們若以人性和殉葬兩件事，與奴隸社會有必然的關係，則進入周代，即沒有出現這兩件事，豈不恰好證明周代不是奴隸社會嗎？」但近幾年來，大陸學人，一看到墓中有殉葬的情形，不論規模的大小，和殉葬者的身份，以及在當時是特殊性的現象，還是普遍性的現象，便一律指為這是奴隸社會的確證。我在這裏，應再補充若干證據，以供有學術誠意者的參考。希望讀者和我的原文合在一起看。

(一)《史記》卷五〈秦本紀〉「二十年，武公卒，葬雍平陽，初以人殉死，從死者六十六人。」按秦武公二十年，乃魯莊公十六年。

(二)又：「三十九年，繆公卒，葬雍，從死者百七十七人。秦之良臣子輿氏三人，名曰奄息，仲行，鍼虎，亦在從死之中。秦人哀之，為作歌〈黃鳥〉之詩。君子曰，秦繆公廣地益國，東服彊晉，西霸戎夷，然不為諸侯盟主，亦宜哉。死而棄民，收其良臣從死。且先王崩，尚猶遺德垂法。況奪之善人良臣，百姓所哀者乎。是以知秦不能復東征也」。按秦繆公三十九年，為魯文公六年。

㈢《春秋左氏傳》魯宣公十五年，「初，魏武子有嬖妾，無子，武子疾，命顆曰，必嫁是。疾病則曰，必以為殉。及卒，顆嫁之，曰，疾病則亂，吾從其治也。及輔氏之役，顆見老人結草以亢杜回（秦之力士），杜回躓而顛，故獲之。夜夢之曰，余而（汝）所嫁婦人之父也。爾用先人之治命，余是以報」。

㈣《禮記・檀弓》下「陳子車死於衛，其妻與其家大夫（宰）謀曰，夫子疾，莫養於下（地下），請以殉葬。定而後陳子亢（子車之弟）至，以告曰，夫子疾，莫養於下，請以殉葬。子亢曰，以殉葬，非禮也。雖然，則彼疾當養者孰若妻與宰。得已（能不以殉葬），則吾欲已。不得已，則吾欲以二子（妻與宰）者之為之也。於是弗果用」。

㈤又：陳乾昔寢疾，屬其兄弟而命其子尊己曰，如我死，則必大為我棺，使吾二婢子（鄭注：婢子，妾也）夾我。陳乾昔死，其子曰，以殉葬非禮也，況又同棺乎，弗果殺」。

㈥《史記》卷二百十〈匈奴列傳〉「其（匈奴）送死有棺槨金銀衣裘，而無封樹喪服。近幸臣妾從死者多至數千百人」。

從上面㈠㈡的材料看，說明當中原早無殉葬習俗時，而秦因漸染西戎野蠻之俗，卻出現有兩次大規模的殉葬，深為「君子」所譏。㈠用個「初」字，以說明此為秦以前所未有。而由良臣子輿氏三人在內的情形推之，可斷言其用以殉葬者中，必非全為奴隸。㈢與㈤的情形相近，所欲以為殉的都是有燕婉之私的妾侍，妾侍不能說是構成「奴隸社會」的奴隸。且與㈣合在一起，都被當時很流行的禮的觀念所抑制，這即可證明周禮是反對殉葬的，㈣中陳子亢抵抗此事的方法是認為死人在地下若要人服事，最好是用死者的妻與其妾，由此可知，殉葬者當用與死者最為親近之人，可與㈥的情形相印證。凡此事實，都是加強我的論點，而成為郭論點的反證。大陸的史學家們，應當面對歷史事實，作全面性的反省。

我有一個經驗，凡考證某一問題，不可能把所有有關的材料，一次搜羅盡淨，勢必有所遺漏。但若引導的方向錯了，便常繼續發現與自己結論相反的材料，此時只有對自己的結論，重加考慮，加以改正或放棄，而應以近百年來一些「權威者」所經常採取的文過飾非的態度為大戒。在學問上，能發現某些權威犯有錯誤的，僅有極少數人才可以做到；一般人，只能在權威圈子裏打觔斗；這些年來，國內外對王充、戴東原、章實齋等人的渲染、騰播，即是最顯著的例子。首先立說的權威，假定繼續做學問，則對自己立說的漏洞，必能有所發現。假使由立說者自己把漏洞親口親筆表達出來，這該可以減少一般人少走許多枉寃路。但近百年來的風氣決不如此，不僅絕少自己發現自己錯誤之事，並且對他人所指出的錯誤，要便是「概不答辯」，以保持自己的身分。要便是運用以「游辭」為「遁辭」等方法，使問題更陷入魔瘴。甚至促使受到卵翼的幫派後生出來為他吶喊，或運用政治力量給對方以打擊；這是中國在傳統歷史文化的研究上，經常陷於泥淖之中的重大原因之一。

若在起步時引導的方向對了，則繼續遇到的有關材料，便常會為自己的論點補充證據。例如我在〈漢代一人專制政治下的官制演變〉一文中，說漢代光祿大夫一職的地位「可高可下」，「當時亦可能視為九卿」（見二一四頁）。後來留意到《漢書．敘傳》中下面的一段話，可斷言光祿大夫因皇帝的意旨，其地位的確是九卿中的重要一環。《漢書．敘傳》：

是時（成帝時）許商為少府，師丹為光祿勳。上（成帝）於是引商丹入為光祿大夫，伯（班伯）遷水衡都尉，與兩師（許商、師丹）並侍中，皆秩中二千石。

按許商為少府，師丹為光祿勳，少府、光祿勳，皆位列九卿，這是沒有疑問的。由少府光祿勳「引」為光祿大夫，最低限度不是降級，所以在當時亦必視光祿大夫為九卿，而且較少府光祿勳更為重要，也是沒有疑問的。這樣一來，九卿當在十三、四個以上，所以我說「九卿」一詞，在西漢只是象徵的性質，並非實指九個官位，同樣沒有疑問的。

我在〈中國姓氏的演變與社會形式的形成〉一文中，根據《國語·晉語》四司空季子的一段話，認為姓的原始意義，乃是一個「部落的符號。惟此符號，僅能由其統治者一人所代表，故符號即含有政治權力的意義，不是被統治的人民所得而有」（頁三〇四）。《史記》卷二〈夏本紀〉贊「太史公曰，禹為姒姓。（指禹之先祖）。其後分封，用國為姓，故有夏后氏，有扈氏，有男氏，斟尋氏，彤城氏，褒氏，費氏，杞氏，繒氏，辛氏，冥氏，斟氏，戈氏」。按「以國為姓」，是指以其所封之國為姓，所以姓是國的符號，亦即是我所說的一個部落的符號。姓與國不分，國由統治者所代表，姓即由統治者所代表。這可以補足原文所引《國語·晉語》的材料。

在上文中我指出「由春秋之末，以迄西漢之世，所發展普及的姓氏，乃中國所獨有，而為四圍的異族所無」（頁三四〇），除已引用了若干材料作證明外，尚應補充下面的材料：

一、《史記》卷一百十〈匈奴列傳〉「其俗有名不諱，而無姓字」。

二、《後漢書》卷七六〈循吏列傳·任延傳〉「建武（光武年號）初……詔徵為九真（今越南河內以南，順化以北之地）太守……九真俗以射獵為業，不知牛耕，民常告糴交阯，每致困乏。延乃令鑄作田器，教之墾闢田疇，歲歲開廣，百姓充給。又駱越之民，無嫁娶禮法，各因淫好，無適對匹；不識父子之性，夫婦之道。延乃移書屬縣，各使男年二十至五十，女年十五至四十，皆以年齒相匹。其貧無禮聘，令長吏以下，各省奉祿以賑助之。同時相娶者二千餘人。是歲風雨順節，穀稼豐衍。其產子者，皆知種姓咸曰，使我有是子者任君也，多名子為任。於是徼外蠻夷夜郎等，慕義保塞。延遂止罷偵候戍卒」。

三、《魏書》卷一百一十三〈官氏志〉「太和十九年（魏孝文帝年號）詔曰，代人諸胄，先無姓族。雖功賢之胤，混然未分。故官達者位極公卿，其功衰之親，仍居猥任。比欲制定姓族，事多未就。且宜甄擢，隨時漸銓……」

四、《宋書》卷五十九〈張暢傳〉「暢問虜使姓，答曰，我是鮮卑，無姓」。

我因對時代的感憤，在進入到暮年時，才開始了對自己歷史文化的反省，在反省中寫出了若干文章。每當一書付印時，從未動念要請有地位的名流學者為我寫序。因為自己的用心所在，很難取得他人的了解；而許多文章中談到關鍵性的問題時，必然是忘掉了自身的利害，否則不能下筆；更何有於假借他人之筆，來揄揚滄海一粟中的個人的浮名。但當我去年讀到李幼椿（璜）先生隨意寫給我的一封信時，他以八十三歲的高齡，一生未曾離開學術崗位，對一個在學術上應當算是後輩的區區無名之輩，流露了他的熱情、坦率，反映出他對學術上的真誠與自信，令我當時極為感動。所以在這裏特附印在後面。

一九七八年七月二十五日徐復觀序於九龍寓所

附李先生來信

復觀先生：大著《周秦漢政治社會結構之研究》，前週始得於本所所長室書櫃中始得借閱之，初覺有味道。歸來細讀一過，大為欣賞。先生眼光之銳敏，斷案之明確，處處足見智慧過人，無任傾佩。茲舉數點之大獲我心者：

一九至六九頁，對中國封建制度之基點說明，有「此一封建制度……即是根據宗法制度……按照宗法以建立一個以血統為紐帶的統治集團……因是親親尊尊之禮制之所從出……這個禮制之『分』及其精神一經破壞，封建的政治秩序，便完全瓦解。」弟對中國封建之基因，亦嘗及於宗法社會一點，不過不及先生言之明透。弟又嘗以此基因駁斥馬派封建論，即以西歐中世紀查理曼大帝之封建，除分封其三子與諸將外，其他皆就豪強據地者封之，並非以經濟利害為主也。——毛派學馬派而將封建基因歸於大地主，乃膠柱鼓瑟。

一〇一頁末行「當然這裏有一大問題，即是上述的轉變與轉移，在儒家觀念上，並不曾出現顯著的否定的一面，而使人容易誤會儒家是封建的繼承者」——此點足見著者眼光。不過在孟子書中，已有「否定」之義（按李先生所見者甚確，且不僅孟子書中如此）。

一八二與一八六頁所引《史記．衛青列傳》司馬氏之言與《史記》裴駰《集解》中杜業之奏，（以）這兩個引證來說明專制帝王不喜知識分子，至為精當。真所謂讀書得間也。

四〇九頁：「研究工作，必須建立在問題自身的基本資料之探索……」一段，此論為治史論史之重要指導，確切之至。我昨在講堂，已向學生言之。

此外可圈可點之處尚多，先生可否簽名贈我此書一部。問好。

弟 李璜 十二日

（按李先生信款有日期而無月期，大概兩人都不能追記了。）

有關中國殷周社會性格問題的補充意見——臺灣版代序

當我這部小著發行臺灣版之際，對殷、周的社會性格問題，應當補充說幾句話。

一年以來，大陸上對過去曾經長期爭論的歷史分期問題，已經達到了定於一尊的結論，即是殷代是奴隸社會，周代一直到春秋之末，也是奴隸社會。這個定於一尊的結論，大概是由郭沫若在一九七二年《考古》五期上所刊出的〈中國古代史的分期問題〉一文所奠定的。在我這部小著中，沒有提殷代的社會性格問題，因我對此一問題，不能直接掌握到足夠的資料；而對他人所提出的論證，有如李亞農、郭沫若等從甲骨文中所提出的論證，其解釋的正確性及其份量的重要性，都覺得頗有問題，不夠支持他們的結論。對於周代，我便根據可以直接掌握到的資料，作過詳細的考查；針對他們的說法作了相當地批判；更從資料中抽出我的結論；這便是在這本小著裡的第一篇第二篇文章。當我看到郭氏的上述文章後，其中決定性的論證，是在我的兩篇文章中所未曾論及的，所以在這裡提出，略加討論。

郭氏在上述文章中說：

> 殷代以前的夏代，尚有待於發掘物的確切證明；但殷代是典型的奴隸社會，已經沒有問題了。殷代祭祀，還大量地以人為犧牲，有時竟用到一千人以上。殷王或者高等貴族的墳墓，也有不少的生殉和殺殉，一墓的殉葬者，往往多至四百人（按郭氏的數字，都近於誇張）。這樣的現象，不是奴隸社會，是不能想像的。

我認為以人為犧牲及以人殉葬，乃出於古代野蠻的信仰，再加上王權的橫暴。僅有野蠻的信仰，而沒有王權的橫暴，不會以大規模出現；僅有王權的橫暴，而沒有這種野蠻的信仰，則橫暴可以發洩到旁的方面去，有如漢代幾次大冤獄，每次殺戮三數萬人；黨錮之禍，一網打盡了天下的善類；高洋卻喜歡把女人的腿砍下來堆積得高高地。如此之類，歷史中不可勝數。但與奴隸社會，沒有必然的關係。例如在阿西里亞，認為是德赫·卡拉酋長之墓裡面，發現了作犧牲之用的一批小孩尸首。這些作為犧牲用的小孩，很難推斷都是奴隸的兒女。春秋時代記有三次用人作犧牲的事。一是《左傳》僖公十九年「夏，宋公使邾文公用鄫子於次睢之社，欲以屬東夷」。這次用的是一位小國之君，而不是奴隸。《左傳》昭公十年「秋七月，平子伐莒，取郠，獻俘，始用人於亳社」。這次用的是一般性的俘虜，而不是奴隸。《左傳》哀公七年「（魯季康子伐邾），師宵掠，以邾子益來，獻於亳社」。這次也是用的小國之君，而不是奴隸。有名的魏西河河伯娶婦的故事（見《史記·滑稽列傳》），實際也是變相的人牲。歷史上這類的事還不少。臺灣近代還有吳鳳自為人牲以感悟高山族的真實故事。這類野蠻信仰的被抑制，是來自人道地嚴厲批評。例如春秋時代的三個故事，都嘗遇到嚴厲的批評，而不是來自社會生產關係的變革。殷墟小屯村C區的地下建築基址上，有七個墓坑，藏十九副人骨；另有十九個土坑，藏二十三副牛、羊、狗等骨；據推測，這是奠基禮節中所用的人牲。在此基址前面，南北約八十公尺，東西約五十公尺的範圍內，發現了一六八個（推定數）土坑，其中有八三三（推定數）副的人骨，斬了首以後埋下去的有一二五人。此外有五個馬車坑。全體好像是一個戰車隊葬在這裡一樣。這種人牲墓坑，在王者的墓裡也可以看到。例如同地武官村大墓，在墓南五三公尺的地點，排有四列的十七個墓坑，裡面有十副無頭的人骨，據推測，這不是殉葬的，而是年年祭祀時所用的人牲（以上皆見日本創元社《考古學辭典》頁二一五）。在上面材料中，一次有八三三個人牲及五個馬車坑，合理的推測，這是一次戰役後所殺的俘虜。上引的春秋時代的三個例子有一個是俘虜，有兩個也是俘虜的性質。古代奴隸，雖然是由俘虜而來，但必須使用於勞役，始可稱為奴隸。一次殺掉八百三十三個從事勞役的奴隸，這對奴隸主而言，是損失太大了。小規模的人牲中，可能用的是奴隸，但不一定奴隸社會才有奴隸。在久里可的新石器時代遺跡中，也發現有兩個男性人牲（仝上）；新石器時代，很難說是奴隸社會。

一九五六年所發掘的武官村大墓，做得有木槨，四面四隅，有八個長方坑，各收葬有跪坐執戈的人和犬。木槨下面，也收得有人和犬。小墓是殉葬於大墓（王的墓）的，有方形長方形二種；例如某一方形坑有人頭十個，次一長方坑便收有十個人的身體，還具備有刀子、斧頭、礪石；也有全身殉葬的；還有馬車坑、象坑及鳥獸坑，並收有兵器禮器等等（《考古學辭典》頁三一四）。但問題是在：這些殉葬的都是奴隸嗎？跪坐執戈的殉葬者，乃是守衛的武士，斷然不是奴隸。在殉葬者的骨羣中，發現有女人的首飾；能用首飾的女人，恐怕也不是奴隸。埃及第一王朝拿米爾（Narmer）王墓，有妾侍、侍臣、從僕、工人等三三人的殉葬。環繞責爾（Zer）王墓的陪葬墓，有宮女二七五人，侍臣四三人殉葬。米索波達米亞的烏爾（Ur）王墓，有五九人殉葬，其中有六個穿甲冑的武人，有九個戴有寶石的盛裝婦人（仝上頁四四八）。武官村大墓的殉葬者中，身首異處的應當是奴隸。但由古代殉葬的全般情況看，決不可一口斷定都是奴隸。秦穆公以三良殉葬，詩人為之賦〈黃鳥〉，三良斷然不是奴隸。秦始皇死，二世以大量無子的後宮宮人殉葬，這也不是一般所說的奴隸。古希臘羅馬，都是典型的奴隸社會，未聞有以人殉葬之事。而以俑代人，起於殷代之末，這只說明文化的進步，不一定代表生產關係的變更。由此我們可以斷言，殉葬和人牲一樣是出於古代野蠻的信仰，加上王權的横暴；這二者與奴隸社會沒有必然的關係；不能以二者來論定殷代即是奴隸社會。

郭沫若們若以人牲和殉葬兩件事與奴隸社會有必然的關係，則進入周代，即沒有出現這兩件事，豈不恰好證明周代不是奴隸社會嗎？但郭氏卻另有說法。他在上文中說：

我自己曾經從周代的青銅器銘文中找到了不少以奴隸和土田為賞賜品的記載，而且還找到了西周中葉的奴隸價格。五名奴隸等於一匹馬加一束絲（原注：孝王時代曶鼎銘文），故我認為西周也是奴隸社會。

按西周分封建國，必錫土田及在土田上耕作的人民；並於分封之初，尚須賜若干臣工，以形成建國的骨幹。郭氏便把這一起稱為奴隸，連把「王人」「庶人」也說是奴隸，在我這本小著裡，對他這些說法，已經批判過了，此處只談曶鼎的問題。茲據吳闓生《吉金文集釋》卷一將曶鼎銘文錄下：

唯王四月既生霸。辰在丁酉。井叔在異。（翼或云冀）為□。□（曶）使厥小子𢧵（散）以限訟于井叔。（吳佩叔云限券也。）我既賣（贖）女五□（夫）□（效）父用匹馬束絲限詬（訏）曶（曶從效父請贖五夫，效父責令出匹馬束絲而後諾許。）比則俾我賞（償）馬。效□（父）□（則）俾復厥絲□（于）比（比又責曶償馬效父乃令曶復厥絲于比。）效父乃詬𢧵□（此字本作任，舊釋曰誤，疑當為廷，猶言朝也。）于王參門。（孫云參門疑皐門內庫門外。）□□木榜。用賃延賣（贖）絲（茲）五夫用百爰（鍰○效夫約散會于王參門，責贖茲五夫，當用百鍰。）非之五夫□（贖）□（則）罰。廼比又罰眾鼓金。（孫云鼓量名。小爾雅鈞四謂之石，石四謂之鼓。○案敔貯敦眾子鼓𩏗鑄旅敦，此眾鼓二文同。又案此數語尤難解，今詁亦未盡碻，罰字亦未是，姑且存之。○以上皆曶使小子散訟效父與比之詞。）井叔曰。在王人廼賣（贖）□（用）□。不逆付曶。毋俾成于比。（刑叔責效父以此五夫逆付于曶。逆付云者贖金未具先付還之。以其不逆付，曶則無由俾其成好于比也。）曶則拜稽首。受茲五夫。曰陪曰恒曰龍曰彝曰省。吏爰以告比。（既成訟令吏告于比）廼俾□（𢧵）以曶酒及羊茲三爰。用到茲人。（到劉心源讀致是也。以曶酒羊致茲人者以其贖金未付故也。茲人即茲五夫。）曶廼每（謀）于比。□□舍𢧵大五秉。（舍猶予也。大讀夫。曶謀于比，請使散給此五夫，每人五秉。）曰。在尚俾處厥邑田□（厥）田。（言此者冀使還其故處勿虐待之。）比則俾□復命曰諾。（此文奧衍難讀。今以意貫之，大略如此。以上為第二節。羊茲三爰與師旅鼎罰古三百爰，疑皆貨貝名。）

此銘文中的比，到底與曶向效父贖五夫之事，有何關係？因比插上一腳，以致用匹馬束絲贖回五夫之事告吹，且要搞曶的竹槓，遂使曶不得不使他的兒子散告到邢叔名下，其中的曲折，都無法明瞭。邢叔判決先把五夫交還給曶；到底付了多少代價，銘文也沒記載清楚。我這裡只提出一點，此鼎所稱的「五夫」，郭氏說是五個奴隸，在整個周代，會把奴隸稱為「夫」嗎？《詩經》上有三十五個夫字，其中有七個「大夫」，固然不是奴隸；此外有三個「武夫」，七個「征夫」，三個「百夫」，一個「射夫」，都不是奴隸；五個農夫，兩個僕夫，兩個「膳夫」，從上下文看，都不是奴隸。「狂夫瞿瞿」，「夫也不良」，「謀夫孔多」，「老夫灌灌」，「哲夫成城」，無一可稱為奴隸。《左傳》宣公十二年「非夫也」；昭公元年「抑子南，夫也」，這是以「夫」字形容男人的勇敢。幾乎可以這樣說，所有出現於周代文獻中及金文中的「夫」字，無一可作奴隸解，獨曶鼎上的夫字，可作奴隸解嗎？並且先送五夫以酒及羊，又每人送五秉粟，使他們能安住（處）在他們的邑田，這是對奴隸的態度嗎？合理的推測，這名字記得清清楚楚的五夫，應當是曶手下的武夫這一類的人，不知為了什麼，被效父扣留了，才發生這一場糾葛。

即使如郭氏之說，曶鼎所記的，是五名奴隸買賣的事情，則只要有奴隸，便會有買賣，問題乃在於即使有奴隸，有奴隸買賣，並不足以構成一個「奴隸社會」。《史記·貨殖列傳》，「僰僮」，即是僰地出產的僮，此處僮乃年輕的奴隸；既以出產僮著稱，即有大量買賣。又齊地刁閒以「收取」（買入）「桀黠奴」致鉅富。南北朝時代，南北互掠良民為奴而從事買賣的規模相當大。為什麼郭氏不認秦漢南北朝是奴隸社會，而以西周貴族間五個奴隸的買賣，便可證明周代是奴隸社會呢？

我上面只指出郭氏們認定殷代是奴隸社會的論證很難成立；而對殷代社會的性格，我不能提出積極的論斷，所以寧願採取保留的態度。但周代，則有《尚書》、《詩經》、《左傳》、《國語》以及由孔子到先秦諸子百家的許多典籍。由這些典籍的相關資料來作客觀的理解，他是中國本土型的封建社會，至春秋中期後漸次解體，這是可以斷定而毫無可疑的。有人把封建社會中保有參與政治權利的「國人」

也說成是奴隸，把國人對國君貴族們的反抗，說成是奴隸起義，說孔子頑強擁護奴隸主的利益，這完全是橫心說「渾話」，便不值得一辯了。

茲當我這本小著發行臺灣版之際，我誠懇地希望海內外的學者們，以客觀而謹嚴、謙虛的態度，面對這類重大地學術問題，勤勉地提出貢獻。我因為研究工作的忙碌，除了增入一篇附錄外，沒有把這本小著好好地重新細看一遍，匆匆由學生書局的朋友出版，非常感到歉疚。

舊曆癸丑年十月四日於九龍寓所

又〈中國姓氏的演變與社會形式之形成〉一文中在頁三二五討論一家的人口數字，應參考《逸周書．職方》第六十二。其所述九州一家人數，雖屬於推測，然亦必有若干根據。與我所說的「五口之家，不能代表家庭人口常態」的話相合。頁三四〇討論異族無姓氏時，應補入後魏太和十九年，孝文帝制定代人姓族詔曰「代人諸冑，先無姓族」的重要資料。

自序

江藩著《漢學師承記》，以「各信師承，嗣守章句」，為兩漢學術的特色。以乾嘉時代聲音訓詁考訂的學風，為「漢學昌明；千載沈霾，一朝復旦」。自是以後，謬說相承，積非成是；而兩漢學術的精神面貌，遂隱沒於濃煙瘴霧之中，一任今日不學之徒，任意塗傳。所以我在六年以前，發憤要寫一部兩漢思想史。

兩漢思想，對先秦思想而言，實係一種大的演變。演變的根源，應當求之於政治、社會。尤以大一統的一人專制政治的確立，及平民氏姓的完成，為我國爾後歷史演變的重大關鍵；亦為把握我國兩千年歷史問題的重大關鍵。所以我在動筆寫思想史以前，想借助於當代史學名家的著作，以解答兩漢思想的背景問題。但經過一番搜尋後，發現能進入到自己所研究的「歷史世界」，以通古今之變，握樞密之機的，可以說是渺不可得。沒有辦法，只好自己動手，寫了這裏所收集的幾篇文章；得新亞研究所之助，先把它印出來，作為兩漢思想史的背景篇。三年前，受到東海大學一位「以說謊為業者」的迫害，離開在裏面研求寫作了十四年的書屋，客食香江，使寫書工作，受到莫大的困擾；以致對漢代社會，在本書裏只能算開其端。許多重要問題還壓著未及動筆，深以為恨。但在我的餘年中，會繼續完成預定計劃的。書中有關漢代的兩篇文章，承友人祁樂同教授細心校閱，改正了不少錯誤；付印時又由杜君天心代負校對之勞，俱可感念。

舊曆辛亥十一月二十日徐復觀自序於臺北市寓盧

《中國藝術精神》

自 敘

當我寫完《中國人性論史先秦篇》後，有的朋友知道我要著手寫一部有關中國藝術的書，非常為我耽心。覺得因為我的興趣太廣，精力分散，恐怕不能有計劃地完成我所能作的學術上的工作。真的，有時我是浪費了自己有限地精力。但我之所以要寫這一部書，卻是經過嚴肅地考慮後，才決定的。

道德、藝術、科學❶，是人類文化中的三大支柱。中國文化的主流，是人間的性格，是現世的性格。所以在它的主流中，不可能含有反科學的因素。可是中國文化，畢竟走的是人與自然，過分親和的方向，征服自然以為己用的意識不強。於是以自然為對象的科學知識，未能得到順利的發展❷。所以中國在「前科學」上的成就，只有歷史地意義，沒有現代地意義。但是，在人的具體生命的心、性中，發掘出道德的根源、人生價值的根源；不假藉神話、迷信的力量，使每一個人，能在自己一念自覺之間，

---

❶ 宗教必轉向於道德，立基於道德，然後能完全從迷信、偏執中脫出，給人生以安頓，消劫運於無形。否則許多災禍，皆假宗教之名以起；這只要張開眼睛一看，便不能不承認此種鐵地事實。宗教的前途，完全決定於此種轉換的能否順利進展。

❷ 中國科學未能發達的原因，此僅其一端。讀者請勿誤會。

即可於現實世界中生穩根、站穩腳；並憑人類自覺之力，可以解決人類自身的矛盾，及由此矛盾所產生的危機；中國文化在這方面的成就，不僅有歷史地意義，同時也有現代地、將來地意義。我寫《中國人性論史》，是要把中國文化在這一方面的意義，特別顯發出來。

在人的具體生命的心、性中，發掘出藝術的根源，把握到精神自由解放的關鍵，並由此而在繪畫方面，產生了許多偉大地畫家和作品，中國文化在這一方面的成就，也不僅有歷史地意義，並且也有現代地、將來地意義。雖然百十年來，中國的知識分子，對於這一方面的成就，沒有像對於上述道德方面的成就，作瘋狂地誣衊。但自明清以來，因知識分子在八股下的長期墮落，使這一方面的成就，也漸漸末梢化、庸俗化了，以致與整個地文化脫節；只能在古玩家手中，保持一個不能為一般人所接觸、所了解的陰暗地角落。我寫這部書的動機，是要通過有組織地現代語言，把這一方面的本來面目，顯發了出來，使其堂堂正正地滙合於整個文化大流之中，以與世人相見。所以我現時所刊出的這一部書，與我已經刊出的《中國人性論史先秦篇》，正是人性王國中的兄弟之邦。使世人知道中國文化，在三大支柱中，實有道德、藝術的兩大擎天支柱。

但我決不是為了爭中國文化的面子，而先有上述的構想，再根據此一構想來寫這一部書的。我深信為個人爭沒有內容的面子，為民族爭沒有內容的面子，不僅是枉費精神，而且也會痺痲真實地努力，迷誤前進的方向。我之所以寫這部書，也和我寫《中國人性論史先秦篇》一樣，是經過嚴肅地研究工作，而認定歷史中的事實，和當前人類所面對的文化問題，確實是如此。為了說明這一點，便須略述我寫這部書的經過。

因好奇心的驅使，我雖常常看點西方文學、藝術方面有關理論的東西。但在七年以前，對於中國畫，可以說是一竅不通的。而本書十章，有八章便專談的是中國畫。我的生活，有在上床之後，入睡之前，隨意翻閱新到的書，或是輕鬆的書的習慣。因為買進了一部《美術叢書》，偶然在床上翻閱起來，覺得有些意思，便用紅筆把有關理論和歷史的重要部份，作下記號。我為了收拾自己精神的散亂，也養成了抄書的習慣；便斷續地將注記好的這種材料加以抄錄。時間久了，感到裡面有超出於骨董趣味以上的道理，態度也慢慢地嚴肅起來，便進一步搜集資料，搜集到《美術叢書》❸以外的畫史、畫論；搜集到宋元人的詩文集；搜集到現代中日人士的著作；搜集到可以入手的畫冊。在搜集的過程中，看完或翻完一部書，而竟毫無所得，乃常有之事。經過這種披沙揀金的工作後，才追到魏晉玄學，追到莊子上面去。然後發現莊子之所謂道，落實於人生之上，乃是崇高地藝術精神；而他由心齋的工夫所把握到的心，實察乃是藝術精神的主體。由老學、莊學所演變出來的魏晉玄學，它的真實內容與結果，乃是藝術性的生活和藝術上的成就。歷史中的大畫家、大畫論家，他們所達到、所把握到的精神境界，常不期然而然的都是莊學、玄學的境界。宋以後所謂禪對畫的影響，如實地說，乃是莊學、玄學的影響。我自己並沒有什麼預定的美學系統；但探索下來，自自然然地形成為中國地美學系統。雖然我為了避免懸擬虛構之嫌，所以不順著理論的結構寫了下來，而是順著歷史中有關事實的發展寫了下來，以致在形式上有的不免於顯得片斷或重複；但決不因此而妨礙其由內在關連而來的系統性。站在資料的立場來說，這一

❸《美術叢書》，當然可以提供研究美術者以若干便利。但裡面所收的資料，不僅真偽不分；而且收了許多無聊的東西；卻把在研究畫史、畫論上，所必不可缺的文獻，有如唐張彥遠的《歷代名畫記》、北宋郭若虛的《圖畫見聞誌》、南宋鄧春的《畫繼》之類，都遺漏不收。而《珊瑚網》中所摘錄的，又極為零碎。至於字句的失於校勘，更不待論。所以這實際是一部陋書、俗書。

系統是「集腋」所成的「裘」❹，也就是由歸納方法所求得的系統。

我在探索的過程中，突破了許多古人，尤其是現代人們，在文獻上、在觀念上的誤解。尤其是現在的中國知識分子，偶而著手到自己的文化時，常不敢堂堂正正地面對自己所處理的對象，深入到自己所處理的對象；而總是想先在西方文化的屋簷下，找一膝容身之地。但對西方文化的動態，又常陷於過分地消息不靈。當西方繪畫，早由寫實主義、古典主義、前後期印象主義、立體主義，而進入到「現代藝術」時，許多人以為西方的繪畫還是寫實主義；於是為了維護中國繪畫地位的苦心，便也把中國繪畫比附成寫實主義。《故宮名畫三百種》所以把郎世寧的畫選印得最多（十一幅），這種奇怪的選擇，我推測即是出於此一觀點；他們以為郎世寧正在這一方面為我們的西化開路❺。當西方的抽象主義，以二十世紀的五十年代發展到高峯，六十年代已走向沒落時，又有些人大聲叫嚷，說中國的繪畫乃至書法，正是抽象主義。於是在畫布或畫紙上塗些墨團團，說這是抽象地東西合璧。其實，從畫史來說，中國由彩陶時代一直到春秋時代，是長期的抽象畫，可是並非現代的抽象主義❻。戰國時代開始有了寫實的精神、作品。但因秦漢陰陽五行及神仙方士的影響太大，寫實的路沒有得到好好地發展。到了魏晉時代，

---

❹ 我原想仿照今日所流行的方式，把本書採摭所及的書目，列了出來，這陣容是相當堂皇的。但我又想到，內中有些材料，只是順著線索，臨時翻檢的，或間接引用的；不列出，即不完備；列出，有點近於自欺欺人，心有不安，所以便取消了。

❺ 我雖對《故宮名畫三百種》的編者，在鑒別上、在觀念上，有許多不敢苟同的地方。但它的裝製、編排、說明，卻也經過了一番苦心。在我所能看到的三十種以上的有關中國畫冊（集）中，依然要算是難得的。

❻ 古代抽象畫，從自然物的形象去看，那是抽象的。但在抽象中都含有藝術的規律性。如對稱、均衡等等。現代的抽象主義，則要把一切藝術的規律性都抽掉。

因玄學之力，而比西方早一千多年，引起了藝術的真正自覺❼。爾後中國的繪畫，始終是在主客交融、主客合一中前進。其中也有寫實的意味，也有抽象的意味；但不是一般人所比附的寫實主義、抽象主義。任何人不必干涉他人的藝術活動與見解；但說到「中國傳統地」的時候，便要受到中國畫史事實的限制。今日有些人太不受到這種歷史事實的限制了；甚至連起碼地字句也看不懂，便放言高論，談起中國的繪畫，是如何如何❽；還有許多人，只靠人事關係，便被敕封為鑒賞專家。這便更促成我動筆的決心。所以從五十二年的下季起，利用授課以外的片斷時間，斷斷續續地寫成了這裡印行的三十多萬字。我所寫的，對中國整個地畫論、畫史而言，只能算是一個大的線索、大的綱維。但每一句話，都是經過自己辛勤研究以後才說出來的。這等於測量地圖，測量的基點總算奠定了。

因為過去「人生觀論戰」的時候，有一方面為了打擊對方，便編出了「玄學鬼」三個字的口號，很收到了大眾性的宣傳效果。所以至今有許多人只要聽到一個「玄」字，便深惡痛絕。我在此處願意告訴這種人，剋就人生上的所謂「玄」，乃指的是某種心靈狀態、精神狀態。中國藝術中的繪畫，係在這種心靈狀態中所產生、所成就的。科學心靈與藝術心靈本不相同；而在每一個人的具體生命中，可以體驗得到的東西，也與唯心唯物之爭無與。假定談中國藝術而拒絕玄的心靈狀態，那等於研究一座建築物而

❼ 古希臘的藝術模仿說，一直支配到歐洲的十七世紀。及康德的《判斷力批判》出，對美的成立、藝術的成立，才開始了真正地反省。

❽ 目前臺灣可以看到的鄭昶的《中國畫學全史》，抄了不少的材料；但因其缺乏理解力，所以他自己的議論，皆是麻木不仁的一些話。其自標「全史」，有點近於不通；誰能寫出中國畫學的「全史」？俞劍華的《中國繪畫史》，其抄材料不如鄭昶，而議論之妄誕過之。此外，即是我在此處所說的一類。今人侈言考據；不懂字句、偽造材料，固不足以言考據。因無思考及體認的能力，因而根本不了解所考據的對象的內容，又如何能言考據呢？

只肯在建築物的大門口徘徊，再不肯進到門內，更不肯探討原來的設計圖案一樣。

本書有八章是專門談畫，這對本書的標題而言，有點不相對稱。但就我目前所能了解的是：中國文化中的藝術精神，窮究到底，只有由孔子和莊子所顯出的兩個典型。由孔子所顯出的仁與音樂合一的典型，這是道德與藝術在窮極之地的統一，可以作萬古的標程；但在實現中，乃曠千載而一遇。而在文學方面，則常是儒道兩家，爾後又加入了佛教，三者相融相即的共同活動之場。所以對於由孔子所代表的典型，在本書中只分佔了一章的篇幅。當然，這也是由於我在這一方面的研究作得不夠。由莊子所顯出的典型，澈底是純藝術精神的性格，而主要又是結實在繪畫上面。此一精神，自然也會伸入到其他藝術部門。例如魏晉時代的音樂，也可以看作是玄學的派生子。而宋代形象素樸、柔和，顏色雅淡、簡素的瓷器，在精神上是與當時的水墨山水畫相通的。但是：第一，我研究的能力與時間有限；又不願抄輯些未經自己重新檢證過的他人文字來撐持門面。第二，中國藝術精神的自覺，主要是表現在繪畫與文學兩方面。而繪畫又是莊學的「獨生子」。本書第三章以下，可以看作都是為第二章作證、舉例。至於書法，僅從筆墨上說，它在技巧上的精約凝歛的性格，及由這種性格而來的趣味，可能高於繪畫。但從精神可以活動的範圍上來說，則恐怕反而不及繪畫。即是，筆墨的技巧，書法大於繪畫；而精神的境界，則繪畫大於書法。所以有關書法的理論，幾乎都是出於比擬性的描述。過去的文人，常把書法高置於繪畫之上，我是有些懷疑的。不過在目前，還不敢肯定的這樣講。

很遺憾的是：我是一筆也不能畫的人。但西方由康德所建立的美學，及爾後許多的美學家，很少是實際地藝術家。而西方藝術家所開闢的精神境界，就我目前的了解，常和美學家所開闢出的藝術精神，實有很大地距離。在中國，則常可以發現在一個偉大地藝術家的身上，美學與藝術創作，是合而為一的。而在若干偉大地畫論家中，也常是由他人的創作活動與作品，以「追體驗」的功夫，體驗出藝術家的精神意境。我不敢援引晉衛夫人〈筆陣圖〉「善鑑者不寫，善寫者不鑑」的話以自飾；而只想指出，創作與批判、考證，本是出自兩種精神狀態，須要兩種不同的工夫。我雖不能畫，但把他們已經說出來的，證以他們的畫蹟，而加以「追體認」，似乎還不至於有大的過失。同時我也願在這裡指出，年來我所作的這類思想史的工作，所以容易從混亂中脫出，以清理出比較清楚地條理，主要是得力於「動地觀點」、「發展地觀點」的應用。以動地觀點代替靜地觀點，這是今後治思想史的人所必須努力的方法。

也或者有人要問到，以莊學、玄學為基底的藝術精神，玄遠淡泊，只適合於山林之士。在高度工業化的社會，競爭、變化，都非常劇烈，與莊學、玄學的精神，完全處於對極的地位。則中國畫的生命，會不會隨中國工業化的進展而歸於斷絕呢？我的了解是：藝術是反映時代、社會的。但藝術的反映，常採取兩種不同的方向。一種是順承性的反應；一種是反省性的反映。順承性的反映，對於他所反映的現實，會發生推動、助成的作用。因而他的意義，常決定於被反映的現實的意義。西方十五、六世紀的寫實主義，是順承當時「我的自覺」和「自然的發現」的時代潮流而來的。他對於脫離中世紀，進入到近代，發生了推動、助成的作用。又如由達達主義所開始的現代藝術，它是順承兩次世界大戰及西班牙內戰的殘酷、混亂、孤危、絕望的精神狀態而來的。看了這一連串的作品——達達主義、超現實主義、抽象主義、破布主義、光學藝術等等作品，更增加觀者精神的殘酷、混亂、孤危、絕望的感覺。此類藝術之不為一般人所接受，是說明一般人還有一股理性的力量與要求來支持自己的現實生存，和對將來的希望。中國的山水畫，則是在長期專制政治的壓迫，及一般士大夫的利欲薰心的現實之下，想超越向自然中去，以獲得精神的自由，保持精神的純潔，恢復生命的疲困，而成立的；這是反省性的反映。順承性的反映，對現實有如火上加油。反省性的反映，則有如在炎暑中喝下一杯清涼的飲料。專制政治今後可能沒有了；但由機械、社團組織、工業合理化等而來的精神自由的喪失，及生活的枯燥、單調，乃至競爭、變化的劇烈，人類還是須要火上加油性質的藝術呢？還是須要炎暑中的清涼飲料性質的藝術呢？我想，假使現代人能欣賞到中國的山水畫，對於由過度緊張而來的精神病患，或者會發生更大的意義。

在這部書中，我原想為元季黃公望、倪瓚兩人的平生，與明末石濤的《畫語錄》，作較詳細地陳述；資料收集好後，又放棄了預定的計劃。好在元季四大家的地位，到現在為止，還沒有受到不白之冤。而石濤的《畫語錄》，雖為一般人所不易了解；但他與八大山人們的作品的地位，數十年來，正如日中天，已得到應有的評價。所以在這部書中輕輕帶過，乃至根本不曾提到，沒有多大的關係。評隲古人，也和評隲今人一樣，既要不失之於阿私，又不可使其受到冤屈。這須要有一股剛大之氣，和虛靈不昧之心，以隨時了解自己知識的限制，和古人所處的時代，及其生活所歷的艱辛。目前風氣，是毫無分際地阿諛與自己利害有關的今人；卻又因無知而又急於想出風頭的關係，便以一股乖戾之氣去冤屈古人。現在許多人，似乎根本不知道對他人所作的阿諛與冤屈，乃人世間最醜惡之事。而這兩者，又必然地是一個人格的兩面。在我的生命史中，雖一無成就；但在政治與學術上，尚不曾有過阿諛的言行。而過去所寫的政論文章，從某一方面說，乃是為今日普天下的人伸冤。十年來所寫的學術文章，則是為三千年中的聖賢、文學家、藝術家，伸冤雪恥。這部書中，也有一部份是如此。

寫完了這部書後，在中國藝術史方面，還有許多工作可做；我也有資料、有興趣去做。但回顧我們學術界的現狀，我寧願多做一點開路築基的工作，而期待由後人鋪上柏油路面。所以在這一方面的努力，就此止步了。今後我希望能接著寫一部兩漢學術思想史，把由乾嘉學派的「漢學」所蒙蔽了的這一重大歷史階段的學術文化，能如實地闡明於世人之前。因為兩漢所佔的歷史階段，不論它的好和壞，對後來歷史的形成，有直接地關係。世局、人事的變化，能允許我完成此一工作嗎？

自十六年前，我拿起筆開始寫文章以來，雖為學識所限制，成就無多；要皆出於對政治、文化上的責任之心。政治是天下的公器，學術也是天下的公器。正因為這樣，所以我批評了他人；更懇切希望海內外的學人，肯指出我的錯誤。在為寫此書的收集資料過程中，有的得到了友誼的幫助；有的則得到橫蠻地阻擾。這兩種不同的感受，一時是不會忘記的。我的友人朱龍盦先生，隱於下吏，書畫雙絕，人品尤高；承他為我集漢碑作檢書，至可感念。我的學生，陳君文華、鄭君基慧，為本書執校對之勞，應當一併記在這裡。

當我寫完本書第二章時，偶成七絕一首，附記於此，以作紀念。可惜此章是最難讀的一章。

茫茫墜緒苦爬搜。劌腎鐫肝只自仇。瞥見莊生真面目。此心今亦與天遊。

中華民國五十四年八月十八日徐復觀自敘於東海大學宿舍

三版自序

當我著手寫這部書的時候，正是許多人標榜以抽象主義為中心的「現代藝術」的時候。現在這種聲音，似乎比較微弱了。藝術到底走到什麼地方去，三十年來，他人是在摸索，而我們則在模仿；摸索者多已感到空虛，模仿者也應有些迷惘。我覺得大家應當暫時放下「傳統」「現代」這類硬殼子的招牌，先下一番工夫，了解傳統、現代、有關藝術的說明，到底是些什麼意義。就我的淺陋所及，在理論方面，西方自康德起，是美學家走在藝術家的先頭。我國三百年來，因過份重視筆墨趣味，而忽視作品中所表現的人生意境，以致兩皆墮退，尤以畫論方面的墮退為甚。當代名家中，只有白石老人，拈出一個

「靜」字，為真能道出他的體驗所至，接觸到藝術中某一方面的真實。畫家的心中，若填滿了名利世故，未留下一片虛靈之地，以「羅萬象於胸中」，而欲在作品中開闢境界，抒寫性靈，恐怕是很困難的事。這部小著，假定能幫助讀者，帶進古人所創發的「心源」，而與其互相映發，使自已的作品，出自此種根源之地，則天機舒卷，意境自深；或者這是一點小小地貢獻。

壬子冬至後十日徐復觀自序於九龍寓所

《兩漢思想史卷二》

自序

我在一九七二年三月，由香港新亞研究所出版了《周秦漢政治社會結構之研究》❶，是作為計劃中的《兩漢思想史》的背景篇而寫的，所以可稱為《兩漢思想史》卷一。此處所彙印的七篇專論，便稱為《兩漢思想史》卷二。因為我要繼續寫下去，預定還有卷三卷四的印行。

我曾指出過，兩漢思想，對先秦思想而言，實係學術上的鉅大演變。不僅千餘年來，政治社會的局格，皆由兩漢所奠定。所以嚴格地說，不了解兩漢，便不能澈底了解近代。即就學術思想而言，以經學史學為中心，再加以文學作輔翼，亦無不由兩漢樹立其骨幹，後人承其緒餘，而略有發展。一般人視為與漢學相對立的宋明理學，也承繼了漢儒所完成的陰陽五行的宇宙觀、人生觀；而對天人性命的追求，實亦順承漢儒所追求的方向。治中國思想史，若僅著眼到先秦而忽視兩漢，則在「史」的把握上，實係重大的缺憾。何況乾嘉時代的學者們，在精神、面貌、氣象、規模上，與漢儒天壤懸隔。卻大張「漢

❶ 此書增加了兩篇重要文章後，於一九七四年五月，由臺灣學生書局出臺灣版。

學」之幟，以與宋儒相抗，於是兩漢的學術思想，因乾嘉以來的所謂「漢學」而反為之隱晦。我以流離瑣尾的餘年，治舉世禁忌不為之舊學，也有一番用心所在。

這幾年來，頗有好學之士，向我問到治思想史的方法。在這裡特鄭重說一句：我所用的，乃是一種笨方法。十年以前，我把閱過的有關典籍，加以注記，先後由幾位東海大學畢業的同學為我摘抄了約四十多萬字，其中有關兩漢的約十多萬字。等到我要正式拿起筆來時，發現這些摘抄的材料，並不能構成寫論文的基礎。於是又把原典拿到手上，再三反復；並盡可能的追尋有關的材料，這樣才慢慢的形成觀點，建立綱維；有的觀點、綱維，偶得之於午夜夢回，在床上窮思苦索之際。即使是如此，也只能說我的文章，在治學的途轍上，稍盡了點披荊斬棘之勞，斷乎不敢說沒有犯下錯誤。李唐有自咏其畫之句謂「看之容易畫時難」。二十多年來，才漸漸識得一個「難」字。

只有在發展的觀點中，才能把握到一個思想得以形成的線索。只有在比較的觀點中，才能把握到一種思想得以存在的特性。而發展比較兩觀點的運用，都有賴於分析與綜合的工力。我的這種工力雖然不敢說完全成熟，但每寫一文時，總是全力以赴，以期能充分運用發展與比較的觀點。這可能是我向讀者所提供的一點貢獻。

這七篇文章，都是作為獨立性的論文來寫的，所以重複甚至論點不大一致的地方，在所難免。這只有期待全書寫成後，作一次總的調整。幾十年來，把王充的分量過分誇張了。本書中的〈王充論考〉一文，目的在使他回到自己應有的位置。在這種揭破的工作中，應當引起研究者乃至讀者自身對感情與理智的反省。就東漢思想而言，王充的代表性不大。所以我把西漢還有幾篇文章寫完後，便接著寫東漢的一羣思想家。

此書曾經香港中文大學印行。這裏增加了兩篇文章，並訂正若干內容，恢復被中文大學出刊組刪去的側線，由學生書局的朋友，印行增訂版，實感厚意。又本書訂正部份，多得力於友人劉殿爵教授的教示，感佩難忘。

一九七五年十二月十日浠水徐復觀序於九龍寓所

《黃大癡兩山水長卷的真偽問題》

自序

這裡彙印的四篇文章，是年來為了討論黃大癡（名公望，字子久，又號一峯道人）兩山水長卷的真偽問題而寫的。

臺北故宮博物院，藏有元黃大癡水墨山水畫兩長卷。兩長卷的結構完全相同；但款識畫法，及紙色，並不相同。一卷原稱為〈山居圖〉，現則方便稱為〈子明卷〉。一卷原稱為〈富春山居圖〉，現則方便稱為〈無用師卷〉。經過我此次研究的結果，發現大癡所畫者，乃其胸中百里山川，而不是富春山與富春江；所以覺得還是用吳寬的「長卷」名稱，以作兩卷的總名，較為妥當。〈子明卷〉首尾皆殘缺；有明初孔諤的詩跋，及劉珏的收藏印識；更有抗清死節的瞿式耜的收藏印章。不知以何因緣，於乾隆九年，落在乾隆弘曆手上，視為至寶，題識多次，卷面填塞幾滿。〈無用師卷〉則沒有明末清初以前的收藏印章或過目印章。在此次考證中，發現其題跋皆偽。順治九年左右，出現一種傳說，收藏〈無用師卷〉的宜興吳問卿，在順治七年庚寅病劇時，將此卷付火，欲以此為殉，經他的侄兒吳子文（靜庵）從火中搶出，所以卷首較〈子明卷〉少了一段。此傳說一出，哄動一時；〈無用師卷〉因而成為傳奇性的畫蹟。凡未得一見的畫家、名士，如惲南田、王石谷等，在想像中傾慕頂禮的情形，幾可與唐初、宋初的書法家們對王羲之〈蘭亭帖〉的追慕，不相上下。此卷於順治九年由吳家轉入丹徒張範我；更由張家經泰興季寓庸，華亭王鴻緒，錢塘高士奇，而入朝鮮人安岐之手。乾隆十年，由安家賣到弘曆手上。因在前一年，弘曆已定〈子明卷〉為真，則此時自不得不以〈無用師卷〉為偽。但自順治九年以來，此卷的聲勢太大，地位太高，從弘曆的題跋看，他的精神實已為此卷所奪，語意間流露出色厲而內荏的神情。

自順治八年後，因避忌瞿式耜的收藏印章的關係，社會上便看不到〈子明卷〉。自乾隆十年後，社會上也看不到〈無用師卷〉。一直到北伐成功，故宮博物院成立，此兩卷才得出自深宮，重新與社會相見。並經上海畫家吳湖帆們，斷定〈無用師卷〉是真，〈子明卷〉是偽；這是以順治九年以來，哄動兩百餘年之久的付火故事為背景，來翻弘曆的案的；遂成為今日一般的定論。

我對上述定論，早經懷疑。並曾把我的疑點，告訴過好幾位朋友，希望大家留心此一問題。有一次，饒宗頤先生赴臺作研究工作，我更以此意相珍重，希望他作一番詳細觀察後，寫篇文章來作解答。但都沒有得到嚴肅地反應。所以我便於一九七四年暑假，寫了〈中國畫史上最大的疑案〉一文，在《明報月刊》一〇七期刊出，引起了一連貫的熱烈討論，於是我前後寫了這裡彙印的四篇文章，幸能斬關摧壘，得出〈子明卷〉是真，〈無用師卷〉是偽的定案。

考據的雖只是兩卷畫，但牽涉的廣泛、複雜、微妙，我相信在考據學史中，也應算是一個特例。因為各位先生在討論中肯窮追不捨，遂能使問題在不斷深入中，得以穿雲撥霧，摧陷廓清，不僅對問題的解決，昭彰透闢，略無餘憾；且使數百年來有關大癡平生的錯誤記載，得澄清於一旦。而對我國畫史中的偽造偽鑑的詭幻情形，也收了一次犁庭掃穴之功。在討論過程中，不僅由我發掘對方的錯誤，也由對方及我自己，不斷發掘我所犯的錯誤；因而經常引起對資料的分析，方法的運用，討論的方式等，作了深入的反省。我相信，這在考據學上，同樣有它一定的貢獻❶。

臺北故宮博物院對這次討論的反應，是印出了一冊《元四大家》，在黃大癡名下，把〈子明卷〉、〈無用師卷〉，都印了出來，這是一件好事。他們繼續堅持吳湖帆的觀點，抹煞我所提出的一切堅強論證，世上本有因濡染太深，而嗜偽成癖之人，原不足異。但他們最不可恕的是，利用故宮的「地位」，運用虛張聲勢的方法，存心向社會「行詐」。他們在四大家畫蹟後面，還有一篇〈四大家〉的文章，並列有一六九種「參考書目」，可謂聲勢浩大。在參考書目中，錄了我的第一篇文章，接著錄了七篇反駁我的文章；但同樣刊在《明報月刊》上的贊成我的說法的翁同文教授的幾篇文章，則一篇不錄；而翁先生是在《故宮季刊》上發表過重要論文的。對於我的反駁，並進一步探究的兩篇文章，當然更不會錄出〈我的第四篇文章刊出時，《元四大家》已出版〉，這算不算是存心行詐？經過我窮探力索的結果，證明順治九年〈無用師卷〉出現以前，大癡根本沒有住過富春山的紀錄；所有說大癡曾隱居過富春山，並以大癡為富陽人的，都是受到〈無用師卷〉偽大癡款識的影響而流演出來的；這在確定〈無用師卷〉是偽的判斷上，有決定性的意義。〈四大家〉一文的作者，無法在文獻上提出反證，卻說大癡「何時隱於虞山，筲箕泉、富春山、松江，這在元末明初的記述中，多未談及」。大癡曾隱居虞山、松江、筲箕泉的元末明初的記載，我在由〈疑案向定案〉一文中，都引錄得清清楚楚；只是發現不出曾隱居過富春山的痕跡。故宮的這位作者，用夾帶私貨的方式，把偽造出的曾隱居富春山的說法，夾帶在確實曾隱居過虞山、松江、筲箕泉等說法的中間，而籠統說一句「多未談及」，使真偽由混淆而平等，以騙讀者由真偽不分，也會承認偽者是真，這不是行詐是什麼？故宮的作者又說大癡「經常來往於蘇州、杭州、松

---

❶ 閱者若對我以上所述，有所懷疑，望看完此冊所收錄的四篇文章。

江、富春等地方面。在富春地方，（按，只有富春山），可能全真教在山上有住持的宮觀。」假定這位作者，不在參考書目中列有元人著作四十九種，明人著作三十九種，我只能說這是沒有受過治學訓練者的信口開河，而不能說他（或他們）是存心行詐。既列出了八十八種元明人的著作，便應把記載大癡經常來往於富春山的資料，列舉出來，以便解疑釋惑；因為這是此次討論中有決定性的爭點之一。但除在流傳中有版本問題及竄改問題的少數典籍（如鄧韍修《常熟志》及夏文彥著《圖繪寶鑑》等）外，決找不出大癡與富春山的關係。這位作者，卻虛列八十八種元明著作，以作他的謊言的煙幕，這不是行詐是什麼？還有〈子明卷〉的原跡，及以前故宮所印的照片（我手上有一份），用墨濃淡分明；與〈無用師卷〉用墨多濃淡不分，成一顯明的對照。但此次印出的《元四大家》中的〈子明卷〉，也成為濃淡不分，這到底是印刷的技術問題呢？還是有人故意弄了手腳呢？大概人性有愛好行詐的一面；也有愛好求真的一面，故宮諸公，有權力把老百姓的血汗錢花在行詐上面，我這種無權力的人，只好把自己賣文教書的辛苦錢，拼在求真上面。所以我印這個冊子。

還應順便指出一點：故宮諸公，既堅持〈無用師卷〉是真，當然也必堅信卷上大癡的款識是真。大癡的款識，分明說「余歸富春山居」；所謂「山居」，此處作名詞用，是指在山裡私人住的地方。《辛丑銷夏錄》所錄偽黃大癡〈秋山招隱圖〉的偽跋中有「余（大癡）向構一堂於其間」的話，及後人傳會出一個「黃公望小築」，皆由〈無用師卷〉款識中的「山居」兩字，推演而來。故宮作者忽發奇想，以為在富春山上揑造出一個全真教的宮觀，以為大癡憩息之地，這對於大癡常來往於富春山的說法會更為有力了。但這位作者若不能證明大癡曾經把「宮觀」乾沒為自己的「山居」，又不能證明「宮觀」可以稱為「山居」，則這位作者實際上已否定了〈無用師卷〉上大癡款識的真實性，還能憑什麼堅持〈無用師卷〉是真的呢？行詐並不是完全不需要一點能力。

我在彙印此一小冊時，未曾把其他各位先生的論文收在一起，這是一種缺憾。但可以負責地說，我決不曾掩沒或逃避過各位先生一條有力的論證。在付印之前，文字稍有增刪，尤以最後一篇文章，增加的文字最多。因《明報月刊》，發表此一討論的文字太多，編者、讀者，都感到煩膩，所以我生怕把文章寫得太長了，以致在反駁傅申先生的部分，有的過於簡化，可能會使讀者不太容易明瞭，不能不增加千字以上的分析性的文字。至於刪掉的則前後總共不到三百字，而凡是各位先生所指出的我的錯處，則都不曾刪掉。為了促進學術進步，便須提倡合理討論的方法與態度。我願向這方面盡點力，儘管難免因此而引起若干誤解。

一九七六年五月五日徐復觀自序於九龍寓所

《兩漢思想史卷三》

中國思想史工作中的考據問題——代序

一

茲當《兩漢思想史》卷三刊行之際，對自己年來在思想史中所下的考據工夫，應作一解說，因為有朋友曾向我提到此一問題。

我以遲暮之年，開始學術工作，主要是為了抗拒這一時代中許多知識分子過分為了一己名利之私，不惜對中國數千年文化，實質上採取自暴自棄的態度，因而感憤興起的。我既無現實權勢，也無學術地位，只有站在學術的堅強立足點上說出我的意見，才能支持我良心上的要求，接受歷史時間的考驗。考據不是以態度對態度，而是以證據對證據。這是取得堅強立足點的第一步，也是脫出「此亦一是非，彼亦一是非」的混亂之局的第一步。

一談到考據，大家會立刻聯想到乾嘉學派。以考據為專門之學，的確是出自乾嘉學派。但他們在以漢學打宋學的自設陷阱中，不僅不了解宋學，且亦不了解漢學。更糟的是，他們因反宋學太過，結果反對了學術中的思想，既失掉考據應有的指歸，也失掉考據歷程中重要的憑藉，使考據成為發揮主觀意氣的工具。這在本書附錄上的〈清代漢學衡論〉中已有較詳實地陳述。其中在訓詁校勘上卓有成就的，又都餖飣零碎，距離思想的層次很遠。此種風氣，為現代學人所傳承，更向古典真偽問題上發展，應當是好現象。但發生影響最大的「古史辨」派，鹵莽滅裂，更從文獻上增加了中國傳統學問的困擾。要從這種困擾中解脫出來，重新奠定學術工作起步的基礎，只能出之以更謹慎更精密的考據，破除他們膚淺粗疏甚至是虛偽的考據。否則他們會斥抱有不同意見的人是「游談無根」，因而加以抹煞、訕笑。

乾嘉學派，一直到今天還是一股有力的風氣。我留心到，治中國哲學的人，因為不曾在考據上用過一番工夫，遇到考據上已經提出的問題，必然會順隨時風眾勢，作自己立說的緣飾。例如熊師十力，以推倒一時豪傑的氣概，在中國學問上自闢新境。但他瞧不起乾嘉學派，而在骨子裏又佩服乾嘉學派，所以他從來不從正面攖此派之鋒，而在歷史上文獻上常提出懸空地想像以作自己立論的根據，成為他著作中最顯著的病累。其他因乘風借勢，而顛倒中國思想發展之緒的，何可勝數。所以我從《中國人性論史先秦篇》起，考據工作，首先指向古典真偽問題之上。

二

關於兩漢思想，現時一般的說法：陸賈的《新語》，賈誼的《新書》，董仲舒的《春秋繁露》，都是不可信賴的文獻；《說苑》則係成書於劉向之前，並非劉向所著。諸如此類，我若不自己下一番考據工夫，要便是把這些著作，從兩漢思想中，武斷地加以剔除；要便是不考慮異同之見，我行我素地加以闡述。這都不是真正負責的態度。自己下過一番工夫後，凡是他人在證據上可以成立的便心安理得地接受，用不著立異。凡是他人在證據上不能成立的，便心安理得地拋棄，無所謂權威。我每一篇文章中，幾乎都作了這種程度不同的努力。對較有關鍵性的一詞一語，一事一物，亦必探索其來源，較量其時代。未曾無批判地接受過傳統的說法，也未曾無批判地否定過時人的說法。在證據的打擂臺上所得出的結論，這才是可資信賴的結論。若由後起的堅強證據將已得出的結論推翻，這是學術上的進步，我由衷地期待這種進步。

三

在治思想史中言考據，必然地向另外三個層面擴展。一是知人論世的層面。思想史的工作，是把古人的思想，向今人後人，作一種解釋的工作。我深深體悟到，解釋和解釋者的人格，常密切相關，這在當前的中國，表現得最為突出，不必一一舉例。由此可以斷言，古人的思想，必然與古人的品格、個性、家世、遭遇等，有密切關係。我更深深體悟到，在二十餘年的工作中，證明了克羅齊（Croce 1866-1952）「只有現代史」的說法。沒有五十年代臺灣反中國文化的壓力，沒有六十年代大陸反孔反儒的壓力，我可能便找不到了解古人思想的鑰匙，甚至我不會作這種艱辛地嘗試。江青輩以《鹽鐵論》為儒法鬪爭的樣版，郭沫若馮友蘭也加入在裏面，由厚誣賢良文學以厚誣孔子、儒家，我便在他們的聲勢煊赫中，寫了〈《鹽鐵論》中的政治社會文化問題〉，徹底解答了此一公案。這是最突出的例子。由此可以斷言，古人思想的形成，必然與古人所遭遇的時代，有密切關係。上面兩種關係，總是糾纏在一起。把這種關係考據清楚，是解釋工作的第一步。我每篇文章中，都走了這樣的第一步，卻走得並不夠。

其次，是在歷史中探求思想發展演變之跡的層面。不僅思想的內容，都由發展演變而來；內容表現的方式，有時也有發展演變之跡可考。只有能把握到這種發展演變，才能盡到思想史之所謂「史」的責任，才能為每種思想作出公平正確地「定位」。我每篇文章中，在這方面的努力，是非常顯然的。這是一種考據，也是考據中的一種重要方法。

第三是以歸納方法從全書中抽出結論的層面。在此一層面中，首先須細讀全書，這便把訓詁、校勘、版本等問題概括在裏面。我不信任沒有細讀全書所作的抽樣工作，更痛恨斷章取義，信口雌黃的時代風氣。仔細讀完一部書，加以條理，加以分析，加以摘抄，加以前後貫通，左右比較，尚且不一定能把握得周到、真切，則隨便抽幾句話來作演繹的前提，盡量演繹下去，這只能表現個人思辯之功，大概不能算是為學術做了奠基工作。我最多的工夫，常常是花費在這一層面上，這是古人所易，卻為今人所難的。雖然如此，我的著作，便可全資信賴嗎？決不敢這樣講。所以我總是希望讀者能由我的文章引起親讀原典的興趣。但要得到可信賴的結論，我所提出的考據工作總是值得參考的。

一九七九年四月浠水徐復觀於九龍寓所

《徐復觀雜文——論中共》

雜文自序

一

蕭君欣義，大學時代是我的學生。他在美國哈佛大學完成博士學位後，執教於加拿大維多利亞大學，學問已經比我這個過了氣的老師好得太多了。去年夏季，他利用休假時期，在香港大學及香港中文大學，收集研究資料。真想不到我們得此機會見面時，和東海大學師生相處的情形，一點也沒有改變，這應當算是人生難得的遭遇。我偶然向他說，「這些年來在報刊上刊出的一些雜文，你有沒有時間為我看一遍？把其中太無聊的淘汰掉，把你覺得還有些意味的彙印出來，作為生命歷程中的紀念」。他於是放下自己的工作，用他一貫的精勤懇篤地態度，把放得亂七八糟的文章，一篇篇的看，一篇篇的貼，再按年月分次序，按性質分類別，殘缺的還想方法搜補，再把整理好的影印一全份，連同抽出的，交我自己保存，他帶著可以付印的到臺北，又由大學時代同期同學的陳君淑女重閱一遍，聽取他的意見，接洽出版的地方。總計他為我編了一部《儒家政治思想與民主自由人權》，由八十年代出版社出版。一部《文錄選集》，及經他重閱一過的《學術與政治之間》，由學生書局出版；而費力最大的，是這裏印行的約八十萬字的雜文。他非常寶貴地休假時間，就這樣為一位過了氣的老師浪費掉了。

《中國時報》董事長余紀忠先生，是我四十年的老友。偶然在他給我的長途電話中我問他，是否方便印這些雜文？他慨然允諾。中間又麻煩楊社長乃藩先生，親自編閱，裏面有兩篇殘缺的，他居然為我找到補全。我一生虧欠朋友的情誼太多了，這即是一例。

二

我入東海大學教書後，時間精力，轉到學術研究方面去了，二十多年來，也刊出了兩百多萬字的著作。我好似一個夜行人，總希望能在黑暗中標出一條可以回到自己家裏的路，儘管現實上我並沒有家。在漫長而艱苦地研究歷程中，又寫了這些雜文，乃說明我和我所處的時代的不幸。一九六九年我到香港後，要靠這些雜文及刊出這些雜文後面的友誼來維持生活。同時，我所處的時代，也壓迫我的良心不能不寫些政論性的文章。所以寫雜文是為了吃飯；但有的雜文，卻是在拿起筆時，忘記了自己身家吉凶禍福的情形之下寫出來的。每星期七天，五天時間我是面對古人，一天半或兩天時間我又面對當代。這種十年如一日地上下古今在生活中的循環變換，都來自我們國家的遭遇對我所加的鞭策。

《後漢書．張綱傳》載有順帝曾選派八位使者考察地方的政治風俗，張綱也選在裏面。當七位使者都前往被分派的地區時，「而綱獨埋其車輪於洛陽都亭曰，豺狼當道，安問狐狸」，遂放棄考察工作，上書條劾當時以外戚專政的梁冀的罪惡。我每想到此一故事，總湧起一番不知其所以然地感激之情。我於一九六九年秋來到香港，漸漸明瞭毛澤東所發動的文化大革命，是運用尚未成熟的紅衛兵羣眾暴力，摧殘「反右」以後僅存的知識分子，否定人類長期積累的教育成規，毀滅中國幾千年的文化，隔絕人類所共有的世界文化，湧現出亙古未有的全面性的野蠻行為。當我寫文章時，要把這種「豺狼當道」的情形熟視不睹，採用避重就輕的手法，寫些不痛不癢的東西，這是我的良心所不能允許的。但是，香港經過一九六七年的暴動，再加上由鐵幕而來的神秘氣氛，社會上所受的壓力太大了；我並不能完全不顧慮這種壓力。同時我也知道，辦刊物和報紙的朋友，刊出我這類的文章，不是為了需要，而是為了我們私人的友誼。所以我曾向一位朋友說，我本想寫十篇的，因抑制而只寫六篇七篇。本想責難十分的，也因抑制而保留三分四分，卻不能完全不寫。同時我除了感謝肯刊出我這類文章的朋友外，也得感謝香港的左派人士，他們對我這類的文章，一直忍耐到一九七六年五、六月間，才罵我是「文特」「蒼蠅」，在這以前，都是各行其是，和平共處，這比我過去所遭遇的幾次圍攻，要平順多了。香港處在夾縫中的言論自由，對現代中國知識分子來說，依然是值得寶貴的。

三

我的雜文，包括的範圍相當廣泛；許多是由各個方面，各種程度的感發才寫了出來的。但以受到毛澤東文化大革命及其遺毒的震盪為最大。這一震盪，直接間接，波及到我精神活動的各方面。震盪是發自良知所不容自已；在震盪中堅守國族的立場，維護國族的利益，不知不覺地與大陸人民共其呼吸，同樣也是來自良知的不容自已。良知是中國文化的根源，是每個人所以成其為人的立足點。先秦已有人指出，人民是「愚而神」的。人民所以在愚蠢中能發出不可測度的神智，以判斷政治社會上的大是大非大利大害，就是因為人民在自己生命之中能發出他隨生命以俱來的良知的作用。這是任何人在擺脫私利私見的一念之間，即可在自己生命內得到證明的最真實地存在。我不了解對這種基性的文化，如何可用過時的，架空的，實際關連不上的唯心唯物的濫調，來加以扭曲、誣衊、禁錮以致使整個國族的文化，走上絕域，永遠要靠警察，特務，來維持廣大而深刻的道德危機。

世界不是為人而存在，所以人不是世界的中心。但因為有了人，世界才被人所認知，才被人不斷發現這樣的一個世界。因此，人依然是世界一切問題的起點。不過，在兩千多年前莊子卻強調了「真人」的觀念；在這一觀念的後面，意指著芸芸眾生，能算得真正是人的很少。我的雜文中，正如楊乃藩先生為我所作的標題一樣，有的是屬於我所思所憶的。假定在這樣文章中，能保有幾許真人的意味，我便應感到滿足。

徐復觀　一九七九年十一月三十日自序於九龍寓所

《周官成立之時代及其思想性格》

自序

《周官》的成立年代及其思想性格，是爭論了約兩千年之久，而尚未獲得解決的問題。但不僅從經學史思想史的立場，要求這一問題的解決；更因為它牽連之廣，影響之大，在研究中國古典的途程上，也要求這一問題的解決。我這篇長約十萬字的文章，是為了解決此一問題而寫出的。當然這可能只是我主觀地願望或者說是野心。

「《周官》乃王莽劉歆們用官制以表達他們政治理想之書」的結論，似乎前人已提出了一半，即是，宋代已有人說此書是劉歆偽作以獻給王莽的，而我僅把王莽在此書得以成立所佔的分量加上去。但我所運用的論證方法，不是前人所曾涉及，因而我的結論，可以說是完全建立在新基礎之上。不是如此，我便不會費力寫這篇文章。

首先，我從零散的材料中，發現它們共同的目的——用官制表達政治理想的共同目的，因而發現它們相互間的內在關連。更由此以發現這些材料，是思想史中自成系統的一個支派；並且發現這一系統的支派，由戰國末期起，在歷史中繼續發展，一直發展到《周官》的出現而達到高峰，得到總結。由思想系統的發展所證明的《周官》成立的時代，是無法提早或拉遲的時代。

其次，我素不信任以簡單抽樣的方式來論定一人或一書的思想；也不太信任以幾個字或幾句話來論定古書的真偽或其年代的先後；除非幾個字或幾句話可以發生籠罩全局的作用。為了確實把握《周官》的思想，便努力把握《周官》全書的結構，及其時代的背景。同時，《周官》全書的結構及其時代背景，也成為《周官》得以成立的時代的證明。所以我是運用系統地，集體地材料，來作我論證的根據，前人沒有下過這種工夫。正因為如此，所以全文的辯論，僅限於馬融、許慎、鄭玄、賈公彥，而附帶及於朱元晦、孫詒讓、皮錫瑞、廖平及錢穆，其他千餘年中紛紜之見，則同者聽其自同，異者聽其自異，不復特加論列。

※　※　※

為了避開授課時間的干擾，本文動筆於一九七九年四月之末，至九月初始寫成初稿；又花了一個多月的整理時間。因為牽涉太多，自知其中難免錯誤，所以要友人劉殿爵教授，為我過目一遍，我知道他對先秦及西漢的重要典籍，都做了細密地研究工作，而又是肯向朋友提出不同意見的學者。這篇自序，待他過目提出意見後才動筆的原因在此。我在文章中引用了《國語・齊語》的材料；他把〈齊語〉和《管子》的〈小匡〉篇作了一個字一個字的對比，認為〈齊語〉、〈小匡〉，都是根據一種共同材料的來源，不是誰鈔襲誰的；而以〈小匡〉篇較多保存了材料的原來面貌；這一觀點，和我的說法稍有出入，而他的論證更為細密。但他對我認為〈齊語〉較〈小匡〉為有條理，所以我引用〈齊語〉而未引用〈小匡〉的意見則完全相反。經他的細心對比，〈小匡〉的條理實較〈齊語〉為優，他的意見是絕對正確的；我藉此機會加以更正。所以不再將原文變動，固然是因為這不牽涉到基本論點；尤其是我要保存原貌，以警惕自己落筆的不可輕率。此外，還是正了些字句上的遺誤。

※　※　※

我指出王莽們在作《周官》時，用了些奇字、僻字乃至自造了些字，許慎因誤推《周官》為古文，遂援引以作原形原義的說明，「率多顛倒不可信」。劉教授針對此點，提供我所忽略的顧實《重考古今偽書考》中，與我意見恰好相反的一段材料，使我有再加反省的機會。因這一點，可能引起更多的爭端，所以現將顧氏的說法鈔在下面，以便加以考查。顧氏說：「《周官》最多有他書不用之古字，如虣，暴字；副，副字；灋，法字；𩺰，漁字；㩻，拜字；簭，筮字；飌，風字；邍，原字；丱，礦字；櫃，柩字；畺，彊字等。求諸《說文》，副，古文副；灋，古文法；邍，古文原；丱，古文礦；畺乃彊之本字；惟簭，古文筮作䈎而稍異。而虣𩺰飌三字則無有也。更求諸鐘鼎文，虣見寅簋（博古圖），畺見沇兒鐘（《古籀補》），邍見石鼓，𩺰見季加匜（薛氏），伯角父敦（《積古》）；灋見盂鼎；㩻尤鐘鼎中所習見。且殷契中有⿰雚凡即飌字（羅振玉《殷墟書契考釋》）；此所發見，愈足令人狂喜不置……自非《周官》一書，早作於西周之世，烏得有此乎」。

按寅簋之虣字即暴之本字，後假暴為之，暴行而虣廢。又石鼓文的原字作邍，漢人未見石鼓文，但《古籀補》收有五字，《古籀補二》收有十一字，《金文編》收有六字。《詩經》中已以原代邍，原行而邍廢。若僅就此二字而論，當可為顧氏之說作證。但若與顧氏所舉其他各字關連在一起加以考查，則《周官》的虣字，邍字，只能算是他們所用的西漢時代的僻字。《周官》中有𩺰人之官。沇兒鐘銘「𩺰以匽喜」的𩺰字「讀吾」（《彝銘會釋》一上），從原文看，其非漁字甚為顯然。《說文》十一下「𩼜，捕魚也。從魚魚，從水。漁篆文𩼜，從魚」。《古籀補》從石鼓文及遹敦收有兩漁字，下從又，「以手捕魚也」。契文中有不少漁字，且亦有變形，但決無以𩺰為漁。《說文》段注𩼜字下謂「《周禮》當從古作魚人（按契文已有漁字，此說非是。），作魰者近之；作𩺰者非也」。可見《周官》以𩺰為漁，係來自他們因好奇而認錯了字。正證明他們用此字時與古文之時代相去甚遠。

顧氏援羅振玉之說，認為契文中䳒字即《周官》中所用的飌字，以證明飌字乃風字的古文，事實上恰恰相反。顧氏所提出的是契文中的鳳字。羅振玉《殷墟書契考釋》謂「考卜辭中諸鳳字，誼均為風。古金文不見風字。《周禮》之飌，乃卜辭中鳳字之傳訛」。這分明說《周官》作者認錯了字。《說文》九下「礦銅鐵樸石也，從石黃聲，讀若穬。丱古文礦（按當作磺）」，《周禮》有丱人」段注「按《周禮》鄭注云，丱之言礦也。賈疏云，經所云丱，是總角之丱字。此官取金玉，於丱字無所用。……丱之言礦，丱非礦字也」。所以段氏把「丱古文礦」兩句刪掉。王筠《說文句讀》「竊疑丱是壞字」。朱駿聲《說文通訓定聲》，「按丱者古文卵字（段注同）」，《周禮》借卵為磺」鄭、賈、段、王、朱，皆未嘗以丱即礦字。更何有於丱為礦之古文。作《周官》者誤用丱字，許慎據以為古文，此正許為《周官》所欺之一例。

因《周官》用諞字，《說文》四下遂以諞為籀文副，可謂全無證驗。至簭匵兩字，我在本文中已指出其誣。

法字已見於《書》的〈呂刑〉，至戰國時代特為流行。《周官》不用法而用灋，許慎因以灋為本字。《說文》十上「灋，刑也」。顧氏因以盂鼎之灋字為證。而不知灋乃古廢字。盂鼎「灋保先王」，此廢字訓大；《爾雅．釋詁》「廢大也」。「勿灋朕命」，用廢之本義。師酉敦的「勿灋朕命」，有的人逕將灋字隸定為廢。後人有的以灋為法，這是因為受到《說文》的影響。而《說文》則是許氏為《周官》所欺。

因《周官》以畺為彊，於是《說文》十三下「畺界也」。十二下「彊弓有力也」，顧氏遂以畺為彊的本字。契文只有弜字，但李孝定《甲骨文字集釋》頁四〇三五著錄畺字而不著錄彊字，契文中何嘗有畺字。我把《擽古錄金文》中的彊字約略統計了一下，弓旁在左的（即彊），不計重文，三十五字；❶弓旁在右的三字；❷變體一字（齊侯壺）；沒有弓旁的（即畺）一字（伯角父敦）。從全般情況看，契文的弜，演變而為金文的彊，故絕無可疑的彊是本字。古代以弓量地，故從弓；把弓旁寫在右及沒有弓旁，這種移動與增減，乃金文中的常例。《周官》作者，昧於字源，不知彊字從弓之義，遂去弓而以畺為彊，許慎遂為其所欺，更對彊字作望文生義的解釋。

周官以擽為拜，於是《說文》十二上「擽首至地也。」顧氏謂「擽尤鐘鼎中習見。」但我把《擽古錄金文》中的拜字，約略統計了一下，大體上可隸定為拜字的共二十五字❸其變形不與拜字太相似的四字❹。可是決找不出一個字可隸定為擽字的。我不能推斷《周官》何以用此怪字，許慎遂為其欺。

※　※　※

顧氏提出的字都檢討到了，此時又接到劉教授寄來補充的材料，都是有關《周官》以馭為御，《說

---

❶ 番君鬲　虢季氏敦　叔夜鼎　文姜彝　虢文公鼎　鄭伯匜　蘇公子敦　齊侯匜　正考父鼎　喪史鉼　口叔朕鼎　豐伯車父敦　陳子匜　叔家父簠　封仲敦蓋　叔娟匜　中師父鼎　叔朕簠　陳公子甗　師旦鼎　鄀公敦蓋　弡仲簠　師湯父鼎　史頌鼎　叔氏寶林鐘　趩尊　郏公華鐘　師奎父鼎　曾伯霥簠　虢子盤　宗周鐘　兮田盤　頌敦　不嬰敦蓋　齊侯壺蓋

❷ 叔單鼎　邕子甗　庚午口

❸ 師旦鼎　秕卣　史懋壺　吳生鐘　季娟鼎　匡簠　受尊　伯裕父鼎　師遽敦　耤田鼎　大鼎　望敦　師艅敦蓋　吳彝蓋　寰盤　師酉敦　揚敦　大敦蓋　善鼎　頌壺　頌敦　卯敦蓋　不嬰敦蓋　齊侯壺　蓋盂鼎

❹ 康鼎　師晨鼎　彔伯戒敦　齊侯壺

文》因以「馭古文御，從又從馬」的。我在附注中認為契文金文中，並無「從又從馬」的馭字；劉教授特指出《韓非子‧難勢》篇中有一馭字，《管子》中兩見，《荀子》中八見；又把周法高《金文詁林》有關御字的部份影印給我。過去只有人指出，僅《周官》及《尚書》偽古文〈五子之歌〉「若朽索之馭六馬」兩處用馭字，而劉教授則更多指出三處，由此可見他讀書的細密。但《古籀補》收有十八個御字；《古籀補二》收有九個，《金文編》收有二十三個，《後編》收有二十一個，《金文詁林》收有三十二個，其中當然有的是互相重複。此字最大的演變是契文及早期金文沒有從馬的；後期金文則出現有從馬的御字，但斷乎沒有「從馬從又」的馭字。因《說文》的影響力太大，有的人便把本不是從馬從又的御字，也隸定為從馬從又的馭字。例如李孝定《甲骨文字集釋》頁五八三收有四十五個御字，其中沒有一個是從馬從又的。但不僅李氏引董彥堂氏「馭同御」之說，他自己解釋《殷虛書契菁華》一，一，的一條卜辭時，亦將[illegible]字隸定為馭。其由《說文》而來的錯覺，又何待言。這種情形，真是不可一二數。

《周官》和《說文》，都是影響力很大的兩部書，入唐後尤為顯著；馭字既不似《周官》中其他怪字的繁複，它亦因此兩書之顯著而顯著，乃情理之常。於是鈔書刻書著書的人，對馭御兩字，可隨意運用，亦情理之常。《韓非子‧難勢》篇有九個御字，八個用的是御字，一個用的是馭字，我以為這是鈔書刻書時的問題，《管子》、《荀子》上的馭字，也是如此。這種情形，和契文金文中的御字關連在一起考查，應當可以得到結論，否則五經論孟中的御字用得很多，何以除偽《古文尚書》〈五子之歌〉外，竟無一馭字，更加以《易》、《尚書》、《儀禮》、《春秋經》、《論語》，漢代是皆有古文的。

※　※　※

去年十一月，看到上海中華書局出版的《文史》第六輯，第一篇是顧頡剛的〈周公制禮的傳說和《周官》一書的出現〉的文章；顧氏這篇文章，寫得比較平實，可惜他所下的工夫不深，材料的把握不夠，對材料的條理不密，運用的方法更不周衍。尤其是對許多與他的結論不能相容的具體材料，依然使用疑古派「懸空斷案」的傳家法寶，說句「在散亡之餘，為漢代的儒家所獲得，加以補苴增損，勉強湊足了五官」，便交代過去了。他根本不了解《周官》官制的結構，不是他人所能湊數的。他也看出「《周官》明明是法家之書」，但他沒有看出這是經過桑弘羊財經政策以後的法家之書；也沒有說明既是法家之書，何以又言禮樂，又言教化。他因《周官》的地方政治組織受了管仲內政寄軍令的大影響，便說「《周官》我敢斷定是齊國人所作」；但他不知道管仲的內政寄軍令，與官制無關；而《周官》則是與官制連繫在一起，因而同中有異。更不知道《周官》與《周書》的關係，而《周書》可能是出於晉人之手。他從《孟鄰堂文鈔》看到楊椿「是書非周公作也，疑其先出於文種、李悝、吳起、申不害之徒」的幾句話，而驚嘆地說「我們讀了這幾句話，真像獲得了打開千年鐵門的一把鑰匙，知道這原是一部戰國時的法家著作」；他根本不知道《管子》一書，僅有兩篇是法家的性質，戰國法家盛於衛晉；若以法家思想為論斷的主要根據，何以又「敢斷定是齊國人所作」？同時為什麼不從《周官》本身去找打開鐵門的鑰匙，卻會由楊椿幾句泛泛的話，便得到鑰匙？幾十年來的風氣，研究者不深入到基本材料的堂奧，讓基本材料自己講話，只在基本材料的外面，道聽塗說，便越說越支離了。不過我深為此書可惜，假定顧氏這篇文章，在文化大革命中提出，則顧氏寫文章時所流露的態度，當與現時不同；而《周官》必然從三禮所陷的地獄中冒出來，轟轟烈烈一番，受到最大地尊寵；因為這比從《鹽鐵論》中弄手腳以捧桑弘羊的法家，要容易而有效得多了。從另一方面說，假定不是中國經過了三十年實踐的深刻而廣大地教訓，我便不可能對這部書有毫無瞻顧地客觀了解。不是古為今用的問題，而是「時代經驗」，必然在古典研究中發生偉大地啟發作用的問題。

我的這篇長文寫得有些汗漫，這一方面是因為我想能在繁複的關連中盡其曲折；另一方面又想把若干應當單獨解決的問題，在這篇文章中提出若干解決的端緒，供他人作進一步研究時的參考。而最重要的，則是我現在已真正老了。「筆意不如當日健，鬢邊應有雪千痕」，宋人這兩句詩，是用來嘆息他朋友的衰老，而我現在卻常常想起這兩句詩來自己嘆息自己。因此，不管我有如何的自信或野心，錯誤必所難免，希望能得到通人碩彥們的教正。對劉殿爵教授的幫助。應捧上無限的謝意。

一九八〇年一月十日於九龍寓所

《徐復觀文錄選粹》

文錄自序

在民國三十三年以前，我只是隨意讀自己喜讀的書，盡力作自己不能不作的事，卻不曾抱有任何目的，更不曾懷有任何野心的一個沒出息的人。三十二年冬，決定由重慶回鄂東，隱居種田，希望能從已經可以預見的世變中逃避出去。但因偶然的機會，引起一種願望，想根據自己所得的一知半解的社會思想，和中國的社會現實，結合起來，把當時龐大而漸趨空虛老大的國民黨，改造成為一個以自耕農為基礎的民主政黨。三十四年的抗戰勝利，我立刻感到自己願望的幼稚與幻滅。但此時已馳心於當世之務，而無法自拔了。最痛苦的是，對國家的命運和自己的命運，早已經知道得清清楚楚。

三十八年在香港辦《民主評論》，將不材之身，從實際政治中逃避出來，想以旁觀者的地位，在言論上給擔負重任的先生們以一點助力，於是正式寫起了政論文章。到四十四、五年左右，發現這不是能走得下去的一條路；遲回瞻顧，希望把精神完全轉移到教室裏面。並將此一時期的言論，由故友莊垂勝先生的勸告與幫助，印成《學術與政治之間》的甲乙兩集。但有幾篇哄動一時的文章，並沒有收進去。因為我寫文章的動機，本不是為了譁眾取寵的。同時，在此一時期，對於我一向非常嚮往的學術界的情形，已經漸漸地了解；對於我過去曾經十分欽佩的若干名流學者，也都慢慢地清楚他們的人格、學問的底蘊；由此所引起的精神上的痛苦，只有自己才能理解。而在悲劇時代所形成的一顆感憤之心，此時又逼著我不斷地思考文化上的問題，探討文化上的問題，越發感到「學術亡國」的傾向，比其他政治社會問題更為嚴重；於是在這一方面寫了若干批評性的文章，引起不少學者名流的憤怒，使我在政治的孤立上，更加上學術圈裏的孤立。但到了四十七、八年，忽然發現自己可能在學術中貢獻出一分力量，於是而有《中國思想史論集》、《中國人性論史先秦篇》、《中國藝術精神》、《中國文學論集》、《公孫龍子講疏》、《石濤之一研究》等書的先後出版。並花了三年工夫，研究兩漢思想史，想揭穿乾嘉以來所謂「漢學」的神話。剛剛動筆寫了「背景篇」的十四、五萬字的文章，卻因受到洋奴土奴合作的迫害，引起生活上的播遷，把它稽延下來了。但只要能多活幾年，一定會繼續寫成功，我認為這是沒有疑問的。因此可以說從四十七八年起，我的精神已經完全轉向了。

但時代是一個整體。要便是麻木無所感觸。萬一不幸而有所感觸，卻希望鑽進牛角尖後，再不想到生長這牛角尖的牛身全般痛癢，我只好承認我缺乏今日許多騰雲駕霧的學者名流的修養。我以感憤之心寫政論性的文章，以感憤之心寫文化評論性的文章，依然是以感憤之心，迫使我作閉門讀書著書的工作。最奈何不得的就是自己這顆感憤之心。這顆感憤之心的火花，有時不知不覺的從教室書房中飄蕩出去，便又寫下不少的雜文；這裏所印出的，乃是其中的一部份。

這些雜文，因動筆時的時間與篇幅的限制，當然不能用太嚴格的學術尺度去加以衡量。同時，我常常抱愧自己不是一種才子型的人物，不能發揮文采，以提供適合於時下的趣味。但王子淵曾經說過，「詩人感而後思，思而後積，積而後滿，滿而後作。」我不會做詩，可是有些雜文，則是以詩人作詩的同樣心情寫出來的。世事遷流得特別快，讀者如肯注意到各文發表的時間，或許可以對作者增加若干諒解。

庚戌十月三十日自序於九龍新亞書院

按此《文錄》是何步正先生擔任環宇出版社主編時，為我編印的。一共分成四冊。編印尚未完成，何先生即離開臺北，所以錯落很多。其中有一冊錯落得最厲害，何先生本想重印，也因他離開而作罷。一九七一年印出後，也從未給我分文版稅。蕭君欣義編的《選粹》，是從這四冊文錄中選出來的。其中的文章，多寫於六十年代的初期，這正是世界性的反傳統反道德反理性的高潮時代，許多知識分子，在激流中呈現心理變態，日本、臺灣正被此激流所掩沒，所以我根據「人應生存於正常狀態之下」的認定，對中日的智識分子提出不少的批評。從七十年代去看這些批評，連我自己也感到有些過份。因為進入到七十年代，整個文化動向，又接上傳統而漸歸於正常了。但在我寫這些文章時，全處於孤立無援的挨打狀態。

一九八〇年六月八日徐復觀

《徐復觀文存》

自序

在民國三十三年以前，我只是隨意讀自己喜讀的書，盡力作自己不能不作的事，卻不曾抱有任何目的，更不曾懷有任何野心的一個沒出息的人。三十二年冬，決定由重慶回鄂東，隱居種田，希望能從已經可以預見的世變中逃避出去。但因偶然的機會，引起一種願望，想根據自己所得的一知半解的社會思想，和中國的社會現實，結合起來，把當時龐大而漸趨空虛老大的國民黨，改造成為一個以自耕農為基礎的民主政黨。三十四年的抗戰勝利，我立刻感到自己願望的幼稚與幻滅。但此時已馳心於當世之務，而無法自拔了。最痛苦的是，對國家的命運和自己的命運，早已經知道得清清楚楚。

三十八年在香港辦《民主評論》，將不材之身，從實際政治中逃避出來，想以旁觀者的地位，在言論上給擔負重任的先生們以一點助力，於是正式寫起了政論文章。到四十四、五年左右，發現這不是能走得下去的一條路；遲回瞻顧，希望把精神完全轉移到教室裡面。並將此一時期的言論，由故友莊垂勝先生的勸告與幫助，印成《學術與政治之間》的甲乙兩集。但有幾篇轟動一時的文章，並沒有收進去。因為我寫文章的動機，本不是為了譁眾取寵的。同時，在此一時期，對於我一向非常嚮往的學術界的情形，已經漸漸地了解；對於我過去曾經十分欽佩的若干名流學者，也都慢慢地清楚他們的人格、學問的底蘊；由此所引起的精神上的痛苦，只有自己才能理解。而在悲劇時代所形成的一顆感憤之心，此時又逼著我不斷地思考文化上的問題，探討文化上的問題，越發感到「學術亡國」的傾向，比其他政治社會問題更為嚴重；於是在這一方面寫了若干批評性的文章，引起不少學者名流的憤怒，使我在政治的孤立上，更加上學術圈裡的孤立。但到了四十七、八年，忽然發現自己可能在學術中貢獻出一分力量，於是而有《中國思想史論集》、《中國人性論史先秦篇》、《中國藝術精神》、《中國文學論集》、《公孫龍子講疏》、《石濤之一研究》等書的先後出版。並花了三年工夫，研究兩漢思想史，想揭穿乾嘉以來所謂「漢學」的神話。剛剛動筆寫了「背景篇」的十四、五萬字的文章，卻因受到洋奴合作的迫害，引起生活上的播遷，把它稽延下來了。但只要能多活幾年，一定會繼續寫成功，我認為這是沒有疑問的。因此可以說從四十七、八年起，我的精神已經完全轉向了。

但時代是一個整體。要便是痲木無所感觸。萬一不幸而有所感觸，卻希望鑽進牛角尖後，再不想到生長這牛角尖的牛身全般痛癢，我只好承認我缺乏今日許多騰雲駕霧的學者名流的修養。我以感憤之心寫政論性的文章，以感憤之心寫文化評論性的文章，依然是以感憤之心，迫使我作閉門讀書著書的工作。最奈何不得的就是自己這顆感憤之心。這顆感憤之心的火花，有時不知不覺從教室書房中飄蕩出去，便又寫下不少的雜文；這裏所印出的，乃是其中的一部分。

這些雜文，因動筆時的時間與篇幅的限制，當然不能用太嚴格的學術尺度去加以衡量。同時，我常常抱愧自己不是一種才子型的人物，不能發揮文采，以提供適合於時下的趣味。但王子淵曾經說過：「詩人感而後思，思而後積，積而後滿。滿而後作。」我不會做詩，可是有些雜文，則是以詩人作詩的同樣心情寫出來的。世事遷流得特別快，讀者如肯注意到各文發表的時間，或許可以對作者增加若干諒解。

庚戌十月三十日　自序於九龍新亞書院

此《文錄》是何步正先生擔任環宇出版社主編時，為我編印的。一共分成四冊。編印尚未完成，何先生即離開台北，所以錯落很多。其中有一冊錯落得最厲害，何先生本想重印，也因他離開而作罷。一九七一年印出後，也從未給我分文版稅。一九八〇年六月由蕭君欣義由四冊中編選一冊《徐復觀文錄選粹》刊印，現又由陳君淑女、曹君永洋將未選入的餘稿，編成此書，其中的文章多寫於六十年代的初期，這正是世界性的反傳統反道德反理性的高潮時代，許多知識份子，在激流中呈現心理變態，日本、台灣正被此激流所淹沒，所以我根據「人應生存於正常狀態之下」的認定，對中日的知識分子提出不少的批評。從七十年代去看這些批評，連我自己也感到有些過分。因為進入到七十年代，整個文化動向，又接上傳統而漸歸於正常了。但在我寫這些文章時，全處於孤立無援的挨打狀態。

一九八一年二月二十日徐復觀於香港九龍寓所

《中國文學論集續篇》

自序

一

這裏收錄的幾篇有關中國文學的文章，並不夠印成一部書。去歲在臺灣大學附屬醫院割治胃癌後，自知生命快要結束，於是把未曾彙印過的雜文，交給陳君淑女及曹君永洋，請為我編成雜文續集及外集。把未曾收印到《中國文學論集》中的幾篇文章，在養病中重閱一過，有的稍作補充，另外為了紀念友人唐君毅先生，更補寫了一篇，一並交給薛君順雄，請為我編成《中國文學論集續篇》，並將幾篇用文言寫的文章和若干首詩，附錄在後面。其他未成熟的講稿及《論》、《孟》、《老》、《莊》的零星札記，預定在斷氣前再贈送與願意保存的人。古人有自營生壙，作為身後善後的。即使我有此雅興，也沒有這份力量。殘稿的安排處理，大概就算是為自己所辦的善後了。

我頗能論詩，但不能作詩。作詩不僅要多讀多做，下一番勤苦鍛鍊的工夫。並且詩人的精神狀態，和學人的精神狀態，並不完全相同。詩人是安住在感情的世界。他們的理知活動，或因覺其與生命的疎外而隨時加以拋棄；或因其對生命的深入而又化歸為感情。詩人常以欣賞詠嘆的心境來讀書，所以讀書不求甚解；但也常由欣賞詠嘆而能對書有所得。他們與對象的關係，是相融相即的關係。對於對象的表達，是在感發咨嗟中，把對象唱嘆描繪出來；越唱嘆描繪得入神，越含有作者的性情和面影。學人是安住在理智的世界。他們的感情活動，或因覺其對生命是一種糾纏而加以抑制；或因其對生命的浸透而運用理智來加以處理。學人是以鑽研揭露的心境來讀書，讀書必求甚解。也常因鑽研揭露而對書才有所得。他們與對象的關係，是主客分明的關係；對於對象的表達，是在冷靜分析中把對象解剖條理出來，越解剖條理得入微，越能顯出對象所含的原理、法則。當然，在現實生活中，兩種精神狀態，常常能作，並且也常常會作自由的轉換。但並不是詩人由感情世界轉換為理智世界時即可成為學人。同樣的，並不是學人由理智世界轉換為感情世界時便能成為詩人。轉換之後，必須繼之以各自不同的工夫，才可得到各自不同的成就。我少年有天資而無志氣；中年役精疲神於國政攻取之場；晚年治學，自然走上學人所走的路；我是不會做詩，偶然做一首兩首，也多不成熟乃至不合規格，乃必然之事。所以隨做隨丟，不值得愛惜。此次把偶然記得，及金君達凱為我從《民主評論》上抄錄下來的，不惜自暴其醜，附錄刊佈出來，也是在「善後」的心境中，留下渺小的人生腳印。其餘失散的，只好聽其隨聲塵而俱歸泯滅了。

二

我從一九五〇年以後，慢慢回歸到學問的路上，是以治思想史為職志的。因在私立東海大學擔任中國文學系主任時，沒有先生願開《文心雕龍》的課，我只好自己擔負起來，這便逼著我對中國傳統文學發生職業上的關係，不能不分出一部份精力。偶然中，把我國迷失了六、七百年的文學中最基本的文體觀念，恢復它本來的面目而使其復活，增加了不少的信心。我把文學、藝術，都當作中國思想史的一部分來處理，也採用治思想史的窮搜力討的方法。搜討到根源之地時，卻發現了文學、藝術，有不同於一般思想史的各自特性，更須在運用一般治思想史的方法以後，還要以「追體驗」來進入形象的世界，進入感情的世界，以與作者的精神相往來，因而把握到文學藝術的本質。這便超出我原來的估計，實比治一般思想史更為困難。可惜我的精力有限，在藝術方面比較有計劃、有系統的寫了一部《中國藝術精神》，但在文學方面，到一九六五年為止，僅寫了八篇文章，彙印成《中國文集論集》；以後每重印一次，便增加若干文章，到一九八〇年的第四版，長長短短的，共增加了十六篇，由原來的三百多頁，增加到今天的五百五十七頁。

一九六九年秋季，我來香港中文大學新亞書院哲學系擔任客座教授。據唐君毅先生告訴我，聽我講中國哲學史課程的學生，在人數上打破了過去的紀錄。但我發現，對許多問題，我與唐先生及牟宗三先生的看法，並不相同。為了預防由看法不同而引起友誼上的不愉快，我便要求轉開以中文系為主的課，把我的名字也轉到中文系；雖然繼續開中國哲學史的選課，一直到新亞書院離開農圃道為止，但這中間重新開了《文心雕龍》的課。新亞研究所脫離中文大學獨立後，學生人數少，中國哲學方面，由唐、牟兩先生負責，唐先生要我專開《文心雕龍》研究，及中國文學批評史研究。我也想藉此機會，寫一部像樣點的中國文學批評史。但為了寫《兩漢思想史》，費了六年以上的準備時間。到香港時，初步的準備工作，剛剛成熟。若再不動筆，等於前功盡棄。而可以利用作寫學術專文的時間，在上課期間，只能抽出兩天或一天半，此外便靠寒暑假。我還不斷為《華僑日報》寫時論性的文章，去歲印成雜文四冊。還因興趣而參與過《紅樓夢》的討論，及引起有關黃公望兩長卷山水真偽問題的一番熱烈討論，加上其他有關作品評鑒的文章；總共寫了十多萬字。這樣一來，香港十年，學術上除印行了《兩漢思想史》三冊，及可作為《兩漢思想史》分冊的《周官成立之時代及其思想性格》一書外，在中國文學批評方面，只有一、二、三三次的簡單而未成熟的講稿，及一九八〇年加印到《中國文學論集》四版中的十六篇文章。我常常忘掉自己的年齡，還想在《兩漢思想史》告一段落時，也用獨立論文的方式，在中國文學批評史中選擇若干關鍵性的題目，寫成十篇左右深入而具綱維性的文章，以完成這一方面的心願。及去年八月在臺北發現胃癌後，知道這一切已成夢想。《續篇》中所收陸機〈文賦〉疏釋及宋詩特徵試論，是計劃中的一部分。今後假定還能僥倖多活幾年，按原定計劃再寫幾篇，加到續集的再版中去，那便太幸運了。

三

寫這方面的文章，同樣應當注重有關資料的收集，這一點，早為時賢所注意。但在這裏想特別提出的：每門學問，都有若干基本概念。必先將有關的基本概念把握到，再運用到資料中去加以解析、貫通、條理，然後有水到渠成之樂。中國著作的傳統，很少將基本概念，下集中的定義，而只作觸機隨緣式的表達；這種表達，常限於基本概念某一方面或某一層次的意義。必須由完善周密的歸納，虛心平氣的體會，切問近思的印證，始有得其全，得其真的可能性。否則或僅能涉及文學周邊的若干故事，而不能涉及文學的自身；一涉及文學的自身，輒支離叛渙，放棄自己的立場反成翳蔽。甚至把自己的意思去代替古人的意思。我曾看到某學術機構，出版一厚冊研究《文心雕龍》的著作，對原著的基本概念，及由基本概念所形成的結構、系統，毫無理解，卻代劉彥和安上許多項目，標出許多名稱，不知道把問題扯到甚麼地方去了，真令人難以忍受。我的文章，或者在這方面有點貢獻。錯誤的地方，希望能得到指教。

薛君順雄，性格純厚而通達。在這方面所下功力之深，積累之富，遠在我之上。我想達到而未能達到的願望，只有寄托在他身上。他為《續篇》的編校盡了許多心力，我想這不應僅是師生間深厚感情的紀念。

一九八一年五月一日徐復觀序於休士頓客次

《中國經學史的基礎》

自序

經學奠定中國文化的基型，因而也成為中國文化發展的基線。中國文化的反省，應當追溯到中國經學的反省；第一步，便須有一部可資憑信的經學史。

經學史應由兩部份構成。一是經學的傳承，一是經學在各不同時代中所發現所承認的意義。已有的經學史著作，有傳承而無思想，等於有形骸而無血肉，已不足以窺見經學在歷史中的意義。即以傳承而論，因西漢已有門戶之爭，遂孳演而為傳承之誤。東漢門戶之爭愈烈，傳承之謬愈增。《後漢書・儒林傳》成篇於典籍散亂，學絕道喪之餘，其中頗有以影響之談，寫成歷史事實。《經典釋文・敘錄》、《隋書・經籍志》踵謬承訛，益增附會。及清代今文學家出，他們因除《公羊傳》外，更無完整之典籍可承，為伸張門戶，爭取學術上之獨佔地位，遂對傳統中之所謂「古文」及「古學」，詆誣剽剝，必欲置之死地而後已，使後學有除今文學家的偏辭孤義外，更無可讀之古典的感覺。皮錫瑞承此末流，寫成《經學通論》及《經學歷史》兩書，逞矯誣臆斷之能，立隱逆理之術。廖平、康有為更從而譸張羽翼之，遂使此文化大統糾葛紛擾，引發全面加以否定之局，我常引以為恨。年來在寫《兩漢思想史》的歷程中，隨時留意此一問題。在〈董仲舒《春秋繁露》的研究〉一文中，對《春秋公羊傳》成立的情形及其本來面目作了深入的剖析。在〈原史〉一文中，對《春秋左氏傳》及《穀梁傳》也作了同樣的工作，尤以對《左氏傳》部份說得相當詳盡。一九七九年，寫成《周官成立之時代及其思想性格一書》，將此爭論兩千年之久的問題，作了徹底地清理，為治中國古代官制史、思想史及研究古典的人，盡了一番摧陷廓清之勞。凡此也可以說是我為了寫漢代經學史所作的準備工作。

一九八〇年五月初，發現胃部不適，飯食時常患哽噎，精神疲困，但還未檢查出是胃癌，我趕忙寫成〈先漢經學之形成〉一文，以先秦的資料證明經學非出於一人一時，而係周初以來，由周室之史，經孔子及孔子後學，作了長期選擇、編纂、闡述的努力，以作政治、人生教育之用的。這樣便把清代經學家們經學成於周公或成於孔子的謬執之見，加以澄清了。這篇文章，曾在同年八月臺北中央研究院召開的國際漢學會議中提出。適在此時，因精神更感不支，進臺大醫院檢查，才知道所得的是胃癌惡症。八月二十二日動了切除手術後，躺在病床上，十分痛苦，自知已經走到了人生的盡頭。老朋友們來看望時，我說：「已活了這麼大的年齡，應當死了；可惜我想寫的《漢代經學史》，竟沒有動筆的機會。」因為這種冷門題目，我不動筆，當代更無人肯動筆的。老友胡秋原先生說：「你可以口述大綱，用錄音帶錄下，由你的學生整理。」實際，不僅動手術後，講話和動筆是同樣的困難，而且寫這類的文章，必須扣緊資料，資料不是能憑腦筋記得完全的。

今年三月底到美國休士頓小兒帥軍處住了兩個多月，一面在安德遜癌症中心進行檢查。同時每天勉強工作三、四小時，寫成〈西漢經學史〉的初稿。但初稿寫成後，發現寫得很亂，便於住在紐澤西女兒均琴家中，重寫第二次，經過兩個月才寫成。一篇文章寫兩次，這是過去所沒有的事。二次稿成後，寄給私立東海大學薛順雄教授，煩他的夫人為我清繕並托薛君為我重看一遍。這次把先漢經學的形成略加修改，和此文彙印在一起，僭稱為《中國經學史的基礎》，由學生書局印行。我是無法寫成一部完整的經學史，假定我這裡的兩篇文章再加上《春秋》三傳的考查，能為今後寫經學史的人提供一個新的出發點，便稍可減輕我在這一方面的責任感了。或者還要補寫一篇〈東漢經學史〉，假定沒有時間，則《周官》在東漢所引起的困擾，及《後漢書．儒林傳》中所犯若干重大錯誤，我已在《周官成立的時代及其思想性格》和本文中加以澄清了，也無礙其為「基礎」的意味。

為了避免不必要的爭論，我把《漢書．儒林傳》及〈藝文志〉中的〈六藝略〉和劉歆〈讓太常博士書〉的重要部份完全錄入，再加以疏通辯析。我知道這是很笨的方法，但也是流弊較少的方法。

這裡的兩篇文章，前一篇寫成於胃癌已經發作之際，後一篇寫成於胃癌手術後的療養之中，文字拙劣，論證謬誤的地方，更為難免，我懇切希望能得到關心此一問題的學者們的教正。

一九八一年十二月十二日自序於九龍寓所

校者按：徐復觀教授撰選寫此序文時，癌細胞已擴散到背部而痛苦不堪，草草成章，思於到臺大醫院治療後再行重寫，但入院後，病況更為惡化，無精神再寫文章，乃以此文為序言之定稿。

《魏源研究》

讀《魏源研究》

一

香港大學講師陳耀南博士大著《魏源研究》即將再版，要我寫篇序。我因對魏源不曾作過深入研究，而文字傖俗，與陳先生雅健之文不能相稱，所以不敢寫序，特寫這篇讀後感。

陳先生年富力強，高才博學，能詩能文。顧其治學不屑以承風接響，捃摭冷僻尖新的零碎材料，以炫博獵浮名為事，肯抓住文化關鍵問題，下窮源究本的工夫。乾嘉學派，迄今猶風靡「中學」的壇坫。胡適之以鄉誼關係，特推重戴東原。既竭十餘年之力，想隱瞞戴偷窃趙一清《水經校注》的醜行，更把戴的文理不通的文字，附會成甚麼哲學。於是許多人隨聲附和，把戴推為乾嘉學派中的巨擘，而不了解在學問上、在品格上，他遠不及錢大昕。乾嘉學派中，以阮元為中心；因反宋明理學太過，以致反到學術中的思想性；因趨利避害之私太過，以致逃避學術所應担當的時代責任。這實際反映出中國學術的發展，已走上了窮途末路。所以反乾嘉學派的今文學派的興起，重新恢復學術中的思想性及對時代的担當精神，這在學術史上，有其特別重要意義。其中魏源「通經致用」的努力，尤其對求新、求變、求富強的時代要求，盡到了啟蒙的任務。陳先生以魏源作研究對象，正把握到學術發展中的關鍵。

陳先生大著的特點有二。第一、魏源學問廣博，涉及的範圍很多，陳先生對他作了全面性的研究而略無遺漏。第二、談到魏源的若干重要觀點及活動時，常把並時或在前的有關議論或事實，組織在一起，作有條理的敘述，以反映出魏源思想的時代背景及時代大勢。因此，可由魏源一人的掌握而掌握到他所生存的時代。這兩點，不是用力勤而運思密，是不容易作到的。

二

魏源們提倡「通經致用」，這本是中國經學得以成立的根源，及經學傳承中的大統；此一大統，至乾嘉學派而始歸荒廢。但我應指出，魏源的成就，是在他的致用，而不在他的通經；而他的致用之學，可通於自漢以來的經學的通義，並不能通於他自成一家的今文經學。他及龔自珍們對乾嘉學派的批評，十之八九，都深切恰當。但乾嘉學派的問題是來自：應當由訓詁考據的手段以進入到思想的目的，他們卻不肯前進，反而把手段當成目的，在手段上玩弄玄虛；這樣一來，手段反成為達到目的的障蔽。魏源的今文學，實出於要以他們所標舉的西漢今文經學，壓倒乾嘉學派所標舉的東漢古文經學的意氣之私。他不了解：離開了東漢經學，則我們找不到具體地西漢經學；因為除《公羊傳》外，今文學的詩書，早亡於漢末及晉室南渡之際，而三禮也是憑東漢馬鄭們的傳注而始得流傳下來。他強調西漢今文學的師法；他不了解：師法實由五經博士們的章句而見；而這些章句，早已隻字無存。他瞧不起馬鄭們的訓詁；而不知馬鄭們的訓詁，乃上承西漢未立五經博士以前的經師之業，且以救濟當時章句動輒數十萬言的泛濫之災。他強調西漢經學的致用之功；而不知西漢經學的致用多表現為議論，而東漢經學的致用，則表現為行為，有如風節、吏治、武功等方面。他以全力攻擊詩序及毛詩，而不知否定了詩序毛詩，西漢更無一部完整的經學傳注，得以流傳下來。他把今文古文，安放在互不相容的地位，認定賈鄭們的經學，是古文經學，而不知賈鄭們的「古學」，並不等於「古文」；因為「古學」中有古文，也有今文。他瞧不起乾嘉的餖飣訓詁，而不知他們想由輯逸，再加上傅會以重構西漢今文經學，直是以餖飣傅會為經學。如實明說，以否定東漢經學來伸張西漢經學，根本失掉了起步的立足點，其勢不能不走上向壁虛造，以形成廖平康有為皮錫瑞們的誣附橫決之路。從「知識規律」立場來說，他們的流毒，實大過於乾嘉學派，所以他們攻擊乾嘉學派，卻不能動其毫末。這不是出自他們致用的要求，而是出自他們意氣的主觀作用。魏的好友龔自珍，便比他有節制得多了。因此，對他的經學與致用，似乎應作分別的處理，分別的看待。

清代今文學派始於莊存與。莊氏由訓詁以求羣經大義；特深於《公羊》。但他不斤斤於漢宋之爭，更不屑於以今古文為門戶之見。他承認閻若璩的《尚書古文疏證》，但又承認偽古文中也有精義。他在《春秋要指》中主張「觀其辭，必以聖人之心存之」，未免求深太過，容易引起穿鑿傅會，但他本人則平實通達，不輕出僻妄之言。他的經學一傳而到他的侄子莊述祖，依然守住他的規模氣度，對毛詩也下過很大的功夫；再傳而至他的外孫劉逢祿，矜奇立異，莊氏的今文學始為之大壞。魏源不幸：他是直承劉逢祿而未能深入去了解莊存與。這是今文學的不幸，也是中國經學的不幸。

三

陳先生對魏源經學的觀點，未必與我相同；但魏源在致用方面的成就與意義，遠大於他經學的成就與意義，我們的認識則無二致。所以在他的大著中，不僅把魏源為賀長齡編《經世文編》，及承林則徐之意著《海國圖志》的情形，都敘述得詳細而生動；且在全書中分出大部份篇幅，鉤稽出魏源在治河、漕運、鹽政、貨幣、疆防等方面的改革意見，各給以「專章」的地位，對魏源為興化縣令時，拼命衛堤的故事，也敘述得有聲有色。在摘錄魏源有關這一方面的言論時，都能得其肯綮選其精華。魏源認為「亡天下之患有七」，其中最厲害的是「鄙夫」。他說「鄙夫胸中，除富貴而外，不知國計民生為何事；除私黨而外，不知人材為何物……無職不曠，無事不蠹……致人於不生不死之間……聖人不惡小人而惡鄙夫鄉愿，豈不深哉」。魏源所說的「鄙夫」，即今日所說的官僚主義。但過去的鄙夫「不能生人，亦不敢殺人」；而今日的官僚，則「不能生人，卻敢於殺人」。又引魏源的話：「使人不暇顧廉恥則國必衰；使人不敢顧家業則國必亡。……故土無富戶則國貧；土無中戶則國危；至下戶流亡，而國非其國矣」。像這類言論，針對現狀來看，則魏源豈特是啟蒙大師，真可尸祝之為偉大舵手了。希望讀者以此來讀《魏源集》，來讀陳先生的《魏源研究》。

後記——哲人日已遠，典型在夙昔

當代新儒家「唐君毅」、「牟宗三」、「徐復觀」三先生任重道遠，開啟儒家文化慧命在困阨中奮進，延續儒家精神之命脈，苦心孤詣弘揚中華文化，譽滿中外，啟沃兩岸三地之後進，影響甚深甚遠。三先生論著成果斐然，哲思闡發深透，令聞聲者猶當仰慕，親炙者曷勝而奮起。揆諸當今學界有關之研究，博涉精研，碩果纍纍。然三先生著作之「序跋」，憾未有輯錄者。從中國文學批評史角度審視，「序跋」做為中國文學文體之一類型，「以序代評，以跋抒情」，集學術與文學於一體，具有說明、議論及敘事價值，是探源作者蘊藏寓意的重要文獻。職是之故，遂有《當代新儒學三大家序跋輯錄》之作，由臺灣學生書局出版，輯錄臺港陸三地出版之三先生著作「自序」，以及為他人撰寫之序跋。

此書由牟先生高足蔡仁厚教授與後學共同編輯。三大家序跋輯錄之編排，依「唐君毅、牟宗三、徐復觀」為次；文章則以出版時間先後排序。「自序」選輯的收集範疇，主要來自臺灣學生書局、聯經出版公司的《唐君毅全集》、《牟宗三全集》以及徐復觀先生專著及其他書籍等。相對而論，「他序」文獻之蒐羅足實不易，較大困難乃在早期三先生為子弟所撰「他序」散佚未見，今幸蒙霍韜晦教授、朱建民教授、金貞姬教授、黃兆強教授、李淳玲教授、鵝湖師友等等惠賜高見，悉心提點，共促佳事，蒐集彙整，亦終底定稿，謹此表達誠摯的感謝之意。尤其是金貞姬教授，特地來信說明：

一九九三年一月二十二日在臺大醫院，學生書局剛送來牟先生新出版的譯著：《康德判斷力之批判》，牟先生隨即向貞姬索紙寫下一段題字，原本當時曾影印一疊置病房茶几上任師友自取，內容如下：

「此書之譯，功不在玄奘羅什之譯唯識與智度之下，超凡入聖，豈可量哉，豈可量哉！然真正仲尼臨終不免嘆口氣，人又豈可妄哉，豈可妄哉！諸同學共勉　　牟宗三　自題」

金貞姬教授表示這段文字未曾公開刊載，應是牟先生對《康德判斷力之批判》譯後的勉語，同時亦是牟先生最後留下的重要題字，彌足珍貴。

後學學殖尚淺，不揣譾陋，率爾命篇。睹今思昔，哲人日已遠，而典型猶在夙昔。對於三先生開拓中華人文之精神，素僅會心，實難考究，慚恧之情未能自已。謹輯是書，幸能為三先生略盡綿薄之意。

羅雅純謹記　民國一〇五年元旦於淡水觀心齋

國家圖書館出版品預行編目資料

當代新儒學三大家序跋輯錄

蔡仁厚、羅雅純主編. – 初版. – 臺北市：臺灣學生，2016.07
面；公分

ISBN 978-957-15-1706-3 (平裝)

1. 序跋

011.6 105011591

當代新儒學三大家序跋輯錄

主編：蔡仁厚、羅雅純
出版者：臺灣學生書局有限公司
發行人：楊雲龍
發行所：臺灣學生書局有限公司
臺北市和平東路一段七十五巷十一號
郵政劃撥戶：〇〇〇二四六六八號
電話：（〇二）二三九二八一八五
傳真：（〇二）二三九二八一〇五
E-mail：student.book@msa.hinet.net
http://www.studentbook.com.tw
本書局登記證字號：行政院新聞局局版北市業字第玖捌壹號
印刷所：長欣印刷企業社
新北市中和區中正路九八八巷十七號
電話：（〇二）二二二六八八五三

定價：新臺幣八五〇元

二〇一六年七月初版

01121

ISBN 978-957-15-1706-3 (平裝)